KB054809

걸프 사태

중동 및 기타 지역 1

걸프 사태

중동 및 기타 지역 1

한국학술정보

| 머리말

걸프 전쟁은 미국의 주도하에 34개국 연합군 병력이 수행한 전쟁으로, 1990년 8월 이라크의 쿠웨이트 침공 및 합병에 반대하며 발발했다. 미국은 초기부터 파병 외교에 나섰고, 1990년 9월 서울 등에 고위 관리를 파견하며 한국의 동참을 요청했다. 88올림픽 이후 동구권 국교 수립과 유엔 가입 추진 등 적극적인 외교 활동을 펼치는 당시 한국에 있어 이는 미국과 국제 사회의 지지를 얻기 위해서라도 피할 수 없는 일이었다. 결국 정부는 91년 1월부터 약 3개월에 걸쳐 국군의료지원단과 공군수송단을 사우디아라비아 및 아랍 에미리트 연합 등에 파병하였고, 군 · 민간 의료 활동, 병력 수송 임무를 수행했다. 동시에 당시 걸프 지역 8개국에 살던 5천여 명의 교민에게 방독면 등 물자를 제공하고, 특별기 파견 등으로 비상시 대피할 수 있도록 지원했다. 비록 전쟁 부담금과 유가 상승 등 어려움도 있었지만, 걸프전 파병과 군사 외교를 통해 한국은 유엔 가입에 박차를 가할 수 있었고 미국 등 선진 우방국, 아랍권 국가 등과 밀접한 외교 관계를 유지하며 여러 국익을 창출할 수 있었다.

본 총서는 외교부에서 작성하여 30여 년간 유지한 걸프 사태 관련 자료를 담고 있다. 미국을 비롯한 여러 국가와의 군사 외교 과정, 일일 보고 자료와 기타 정부의 대응 및 조치, 재외동포 철수와 보호, 의료지원단과 수송단 파견 및 지원 과정, 유엔을 포함해 세계 각국에서 수집한 관련 동향 자료, 주변국 지원과 전후복구사업 참여 등 총 48권으로 구성되었다. 전체 분량은 약 2만 4천여 쪽에 이른다.

2024년 3월

한국학술정보(주)

| 일러두기

· 본 총서에 실린 자료는 2022년 4월과 2023년 4월에 각각 공개한 외교문서 4,827권, 76만 여 쪽 가운데 일부를 발췌한 것이다.

· 각 권의 제목과 순서는 공개된 원본을 최대한 반영하였으나, 주제에 따라 일부는 적절히 변경하였다.

· 원본 자료는 A4 판형에 맞게 축소하거나 원본 비율을 유지한 채 A4 페이지 안에 삽입하였다. 또한 현재 시점에선 공개되지 않아 '공란'이란 표기만 있는 페이지 역시 그대로 실었다.

· 외교부가 공개한 문서 각 권의 첫 페이지에는 '정리 보존 문서 목록'이란 이름으로 기록물 종류, 일자, 명칭, 간단한 내용 등의 정보가 수록되어 있으며, 이를 기준으로 0001번부터 번호가 매겨져 있다. 이는 삭제하지 않고 총서에 그대로 수록하였다.

· 보고서 내용에 관한 더 자세한 정보가 필요하다면, 외교부가 온라인상에 제공하는 『대한민국 외교사료요약집』 1991년과 1992년 자료를 참조할 수 있다.

| 차례

<table>
<tr><th colspan="6">정 리 보 존 문 서 목 록</th></tr>
<tr><td>기록물종류</td><td>일반공문서철</td><td>등록번호</td><td>2012090550</td><td>등록일자</td><td>2012-09-17</td></tr>
<tr><td>분류번호</td><td>772</td><td>국가코드</td><td>XF</td><td>보존기간</td><td>영구</td></tr>
<tr><td>명 칭</td><td colspan="5">걸프사태 동향 : 중동지역, 1990-91. 전6권</td></tr>
<tr><td>생 산 과</td><td>중근동과/북미1과</td><td>생산년도</td><td>1990~1991</td><td>담당그룹</td><td></td></tr>
<tr><td>권 차 명</td><td colspan="5">V.1 리비아/바레인</td></tr>
<tr><td>내용목차</td><td colspan="5">1. 리비아
2. 모로코
3. 모리타니
4. 바레인</td></tr>
</table>

0001

1. 리비아

0002

원 본

외 무 부

암호수신

종 별 :

번 호 : LYW-0470 일 시 : 90 0802 1500

수 신 : 장관(중근동,마그)

발 신 : 주 리비아 대사

제 목 : 쿠웨이트 사태

금 8.2. 이락의 쿠웨이트 침공 사태와 관련, 주재국은 공식 입장 표명을 회피하면서 사태를 관망하고 있으며 주재국 언론은 일체의 논평없이 외신만 인용 보도하고 있는바 특기 사항 있는 대로 추보하겠음. 끝

(대사 최필립-국장)

중아국 중아국 정문국

PAGE 1

90.08.02 21:27
외신 2과 통제관 CN

0003

원 본

외 무 부

종 별 :

번 호 : LYW-0474　　　　　일 시 : 90 0804 1400

수 신 : 장관(중근동,마그)

발 신 : 주 리비아 대사

제 목 : 쿠웨이트 사태

1. 주재국 외무부는 90.8.2. 이락의 쿠웨이트 침공과 관련 리비아는 이락과 쿠웨이트 관계 추이에 지대한 관심을 가지고 있다고 하면서 5개항의 견해를 피력하는 성명을 발표하였음

가.모든 현제국들이 아랍국가간의 모든 문제를 무력이 아닌 대화와 이해로 해결하도록한 아랍연맹 헌장을 준수할 것을 촉구함

나.아랍 일부국가의 석유정책은 아랍의 경제적 이익을 저해하는 결과를 초래했으며 이로인해 우리는 지난 수년간 많은 고통을 받아왔음

다.아랍문제는 아랍 자신이 해결할수 있으므로 제국주의 국가들에 의한 외부 간섭을 배격함

라.어떠한 외부간섭도 아랍에 대한 침략으로 간주하며 아랍의 단결을 촉구함

2.쿠웨이트 사태와 관련, 주재국 J.TALHI 외무장관은 총인민회의 요청에 따라카이로에서 개최된 아랍외상 회의에 불참 하였으며, 카다지 지도자는 8.3. 아라파트 PLO 의장을 접견, 동사태해결및 외세간섭 배제 방안을 논의하기 위해 아라파트 의장이 SADDAM HUSSEIN 이락 대통을 방문토록 합의하고, 알제리, 튜니시아대통령및 사우디국왕과 전화 접촉을 가졌다고 당지 JANA 통신이 보도하였음. 끝

(대사 최필립-국장)

중아국	차관	1차보	2차보	중아국	정문국	안기부

PAGE 1　　　　　90.08.05　08:58 DA

외신 1과 통제관

0004

관리번호	90-458

외 무 부

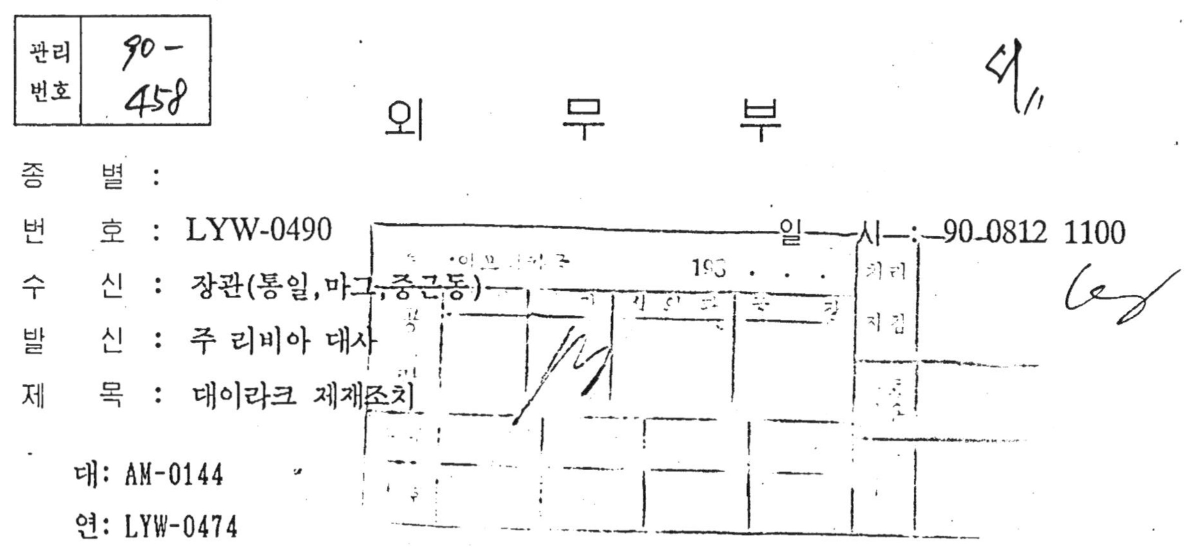

종 별 :

번 호 : LYW-0490 일 시 : 90 0812 1100

수 신 : 장관(통일,마그,중근동)

발 신 : 주 리비아 대사

제 목 : 대이라크 제재조치

대: AM-0144

연: LYW-0474

1. 최근 걸프사태와 관련, 주재국은 연호 성명이후 공식입장을 표명치 않고있으나 8.10 카이로 정상회의에서 아랍평화군 파견에 반대하였고, 주재국언론들도 아랍 각국의 외세간섭 반대 데모, 이라크 지지 의용병 지원사례등만 집중보도함으로써 외세간섭 배제를 강조하면서 이라크를 두둔하는 태도를 견지하고 있음.(트리폴리에서도 8.9 부터 관제인듯한 규탄데모가 계속되고 있음)

2. 카이로 정상회의 이후 아랍제국들이 이집트, 모로코등 친서방 온건세력과 이락, 리비아, PLO 등 강경세력으로 대립되는 양상을 보이는 가운데 주재국은 이라크 지지 입장을 취하고 있으나, 범세계적인 이라크 규탄 및 제재추세에 비추어 주재국이 군사적 지원 또는 이라크제재에 대한 역제재 조치등 실질적인 이라크 지원 조치를 취하는 경우, 많은 경제적 불이익을 감수하여야 할 것이므로 내심 석유가 앙등을 환영하면서 사태를 관망하고 있는 것으로 보임.

3. 그럼에도 불구하고 카다피 지도자는 과거행적에 비추어 예측을 불허하는 면이 다분히 있으므로 리비아가 향후 상황에 따라서는 대이라크 제재 참여국들에 대한 제재 조치를 취하게 될 가능성도 배제할수 없음을 참고 바람.

(대사 최필립-차관)

예고:90.12.31 일반

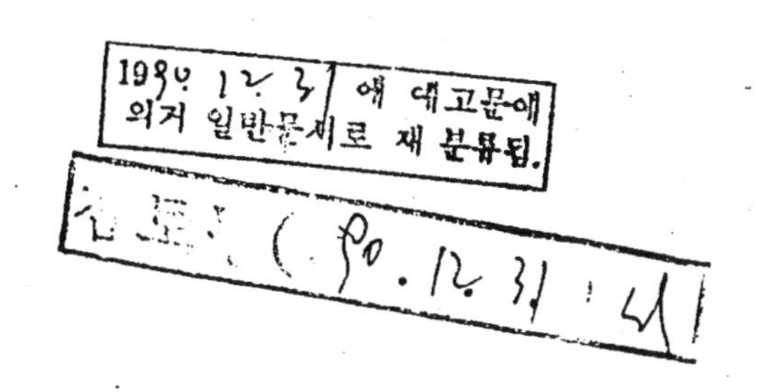

통상국 차관 1차보 2차보 중아국 중아국 청와대 안기부 대책반

PAGE 1

90.08.12 19:43

외신 2과 통제관 DO

0005

관리번호 90-418

원본

외 무 부

종 별 :

번 호 : LYW-0499　　　　일 시 : 90 0816 1550

수 신 : 장 관(통일,아그,중근동,기정)

발 신 : 주 리비아 대사

제 목 : 이락 쿠위이트 사태

공람	통상국	년월일	담 당	과 장	국 장	차관보	차 관	장 관

연:LYW-0474,0490

주재국 정부는 8.15. 와 16 일 모슬렘및 아프리카 일부, EC 국가 공관장을 외무성에 초치, 아래 요지의 배경 설명후 카다피 지도자의 친서를 (MEMORENDUM 포함) 각각 국가 원수에게 전달해 주기를 요청했음

1. 배경 설명 요지

가. 리비아는 걸프지역에서 발생한 사태, 특히 걸프지역에서의 미국 군사력증강의 중대성에 관심을 갖고 있음

나. 걸프지역에서의 그러한 사태는 공포 분위기와 혼란만 조장한다고 느끼고 있음

다. 사우디는 주권 국가로서 미국에 군사 원조를 요청할수 있을 뿐 아니라 어떤 나라에 대해서 어떠한 원조도 요청할수 있는 권리가 있음

라. 미국은 UN 의 주선이나 UN 안보리 결의에 따라서만 걸프 사태에 개입 할수 있다고 생각함. 개발 국가의 개발 조치는 걸프 분쟁해결에 기여할수 없다고 생각함

마. 리비아는 대이락 경제적 제재 조치를 포함한 UN 의 결의를 지지함. 리비아는 모든 아랍지도자들이 참석, 각자 의견을 개진할수 있도록 UN 임시 총회 또는 UN 안보리가 제네바에서 소집될길 요구함. 중동 평화 유지를 위해 이와 같은 회의 소집이 다급하기 때문에 UN 회원국중 리비아의 우방국 지도자들에게 리비아 제의에 대한 지지를 요청하는 카다피 지도자의 친서를 송부함.

2. 배경 설명후 질의 응답에서 울단 국왕의 이락 대통령 친서 전달을 위한 방미 관련 사전 협의를 받은바 없다고 밝힘

3. 배경 설명및 카다피 지도자는 CNN 회견에서 미국을 극열히 비난치 않고 동사태에 상당히 조심스럽게 대처 하는 태도를 보인 것은 미국과의 관계 개선 방안을 모색하며 유가 인상에 따른 경제적 이익을 도모하기 위한 것으로 판단되어, 대이락

통상국	장관	차관	1차보	2차보	중아국	중아국	정문국	청와대
안기부	공보처	대책반						

PAGE 1　　　　90.08.17 04:19

외신 2과 통제관 DL

197.12.31.에 예고문에 의거 일반문서로 재분류됨

0006

경제 제재 조치 참여 국가에 대한보복 조치는 없을 것으로 생각됨.

첨부:카다피 지도자의 MEMORENDUM 가역

예고:90.12.31.

이하 PART 2(LYW-0503 호) 로, 첨부:카다피 지도자의 MEMORENDUM 송부함

PAGE 2

0007

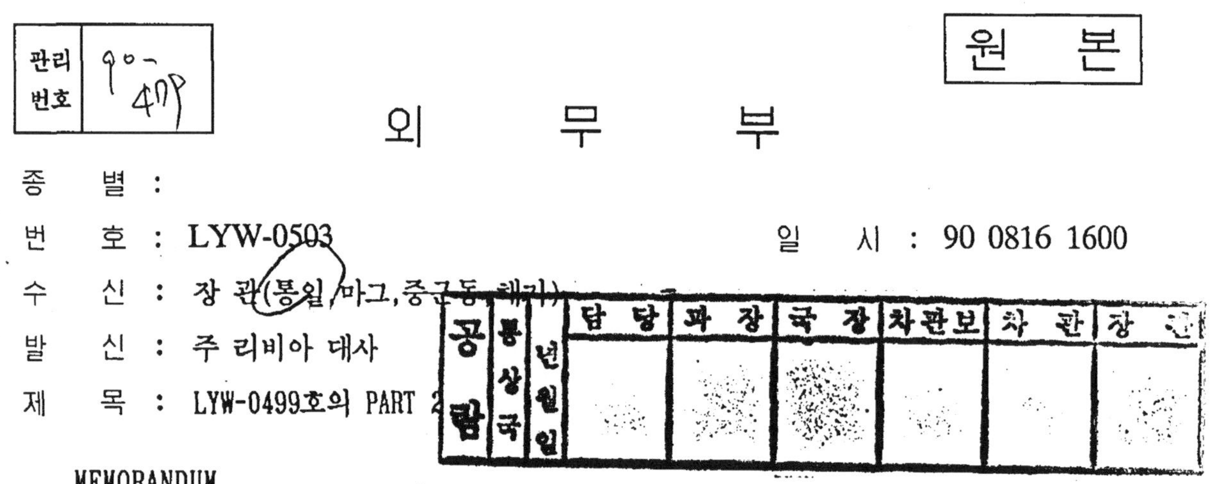

관리번호	90-479

원 본

외 무 부

종 별 :

번 호 : LYW-0503 일 시 : 90 0816 1600

수 신 : 장 관(통일,마그,중근동,해기)

발 신 : 주 리비아 대사

제 목 : LYW-0499호의 PART 2

공람	통상국	년 월 일	담 당	과 장	국 장	차관보	차 관	장 관

MEMORANDUM

THE MATTERS ARE MIXING AND CONFUSION IS TAKING PLACE NOW IN THE ARABIAN GULF.AMERICA IS GATHERING AND MOBILING THEIR FORCES AND ALLIANCES, PEACE IS STRONGLY THREATENED.

AT THE BEGINNING, ARABS WERE AGAINST IRAQ FOR INVADING KUWAIT, BUT NOW THEY (ARABS) ARE PRO IRAQ DUE TO THE INTERFERENCE OF AMERICA IN THE REGION AS IF THE CONFRONTATION NOW BECOME BETWEEN IRAQ AND AMERICA.

ALTHOUGH THE SAUDI GOVERNMENT REQUESTED THE AMERICAN FORCES FOR ITS SECURITY AND DEFENSE, AND IT HAS LEGALLY THE RIGHTS OF DOING SO, THE SAUDI GOVERNMENT IS THE ONLY ONE WHICH WILL BEAR THE POLITICAL RESULTS OF THIS MATTER.

THE WITHDRAWAL OF IRAQ FROM KUWAIT OR THE ECONOMIC AND POLITICAL PUNISHMENTS FOR INVADING KUWAIT SHOULD BE DECIDED BY THE U.N.AND NOT U.S.A.OTHER WISE ALL ARABS WILL REJECT AND BE AGAINST ALL THESE MEASURES, BECAUSE THEY ARE NOT LEGAL ONES.

THE ECONOMIC BOYCOTT SHOULD BE DONE ON THE NAME OF U.N.AN FORCES TO BE SENT AND EXIT NOW IN THE GULF SHOULD BE UNDER THE LEADERSHIP OF SECURITY COUNCIL AND NOT AMERICA. THESE FORCES SHOULD BE MULTINATIONAL, COMPOSED FROM THE COUNTRIES DECIDED BY THE SECURITY COUNCIL, HAVING THE SIGN PUTTING ON THE UNIFORM OF THE U.N.UNLIKE WHAT IS GOING ON NOW, EVERYTHING IS MANAGED BY AMERICA AND UPON ITS REQUEST.

WE ARE SUPPORTING EVERY DECISION TAKEN BY THE U.N.AND REJECTING ANY MEASURE

통상국 장관 차관 1차보 2차보 중아국 중아국 정문국 청와대
안기부 공보처 대책반

PAGE 1

90.08.17 04:23

외신 2과 통제관 DL

1990.12.31.에 예고문에 의거 일반문서로 재분류됨

0008

TAKEN BY U.S.A.AND ITS ALLIANCES WE SHOULD DIFFRENTIATE VERY CLEARLY BETWEEN USA AND U.N..NOW U.S.A.REPLACED THE U.N., THIS MATTER IS COMPLETELY REJECTED AND ILLEGITIMATE AND, IT IS CONSIDERED AN AGGRESSION AND VIOLATION TO THE U.N.CHARTER.

IF AMERICA CONTINUE CARRING ON THIS MATTER AS WHAT IS GOING ON NOW, CONFRONTAION WILL BE BETWEEN ARABS AND AMERICA.AMERICA IS A STATE MEMBER IN THE U.N.LIKE ANY OTHER STATE MEMBER AND HAS NO MORE RIGHTS OR ADVANTAGES.

THE PRESENCE OF OTHER FORCES IN SAUDIA ARABIA SHOULD BE IN RETURN OF THE WITHDRAWAL OF THE AMERICAN FORCES BY THE SAME AMOUNT AND QUANTITY UNTILL THESE FORCES WILL BE ENOUGH TO DEFEND SAUDI.AT THIS POINT THE WITHDRAWAL OF THE AMERICAN FORCES WILL COME TO AN END AND COMPLETED AND REPLACED BY THE ALTERNATE FORCES.

THE REVIEWING OF THIS SUBJECT AND RE-ARRANGING THE MATTERS ACCORDING TO THE U.N.CHARTER, NEEDS ANOTHER SECURITY COUNCIL SESSION, PROPOSED TO BE HELD IN GENEVE, TO ENABLE SOME OF ARABS LEADERS DELIVERING THEIR SPEECHS AND OPINIONS IN REGARDING THIS CRITICAL AND EXPLOSIVE MATTER WHICH THREATENS THE WHOLE WORLD S PEACE.

LOOKING FORWARD THAT OUR PROPOSAL WILL GET YOUR SUPPORT.END

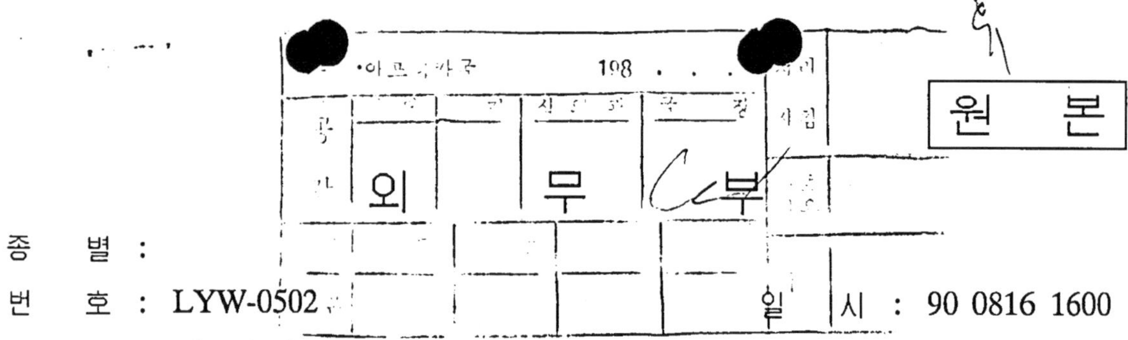

종 별 :

번 호 : LYW-0502 일 시 : 90 0816 1600

수 신 : 장 관(마그,해기)

발 신 : 주 리비아 대사

제 목 : 주재국 혁명지도자의 외신 인터뷰

주재국 카다피 지도자는 8.14.저녁 CNN TV와 걸프만사태에 관한인터뷰를 가졌는바 그주요 내용은다음과 같음

가.리비아가 이라크의 쿠웨이트 침공을 비난하지 않는이유

-리비아는 이라크의 쿠웨이트 침공을 강력히 비난한바 있음.긴급 아랍 정상회담의 결의는 아랍헌장 정신과 일치하지 않는 불합리한 것임

나.걸프만의 위기에 대한 견해

-리비아는 이라크,사우디,미국등과 다른 견해를 가지고있음. 즉 이라크뿐아니라미국,사우디 및 긴급 아랍정상회담이 취한 조치는 모두 불법이라고 봄. 모든문제는 UN 의 결의에 따라 해결되어야 한다고보며,리비아는 군사적이든 경제적이든 UN안정보장이사회의 결의에 따를 것임. 그러나 미국이 UN의 역할을 대신하는 것에는 반대하며 이는 아랍의 여론을 악화 시킴으로써 사태의 문제해결에 도움이 되지 않을 것임

다.이라크와 미국이 사우디나 걸프만에서 전쟁발발할 가능성

- UN 결의가 존중된다면 전쟁은 없을것임. 미국은 이라크가 사우디를 공격하지 않는한 이라크를 공격할 권리가 없으며,본인은 이라크가사우디와 전쟁을 일으킬 것으로는 생각하지 않음

라.미군의 사우디 주둔에 관한 견해

-이라크군의 쿠웨이트 주둔과 마찬가지로 미군이 사우디나 걸프만에 주둔하는 것도 불법임.사우디가 자신을 방어하기 위해 미군의 주둔을 요청하는것은 양국간의 문제이기는 하지만 아랍지역의 안보를 위해서는 받아들일수 없음

마.위의 이유는 종교적인지 아니면 다른 이유가있는것인지

-그이유는 종교적인 것임. 또 아랍권에서는 미군이 아라비아 반도에 앞으로

중아국 1차보 정문국 청와대 안기부 공보처 대책반 차관

PAGE 1 90.08.17 03:33 ER

외신 1과 통제관

0010

계속주둔할 가능성이많다고 보고 있음.이는 2차 대전 후에도 미군이 유럽에 계속 주둔하고 있는 것을 보아도 알수있으며, 미국은 중동 지역 주둔을 위한 구실을찾고 있는 것이므로 UN의 우산 아래 모든문제가 해결되어야 할 것임.끝

(대사 최필립-국장)

PAGE 2

0011

관리 번호	90/2014

원 본

외 무 부

종 별 :

번 호 : LYW-0504 일 시 : 90 0818 1330

수 신 : 장관(마그,해기)

발 신 : 주 리비아 대사

제 목 : 주재국 지도자의 외신 인터뷰

연:LYW-0502

연호 카다피 지도자의 기자회견 내용에 대한 관찰 및 전망은 다음과 같음

1. 동 인터뷰는 카다피 지도자가 쿠웨이트 사태에 대하여 밝힌 최초의 전반적인 주재국의 입장임. 이에 따르면 지도자는 미국과 이라크 어느쪽에도 편향되지않고 중도적인 독특한 입장을 유지하고 있는 것으로 판단되는바, 이는 이때까지 이라크측을 지지하는 것으로 보여 왔던 지도자의 태도로 보아 다소 이례적인것으로 보임

2. 지도자가 UN 을 통한 쿠웨이트 사태 해결을 주장하는 것은 정치, 경제, 군사적인 측면에서 서방국가 및 주변 아랍국가와의 관계를 고려한 다목적용의 발언으로 판단됨

가. 정치적으로는 주변 아랍국과의 우호증진, 미국과 영국등 서방국가, 특히 미국과의 관계 개선이 시도되고 있는 이시점에, 그동안 자신이 쌓아올린 독특한 이미지나 명성을 그대로 유지하면서도 향후 대미 관계의 개선에 지장이 없도록양측을 불필요하게 자극하지 않으려는 의도가 나타나고 있음

나. 경제적으로는 최근 국제 석유가의 급상승에 따른 반사적 이익을 누림으로써 경제적인 실리를 취하는 한편

다. 군사적으로는 힘의 국제 정치의 냉혹한 현실을 직시하고 강대국이 자신의 이해 관계가 직결되는 경우 약소국을 수시간내에 점령할수 있다는데에 크게 위협을 느끼고 있는 것으로 보이며, 특히 이집트의 군사력에 대해 두려움을 가지고 있는것 같음

3. 금번 외시기자 회견과 리비아 외무성의 MEMORANDUM 에 대해 당지 주재 외교가에서는 지도자의 판단이 주재국 및 지도자 자신에게도 유리한 현명한 판단이라고 보고 있음

4. 한편 쿠웨이트 사태 이후 PLO 아라파트 의장의 기회주의적 처신은 아랍권의

중아국 장관 차관 1차보 2차보 청와대 안기부 공보처 대책반

PAGE 1

90.08.18 22:46
외신 2과 통제관 CF

0012

강경, 아랍권에서의 기반이나 발언권은 감소될 것으로 전망됨. 끝

(대사 최필립-장관)

예고:90.12.31. 까지

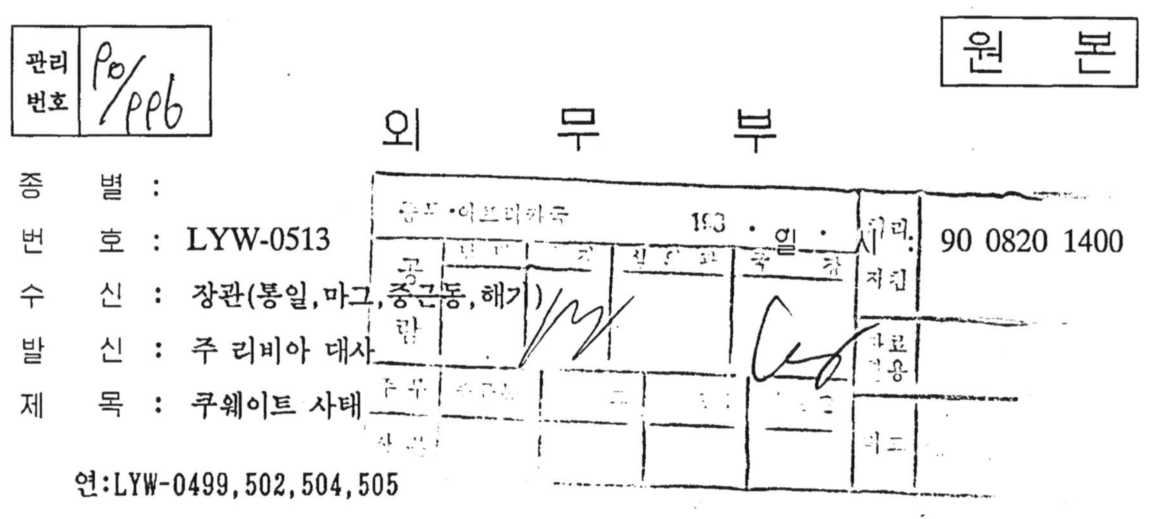

관리번호 90/886

원 본

외 무 부

종 별 :

번 호 : LYW-0513 일 시 : 90 0820 1400

수 신 : 장관(통일,마그,중근동,해기)

발 신 : 주 리비아 대사

제 목 : 쿠웨이트 사태

연:LYW-0499,502,504,505

연호와 같이 주재국 정부는 쿠웨이트 사태에 대해 UN 을 통한 해결을 주장하고 있고, 아랍 연합군(미군대신 역할로)에도 적극 참여할 의사를 표명하고 있어 중도 내지 온건 입장을 취하고 있다고 판단되며, 당지는 금번 사태에도 불구하고 정치.경제적인 영향을 받지 않고 있으므로 정부의 쿠웨이트 사태, 관련 대책 추진시 당지 실정을 감안하여, 동대책으로 인하여 당지에서의 아측 이해 관계에 불이익이 생기 않도록 조치하여 주시기 바람

가. 정부 대책 추진시 걸프만 지역과 당지를 포함한 타 중동지역에 대한 대책을 분리하여 조치함으로서 걸프만 이외의 지역에 영향을 미치 않도록 하기 바람

나. 아국의 주 해외건설 시장인 당지에서의 건설활동은 정상적으로 이루어지고 있고, 국제 유가급등에 따른 주재국의 재정수입 증대가 예상되므로 시장 여건은 호전될 것으로 보임.특히 사우디, UAE 를 제외한 중동지역 OPEC 국가들이 쿼타를 준수하고 있으므로 주재국은 석유수입 증대로 인하여 아국 업체에 대한 공사대전의 원유지급을 확대할 것으로 보여 미수금이 감소할 것으로 예상되며 앞으로 공사수주도 증가할 것으로 전망됨

당지 진출건설업체는 교통부가 걸프사태 악화시 트리폴리 까지도 KAL 운항 정지 명령할 것이라는 보도에 우려를 표하고 있음. 특히 작년 KAL 사고시 아측의 일방적인 운항취소에 주재국은 큰 불만을 표시한바 있는데, 금번 사태로 인하여 당지로의 KAL 운항이 영향을 받게 되는 경우 상당한 마찰을 유발할 것으로 예상됨. KAL 운항 여부는 7 천명이 넘는 당지의 아국 근로자에게도 당지의 안정성과도 관련하여 심리적인 영향이 클 것으로 예상되므로 사태의 진행 여부에 불구하고 당지로의 KAL 운항은 정상적으로 이루어 지도록 조치하여 주실 것을 건의함.끝

통상국 장관 차관 1차보 2차보 중아국 중아국 정문국 청와대
안기부 공보처 대책반

PAGE 1 90.08.20 23:33
외신 2과 통제관 DO

0014

(대사 최필립-장관)

예고 90.12.31. 일반

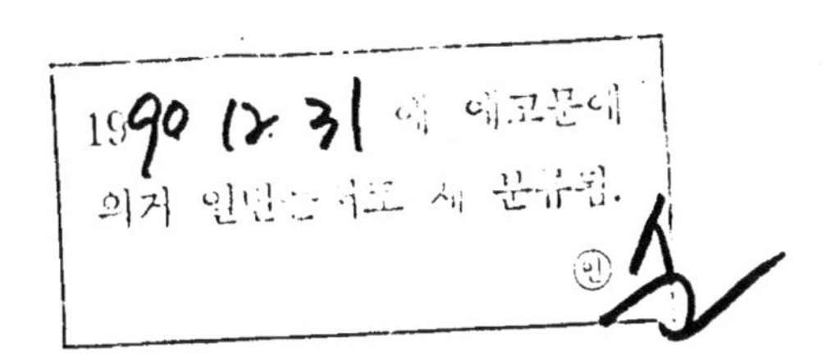

관리 번호	90/1079

원 본

외 무 부

종 별 :

번 호 : LYW-0527 일 시 : 90 0827 1330

수 신 : 장관(마그,중근동,해기)

발 신 : 주 리비아 대사

제 목 : 이락.쿠웨이트 사태

연:LYW-0499,0505

요르단 후세인 국왕은 카다피 지도자와 갈프 지역문제를 협의하고자 8.26.밤 당지에 도착하였음. 양 지도자는 아랍지역에서 전쟁을 피하기 위해서는 유엔안보 결의에 따라 이락이 쿠웨이트에에 무조건 철수함과 함께 미군을 주축으로한 서방 외국군 대신 아랍연합군 또는 유엔군으로 대치해야한다는 카다피 지도자의 주장을 진지하게 토의한 것으로 외교가에서는 의견을 모으고 있음. 후세인 왕은 리비아 방문후 알제리, 모로코및 모리셔스를 방문하는 것으로 알려지고 있음.

(대사 최필립-국장)

예고 90.12.31. 일반

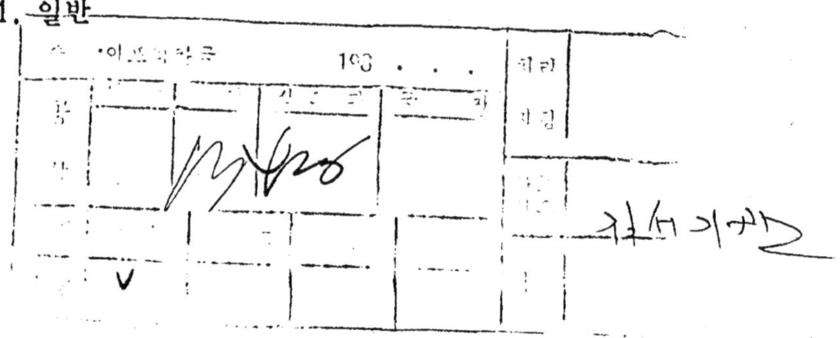

중아국 대책반 장관 차관 1차보 2차보 중아국 청와대 안기부 공보처

PAGE 1 90.08.27 22:18

외신 2과 통제관 CF

0016

"No Democracy Without Popular Congresses"

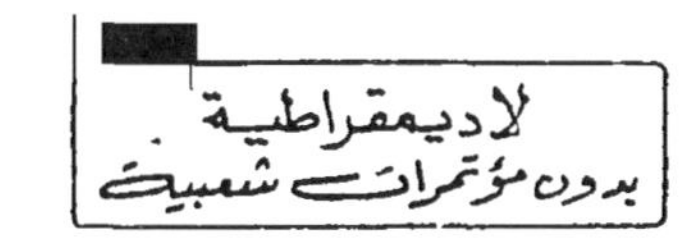

PEOPLE'S BUREAU OF
THE SOCIALIST PEOPLE'S LIBYAN
ARAB JAMAHIRIYA
SEOUL.
C.P.O. BOX NO. 8418
TEL. 797-6001/ 6

المكتب الشعبى
للجماهيرية العربية الليبية
الشعبية الاشتراكية
سيــول

Our Ref. 275
Ref.

Date

The People's Bureau of the Great Socialist People's Libyan Arab Jamahiriya in Seoul presents its compliments to the esteemed Ministry of Foreign Affairs of the Republic of Korea and has the honour to enclose herewith the Message of the leader of the Revolution on 25 Aug, 1990.

The People's Bureau of the Great Socialist People's Libyan Arab Jamahiriya avails itself of this opportunity to renew to the Ministry of Foreign Affairs of the Republic of Korea the assurances of its highest consideration.

Seoul August 27. 1990

To : The Ministry of Foreign Affairs
of the Republic of Korea

0017

"No Democracy Without Popular Congresses"

لاديمقراطية بدون مؤتمرات شعبية

PEOPLE'S BUREAU OF
THE SOCIALIST PEOPLE'S LIBYAN
ARAB JAMAHIRIYA
SEOUL.
C.P.O. BOX NO. 8418
TEL. 797-6001-2/6

المكتب الشعبى
للجماهيرية العربية الليبية
الشعبية الاشتراكية
سيــول

Our Ref. ....
Ref. ....

Date 27 Aug. 1990

The text of the Message

The leader of the Revolution sent the following message on 25 Aug, 1990 to the Secretary General of the United Nations :

His excellency Javiez De Cuellar,

I would like to refer to my letter to you dated 15 Aug,1990 and express my thanks to the members of the Security Council for responding to our call for a review of acts of aggression taking place at present in the Arab Gulf Area which my aforementioned letter referred to and in which we drew attention to the unilateral acts of the United States of America and its allies and they constituted a violation of the United Nations' Charter and a threat to international peace and security for they are no carried out under any international legality.

Also, I thank the members of the Security Council for their earnest efforts during the consultations and deliberations which ended in the session held by the council on 25 Aug.1990 which was convened for the respect of the charter of the United Nations and maintenance of peace which is of interest to all of us.

Undoubtedly this was a earnest attempt for the respect of legality and putting the measures within their legal framework under the supervision of the Security Council.

However, I express my disappointment for the resolution Number /665/ does not express the spirit of the charter but it endorses the fait accompli which is imposed by force and contains a clear trickery against international legality.

0018 //// 2

"No Democracy Without Popular Congresses"

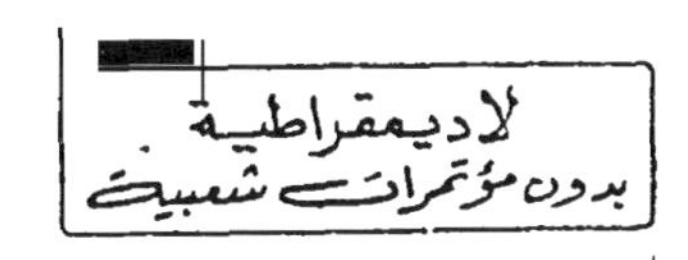

PEOPLE'S BUREAU OF
THE SOCIALIST PEOPLE'S LIBYAN
ARAB JAMAHIRIYA
SEOUL.
C.P.O. BOX NO. 8418
TEL. 797-6001 / 6

المكتب الشعبى
للجماهيرية العربية الليبية
الشعبية الاشتراكية
سيــول

Our Ref. ....
Ref. ....

Date ....

This is very dangerous for it is a patched up resolution taken under American pressure on the international organization. Articles 41,42 and 43 of chapter seven of the charter are express articles which define what may be issued by the Security Counsil such as the determination of participating states in the forces, the type of forces, nomination of their commanders and subordination to the command and supervision of the Security Council.

I, therefore, still insist on the need to issue a new draft resolution making clear the present resolution /665/, containing the size of the required forces, the states which may participate in their formation and organization of their command. Without taking this measure, the forces in the Gulf will remain colonial forces who are carrying out a hostile action and resolution /665/ will, in this case, mean nothing except the imposition of the fait accompli.

Finally, I would like to reaffirm that Libya's keen desire for the respect of and adherence to the charter of the United Nations and international legality and cannot accept any measure which is not compatible with international legality and the charter of the United Nations.

- End -

0019

관리번호	90-492

원 본

외 무 부

종 별 :

번 호 : LYW-0528 일 시 : 90 0828 1330

수 신 : 장관(마그)

발 신 : 주 리비아 대사

제 목 : 요르단 국왕 방문

연:LYW-0527

외무부 아주국장에 의하면 요르단 국왕과 카다피 지도자간의 논의된 초점은 갈프지역 파견 미군 문제였다고함

카다피 지도자는 미국에 의한 파견군 대신 유엔이 주도하는 유엔군으로 간판을 대치해야하는 것이며, 동 유엔군의 성격은 한국전때와 같이 미국이 주역이 되도 좋으나 간판만은 바꾸어야 한다는 것임.리비아측 주장의 주된 이유는 지금과 같이 미군이 주축이 되는 서방 파견군의 성격으로는 결과적으로 아랍민족주의를 자극하게되어 아랍 펀더멘탈리스트의 위상만 높여 주게 되기 때문이라고함. 끝.

(대사 최필립-국장)

예고 90.12.31. 일반

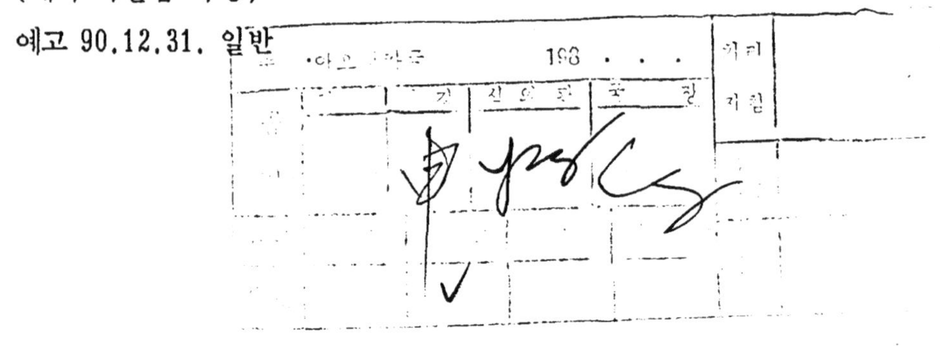

검토필(1990.12.31.)

1990.12.31. 예고문에 의거 일반

중아국 장관 차관 1차보 2차보 청와대 안기부 대책반

PAGE 1

90.08.28 20:50

외신 2과 통제관 EZ

0020

원 본

외 무 부

종 별 :

번 호 : LYW-0538 일 시 : 90 0902 1400

수 신 : 장 관 (마그,중근동,해기)

발 신 : 주 리비아 대사

제 목 : 걸프 평화안 제의

1. 주재국 카다피 지도자는 90.9.1.혁명 21주년을 기해 개최된 총인민회의 특별총회에서 걸프 사태해결을 위한 다음 7개항의 평화안을 발표하였음

가. 유엔군이 쿠웨이트 점령 이라크군을 대체함으로써 이라크의 재침공과 미군및NATO군의 진입을 방지하고 사우디등 주변국의 안전을 보장함.

나. 아랍회교군의 주사우디 미군을 대체한다는 전제하에 NATO 군의 걸프철수, 이라크군의 쿠웨이트 철수및 대이라크 경제제재 해제 조치를 취함

다. BYBYAN 섬및 AL RAMILA 유전을 이라크에 양도함

라. 쿠웨이트 정부 체제는 쿠웨이트 국민들이 결정, 선택토록 함

마. 아랍의 단일 원유정책을 수립하고 동위반국에 대한 제재를 합법화함

바. 걸프사태와 관련한 모든 피해 당사국의 부채및 보상문제 해결

사. 리비아에서 아랍 정상회의를 개최하여 아랍통합안 인준, 통일아랍 대통령 위원회및 집행위 구성, 농업, 공업, 교육등 분야의 특별위원회 구성, 원유, 식량, 수자원, 가스자원 통합과 과학연구 공동추진등 협의

2. 카다피 지도자는 자신의 상기 평화안이 당사국들의 의견을 타진한 것으로 모든 당사국들이 동평화안을 지지할 것이라고 말하고, 동평화안은 유엔및 아랍연맹 사무총장 감시하에 이행될 것이라고 주장하였는바, 상기 평화안은 내용에 비추어 볼때, 이라크의 입장을 대변한 것으로 보여짐. 끝

(대사 최필립-국장)

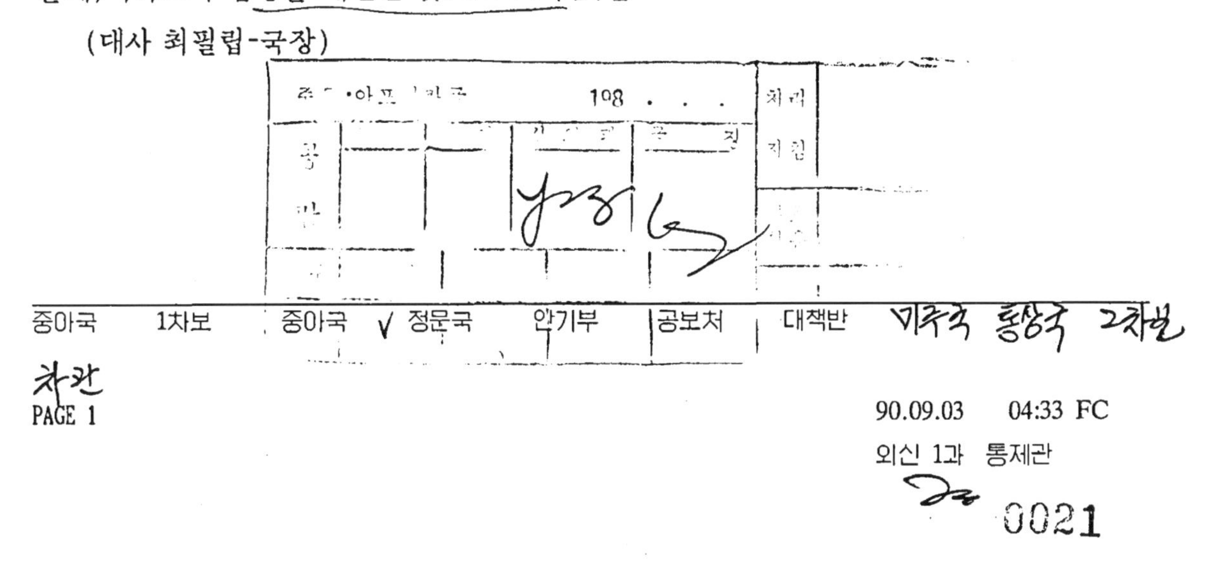

중아국 1차보 중아국 √ 정문국 안기부 공보처 대책반 미주국 통상국 2차보

차관

PAGE 1

90.09.03 04:33 FC

외신 1과 통제관

0021

관리번호	90-509

원 본

외 무 부

종 별 :

번 호 : LYW-0541 일 시 : 90 0902 1400

수 신 : 장관(마그,중근동)

발 신 : 주 리비아 대사

제 목 : 걸프 평화안

연:LYW-0538

주재국 외무부 TAYARI 아주국장은 금 9.2. 본직을 초치, 연호 카다피 지도자의 평화안 요지를 수교하면서 아국이 동 평화안을 지지해 줄것을 요청하고, 한국은 과거 유엔군의 참전을 경험한바 있으며 리비아와 우호관계를 유지하고 있음을 감안, 아국의 지지를 기대한다고 말하였음을 보고함. 끝

(대사 최필립-국장)

예고 90.12.31. 일반

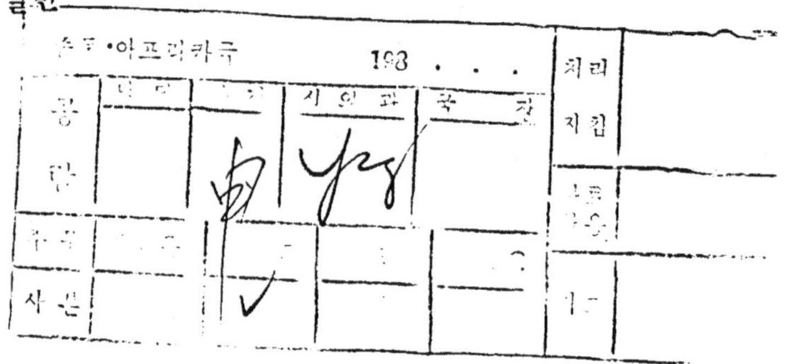

검토필(1990.12.31.)

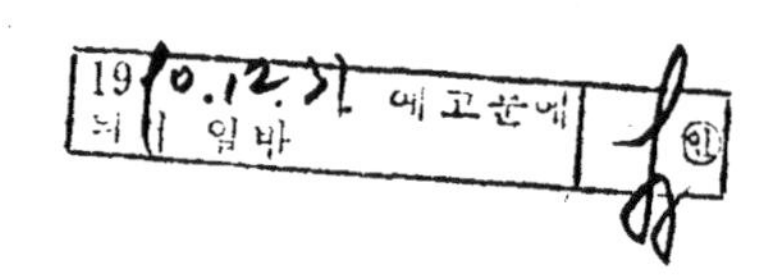

중아국 차관 1차보 중아국 안기부 대책반

PAGE 1

90.09.02 22:24
외신 2과 통제관 FE

0022

관리 번호	90-510

	분류번호	보존기간

발 신 전 보

번 호 : WLY-0327 900903 1426 DY 종별 :

수 신 : 주 리비아 대사. ~~총영사~~

발 신 : 장 관 (마그)

제 목 : 걸프 평화안

대 : LYW-0541

1. 대호 평화안은 카다피가 유엔 사무총장에게 보내고 각국에 회람한 90.8.25.자 메시지와 같은 내용인바 동 메시지에 대해 유엔이나 각국에서 아직 별다른 반응을 보이지 않고있는것 같음.

2. 대호 7개항 평화안에 대한 ~~지지요청 검토에 필요하니~~, 여타국의 반응, 리비아측에서 아국의 지지를 요청하는 강도, ~~지지여부를 반드시 대답해줘야할 필요성 여부 및 기타 적절한 대처방안~~ 보고바람. 끝.

(중동아국장 이 두 복)

예고: 90.12.31.일반.

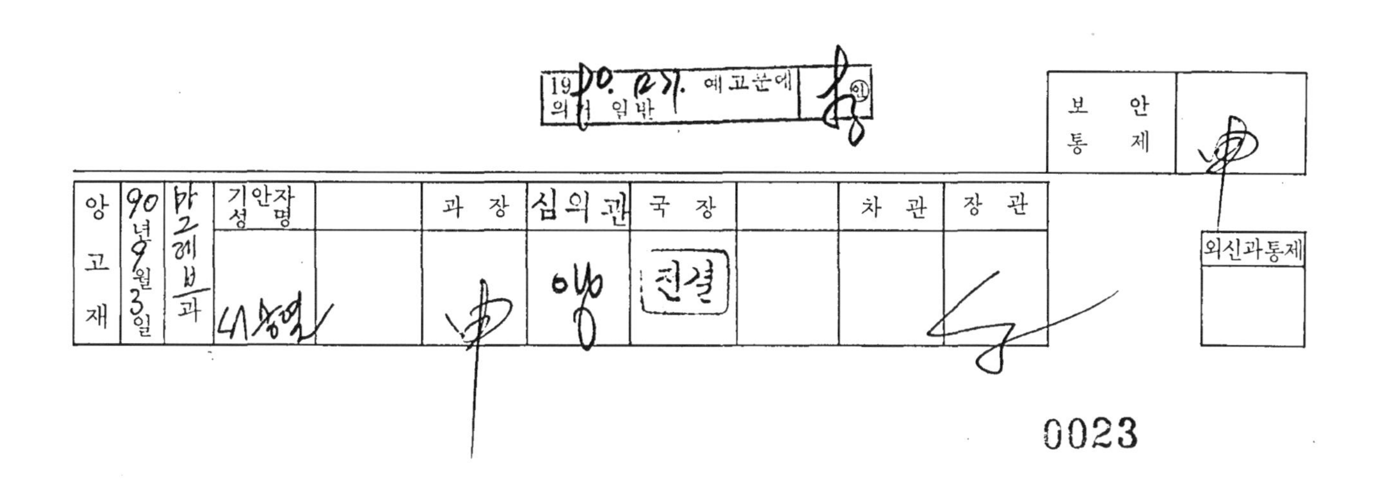

검토필(1990.12.31.)

19 90.12.31. 예고문에 의거 일반

보안 통제	

앙 고 재	90년 9월 3일	마그레브과	기안자 성명		과장	심의관	국장		차관	장관
							전결			

외신과통제

0023

관리번호	90-513

원 본

외 무 부

종 별 :

번 호 : LYW-0543　　　　일 시 : 90 0903 1300

수 신 : 장관(마그)

발 신 : 주 리비아 대사

제 목 : 걸프 평화안

대:WLY-0327

연:LYW-0541

1. 리비아측은 연호 지지 요청시 평화안의 유엔군 배치는 한국전매 유엔군 파견과 동일한 성격임을 강조하였으며 북한측에도 동일한 지지요청을 하였다고 말하였음

2. 리비아측은 안보리 상임 이사국등 서방 강대국들을 제외한 전 외교단에 동 지지 요청을 한것으로 보이며 아직 여타국들의 반응이 파악되지 않고 있는바 리비아측 지지 요청에 대한 아측 대응 방안에 관하여는 여타국 동향을 보아가며 추후 건의 하겠음. 끝

(대사 최필립-국장)

예고 90.12.31. 일반

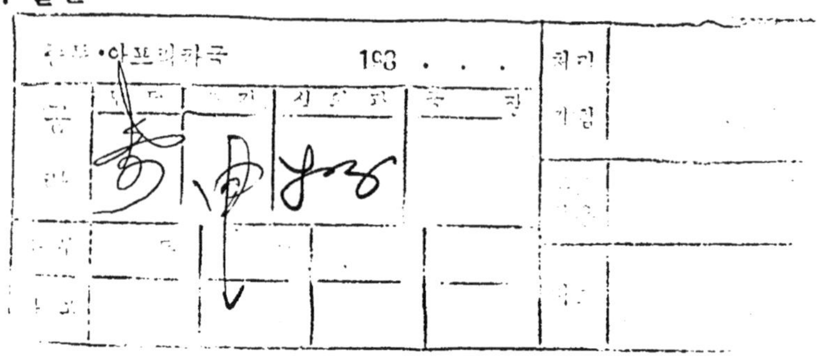

검토필(1990.12.31.)

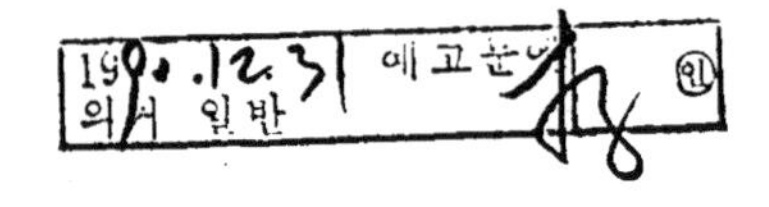

중아국　차관　1차보　정문국　청와대　안기부

PAGE 1　　　　90.09.03 20:02

외신 2과 통제관 BT

0024

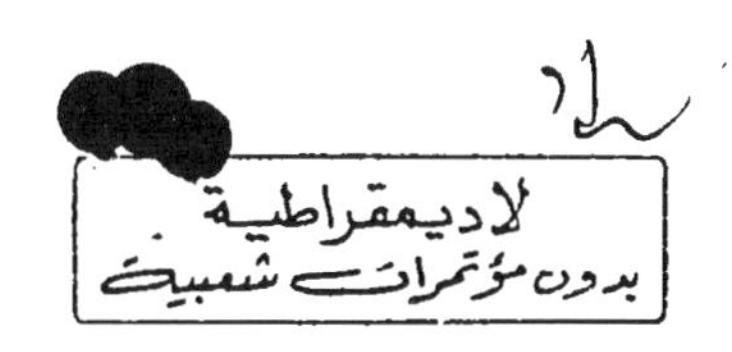

"No Democracy Without Popular Congresses"

PEOPLE'S BUREAU OF
THE SOCIALIST PEOPLE'S LIBYAN
ARAB JAMAHIRIYA
SEOUL.
C.P.O. BOX NO. 8418
TEL. 797-6001 / 6

المكتب الشعبى
للجماهيرية العربية الليبية
الشعبية الاشتراكية
سيـــول

Our Ref. 299
Ref.

Date

The People's Bureau of the Great Socialist People's Libyan Arab Jamahiriya presents it's compliments to the esteemed Ministry of Foreign Affairs of the Republic of Korea and has the honour to include hereinafter the text of the peaceful initiative to solve the Gulf crises, made by the Leader of the Revolution brother Muammar Al-Khaddafi on 1st September 1990, as follows :

" Firstly :

Forces of the United Nations to replace the present Iraqi Forces in Kuwait to reassure Kuwait after the withdrawal of the Iraqi Forces that the latter will not return at any other time. And so that the withdrawal of the Iraqi Forces from Kuwait not to be expolited and that the American and Nato Forces would go in lieu of them. The presence of the Forces of the United Nations in Kuwait will reassure Saudi Arabia and other gulf emirates who may feel insecure if a vacuum occured in Kuwait.

Secondly :

The withdrawal of the Nato Forces from the Gulf, the lifting of the economic blockade on Iraq with the withdrawal of the Iraqi Forces from Kuwait provided that Arab and Islamic Forces will replace the American Forces in Saudi Arabia.

Thirdly :

Giving the possession of Bubyan Island to Iraq enabling the latter to have a coast on the Gulf and the returning of Al Ramila oil field to Iraq.

//// 2

0025

"No Democracy Without Popular Congresses"

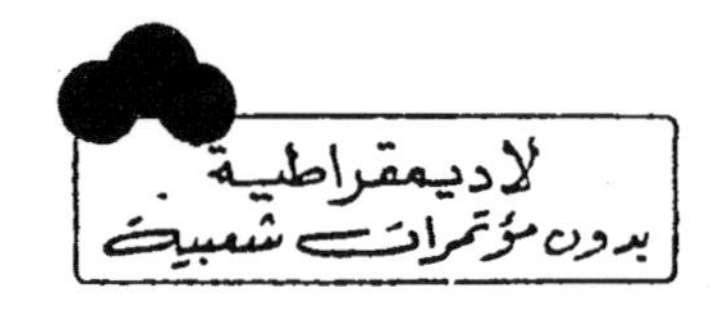

PEOPLE'S BUREAU OF
THE SOCIALIST PEOPLE'S LIBYAN
ARAB JAMAHIRIYA
SEOUL.
C.P.O. BOX NO. 8418
TEL. 797-6001-/6

المكتب الشعبى
للجماهيرية العربية الليبية
الشعبية الاشتراكية
سيـــول

Our Ref. ......
Ref. ......

Date ......

Fourthly :

The interior regime in Kuwait shall be left no the Kuwaiti people whose internal regime must be respected and decided by them.

Fifthly :

To lay down a united arab oil policy which no one can violate and any party violating it bear the responsibility and deterrence against it shall be legal.

Sixly :

During that, the issue of debts and reparations to all injured parties shall be settled.

Sevenly :

To convene an Arab Summit in Great Jamahiriya to endorse the Arab Union project which will solve all these differences, create all arab union presidential council from the arab heads of state, an executive council of the union from the arab heads of government and specialized council in agriculture, industry and education etc. And unionist arab projects shall be created such as the oil, cereal, water, gas and scientific research projects etc.

Leader Colonel Muammar Al-Ghaddafi declared, after submitting this initiative, that from sounding out the opinion of all the parties and his contacts with the arab parties until last night, it became clear that all those parties encourage this initiative and consider it an honourable and peaceful solution and compensate the injured parties away from the American bayonet and keep the Nato Forces away from the region and provide security to the those who have fears like Saudi Arabia, The Emirates, Qatar and Bahrain.

0026 //// 3

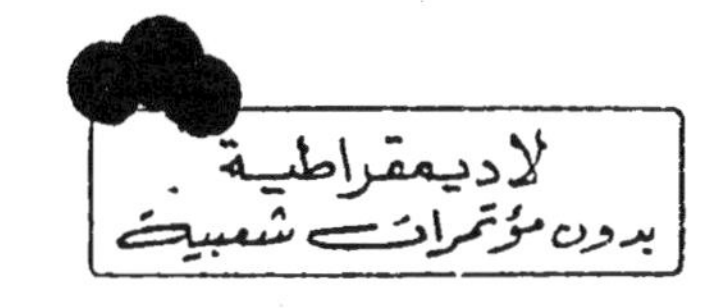

"No Democracy Without Popular Congresses"

PEOPLE'S BUREAU OF
THE SOCIALIST PEOPLE'S LIBYAN
ARAB JAMAHIRIYA
SEOUL.
C.P.O. BOX NO. 8418
TEL. 797-6001/6

المكتب الشعبى
للجماهيرية العربية الليبية
الشعبية الاشتراكية
سيـــول

Our Ref. ....
Ref. ....

Date ....

The Leader of the Revolution asserted that this initiative will be executed under the supervision of the Secretary General of the United Nations and the Secretary General of the League of Arab States. He pointed out that if our brothers approved this proposal, this initiative will realise peace for the world and the arab nation and benefit from it by bringing the oil policy into a new phase free from recklessness and waste.

He said that will be a big gain thanks to Iraq if we could return to the status quo and make this gain this will wake us up and there will be no play with oil. This will avert us confrontation with savage forces in the world.

The Leader made clear that even America has an interest in this peaceful initiative for it to retreat, for peace to be realised through an arab initiative and for America not to risk the loss of the Arab Nation for which it could never be forgiven for it would fight on arab land where even if it triumphed militarily it would continue to be hated and fought by the arabs.

The Leader said if these parties do not accept this peaceful initiative, I will, and others, be free to interpret that there are things which are not understood....

He reaffirmed if things are as we see them, the solution lies in this initiative. And if this initiative is not implemented that would mean that there are things which we ignore and consequently we cannot in fact march in a caravane whose direction we do not know."

//// 4

0027

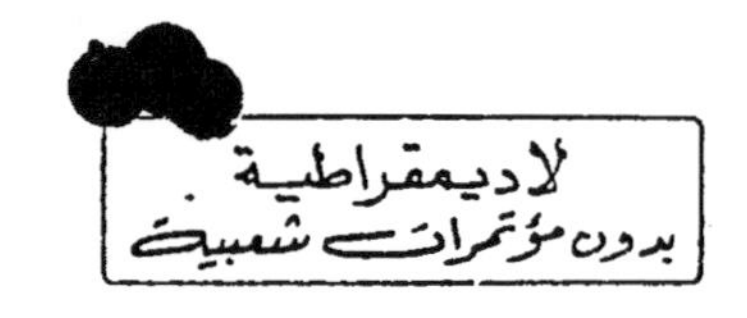

"No Democracy Without
Popular Congresses"

PEOPLE'S BUREAU OF
THE SOCIALIST PEOPLE'S LIBYAN
ARAB JAMAHIRIYA
SEOUL.
C.P.O. BOX NO. 8418
TEL. 797- 6001 / 6

المكتب الشعبى
للجماهيرية العربية الليبية
الشعبية الاشتراكية
سيـــول

Our Ref. ....
Ref. ....

Date ....

The People's Bureau hope that the esteemed Ministry of Foreign Affairs will study this peaceful initiative made by the Leader of the Revolution brother Muammar Al-Ghaddafi, in the keen interest and for the sake of world and regional peace, to pave the way for settlement of regional disputes peacefully, and clear the way for cooperation among nations on mutual benifits based on mutual respect and preserve the peoples rights.

The People's Bureau carry the hope that the esteemed Government of the Republic of Korea will give it's support to this peaceful initiative in the international arena, and bilateral contacts, which will be estimated very highly.

The People's Bureau takes this opportunity to renew to the esteemed Ministry of Foreign Affairs of the Republic of Korea it's highest consideration.

To : Ministry of Foreign Affairs
of the Republic of Korea

Seoul, 5 September, 1990

0028

원 본

암호수신

외 무 부

종 별 :

번 호 : LYW-0673 일 시 : 90 1114 1400

수 신 : 장관(마그,정일)

발 신 : 주 리비아 대사

제 목 : 무바락 대통령 방문(자료응신 제23호)

1. 이집트 무바락 대통령은 외무, 기획, 체신, 공보, 공업장관등을 대동하고 작 11.13. 주재국 SIRTE 를 방문, 카다피 지도자와 정상회담을 가졌는바 동회담에서는 양국 관계외에 최근 모로코 국왕이 제의한 아랍 정상회담 개최에 관한 협의가 있었으나 무바락 대통령은 동 정상회담 개최에 반대하는 기존 입장을 재표명한 것으로 보임

2. 한편 이락 사둔 하마디 부수상이 90.11.12. 주재국을 방문, 카다피 지도자에게 사담 후세인 대통령의 친서를 전달하는등 최근 아랍 정상간에 다각적인 접촉이 이루어지고 있으나 사우디아, 파병한 이집트 아랍 온건파와 리비아, 알제리등 친이락 진영및 중도제국간의 의견 불일치로 걸프사태 해결을 위한 아랍 긴급 정상회담 개최 전망은 불투명한 것으로 보임.끝

(대사 최필립-국장)

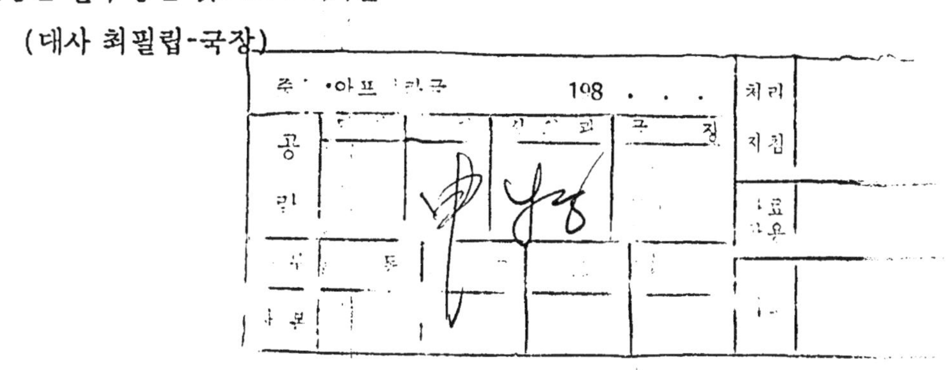

중아국 장관 차관 정문국 청와대 안기부

PAGE 1

90.11.14 23:31

외신 2과 통제관 CE

0029

원 본

암 호 수 신

외 무 부

종 별 :

번 호 : LYW-0703 일 시 : 90 1201 1400

수 신 : 장관(마그,정일)

발 신 : 주 리비아 대사

제 목 : 이락,사우디 정상회담 무산(자료응신제 26호)

1. 주재국 카다피 지도자는 걸프사태의 평화적 해결을 위해 이락 후세인 대통령과 사우디 화드 국왕간의 회담을 주선, 이를 유엔 안보리의 무력 사용 결의안 채택에 맞추어 발표할 계획으로 세계 주요 통신사 특파원과구라파 언론사 기자들을 대거 초청하여 트리폴리 시내 알 마하리 호텔에 대기 시켜왔으나 사우디 국왕이 동회담을 거부함에 따라 주재국 문공장관은 90.11.28. 저녁 사우디 국왕이 최종 순간에 태도를 변경함으로써 카다피 지도자가 추진해온 이락-사우디 정상회담이 무산되어 카다피 지도자의 기자회견을 취소한다고 발표하였음

2. 카다피 지도자는 지난 8 월 걸프사태 해결을 위한 평화안을 제시하고 아랍권및 구라파 각국과 중국에까지 특사를 파견하여 아랍에 의한 문제 해결 및 걸프에서의 외군철수를 성취하고자 노력해 왔으나 서방은 물론 아랍권의 지지를 얻지 못하고 무시당하는 결과를 초래함에 따라 자신의 평화 노력의 돌파구로 이락-사우디 정상회담을 주선하려 했던 것으로 보임.끝

(대사 최필립-국장)

중아국 1차보 정문국 안기부 대책반

PAGE 1

90.12.02 00:16

외신 2과 통제관 DO

0030

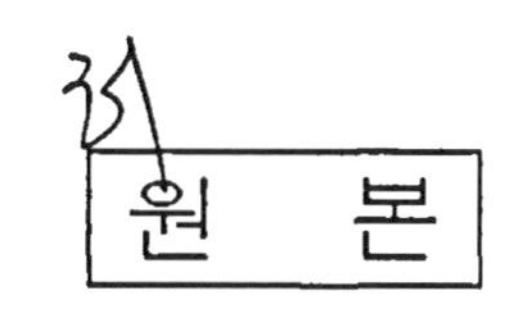

외 무 부

종 별 :

번 호 : LYW-0014 일 시 : 91 0110 1400

수 신 : 장관(마그,정일)

발 신 : 주 리비아 대사

제 목 : 이라크 제재 유엔 결의 부분 거부(자료응신 제3호)

1.주재국 관영 JANA 통신(1.9.자)은 카다지 지도자가 91.1.8. 걸프 사태와 관련한외신기자 회견에서 원유, 무기, 부품등 금수조치에 관한 대이라크 유엔제재 결의는수락할 수 있으나 식품, 의약품 및 의류금수는 야만적인 행위이므로 인도적 견지에서 수락할 수 없으며 리비아는 이를 준수치 않을 것이라고 언급한 것으로 보도 하였음

2.카다지 지도자는 91.1.6.자 공한으로 유엔 사무총장 및 안보리 의장에게 상기입장을 통보한바 있음.끝

(대사 최필립-국장)

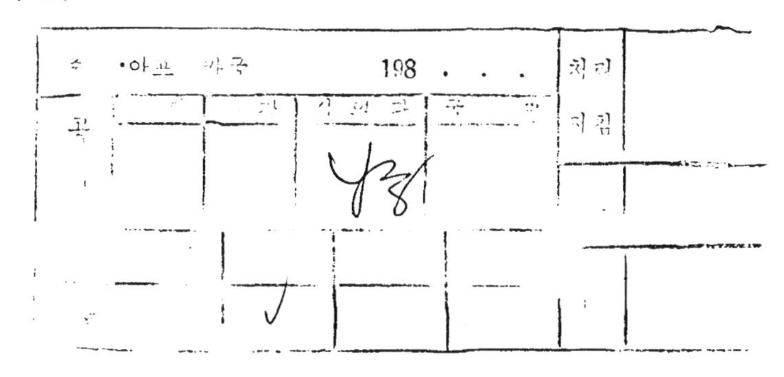

중아국 1차보 정문국 안기부

PAGE 1

91.01.10 22:05 CG

외신 1과 통제관

0031

관리번호	91/141P

원 본

외 무 부

종 별 :

번 호 : LYW-0022 일 시 : 91 0113 1500

수 신 : 장관(중근동,마그)

발 신 : 주 리비아 대사

제 목 : 페만 사태

대:WMEM-0004

1. 주재국 관영 JANA 통신은 카다피 지도자가 페만사태의 평화적 해결을 위한 최후 시도로 작 1.12. 불란서 대통령, 이태리및 스페인 수상과 전화 통화를 통해 제네바 긴급 안보리 개최에 관한 협조를 당부하고, 제 2 인자인 잘루드를 이락, 죨단및 이란에 급파 하였다고 보도 하였음

2. 상기에 비추어 카다피 지도자는 제네바에서 긴급 안보리를 개최, 이라크의 쿠웨이트 철군 약속을 이끌어 낸다는 복안으로 긴급안보리 개최를 추진하려고시도하고 있는 것으로 보이는바, 자신의 평화안 제의, 사우디-이락 정상회담 주선등 중재 노력이 국제사회에 의해 계속 무시되어 왔음에도 불구하고 페만사태의 평화적 해결 노력을 끝까지 자임하고 나서는 것은 페만 사태가 무력으로 해결된 이후 전개될 상황에 위기감을 느끼고 있는 카다피 지도자가 자신의 평화 지향적 이미지를 고양시켜 두는 것이 유리하다고 판단하기 때문인 것으로 사료됨. 끝

(대사 최필립-국장)

예고 91.6.30. 까지

1991. 6. 30에 예고문에 의거 일반문서로 재분류

중아국 장관 차관 1차보 2차보 중아국 청와대 안기부

PAGE 1

91.01.13 23:11

외신 2과 통제관 CF

0032

관리 번호	91-154

외 무 부

종 별 : 지 급

번 호 : LYW-0037 일 시 : 91 0117 1230

수 신 : 장관(대책반,중근동,마그,총인,해기)

발 신 : 주 리비아 대사

제 목 : 페만 전쟁

대:WMEM-09, AM-017

1. 당지 시간 91.1.17(목) 페만 전쟁 발발에도 불구하고 당지는 평상시와 같이 평온을 유지하고 있으며 당지 아국 업체및 근로자들은 불요불급한 외출만 금지하고 있는 가운데 정상 근무중임

2. 주재국 방송은 전쟁 발발이후 침묵을 지키다가 오전 10시 뉴스를 통해 처음으로 유엔군이 리비아 시간 08:35 대 이라크 공습을 가하였다는 내용(개전시간만 틀리게 보도하고 공격 목표등은 비교적 정확히 보도함)과, 카다피 지도자가 유엔 사무총장및 안보리 의장에게 사태를 평화적으로 해결할 방법이 없으므로 쿠웨이트의 존속(RETAIN)을 위한 모든 노력을 강구하는 것이 유엔의 책무라고 하면서 유엔군의 무력 공격이 이라크 영토에 더이상 가해지지 않고 안보리 결의에 따라 쿠웨이트 영토에만 국한되어야할 것이라는 전문을 보냈다는 사실을 보도 하였음

3. 당관은 만일의 사태에 대비, 당지 아국 업체와 긴밀한 연락을 유지하면서 비상근무 태세를 강화하고 있으나, 당지는 교민및 근로자등의 철수를 고려할 상황은 아닌바, 당지 아국민의 불안과 불필요한 동요를 막기 위해서도 대한항공으로 하여금 타지역을 경유하더라도 당지 정기 노선을 조속히 정상 운항토록 조치하여 주시기 바람. 끝

(대사 최필립-대책본부장)

예고 91.6.30. 일반

1991. 6. 30. 에 예고문에 의거 일반문서로 재 분류됨.

대책반 장관 차관 1차보 2차보 총무과 중아국 중아국 청와대 안기부 공보처

PAGE 1

91.01.17 21:29

외신 2과 통제관 CF

0033

관리 번호 91-1502

원 본

외 무 부

종 별 : 지 급

번 호 : LYW-0037 일 시 : 91 0117 1230

수 신 : 장관(대책반,중근동,마그,총인,해기)

발 신 : 주 리비아 대사

제 목 : 페만 전쟁

대:WMEM-09, AM-017

1. 당지 시간 91.1.17(목) 페만 전쟁 발발에도 불구하고 당지는 평상시와 같이 평온을 유지하고 있으며 당지 아국 업체및 근로자들은 불요불급한 외출만 금지하고 있는 가운데 정상 근무중임

2. 주재국 방송은 전쟁 발발이후 침묵을 지키다가 오전 10시 뉴스를 통해 처음으로 유엔군이 리비아 시간 08:35 대 이라크 공습을 가하였다는 내용(개전시간만 틀리게 보도하고 공격 목표등은 비교적 정확히 보도함)과, 카다피 지도자가 유엔 사무총장및 안보리 의장에게 사태를 평화적으로 해결할 방법이 없으므로 쿠웨이트의 존속(RETAIN)을 위한 모든 노력을 강구하는 것이 유엔의 책무라고 하면서 유엔군의 무력 공격이 이라크 영토에 더이상 가해지지 않고 안보리 결의에 따라 쿠웨이트 영토에만 국한되어야할 것이라는 전문을 보냈다는 사실을 보도 하였음

3. 당관은 만일의 사태에 대비, 당지 아국 업체와 긴밀한 연락을 유지하면서 비상근무 태세를 강화하고 있으나, 당지는 교민및 근로자등의 철수를 고려할 상황은 아닌바, 당지 아국민의 불안과 불필요한 동요를 막기 위해서도 대한항공으로 하여금 타지역을 경유하더라도 당지 정기 노선을 조속히 정상 운항토록 조치하여 주시기 바람. 끝

(대사 최필립-대책본부장)

예고 91.6.30. 일반

1991.6.30. 에 예고문에 의거 일반문서로 재분류됨.

대책반	장관	차관	1차보	2차보	총무과	중아국	중아국	청와대
안기부	공보처							

PAGE 1 91.01.17 21:29

외신 2과 통제관 CF

0034

관리번호	91/699

원 본

외 무 부

종 별 :

번 호 : LYW-0045 일 시 : 91 0120 1300

수 신 : 장관(비상대책본부장)

발 신 : 주 리비아 대사

제 목 : 걸프 사태

대:WMEM-0010

연:LYW-0042

1. 당지 교민및 근로자등 전원 안전함

2. 작 1.19. 트리폴리 시내 GREEN SQUARE 에서 카다피 지도자 참석하에 바그다드 폭격중지및 쿠웨이트에 자결권 부여를 촉구하는 대규모 군중집회(전국적으로 1 백만명이 시위 참가했다고 당지 언론 주장)가 있었으나 외국인에 대한 위협은 없었으며 금 1.20. 현재 평시와 같이 평온을 유지하고 있음

3. 다국적군의 대이라크 공격이 지상군에 대한 공습으로 옮겨감에 따라 주재국민의 이라크 동정 시위가 확산될 가능성이 있으나 주재국이 통제 사회로 군중 시위도 철저히 통제되고 있으며 카다피 지도자가 적극적으로 이라크를 지원하지 않고 전쟁 종식을 촉구하는 소극적이고 온건한 태도를 견지하고 있음에 비추어 당지 외국인에 대한 위해 가능성은 작은 것으로 보임

4. 상기에도 불구하고 당관은 근로자의 외출을 통제하도록 각업체에 권유하는 한편, 주재국민과의 사소한 분쟁도 일어나지 않도록 각별 유의하도록 주의를 환기시키고 있음

5. 당지는 평온한 상태임을 감안, 대호 보고는 특별한 상황이 전개되지 않는한 일일 보고 위계임.끝

(대사 최필립-본부장0

검토필(1991.6.30.)

19예고 91.6.30일까지 문에 의거 일반문서로 재 분류됨.

중아국	장관	차관	1차보	2차보	청와대	총리실	안기부

PAGE 1

91.01.20 20:21

외신 2과 통제관 EE

0035

관리번호	91-1496

원 본

외 무 부

종 별 : 지 급

번 호 : LYW-0047 　　　일 시 : 91 0121 1300

수 신 : 장관(중근동,마그)

발 신 : 주 리비아 대사

제 목 : 걸프 사태

1. 주재국 방송보도에 의하면, 주재국 외무부는 작 1.20. 당지 주재 터키 대사를 초치하고 터키가 터키내 공군기지를 대이라크 공격에 사용토록 계속 허용하는 경우, 리비아-터키간 양국관계와 리비아및 아랍권내에서 터키 국익에 직접적인 영향을 줄것이라고 경고 하였다고하며 당관은 당지 터키 대사관을 통하여 동보도가 사실임을 확인하였음

2. 상기에 비추어 주재국은 아국의 의료지원단 파견과 관련하여 유사한 조치를 취할 가능성도 배제할수 없는바,(파키스탄및 방글라데시는 파병하였음에도 주재국 정부의 반응은 없었다고함) 만일 주재국측에서 본직을 초치(가능성은 희박하나), 의료지원단 파견 문제를 거론하는 경우, 대응 방안을 하시 바람

3. 당관으로서는 다음 요지로 아국 입장을 밝히고 주재국의 이해를 구하는 것이 좋을 것으로 사료됨

가. 아국의 의료지원단 파견 결정은 걸프 사태의 평화적 해결을 위한 유엔의 제반 결의를 준수함으로써 국제사회의 평화회복 노력에 동참하기 위한 것임

나. 대한민국은 유엔에 의해 건국되었고 1950년 북한의 남침시에도 유엔군의 지원을 받은바 있어, 아국의 유엔 결의 준수및 국제 평화노력 동참은 도덕적 의무감에 근거하고 있으며 북한의 무력적화 노선에 대한 간접적 경고효과도 고려한 것임

다. 또한 걸프제국과 돈독한 우호협력관계를 유지해온 아국으로서는 우방이 난국에 처해있을때 어떤형태로든 도움을 주는 것이 도리라고 생각하며, 이라크를 포함한 아랍제국과의 전통적 우호협력관계를 감안하여 아국 정부는 비전투요원으로 인도적 사명을 띤 의료지원단을 파견키로 결정한 것임

라. 아국은 걸프사태의 평화적 해결과 조기 종전을 위한 리비아의 평화적 노력에 경의를 표하며 아국정부의 결정이 아랍권에 대한 적대행위가 아님을 강조하고자함

중아국 　장관 　차관 　1차보 　2차보 　중아국 　청와대 　안기부

PAGE 1 　　　91.01.21 　20:33

외신 2과 　통제관 CE

0036

4. 금 1.21. 현재 당지는 평온한 가운데 공사도 평상시와 다름없이 진행중이며 교민 전원 안전함. 끝

(대사 최필립-장관)

예고 91.12.31. 일반

PAGE 2

0037

원 본

암호수신

외 무 부

종 별 :

번 호 : LYW-0096 일 시 : 91 0211 1400

수 신 : 장관(마그,중근동,정일)

발 신 : 주 리비아 대사

제 목 : 외빈 방문 동정(자료응신제 05호)

1. 파키스탄 SHIRIF 수상은 91.2.9-10. 양일간 주재국을 방문, 리비아 총인민회의 의장과 공식 회담을 가진데 이어 카다피 지도자를 예방하였으며, 상기 공식 회담에서는 양국간 협력 문제및 걸프전에 관해 의견 교환을 하였고, 파키스탄수상은 걸프사태의 평화적 해결 방안 강구를 위해 이슬람 외상회의를 개최하도록 양국이 협조할 것을 제의하였다고함

2. 사둔 하마디 이라크 부수상은 걸프전 관련 순방 외교활동의 일환으로 2.10. 주재국에 도착하였음. 끝

(대사 최필립-국장)

중아국 장관 차관 1차보 2차보 중아국 정문국

PAGE 1 91.02.11 21:13

외신 2과 통제관 EE

0038

관리 번호	91-99

원 본

외 무 부

종 별 :

번 호 : LYW-0099　　　　　　일 시 : 91 0212 1400

수 신 : 장관(마그,중근동,정일)

발 신 : 주 리비아 대사

제 목 : 이라크 부수상 동정 (자료응신 제 6호)

대:LYW-0096

1. 연호 사둔하마디 이라크 부수상은 작 2.11. 정오 당지를 출발 하였는바, 동 부수상은 카다피 지도자와 면담시 걸프전 발발이후 이라크의 상황을 설명하고 리비아의 지원을 간곡히 요청하였으나 카다피 지도자는 대이라크 지원 여부에 대한 언질을 끝까지 회피한 것으로 알려지고 있음

2. 본직이 금 2.12.TAYARI 아주국장을 방문, 걸프전에 관해 의견 교환한바 동 국장은 리비아로서는 이라크의 패전을 기정 사실로 보고 이라크에 대한 일체의 지원을 하지 않고 있으며 걸프전에 연루되지 않도록 적극 노력하고 있다고 언급하였음. 끝

(대사 최필립-국장)

예고 91.12.31. 일반

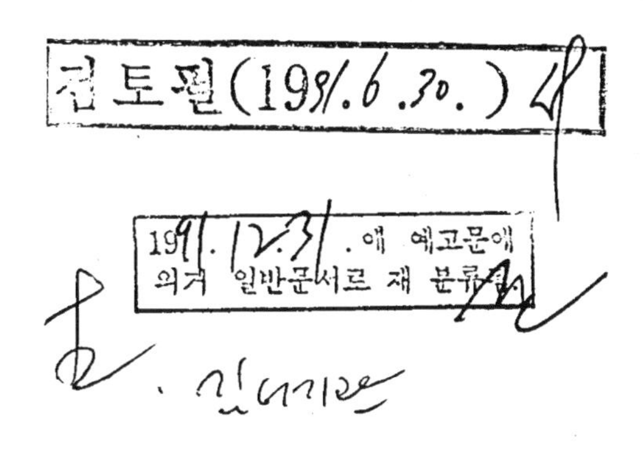

검토필(1991.6.30.)

1991.12.31.에 예고문에 의거 일반문서로 재 분류됨

중아국	차관	1차보	2차보	중아국	정문국	청와대	안기부

PAGE 1　　　　91.02.12 22:51

외신 2과 통제관 CF

0039

관리 번호	91 -1517

원 본

외 무 부

종 별 :

번 호 : LYW-0106　　　　　일 시 : 91 0214 1300

수 신 : 장관(중근동,마그)

발 신 : 주 리비아 대사

제 목 : 걸프전쟁 관련 동향

대:WLY-0062

연:LYW-0065,0099

1. 카다피 지도자가 터키의 공군기지 제공에 대해 터키 언론과의 인터뷰등을 통해 불만만을 표시한바 있으나 주재국은 연호와 같이 이라크의 패전을 기정사실로 보고 걸프전에 연루되지 않으려고 노력하고 있고, 불란서및 독일과는 관계를 더욱 긴밀하게 하고 있어 주재국이 다국적군 지원에 대해 압력을 행사할 가능성은 희박한 것으로 사료됨

2. 터키에 대해서는 과거 터키가 아랍을 지배한 역사적 특수관계 때문에 주재국 터키의 기지제공에 관심을 가졌으나 연호와 같이 상호 입장 전달및 의견교환 차원이었고 공식적인 항의는 아니었으며, 당지 주재 터키대사도 최근 본직에게 당지 일부 터키 캠프에 돌을 부척하는등 경미한 사건은 있었으나 주재국으로 부터 하등의 압력을 받은바 없고 건설공사와 관련한 불이익 조치도 없었다고 하면서 주재국과의 미수금 문제는 언제나 있었던 문제로 새로운 사실이 아니라고 언급한바 있음

3. 상기에 비추어 아국의 다국적군 지원이 아국 업체에 부정적인 영향을 줄것으로 우려되는 상황은 아니나 주재국의 반응 추이는 계속 주시하겠음

4. 주재국 카다피 지도자는 작 2.13. 이집트를 방문하였는바 동 방문은 카다피 지도자가 사담후세인의 파멸을 전제로 이집트와의 관계강화및 대미관계 개선 노력을 경주할 가능성을 시사하는 것이며, 카다피로서는 이라크에 대한 지원 보다는 사담후세인 퇴장 이후 아랍권에서 자신의 위상을 어떻게 부각시키는가에 관심을 가지고 있는 것으로 보임.끝

(대사 최필립-국장)

예고 91.12.31. 까지

검토필(1991.6.30)

중아국	장관	차관	1차보	2차보	미주국	중아국	청와대	안기부

PAGE 1　　　　91.02.14 21:24

외신 2과 통제관 CE

0040

원 본

외 무 부

종 별 :

번 호 : LYW-0130 일 시 : 91 0227 1500

수 신 : 장관(마그)

발 신 : 주 리비아 대사

제 목 : 걸프 사태

주재국 외무장관은 2.26. 스페인, 이태리및 프랑스대사를 불러 이라크가 쿠웨이트에서 철수를 선언 하였으므로 이라크에 대한 폭격이 그목적을 달성한 이상 더이상의 폭격은 용납할수 없으며, 주재국과 동국과의 관계에 영향을 미칠지 모른다고 하였다고 함.

끝

(대사 최필립-국장)

중아국	장관	차관	1차보	2차보	미주국	정문국	청와대	총리실
안기부	대책반							

PAGE 1 91.02.28 07:01 DA

외신 1과 통제관

0041

2. 모로코

0042

관리번호	90-511

원 본

외 무 부

종 별 : 지 급

번 호 : MOW-0305 일 시 : 90 0802 2200

수 신 : 장관(마그,중동)

발 신 : 주 모로코 대사

제 목 : 이락 쿠웨이트 무력침공

주재국 외무성 외무담당국무상은 금 8.2. 18:30 당지 주재 외교단을 3 개 지역으로 구분 외무성에 긴급 초치, 이락에 의한 쿠웨이트 무력 침공 점령사태에관해 주재국 입장을 다음과 같이 설명 통보하고, 아랍 형제국간의 불행한 분쟁이 조속히 해결되도록 모든 우방국의 협력을 요망하였음.

-다음-

주재국 국왕은 금 8.2. 오전 긴급 각료회의를 소집, 이락의 쿠웨이트 무력 침공사태를 토의하고 다음 조치를 취하였음.

1. 이락의 군사 개입은 모든 관계 국제법규에 위반하며, 모로코는 이를 강력히 규탄하며 이락군의 즉각 철수를 요구함.

2. 모로코 정부는 침공 당시 쿠웨이트 정부만을 합법정부로 간주하며 그외 어떤 쿠웨이트 기관과도 일체 관계를 갖지 않을 것임.

3. 이사태에 관해 카이로에서 긴급회의중인 아랍연맹 각료회의가 취하는 모든 조치를 전폭 지지 단행할 것임.

동국무상은 모로코의 모든 평화애호 우방국들이 이락의 무력침략을 강력히 규탄하고 즉각 철군을 요구하여 이 불행한 사태가 하루속히 해결되도록 적극 협력을 요망하고, 각국 본국 정부가 이사태와 관련하여 취한 조치를 주재국에 통보하여 줄것을 요망함.

본사태와 관련 아국 정부 입장 표명 여부 및 그 내용 회시 바람.

(대사 이종업-국장)

예고:90.12.31 일반.

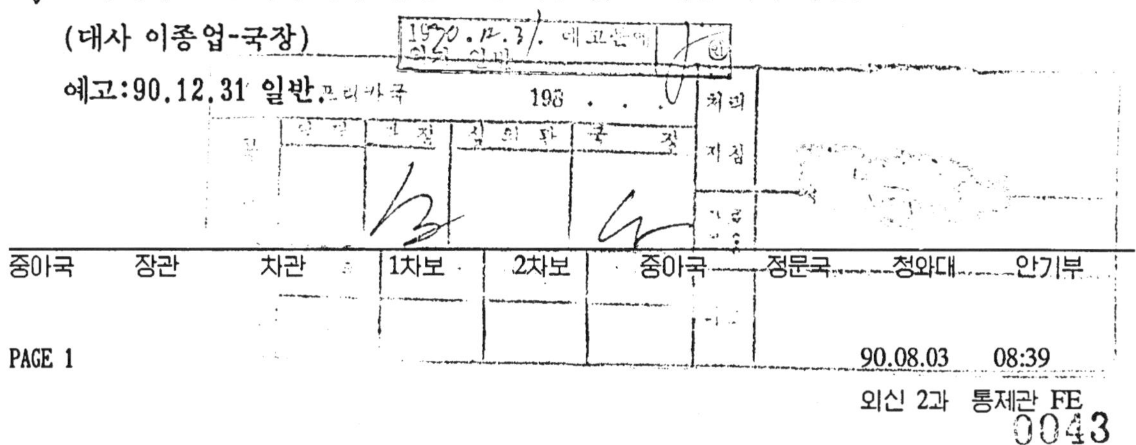

중아국	장관	차관	1차보	2차보	중아국	정문국	청와대	안기부

PAGE 1

90.08.03 08:39

외신 2과 통제관 FE

0043

외 무 부

종 별 :

번 호 : MOW-0308 일 시 : 90 0807 1200

수 신 : 장 관(마그,중근동,정일)

발 신 : 주 모로코대사

제 목 : 쿠웨이트대사 불복종 선언(자료응신 제13호)

당지 주재 쿠웨이트 대사는 8.5 쿠웨이트 현정부에 복종하지 않고 쿠웨이트왕정부에 계속적이나 충성을 하겠다고 선언함.끝.

(대사 이종업-국장)

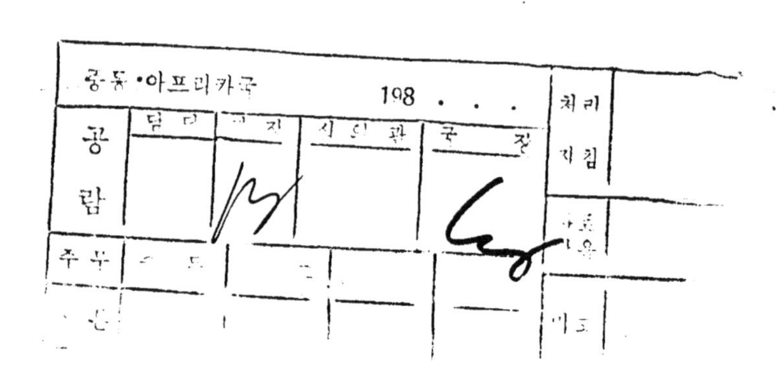

중아국 1차보 중아국 정문국 안기부

PAGE 1

90.08.08 09:33 WH

외신 1과 통제관

0044

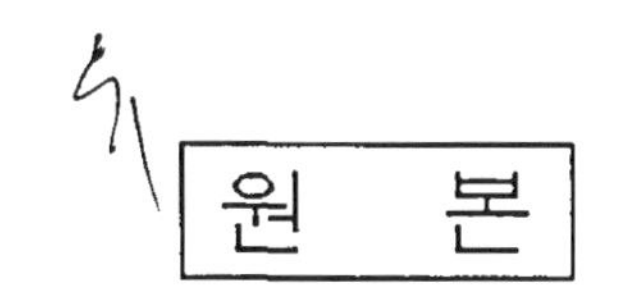

외 무 부

종 별 :

번 호 : MOW-0319 일 시 : 90 0816 1600

수 신 : 장 관(마그,중근동,미북,정일)

발 신 : 주 모로코 대사

제 목 : 국왕 기자회견

(자료응신 제13호)

주재국 핫산국왕은 8.15 자 LE MONDE 지 자끄아말릭 기자와 이락-쿠웨이트 문제에대한 기자회견을 가졌는바, 요지 아래와같이 보고함.

-이락이 걸프지역 위기해소의 주도권을 쥐어야하며, 따라서 이락의 명예로운 후퇴를위한 우방국들의 충고를 들을줄 알아야함.

-아랍국들은 쿠웨이트 왕의 정통성 복귀와 원상회복을 요구하여야함.

-모로코는 불법에 대한 반대를 표명하기위해 상징적으로 1,500-2,000명 정도의 모로코 군대를 사우디에 파견하였음.

-금번 파견은 미국의 요청이 아니며 불법에 직면해있는 사우디 국왕을 돕기위한것임.

-이스라엘과 아랍간의 문제가 해결되지 않는한 이스라엘을 돕고있는 국가들과는언제든지 대결할것임.

-모로코가 만약 이러한 위기에 처해진다면 미국에도움을 청할것인가라는 질문에 ''국가 보전을 위해서는 악마도 부르겠다'' 고 대답함.끝.

(대사이종업-국장)

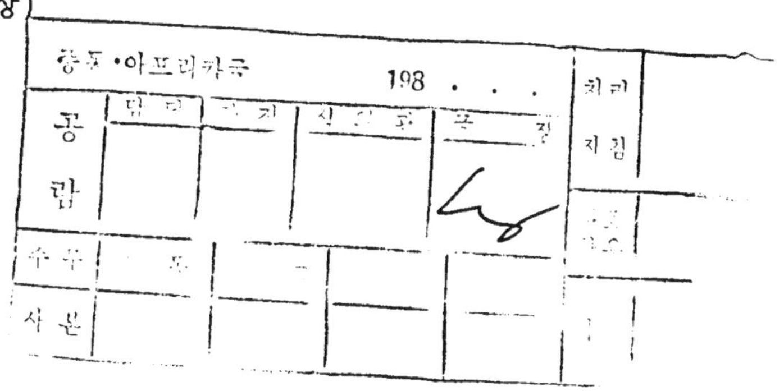

중아국 1차보 미주국 중아국 정문국 청와대 안기부 대책반 차관

PAGE 1

90.08.17 03:59 ER

외신 1과 통제관

0045

원 본

외 무 부

종 별 :

번 호 : MOW-0330 일 시 : 90 0824 1530

수 신 : 장 관 (마그,중근동,아프일,정일)

발 신 : 주 모로코 대사

제 목 : 리비아/챠드대통령 방문(자료응신 제17호)

1. 리비아의 가다피 원수와 챠드의 하브레 대통령이 하산왕의 초청으로 8.22 부터 당지를 방문중에 있음.

2. 동 초청은 리비아-챠드 문제의 조기 종식을 위한 하산왕의 중재가 목적이며 삼국 국가원수의 회동과 동시에 외무장관 회의도 별도로 진행하여 주말경 회동결과가발표될 예정임.끝.

(대사 이종업-국장)

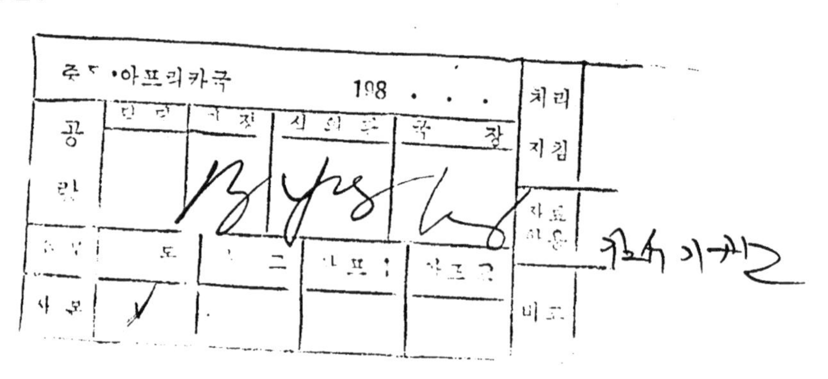

중아국 1차보 중아국 중아국 정문국 안기부

PAGE 1

90.08.25 07:59 FC

외신 1과 통제관

0046

이

원 본

외 무 부

종 별 :

번 호 : MOW-0332 일 시 : 90 0828 1200

수 신 : 장관(마그,중근동,정일)

발 신 : 주 모로코대사

제 목 : 사우디 외상방문

(자료응신 제 19호)

1. FAYCAL 사우디 외상이 8.27 주재국을 방문 하산국왕에게 사우디 국왕의 친서를 전달하고 쿠웨이트 사태에 대하여 의견교환을 하였음. 이자리에서 양인은 아랍형제국간의 무력 행동을 비난하고 이락군의 무조건적인 철수와 원상회복을 강조함.

2. 관측통에 의하면 사우디왕의 메세지는 8.31 이집트와 시리아의 주도로 소집되는 아랍 특별 각료회의에 튜니지와 모로코의 각별한 참여를 독려하는 내용일 것이라함.

(대사 이종업-국장)

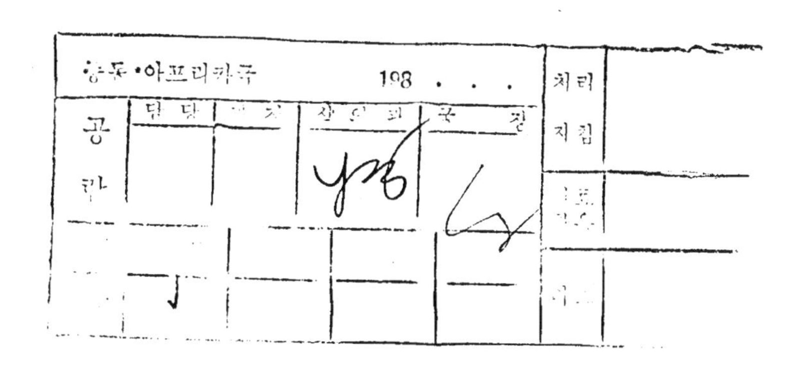

중아국 1차보 중아국 정문국 정문국 안기부

PAGE 1 90.08.28 23:04 DA

외신 1과 통제관

0047

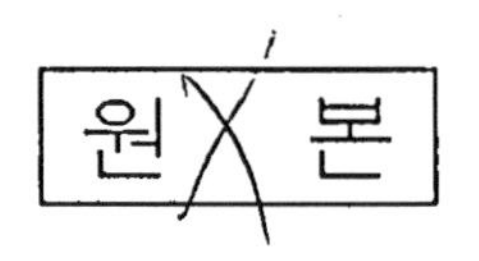

외 무 부

종 별 :

번 호 : MOW-0333 일 시 : 90 0829 1600

수 신 : 장관(마그,중근동,국연,정일)

발 신 : 주모로코대사

제 목 : 주쿠웨이트 모로코대사관 폐쇄문제

(자료응신 제20호)

주재국 외무장관은 8.28 쿠웨이트주재 모로코대사관에 대한 이락의 무법적 조치에 대하여 다음과 같은 성명을 발표하였음.

1. 국제법과 국제관례에 따라 쿠웨이트는 계속 존재하며 따라서 모로코는 대사관을 계속 유지한바.

2. 8.25 아침 출근하는 모로코 외교관에게 총을 겨누고 손을 들고 걷게한 것, 쿠웨이트 은행에 예치된 대사관 자금인출을 동결한 것, 대사관직원들을 위협적으로 바그다드에 이송하여 출국금지 상태에 놓은 것등 이락의 만행은 도저히 묵과할수 없는비엔나협약의 위반임.

3. 따라서 모로코는 이락측의 이러한 행동으로 발생하는 대응조치를 취할 모든 권리를 가지며 제반 상황에도 불구하고 국제법의 원칙과 국제관례 및 아랍연맹의 결의에따라 대사관을 OPEN 한다. 끝.

(대사 이종업-국장)

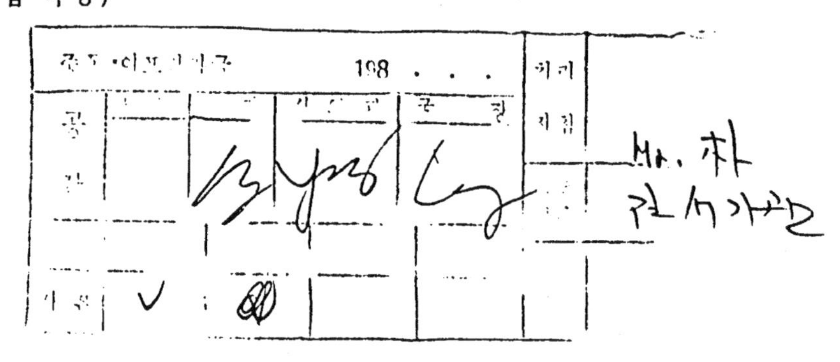

중아국 중아국 국기국 정문국 안기부 미주국 통상국 대책반 1차보 2차보

PAGE 1

90.08.30 05:16 CG

외신 1과 통제관

0048

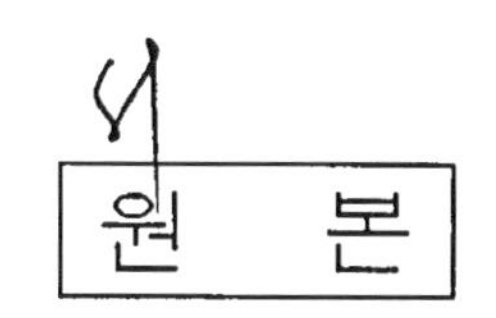

외 무 부

종 별 :

번 호 : MOW-0336 일 시 : 90 0830 1800

수 신 : 장 관(마그,중근동,정일)

발 신 : 주 모로코 대사

제 목 : 요르단 훗세인왕 방문

(자료응신 제21호)

요르단 훗세인 국왕이 마그레브 국가 순방의 일환으로 8.29 부터 주재국을 방문중에 있음.끝.

(대사이종업-국장)

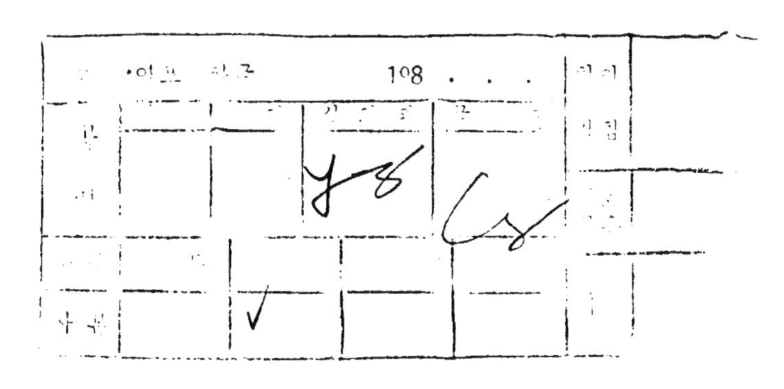

중아국 1차보 중아국 정문국 안기부 미주국 통상국 대책반 2차보

PAGE 1 90.08.31 08:56 ER

외신 1과 통제관

0049

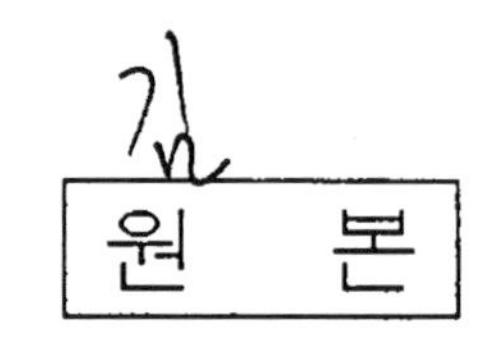

외 무 부

종 별 :

번 호 : MOW-0337 일 시 : 90 0830 1800

수 신 : 장관(마그,중근동,정일)

발 신 : 주 모로코대사

제 목 : 쿠웨이트사태 대응 (자료응신 제 22호)

연: MOW-0333

1. 주재국 외무담당 국무상은 8.28 당지 이락대사를 소환하여 쿠웨이트 주재 모로코대사관 직원에대한 이락의 불법적인 조치에 경악스러움을 표명하고 항의함.

2. 동시에 현재 쿠웨이트 사태를 설명하기 위해 모로코에 와있는 이락 BAATH 당 외무위소속 당대표들의 활동을 정지할것을 요청함. 이것은 모로코 당국이 취할수있는 최소 한의 조치라고 언급함. 끝.

(대사 이종업-국장)

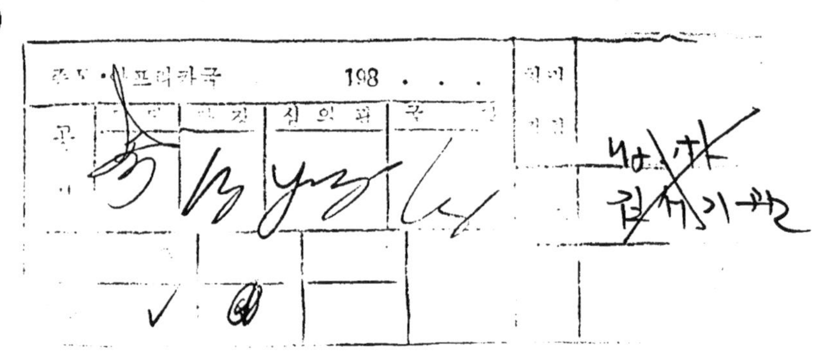

중아국 1차보 중아국 정문국 안기부

PAGE 1

90.08.31 06:58 DA

외신 1과 통제관

0050

김

원 본

암호수신

외 무 부

종 별 :

번 호 : MOW-0354 일 시 : 90 0914 0840

수 신 : 장관(마그,중근동,정일)

발 신 : 주 모로코 대사

제 목 : 핫산왕 특사 이락파견

(자료응신 제 26 호)

1. 주재국 핫산왕은 9.13 국왕고문 GUEDIRA 를 바그다드로 보내 ''걸프만 최근 상황에 관하여 양국간의 형제적 관계'' 를 담은 친서를 전달하였음.

2. 동 친서의 내용은 과거 폴리사리오 문제때 이락이 모로코를 지지한반면 금번 쿠웨이트 사건시 모로코는 사우디에 군대를 파견하는등 반 이락 정책을 취한데대한 변명을 함으로서 향후 양국관계 재정립 시도로 파악됨. 끝.

(대사 이종업-국장)

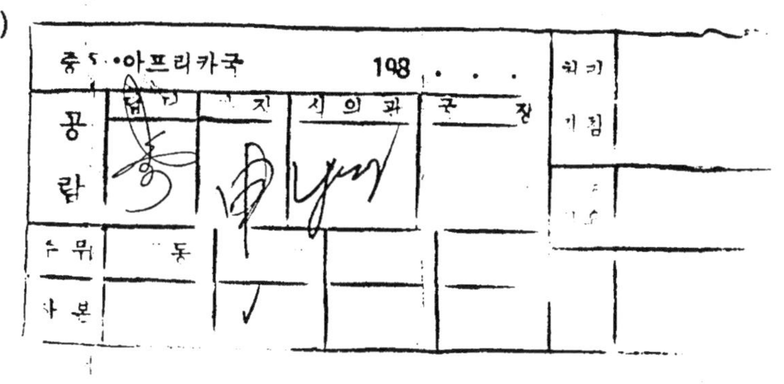

중아국 차관 1차보 2차보 중아국 정문국 청와대 안기부 대책반

PAGE 1

90.09.14 23:08

외신 2과 통제관 CW

0051

원 본

암호수신

외 무 부

종 별 :

번 호 : MOW-0361 일 시 : 90 0917 1800

수 신 : 장관(마그,중근동,정일)

발 신 : 주 모로코 대사

제 목 : 걸프사태 특사파견

(자료응신 제 27 호)

연:MOW-0354

주재국 국왕은 현 중동사태를 중재하기 위하여 연호 국왕고문을 바그다드로 파견하고 이어서 내무장관 BASRI 를 9.14 리비아에, 국왕고문 GUEDIRA 를 9.15 알제리에, 국왕고문 BENSOUDA 를 9.14 예멘에 파견하여 핫산왕의 메세지를 전달하였음. 끝.

(대사이종업-국장)

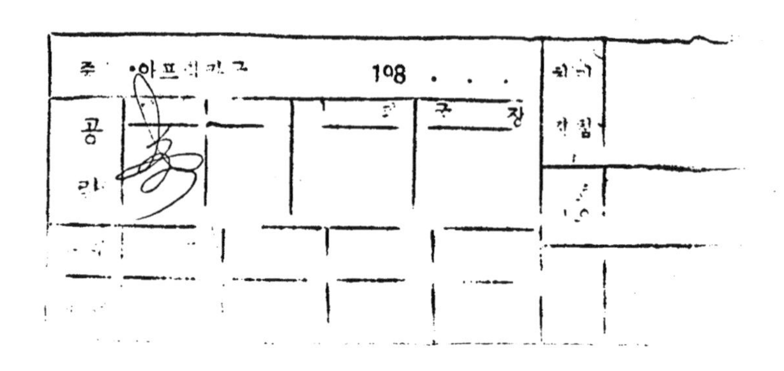

중아국 중아국 정문국 안기부

PAGE 1

90.09.18 06:08

외신 2과 통제관 DO

0052

원 본

외 무 부

종 별 :

번 호 : MOW-0366 일 시 : 90 0920 1800

수 신 : 장 관(마그,중근동,정일)

발 신 : 주 모로코 대사

제 목 : 요르단/알제리 국가원수방문

(자료응신 제28호)

요르단의 후세인왕과 알제리의 벤제디드 대통령이 주재국 하산국왕의 초청으로 9.20 부터 당지를 방문중에 있으며 3 정상간 의회동은 현 걸프만 사태의 아랍정상간 중재를 목적으로 하고있음.끝.

(대사이종업-국장)

중동·아프리카국	199 . . .				처리 지침
공람	담당	과장	심의관	국장	
주무	주구동				비고
	✓				

중아국 1차보 중아국 정문국 안기부

PAGE 1

90.09.21 09:02 WG

외신 1과 통제관

0053

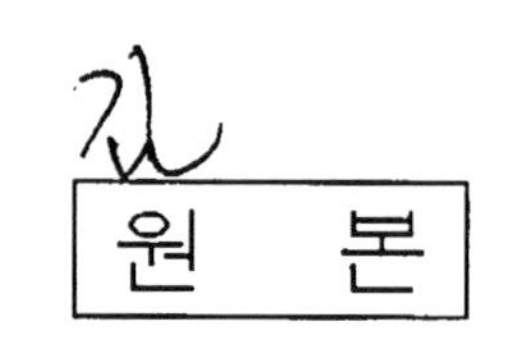

외 무 부

종 별 :

번 호 : MOW-0394 일 시 : 90 1015 1800

수 신 : 장 관(마그,중근동,정일)

발 신 : 주 모로코 대사

제 목 : 쿠웨이트사태에 대한 주재국입장

(자료응신 제30호)

1.핫산 국왕은 10.12 주재국 국회개원식에서 쿠웨이트 사태에 대한 주재국 입장을 아래와 같이밝혔음.

가.이락은 쿠웨이트 점령과 아랍-이스라엘 문제간의 도덕적, 윤리적, 방법적인 관계를수립하는데 성공한 것으로 만족해야하며, 과거지사의 일을 서로 연계 시키지 말아야함.

나.따라서 이락은 쿠웨이트로부터 철수하여 주권을 돌려주어야함.

다.모로코는 이락이 안고있는 문제점과 불평을 이해하나 무력에의한 해결은 결코 정치적 해결의기초가 될수없다고 생각함.

라.전쟁시 이락은 패배한다는것을 인식해야하며, 모로코가 강조하는것은 이락의 항복을 요구하는것이 아니라 국제법과 합법성, 그리고 평화적인 방법의 모색임.

2.상기 입장표명에 대하여 주재국 외교가에서는 아랍국가중 가장 온건하고도 합리적인 것으로 평가함.끝.

(대사-국장)

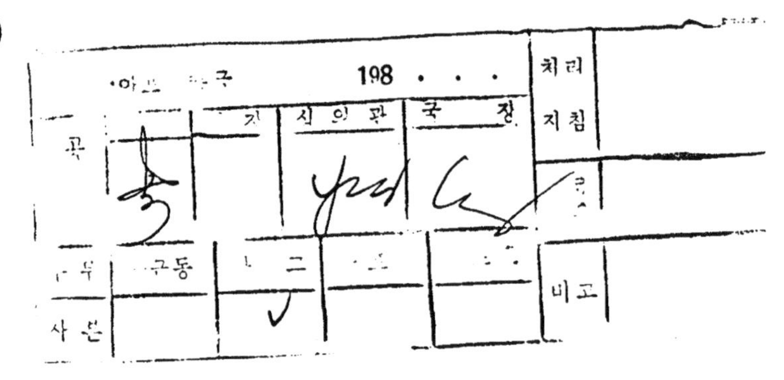

구주국 1차보 구주국 정문국 안기부

PAGE 1 90.10.16 09:31 WG

외신 1과 통제관

0054

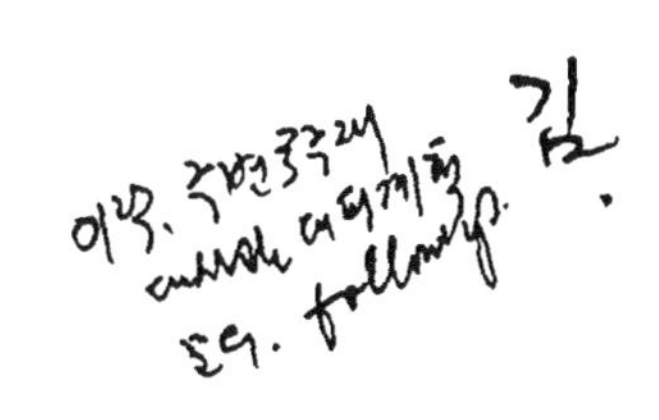

관리번호	91-38

외 무 부

종 별 : 지 급

번 호 : MOW-0009 일 시 : 91 0110 1800

수 신 : 장관(마그,미북,기재,국방부)

발 신 : 주 모로코 대사

제 목 : 걸프만 사태

(자료응신 제 1 호)

연:MOW-0492

1. 걸프만 위기와 관련하여 미국대사관은 직원들 각자의 필수품을 챙긴 가방을 1.10 현재 대사관에 이미 집결시켜 놓고있으며, 여차시 스페인의 로타 미군기지 미군기가 날아와서 철수할 준비를 한적있음.(주재국 공항에 상시 대기중이던 미군기는 현재 수리차 미국에 있음.)

2. 동 조치는 전쟁과 더불어 발생할지도 모를 주재국민들의 이락지지 가두시위와 소요 및 아랍 테러에 사전 대비하기 위한 조치라함.

3. 이와관련하여 당관은 미국대사관의 철수계획서(48 페이지 분량)를 입수하고 있는바, 차파편(1.18) 송부예정임. 당관에서도 비상사태 대비책을 강구중인바 본부에서 이와관련 이미 수립된 계획이 있으면 회시바람.

(대사이종업-국장)

예고:91.12.31 일반

일반문서로 재분류(1991.12.31.)

검 토 필(1991.6.30.)

중아국 차관 1차보 기획실 미주국 영교국 국방부

PAGE 1

91.01.11 07:01

외신 2과 통제관 FE

0055

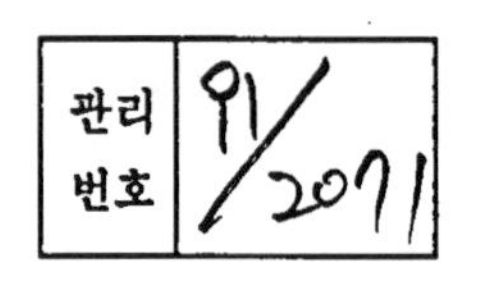

원본

외 무 부

종 별 : 지 급

번 호 : MOW-0009 일 시 : 91 0110 1800

수 신 : 장관(마그,미북,기재,국방부)

발 신 : 주 모로코 대사

제 목 : 걸프만 사태

(자료응신 제 1 호)

연:MOW-0492

1. 걸프만 위기와 관련하여 미국대사관은 직원들 각자의 필수품을 챙긴 가방을 1.10 현재 대사관에 이미 집결시켜 놓고있으며, 여차시 스페인의 로타 미군기지 미군기가 날아와서 철수할 준비를 한적있음.(주재국 공항에 상시 대기중이던 미군기는 현재 수리차 미국에 있음.)

2. 동 조치는 전쟁과 더불어 발생할지도 모를 주재국민들의 이락지지 가두시위와 소요 및 아랍 테러에 사전 대비하기 위한 조치라함.

3. 이와관련하여 당관은 미국대사관의 철수계획서(48 페이지 분량)를 입수하고 있는바, 차파편(1.18) 송부예정임. 당관에서도 비상사태 대비책을 강구중인바 본부에서 이와관련 이미 수립된 계획이 있으면 회시바람.

(대사이종업-국장)

예고:91.12.31 일반

검 토 필 (1991. 6. 30)

중아국 차관 1차보 기획실 미주국 영교국 안기부 국방부

PAGE 1

91.01.11 08:28

외신 2과 통제관 FE

0056

관리번호	91-17

원 본

외 무 부

종 별 :

번 호 : MOW-0012 일 시 : 91 0114 1730

수 신 : 장관(마그,중근동,정일)

발 신 : 주 모로코 대사

제 목 : 걸프만 사태(자료응신 제2호)

1. 주재국 관측통 및 언론계에서는 걸프만 전쟁이 미국측이 걸프만 사태와 팔레스타인 문제 연계를 거부함으로서 불가피하다고 판단하고 있음.

2. 전쟁 발발시 주재국은 최전선국은 아니나 테러전선국이 될것이라는 우려와 또한 지난 1.14 총파업 단행시 FES 시에서 발생한 폭동 사태에 비추어, 도시 빈민층에의한 자발적인 이락지지 데모가 소요 폭동 사태로 발전될 가능성을 고려, 미, 캐나다, 불란서등 일부 서방국가들은 자국민 철수 또는 계획을 수립한것으로 알려지고 있음. 당관에서도 주재국 거주 교민에게 자중할것을 당부하였으며,비상연락망을 수립함.

3. 주재국 정부 당국도 전쟁 발발시 주재국에 미칠 영향에 대하여 깊히 우려하고 있는것으로 알려지고 있는바, 이와관련 당지 외교단에서는 예년과는달리 국왕이 천식증의 고통을 당하면서도 FES 시나 마라케쉬시로 가지않고 라바시에 거주하고 있는 사실을 지적하고 있음. 한편 전쟁결과 발생할지도 모를 폭동소요 사태에 대비하여 폭동진압 장비 긴급 수입을위해 주재국 내무부는 현지 몇몇대사관을 비밀 접촉한것으로 알려지고 있는바, 주재국 내무부는 당지 대우 지점장을 접촉, 아국산 관계장비 긴급 수입을 결정한바 있음. 이 역시 주재국 정부의 전쟁결과 발생할 사태에 대한 판단과 무관하지 않은것으로 봄.

4. 모로코 진보사회주의정당(공산당) 정치국은 1.14 발표한 선언문에서 미국은 세계평화를 위해 중동문제 국제회의 소집 원칙을 수락할것으로 요구하였음.한편, 이스티칼 정당 기관지인 OPINION 지는 1.11 및 1.14 각각 사설을 통해 미국 및 이락의 각각 강경한 입장에 비추어보아 기적이 없는한 전쟁이 불가피하다고 전망하고 특히 미국과 서구의 국제문제 처리에 있어서의 ''DOUBLE STANDARD'' 를 지적, 미국이 이스라엘 인질 상태에서 벗어나, 중동문제 국제회의 소집 원칙을 수락, 인류를 전쟁의 재앙에서 구할것으로 촉구하고, 서구 제국은 나머지시한내에 미국을 그런 방향으로

중아국 장관 차관 1차보 2차보 중아국 정문국 안기부

PAGE 1 91.01.15 09:49

외신 2과 통제관 BW

0057

설득할것으로 촉구함.

5. 주재국 국왕은 1.12 주재국을 전격 방문한 불란서 DUMAS 외상을 접견한바, 동 외상은 출국기자회견에서 중동문제를 포함한 국제문제에 관해 협의하였다고 언명한데 비추어 걸프만 전쟁 방지를위한 최후의 외교적 노력에 협의의 역점을 둔것으로 관측됨. 주재국 국왕은 이미 ''아랍방식 해결' 을 위한 아랍정상회의를 제의한바 있었음. 끝.

(대사이종업-국장)

예고:91.6.30 일반

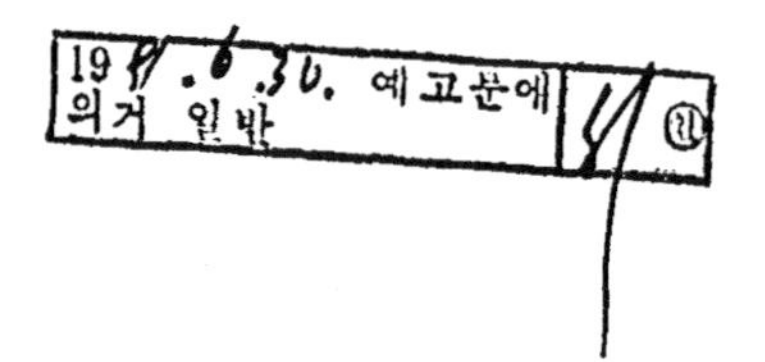

PAGE 2

0058

김

관리 번호	91-71

원 본

외 무 부

종 별 : 지 급

번 호 : MOW-0016 일 시 : 91 0115 1830

수 신 : 장관(미북,마그,정일)

발 신 : 주 모로코 대사

제 목 : 걸프만 사태(자료응신 제3호)

대:WMO-0016

1. 주재국 국왕은 1.14 걸프만 전쟁 발발시 발생할 제반사태에 대비한 각종방책을 강구하기 위해 정부 전 각료및 군경 최고 책임자로 구성된 ''최고안보회의'' 를 소집 사회하였다고 주재국 정부 대변인이 발표하였음. 동 ''최고안보회의'' 는 특별히 중대한 경우에 한하여 소집되는바, 이는 주재국 정부가 사태를심각하게 고려하고 있음을 반증함.

2. 한편 주재국 국왕 GUEDIRA 고문은 1.14 국왕특사로 사우디에 파견, 사우디 국왕에게 주재국 국왕 친서를 전달한바, 동 특사 파견이 불란서 DUMAS 외상 주재국 방문 직후에 이루어진 것으로서 걸프만 위기 평화적 해결책에 관한 주재국의 협조 일환으로 이루어진 것으로 간주되고 있음.

3. 주재국 언론계에서는 계속 사설 및 해설기사를 통해 걸프만 사태의 평화적 해결을 위해서 미국이 중동문제의 근원인 아랍. 이스라엘 문제 국제회의 개최에 동의할것을 촉구하였음.

주재국 지식층 일부에서는 이번 사태를 미제국주의와 아랍민족주의 대결, 남에의한 북에의 도전이라는 시각에서 논하고 있으며, 전쟁 발발시, 아랍 대중은각처에서 궐기하여 이락을 지지할 것이며, 일부 아랍국 집권층은 이로 큰 위협을 받을것이라고 함. 끝.

(대사이종업-국장)

예고:91.6.30 일반

예고문에 의거 일반문서로 재분류 1991 6 30 서명

미주국 차관 1차보 2차보 중아국 정문국 청와대 안기부

PAGE 1

91.01.16 06:23

외신 2과 통제관 FE

0059

관리 번호	91-66

	분류번호	보존기간

발 신 전 보

번 호 : WJA-0203 외 별지참조 종별 : WMO-0016 910116 1927

수 신 : 주 수신처 참조 ~~대사, 총영사~~

발 신 : 장 관 (미북)

제 목 : UN 안보리 철군 시한 경과 관련 성명 발표

1. 페만 사태와 관련 UN 안보리가 설정한 1.15. 이라크군 철수 시한이 임박함에 따라 독일 정부는 상기 시한전 이라크군의 철군을 촉구하는 수상실 명의 성명을 1.14. 발표하였음.

2. 본부 조치 결정에 참고코자 하니, 1.15. 시한을 전후하여 주재국 정부의 여사한 입장 표명이 있을 경우 발표 즉시 지급 보고 바람. 끝.

(미주국장 반기문)

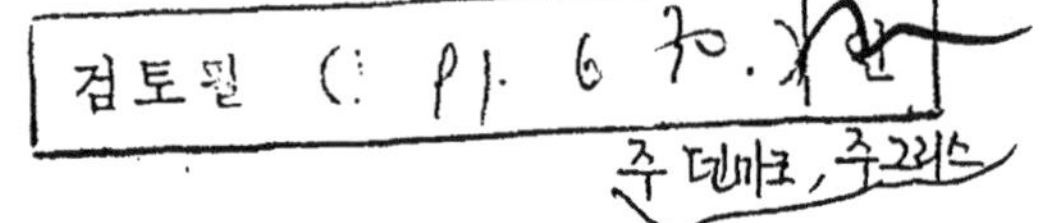

검토필 (91. 6. 30.)

예고 : 91.12.31. 일반

수신처 : 주일, 주영, 주불, 주카나다, 주이태리, 주벨지움, 주덴마크, 주그리스, 주터어키, 주호주대사

(사본 : 주미대사) 주카이로총영사, 주파키스탄, 주사우디, 주방글라데시, 주모로코, 주세네갈, 주칠레, 주소대사

일반문서로 재분류(1991.12.31.)

중동아국장 대변인

보안 통제	

앙 고 재	91년 1월 15일	북미과	기안자 성명		과 장	심의관	국 장		차 관	장 관
							전결			

외신과통제

0060

유엔 안보리 철군 시한 경과후

~~대한민국 정부~~ 외무부 대변인 성명(안)

1991. 1. 16.

1. 대한민국 정부는 유엔 안보리 결의가 설정한 1.15. 철수 시한이 지났음에도 불구하고 이라크 정부가 쿠웨이트에 불법 주둔중인 이라크군을 아직 철수치 않고 있음을 유감스럽게 생각합니다.

2. 이에 따라 페르시아만 지역정세가 전쟁 발발 일보 직전으로 치닫고 있어 페르시아만 인근지역 전체는 물론 전세계인들을 공포와 불안에 떨게하고 있는데 대해 우리는 깊은 우려를 갖고 있습니다.

3. 우리 정부는 이라크 정부가 지금이라도 전세계 평화 애호인의 염원에 부응하여 유엔 안보리 결의가 요구하고 있는 바와 같이 쿠웨이트로부터 즉각 철군할 것을 거듭 촉구하는 바입니다.

4. 대한민국 정부는 이 기회를 빌어 페르시아만 지역에 파견된 미국을 비롯한 다국적군의 헌신적인 평화유지 노력에 깊은 경의와 찬사를 보내고자 합니다.

끝.

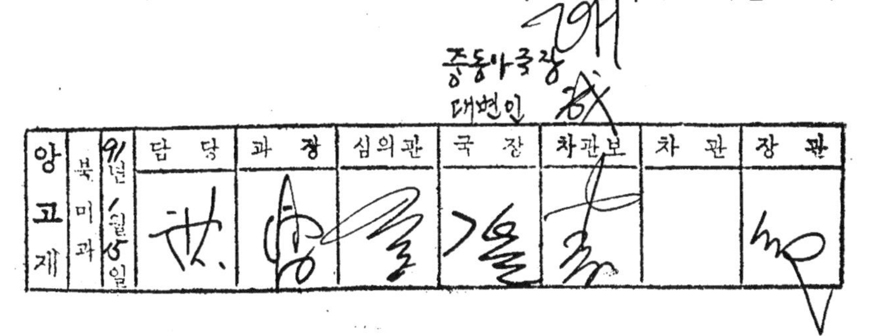
중동아국장
대변인

양고재	북미과	91년 1월 15일	담 당	과 장	심의관	국 장	차관보	차 관	장 관

0061

관리 번호 91-21

외 무 부

종 별 : 지 급

번 호 : MOW-0016 일 시 : 91 0115 1830

수 신 : 장관(미북,마그,정일)

발 신 : 주 모로코 대사

제 목 : 걸프만 사태(자료응신 제3호)

대:WMO-0016

1. 주재국 국왕은 1.14 걸프만 전쟁 발발시 발생할 제반사태에 대비한 각종방책을 강구하기 위해 정부 전 각료및 군경 최고 책임자로 구성된 ''최고안보회의'' 를 소집 사회하였다고 주재국 정부 대변인이 발표하였음. 동 ''최고안보회의'' 는 특별히 중대한 경우에 한하여 소집되는바, 이는 주재국 정부가 사태를심각하게 고려하고 있음을 반증함.

2. 한편 주재국 국왕 GUEDIRA 고문은 1.14 국왕특사로 사우디에 파견, 사우디 국왕에게 주재국 국왕 친서를 전달한바, 동 특사 파견이 불란서 DUMAS 외상 주재국 방문 직후에 이루어진 것으로서 걸프만 위기 평화적 해결책에 관한 주재국의 협조 일환으로 이루어진 것으로 간주되고 있음.

3. 주재국 언론계에서는 계속 사설 및 해설기사를 통해 걸프만 사태의 평화적 해결을 위해서 미국이 중동문제의 근원인 아랍. 이스라엘 문제 국제회의 개최에 동의할것을 촉구하였음.

주재국 지식층 일부에서는 이번 사태를 미제국주의와 아랍민족주의 대결, 남에의한 북에의 도전이라는 시각에서 논하고 있으며, 전쟁 발발시, 아랍 대중은각처에서 궐기하여 이락을 지지할 것이며, 일부 아랍국 집권층은 이로 큰 위협을 받을것이라고 함. 끝.

(대사이종업-국장)

예고:91.6.30 일반

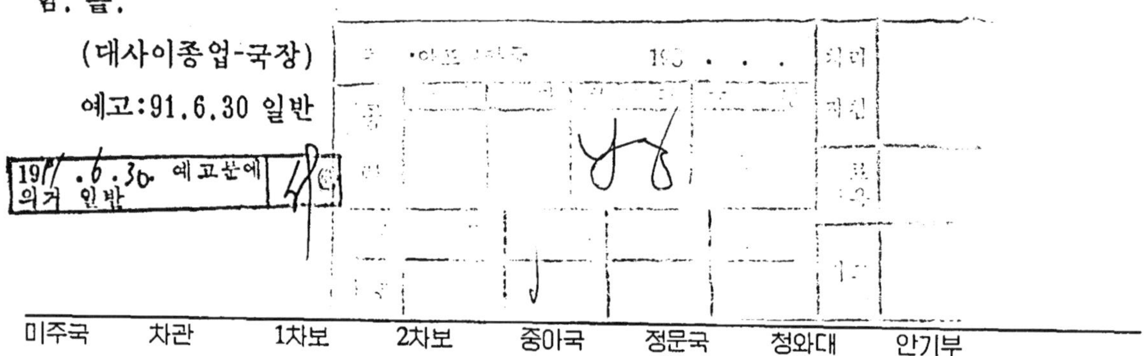

1991.6.30. 예고문에 의거 일반

미주국 차관 1차보 2차보 중아국 정문국 청와대 안기부

PAGE 1

91.01.16 06:23

외신 2과 통제관 FE

0062

긴

관리 번호	91-84

원 본

외 무 부

종 별 : 지 급

번 호 : MOW-0020　　　　일 시 : 91 0116 1900

수 신 : 장관(미북,마그,중근동,정일,국방부)

발 신 : 주 모로코 대사

제 목 : 주재국 국왕의 특별성명(자료응신 제4호)

대 WMO-0016

1. 주재국 하산 국왕은 1.15 밤 10 시 30 분 TV 를 통해 다음과같은 성명을발표하였음.

-모로코군(5,000 명)은 쿠웨이트 침공에 대응하여 국제법의 정신에따라 파병되어 사우디및 UAE 에 포진하고 있음. 그러나 모로코는 항상 형제국인 이라크를 생각하고 있음. 이와같은 원칙은 1.15 이락 부통령과의 전화통화로 재확인해 주었음.

-전쟁이 발발할 경우에는 아랍국과 회교국및 전세계가 경제적인 재앙을 맞게됨.

-만약 카이로 아랍 정상회담이 현명하게 진행 되었더라면 오늘과같은 지경에이르지 않았을 것이며, 만약 전쟁을 기뻐하는 국가가 있다면 이는 아랍 또는 회교도가 아닌것으로 간주하겠음.(이집트와 사우디를 암시)

-전쟁이 일어나지 않기를 기원하며, 만약 전쟁시에는 무엇이 아랍세계를 이토록 분열시키고 있는가에 대한 검토와 새로운 단결의 교훈을 얻어야 할것임.

2. 한편 대국민 성명에서는 전쟁 발발시 이를 이용하여 국법과 질서를 어기는 사태가 발생할 경우 계엄령을 선포할 예정이며, 질서 교란자들을 도둑과 약탈자로 간주하여 군사법정에 회부 하겠다고 선언함. 끝.

(대사 이종업-국장)

예고:91.6.30 일반

미주국　중아국　중아국　정문국　안기부　국방부　서울시

PAGE 1

91.01.17　07:12

외신 2과　통제관 FE

0063

깅

관리 번호	91-87

원 본

외 무 부

종 별 : 지 급

번 호 : MOW-0021 일 시 : 91 0116 1900

수 신 : 장관(미북,마그,정일,국방부)

발 신 : 주 모로코 대사

제 목 : 걸프만 사태(자료응신 제5호)

연:WMO-0020

1. 주재국 관헌 당국에서는 발표하지 않고 있으나,1.15 라바트 대학교 학생들은 미국 규탄, 이락 지지 데모를 기도하였다고하며, 교내에서 미국 성조기 및 이스라엘 국기를 불태웠다고 알려지고 있음.

2. 주재국 국왕은 1.15 각 정당대표를 왕궁에 불러 걸프만 사태가 모로코에미치는 영향에 관하여 협의 한것으로 알려졌는바, 1.16 밤 10:30 분 대국민 방송에서 국왕은 이에 언급, 이 회담에서 각 정당은 각각 다른 도시에서 군중대회를조직하며, 그 정당 간부 들이 지방관헌과 협조하여 군중대회 진행중 및 전후하여 공공 질서를 보장하는데 합의 하였다고 언명하였음. 국왕은 이어 공공질서가 파괴되고 국가안전이 위협을 받게되면 즉시 비상 계엄령을 선포, 공공 질서 파괴자를 군법에 회부 엄단 하겠다고 하였음.

3. 주재국 언론도 계속 미국 비난기사, 사설을 게재하고 있으며, 특히 불란서 평화안이 평화적 해결의 마지막 기회이었으나 이를 미국, 영국이 거부함으로서 전쟁 발발을 불가피하게 하였다고 OPINION 지는 보도하였음. 동 신문은 ''전복된 세계:오늘 아침 5 시 이후 전쟁은 언제라도 발발할수 있다'' 라는 해설기사에서, 미국의 걸프만 개입은 사우디아라비아 방위나 쿠웨이트 주권회복을 표면상이유로 내세우고 있으나 숨겨진 목적은 장기적인 미국의 전략적 목적, 소련이 동서대결에서 후퇴한후 유일한 초강대국으로서 시장의 확보, 주요 자원 생산지에의 접근 확보, 반미 제 3 세계 통제등을 위해서이며, 미국이 불란서 평화안을 반대 전쟁의 길을 택한것도 바로 이러한 숨겨진 목적을 달성하기 위한것이라고 논하였음. 끝.

(대사이종업-국장)

예고:91.6.30 일반

예고문에의거일반문서로 재분류19 91 6.30 서명

미주국 장관 차관 1차보 2차보 중아국 정문국 청와대 안기부
국방부

PAGE 1 91.01.17 07:19

외신 2과 통제관 FE

0064

관리 번호	91-1516

원 본

외 무 부

종 별 : 지 급

번 호 : MOW-0023 일 시 : 91 0118 1830

수 신 : 장관(마그,중근동,정일,국방부)

발 신 : 주 모로코 대사

제 목 : 걸프 전쟁(자료응신 제6호)

대 WMEM-0010,0008

1. 걸프 전쟁과 관련 주재국 하산 국왕은 1.17 0100-0430 까지 비상회의를 주재하여 전쟁 진행에따른 국내적 파급 효과를 막기위한 전국적, 지역적인 비상 예방조치를 취하도록 지시함.

2. 이와관련, 정부 대변인은 긴급 각료회의후 대국민 담화를통해 아랍 형제들의 죽음과 제반 경제, 도시, 군사시설들이 파괴되고 있음을 개탄하고, 가장 중요한 팔레스타인 문제를 해결하기 위해 이락과 쿠웨이트가 이성을 되찾아 하루속히 전쟁을 종식하기를 희망함.

3. 한편 주재국 독립당, 인민사회주의 연합, 인민민주운동당등 3 대 야당은1.17 성명을 통해 아랍국가의 적에 대항하여 싸우고 있는 이락 회교도들에 전폭적인 연대감을 보낸다고 발표하면서 다음과같은 결의문을 채택함.

-대서양에서 걸프만까지의 지배를 확보하기 위해 아랍형제 국가를 침공한 미국주도하의 제국주의를 통열히 비난함.

-아랍 분쟁의 해결은 팔레스타인 문제의 평화적 해결에 있으며, 이 문제를 제국주의적 사고로 무력적 해결을 하려한다면 국제정치 상황을 더욱 복잡하게 만들뿐임.

-모로코 국민은 아랍전역을 AMERICANO-SIONIST 화 하려는 음모에 대항하여 어려운 상황을 맞이하고 있는 이락에 전적인 연대를 표함.

-금번 사태의 유일한 해결 방법은 IMPERIALO-SIONIST 음모를 분쇄하기 위한아랍인들의 협력과 단결, 형제애, 정의, 민주적 방법에따른 아랍적 해결임을 확신함.

-전쟁의 즉각적인 중지와 외군 특히 미국의 철수를 요구함.

1991. 6. 30. 에 예고문에 의거 일반문서로 재분류됨.

중아국 장관 차관 1차보 2차보 중아국 정문국 청와대 안기부
국방부

PAGE 1

91.01.19 05:45
외신 2과 통제관 BW

0065

4. 한편 1.18 일 아침 이스라엘 피격보도에 대다수 모로코 국민들은 환호하면서 이락을 공습하고있는 미국을 비난하고 있으며, 현재 단파 25M 밴드에서 출처가없는 다음과같은 메시지가 방송되고 있음. ''ARAB PEOPLES, NOW IS YOUR TIME TO PROTECT MECCA, GET RID OF AMERICAN AGRESSORS FROM ARAB TERRITORY. NOWIS THE TIME''.

5. 수집된 첩보에 의하면 1.18 토요일은 수도 라바트에서,19 일 일요일은 카사블랑카에서 반미, 반외국 대규모 이락지지 군중집회가 있을것이라하며, 국왕은 국민들의 이락지지 열기에 숨통을 열어주기위해 왕권에 도전하지 않는한 전국에걸친 이들 집회를 묵인할 예정이라함.

6. 이와관련 당관은 아국 교민들에게 외출을 삼가할것과 군중속에 휩쓸리지말것을 재차 독려하고 각종 비상사태에 대비하고 있음. 현재 모로코 전국에 걸쳐 각급 학교가 휴교 상태에 있기때문에 교민자녀들의 안전도 일단 보호되고 있음을 보고함. 끝.

(대사이종업-국장)

예고:91.6.30 일반

PAGE 2

0066

관리번호	91-1488

원 본

외 무 부

종 별 :

번 호 : MOW-0027 　　　　　　　　　　일 시 : 91 0120 1400

수 신 : 장관(마그,중근동,정일,국방부)

발 신 : 주 모로코 대사

제 목 : 걸프만 사태(자료응신 제7호)

1. 이락 대통령앞 주재국 국왕 멧세지가 1.19 주재국 외무장관에 의해 당지주재 이락대사에게 수교 전달되었음이 주재국 정부 대변인에 의해 발표되었음.

2. 주재국 국왕은 동 멧세지에서 아랍 세계는 그의 목표 실현을위한 새로운 노력에있어 모든 아랍지도자를 필요로 하므로, 평화에 대한 모든 기회가 제공되도록 조치하여 줄것을 이락 대통령에게 호소하고, 마그레브 아랍동맹 이름으로 유엔 안보리로 하여금 ①즉각 종전, ②모든 외국군의 철수 및 ③쿠웨이트 주둔 이락군의 마그레브 아랍 동맹 회원국 군대에 의한 교체를 조치토록 할것을 이락 대통령에게 제의하였음.

3. 동일한 멧세지가 모리타니아, 알제리아, 튜니지아 및 리비아 국가원수 앞으로도 1.19 당지주재 각국 대사를 경유 전달되었음.

4. 주재국 국왕은 8.2 이락에의한 쿠웨이트 침공이래, 걸프만 안정 및 평화를 위해 국제법 준수 원칙에 입각 일련의 평화적 해결책을 제의하여 온바 있었음. ①이번 국왕의 제의는 개전후 만 3 일간의 전황을 지켜본후에, 또한 개전 직전인 1.15 주재국 국민에 대한 성명에서 모로코 국민은 마음에서는 이락 국민과 같이 있다고 대이락 유대 공감을 표시한후에 이루워졌다는 TIMING 과, ②알제리아, 리비아가 중재 역할을 이미 시도한바 있는 사실과, ③이번 전쟁에 가장 관련않되고 있는 마그레브 아랍 동맹의 이름으로 평화 해결책을 제의한데 특별한 의의가 있다고 판단됨.

걸프만 ④종전후 이지역 문제 처리에 있어, 미국이 주도적 역할을 하게될것인바, 이에대해 서구제국도 EC 의 이름으로 이에 관여하게 될것이므로 이런 전망에대비, 마그레브 아랍동맹 이름으로 평화 해결책을 제의하여, 일면 마그레브 아랍동맹을 강화하고 또한 구라파-아랍 유대 강화의 계기를 마련, 중동에서 마그레브의 입지도 강화하고저한 전략적인 의미도 엿볼수 있음.

5. 한편 주재국 야당 ''이스티칼'' 당 및 USFP(인민세력 사회주의연합)당은 이락

중아국	장관	차관	1차보	2차보	중아국	정문국	청와대	총리실
안기부	국방부							

PAGE 1 　　　　　　　　　　　　　　　　91.01.20 23:54

외신 2과 통제관 DO

0067

지지 민중대회를 주재국 주요 18 개 도시에서 공동개최코저 계획하였으나, 주재국 국왕이 모든 정당대표 접견시 ''1 개 정당 1 개 도시에서만 군중대회 소집'' 원칙 합의에 위배된다는 이유에서 주재국 당국의 허가를 얻지못해 동 계획은 취소되었으나 산발적인 소규모 이락 지지 데모는 예상되고 있음.

6. 수도 및 카사블랑카시는 평상시보다 3 배의 군경 동원 배치 및 불유쾌한 불의의 사태에 대비한 상인들의 시간전 폐점등으로 상엄한 분위기이나 평온한 상황임.끝.

(대사이종업-국장)

예고:91.6.30 일반

1991.6.30. 에 예고문에
의거 일반문서로 재 분류됨.

PAGE 2

0068

외 무 부

종 별 :

번 호 : MOW-0030 일 시 : 91 0121 1800

수 신 : 장관(중근동,마그,미북,정일)

발 신 : 주 모로코 대사

제 목 : 걸프만 사태(자료응신 제8호)

1. 주재국 정부는 걸프만 전쟁발발에 따라,1.17-21 간 국민학교및 중고등학교를 휴교 조치하였는바, 다시 1.28 까지 휴교기간을 연장하였음.

한편 예정되고 있던 각종 운동경기도 무기한 연장 조치하였음. 이 조치는 운동장에 모인 군중이 데모대로 변하는것을 사전에 방지하기 위한것으로 봄.

2. 전쟁이 계속됨에따라 주재국 언론 및 경제, 노동단체에서 미국의 이락 침공을 규탄하며 이락을 지지하는 입장이 보다 강력히 표현되고 있음. 모로코 인권단체에서도 미국 지도하에 제국주의 세력에의해 전개되고 있는 불명예스러운 전쟁을 즉각 중지하기 위해 안보리가 필요한 조치를 취할것으로 촉구하였음.

-반이락 입장을 취하여 온 PPS(공산당) 정당기관지 AL BAYEN 지도 이런 여론앞에 그 논지 역점을 평화 촉구에 두고있음.

-이스티칼 정당및 인민세력 사회주의연합 정당 원내의원 구룹은 공동 명의로 미.서구의 이락 공격을 규탄하고, 모로코 국민의 이락 국민에대한 지지 결의를 표명하기위해 국회 긴급 소집을 요구하였음.

-여당인 UC(헌법동맹) 정당도 카사블랑카에서 1.18 정치국 회의를 소집, 채택한 성명문에서, 국제평화와 안전을 위협하는 현 위기 해결을위한 국제법 준수를 호소하고, 동시에 반아랍, 친이스라엘 미국 태도를 규탄하였음.

-대학생들은 학원내에서 반미, 이락지지 집회를 계속하고 있음.

3. 이스티칼 정당 기관지 OPINION 지에 1.18 자 게재된 KHALID JAMAI 논설위원 기사 ''전쟁은 불가피했다'' 는 주재국 지성인들의 견해를 대변하는 것으로지적되고 있는바, 그 요지는 다음과 같음.

걸프만 전쟁은 중동분쟁이나 8 년간에 걸쳤던 이락-이란 분쟁과 분리될수없다. 사실상, 이락군대에 의한 쿠웨이트 점령은 걸프만 전쟁의 구실에 불과하며, 냉전의

중아국 장관 차관 1차보 2차보 미주국 중아국 정문국 청와대
총리실 안기부

PAGE 1

91.01.22 19:00
외신 2과 통제관 CH
0069

종식이 이 전쟁을 가속화하였다.

오늘날 공지의 사실은 서방세계 및 일부 아랍권이 이락으로 하여금 이란에 대해 전쟁하도록 격려하였다는 것이다. 왜냐하면 대이란 전쟁은 일면 걸프만에서의 미국의 이익을 위협하는 이란 혁명을 약화시키고, 또한 이지역에서 이락이 주도적 역할을 하는것을 견제할수 있었기 때문이다.

이 두가지 목적을 추구하였던 서방세계와 아랍국가들은 이란-이락 전쟁에서패자만이 있기를 희망하였다. 그러나 사실은 상이하였다. 이락이 이 전쟁에서 군사적으로 승자가 되었다. 연이나 경제적으로는 빈혈상태에 놓였다.

이 새로운 상황은 미국.서구및 일부 아랍국가에게 대단히 위험한 정세가 될수있었으며, 또한 이스라엘을 위협할수 있었다. 8 년간 전쟁으로 강화되고 최신무기로 훌륭하게 장비된 이락군대는 모든 방법을 동원 무력화 시켜야할 위험이 되었다.

제 1 단계에서, 미국은 그의 아랍동맹국들을 사수하여 OPEC 가 설정한 석유생산량을 초과하도록 함으로써 경제적으로 재정적으로 이락을 질식시키고저 노력하였다. 그 결과 석유가격이 하락하였고 이락의 석유수입을 격감시켰다. 동시에 이 아랍동맹국들, 특히 쿠웨이트는 이락에 채무변제를 요구하였다.

이런 상황하에 이락은 궁지에 몰려 쿠웨이트를 점령하게 되었다. 바로 이것이 이락의 잘못이다. 미국과 그 동맹(351)들은 군사적으로 이락을 파괴하고, 이스라엘의 안전을 보장하고, 걸프만지역 석유자원에대한 통제를 더욱 확고히 한다는 그들의 진정한 목표 달성을위해 바랬던 구실을 찾게되었다.

다른 한편, 냉전의 종식은 소련의 무력화를 입증하여, 이락은 정치적으로도군사적으로도 소련의 지극히 중대하지는 않더라도 긴요한 지지를 기대할수없게되었다.

상기 정세분석은 미국대통령이 미국의 목표는 이락 군사적 잠재력을 파괴하고 이지역에 새로운 질서를 수립하는데 있다고 언명한 사실에서도 확인된다. 미국이 말하는 새로운 질서란 팔레스타인 문제의 정당한 해결이 배제된체, 이 지역을 미국의 지배하에 유지하며, 걸프만 석유 자원을 통제하므로써 구라파와 일본을 제어하는것을 의미한다. 끝.

(대사이종업-국장)

.4

PAGE 2

0070

원 본

암호수신

외 무 부

종 별 :

번 호 : MOW-0037 일 시 : 91 0123 1730

수 신 : 장관(중근동,마그,대책본부,정일)

발 신 : 주 모로코 대사

제 목 : 걸프사태(자료응신 제10호)

1. 작일 당지 카사블랑카에서 프랑스인 2 명이 모로코인에 의해 피살된 사건이 발생하였음. 정부당국은 동 사건이 정신병자가 저지른 우발적인 사건이라고밝히고있으나 당지 프랑스 대사관측은 1.21 미테랑 대통령이 기자회견을 통하여 프랑스가 쿠웨이트뿐만 아니라 이락 영토도 공격하겠다는 발표 이후에 일어난사건으로 상당한 우려를 하고있음.

2. 이와관련 당지 구라파 교민사회는 불안감으로 술렁이고 있으며, 전쟁이 장기화할경우 모로코에서의 철수를 심각히 고려하지 않을수 없다는 입장임.

3. 한편 주재국 언론매체들은 ''서구, 아랍회교권과의 정면대결'' 이라는 표현으로 국민들에게 반서구 캠페인을 벌이고 있는 양상을 보이고 있으며, 전국에 걸쳐 산발적인 이락지지 데모가 벌어지고 있어 주재국 정정이 매우 불안한 상태임.

4. 연이나 당지 외교단에서는 주재국 국왕이 어떠한 소요사태도 단호히 처단하겠다는 굳은 결의를 표명하였고 또한 주재국 군경에의한 공공질서 유지에 어려움이 없을것임을 해당국민들에게 설득하고 있음. 끝.

(대사 이종업-국장)

중아국 장관 차관 1차보 2차보 중아국 정문국 청와대 안기부

PAGE 1 91.01.24 07:25

외신 2과 통제관 BW

0071

외 무 부

종 별 :

번 호 : MOW-0040 일 시 : 91 0124 1900

수 신 : 장관(중근동,마그,미북,대책본부,정일)

발 신 : 주 모로코 대사

제 목 : 걸프사태-모로코(자료응신 제11호)

1. 주재국은 1.23 일부터 임시국회를 소집하여 ''모로코와 걸프만 전쟁'' 단일 의제로 격론을 벌이고 있음.

정부측은 모로코 국왕의 평화안인 쿠웨이트의 이락군 철수와 마그레브국 군대로의 대체, 아랍문제의 아랍국간 해결, 연합군의 철수등을 토의에 회부함.

2. 이에 대해 야당측은 정부측 제안을 단조로운 정부 홍보에 불과하다고 비난하고 사우디에 파견되어있는 모로코 군대를 즉각 철수해야 한다고 성토함과 동시에 다음과같은 주장을 전개함.

-걸프 전쟁은 서구 제국주의와 시오니스트가 그들의 이익을 지키기 위해 아랍국가들과 벌이는 전쟁임.

-(모로코) 정부측은 이 전쟁이 아랍국간의 전쟁이라고 규정 하였는데 어쩨서역사상 초유의 첨단무기들을 가진 다국적군들이 이락을 공격하고 있는지

-미군 주도하의 다국적군 공격은 유엔헌장 43-47 조 위반임. 왜냐하면 46 조에 의거 유엔 안전보장 이사회의 지휘를 받아야 함에도 불구하고 펜타곤이자의적으로 지휘하고 있기 때문임.

-이와같은 정황으로볼때 이스라엘의 보호국인 미국이 당해 지역에서 이스라엘을 강화하고 이락의 힘을 약화시키려는 의도임이 명백하며, 쿠웨이트의 해방이나 사우디 보호는 구실에 불과함.

-따라서 모로코 군대는 즉시 당해 지역에서 철수해야 하며, 모로코 국민들은피흘리는 형제 이락 국민과 팔레스타인을 위해 헌혈은 물론 의약품, 생필품등을원조해야함.

3. 당지 외교단에서는 이와같은 국회의 격론이 전쟁 개시와 동시에 국민들 사이에서 일어나고있는 이락지지 감정과 하산왕의 모로코군 파병(5,000 명)에 대한

중아국 미주국 중아국 정문국 안기부

PAGE 1 91.01.25 07:24

외신 2과 통제관 BT

0072

비난을 수습코자하는 국왕의 책략이라는 분석을 하고있음. 즉 국회에서 모로코군의 철수를 결의할시 대 사우디 및 UAE 관계를 고려 불가피했던 파병에 관해 국민 여론을 의식한 하산국왕은 마지 못하는척 모코군을 철수할 가능성이 있는것으로 분석됨. 끝.

(대사 이종업-국장)

0073

암호수신

외 무 부

종 별 :

번 호 : MOW-0044 일 시 : 91 0128 1500

수 신 : 장관(중근동,마그,미북,대책본부,정일)

발 신 : 주 모로코 대사

제 목 : 걸프만 사태(자료응신 제12호)

1. 전쟁이 계속 됨에따라, 주재국 국민의 이락지지, 반미 경향이 인접국 알제리아 및 튜니지아에서의 시위에도 자극된듯, 매일 강화 되어가고 있는것으로 관측됨.

걸프만 사태를 논의 하고있는 주재국 국회에서도 야당 의원들은 서로 앞을 다투어 이락 국민에대한 연대감을 강조, 다국적군의 이락 공격을 규탄하고, 여당의원들도 친이락 국민여론을 의식하는듯 평화적 해결을위한 우선 즉각 정전을 주장하고 있음.

가. 모로코 노동총동맹(UGTM), 민주노동연합(CDT), 고등교육 교원노조(SNES) 는 1.25 합동회의를 소집, 이락국민에 대한 유대를 표시하고, 이락의 저항을 위해 미국에 추종하는 일부국가, 기관 및 정당들의 공범하에 행하여지고 있는 범죄적 행동을 규탄하기위해 1.28 전국적으로 전분야에서 24 시간 총파업하며 단식할것을 호소하였음.

이에대하여 주재국 정부는 1.27 밤 정부대변인 성명을 발표, 이 파업이 공공질서를 파괴하지 않고 평온한 가운데 진행되도록 각 노동자는 집에서 평정한 마음으로 이락국민에 대한 유대를 표시할것을 요망하였음.

한편 주재국 문교당국은 1.28 도 국민학교, 중고등학교를 휴교조치하고, 국민학교는 1.29, 중고등학교는 1.30 개학할것임을 발표함.

나. 중소상인조합(SNPMC) 및 상공어업총동맹(UGCIPM)도 1.28 총파업을 단행할것으로 발표하였음.

다. 상기 총파업으로 1.28 현재 관공서및 대부분의 상점이 영업을 중단하였으며, 모든 신문도 발간되지 않았음.

2. 주재국 야당들은 이락국민에 대한 지지를 표명하고, 이락에대한 미.서구등 침공을 규탄하기위한 군중대회, 평화행진을 1.30 조직할것으로 결정 발표하였음. 이에대한 주재국정부의 조치는 상금 발표되지 않고있는바, 지난번 이와 유사한 군중

중아국 장관 차관 1차보 2차보 미주국 중아국 정문국 청와대 안기부

PAGE 1

91.01.29 05:30

외신 2과 통제관 FE

0074

집회를 불허한바 있었음.

3. 주재국 언론계에서도 연일 걸프만 사태를 대서특필 보도하고 있는바, 친이락 논조가 계속 유지 강화되고 있음. 야당지 1.27 자 ''L'OPINION'' 이 게재한KHALDI JAMAI 논설위원 집필기사 ''미.영은 바그다드에 대해 화학무기를 사용할 것인가'' 의 요지를 본부 참고로 보고함.

''전쟁 발발후 이락은 5 번째 이스라엘을 폭격하였음. 5 번째 폭격은 그전과는 달리 밤중이 아니라 늦은 오후에 감행되었음.

바그다드는 이 TIMING 선정에서 세가지 목표를 추구하는 듯하다.

첫째:미국에 대하여 이락은 그 미사일 발사기지가 파괴되지 않았을 뿐만아니라 낮이나 밤이나 작전할수 있다는것으로 표시하고

둘째:이스라엘 국민에게 공포감을 심어, 이스라엘 지도자들이 참전을 결정하게끔 이들에게 압력을 가하도록 함. 연합군측은 어떤일이 있더라도 이것만은 원치 않는바, 이스라엘의 참전은 시리아, 요르단, 이란및 그외 아랍국가들의 참전을 초래하기 매문이다

세째:아랍 회교 대중을 동원한다.

이하 MOW-0045 로 계속됨.

PAGE 2

0075

암호수신

외 무 부

종 별 :

번 호 : MOW-0045 일 시 : 91 0128 1500

수 신 : 장관(중근동,마그,미북,대책본부,정일)

발 신 : 주 모로코 대사

제 목 : MOW-0044 의 계속분

아직 이스라엘이 반응을 안보이는것은 계산, 제약요건 및 압력에의한 것이다. 이스라엘측은 다음과같은 목표를 추구하고 있다.

-첫째:이스라엘은 항상 아랍의 침공을 받는 소극적이라는 인상을 강화한다

-둘째:이 사태를 이용하여 미국으로 부터 막대한 재정원조를 얻어낸다. 미국은 이미 이스라엘에 130 억불 원조를 약속하였다.

셋째:구라파 제국에게 나치만행을 상기시키고 또한 이러한 불행한 사태에대한 그들의 책임을 상기시켜 구라파 제국의 죄책감을 부활시킨다.

-넷째:연합군이 중동문제 해결을 시도하게 될것인바, 중동지역 신질서 수립토의시에 대비 아무것도 양보하지 않도록 논리적 근거를 마련한다.

제약 요건과 압력은 이스라엘이 경제적으로 미국에 전적으로 의존하고있어 미국의 중대한 이해관계가 걸려있는 사안에 이스라엘이 반항할수 없는데에서 연유한다. 일찍이 BEN GOURION 이스라엘 수상은 ''이스라엘은 미국과의 분쟁을 안한다는것을 제외하고는 모든것이 가능하다'' 고 언명한바 있다. 오늘날 미국의 중대한 이익은 이스라엘의 참전을 배격한다.

미.영은 화학무기 사용을 준비중인가 ?

최근 이에관해 미.영 책임자들의 발언을 분석할때 이 질문은 당연한것이된다. 우선 미.영 양측이 같은 1.25 자에 발언하였는바, 우연의 일치인가 또는 의도적인 것인가는 차지하고 이락측에 정확한 메세지를 전달하고저 하는것으로 보인다.

중요한 사안인만큼 우연의 일치는 아니라고 보인다. 발언 당국이 미 국무성이며, 영국군 최고사령관 DAVID CRAIG 원수인 것이다. 화학무기 사용에대한 미국국민 및 서구 국민대통령 여론을 준비시키는것이 아닌가 ?

월남전에서 미국은 금지된 각종 화학무기를 사용한 사실을 상기할수 있다.

중아국 장관 차관 1차보 2차보 미주국 중아국 정문국 청와대 안기부

PAGE 1

91.01.29 05:36

외신 2과 통제관 FE

0076

미국이나 영국이 사용하는 무기를 화학무기로 까지 확대한다면, 이것은 주로 그들의 군대가 정해진 시간내에 책정된 목적을 실현못하였음을 인정하여 전쟁의 조속한 종결을 서두르고 있음을 의미한다. 즉, 전쟁이 계속되면 될수록 정치적 결과는 파탄적이며, 전쟁의 종결이 더욱 더 시급해진다.

이러한 촉박감은 이스라엘 군부에의한 이락 서북 지대에 제 2 의 전선 개설주장에도 엿보인다.

서방측의 안보위 개최 반대도 서방측이 외교적 압력및 중공 및 소련 입장의변화를 우려하고 있음을 표시한다. 이와관련 신임 소련 외상의 전쟁 향방에대한 우려 표명은 시사하는바 크다. 소련은 미국이나 EC 가 발틱국가에 대한 정책에 관한 위협을 달갑게 생각하지 않으며, 또한 중앙아세아 회교공화국내 사태를 무시할수 없다. 이들 공화국 주민 4,000 여명도 이락을위해 싸우겠다고 지원한것으로 알려지고 있다. 터어키, 파키스탄에서도 이락 침공에 대한 반대가 강화되고있으며, 이들 국가 지도자들을 당혹시키고 있다.''끝.

외 무 부

암호수신

종 별 :

번 호 : MOW-0058

일 시 : 91 0202 1300

수 신 : 장관(중근동,마그,대책본부,미북,정일)

발 신 : 주 모로코 대사

제 목 : 페만전쟁과 모로코(자료응신 제15호)

1. 주재국 하산국왕은 2.1 밤 9 시반부터 45 분간 대국민 TV 연설을 행하였는바(아랍어) 요지를 아래와같이 보고함.

가. 모로코군을 사우디에 파병한것은 사우디가 침공을 당할경우 사우디를 방어하기 위한 목적임. 즉 축구의 골키퍼 역할을 하러간것임.

나. 아랍국과 타국간의 분쟁일경우 모로코는 당연히 아라선형제국을 지원할것이나 분쟁이 아랍 국가간일경우 모로코는 국제법과 정의에따하는 어느국가를 지원할것인가에 대하여 선택의 권한이 있음. 이락의 쿠웨이트 침공은 불법임. 따라서 우리는 사우디를 도우고 있는것이며 현재 미국이나 어느 다국적군의 지휘도 받지않고 독립적으로 부대를 운영하고 있음.

다. 미국과 소련이 모든 아랍문제 해결을위한 외교적 합의를 제의하고있는 마당에 이락이 엄청난 인명과 재산을 손실해 가면서 끝까지 전쟁을 수행해서는 안되며 평화를 위해서 우선 쿠웨이트에서 철수해야함.

2. 이와같은 하산국왕의 대국민 연설은 명일(2.3) 전국적으로 전개될(이락지지) 평화행진 대회를 앞두고 모로코군의 사우디 파병을 비난하는 여론에 일단 변명을 하면서 동 군중집회의 화살이 자신에게 돌아올것을 우려하여 행한것이라고 판단됨. 끝.

(대사이종업-국장)

중아국	장관	차관	1차보	2차보	미주국	중아국	정문국	청와대
총리실	안기부							

PAGE 1

91.02.02 23:47

외신 2과 통제관 DO

0078

길

외 무 부

암 호 수 신

종 별 :

번 호 : MOW-0059　　　　일 시 : 91 0204 1600

수 신 : 장관(중근동,마그,미북,정일)

발 신 : 주 모로코 대사

제 목 : 페만전쟁과 모로코(자료응신 제16호)

연:MOW-0058

2.3.(일) 주재국 수도 라바트에서 5개 야당연합이 주도하는 친이락 군중 행진대회가 30 여만명(야당측은 70 만명으로 주장)의 인파가 모인가운데 진행되었음. 동 대회에서 제창된 구호들을 다음과같이 보고하니 정세분석에 참고바람.

-우리는 모두 이락국민이다

-죠지부시는 살인자이고 미테랑은 그의 개다

-ABBES(스쿠드 미사일을 지칭)와 후세인과함께 우리는 팔레스타인을 해방할것이다

-국제법이란 미국의 사기 놀음이다

-우리는 거짓이나 위선이 아닌 진정으로 이락과 함께한다

-미국은 만민의 적

-SADDAM YA HABIB, 텔아비브를 부셔라

-패배적 협상이나 해결은 거부한다

-ALLAHAKBR 는 노도의 폭풍이다

-아랍인들이여 단결하여 모두 이락국민에 합류하자. 끝.

(대사이종업-국장)

중아국	차관	1차보	2차보	미주국	중아국	정문국	청와대	안기부

PAGE 1　　　　91.02.05 04:02

외신 2과 통제관 CF

0079

가

외 무 부

암호수신

종 별 :

번 호 : MOW-0081 일 시 : 91 0213 1820

수 신 : 장관(중근동,마그,대책본부,미북,정일)

발 신 : 주 모로코 대사

제 목 : 걸프전쟁-파키스탄 수상,이락부수상 방모(자료응신 제19호)

1. 파키스탄의 NAWAZ 수상이 마그레브국 순방의 일환으로 2.12 부터 주재국을 방문중에 있음. 한편 이락의 SAADOUN 부수상도 동시에 주재국을 방문 2.12 각각 핫산 국왕을 예방하였음.

2. 나와즈 수상의 방문목적은 걸프전의 해결방안으로 즉각 휴전과 분쟁지역에서 이락의 철수와 동시에 다국적군도 철수한후 이슬람군대가 동 지역을 관리하는 방안을 협의하기 위한것임. 동 제안은 분쟁 발발이래 이미 하산국왕이 제의한바와 대동소이함.(이스람 군대가 아닌 마그레브국 군대)

3. 한편 이락부수상도 역시 미국을 배제한 아랍국간의 해결 방아내(437)모색코자 당지를 방문하고 있는것으로 알려지고 있음.

4. 이와같은 상금의 분위기로보아 현재 걸프전 종식을위한 국제적인 노력은 분쟁당사자들을 제외하고 소련주도의 평화안, 이란주도의 평화안, 마그레브-이슬람주도의 평화안, 비동맹국가 그룹의 평화안이 제기되고있는 상황이나 어느것을 막론하고 분쟁의 원인을 만든 이락의 쿠웨이트 철수를 기본으로 하고있어 사담후세인의 입지가 좁아지고 있음. 끝.

(대사이종업-국장)

중아국 장관 차관 1차보 2차보 미주국 중아국 정문국 청와대
총리실 안기부

PAGE 1

91.02.14 06:17

외신 2과 통제관 DO

0080

관리 번호	91/1317

원 본

외 무 부

종 별 :

번 호 : MOW-0084 일 시 : 91 0216 1530

수 신 : 장관(중근동,마그,대책본부,미북,정일)

발 신 : 주 모로코 대사

제 목 : 페만사태(자료응신 제21호)

1. 이락의 쿠웨이트에서 조건부 철수 수락 성명에대해 주재국 정부는 2.16 현재 아무런 공식 반응을 보이지 않고있음.

정부 입장을 대변하고있는 ''LE MATIN'' 지는 주재국, 국왕이 이락에대해 쿠웨이트에서의 철수를 일관하여 요구하여 왔음을 상기시켜코 간접적으로 그 입장을 시사하였음.

한편 야당지 2.16 ''OPINION'' 지는 ''연합국의 고집'' 제하 사설에서 최근연합군 공군에의한 바그다드 민간 방공호에대한 공습폭격 및 이로인한 민간인의 대학살을 강력히 규탄하고, 이락의 유엔 안보위 결의 660 호 수락제의를 평화에대한 도전으로 평가함. 동 사설을 이어 연합국은 이락의 제의로 곤란한 처지에놓이게 되었음을 지적하고, 동 제의를 연합국들이 거부함으로서 걸프만 전쟁을통해 그들이 달성하고저하는 목적이 쿠웨이트 해방이 아니며 이것을 구실로하여 걸프만 석유자원 지배를통해 이지역에서 그들 및 이스라엘의 패권을 확립하는데 있다고 논하였음. 동 사설은 또한 미국주도하 연합국들이 아랍세계를 분열하고, 약화하고, 상처입히고, 예속시키고저 책략하고있기 때문에 평화제의를 거절, 끝까지 해보겠다는 고집을 하고있는데 대해 아랍제국의 경각심을 호소하였음.

2. 주재국 전 야당 및 노동조합등 재야단체는 이락국민 지지 궐기 대회및 시위를 2.17 카사블랑카시에서 공동으로 조직할것을 결정, 주재국 관헌당국에 허가 신청하였음. 이에대한 관계 당국의 조치가 지연되자 동 행사를 2.24 로 연기 재차 허가 신청을 하였는바, 주재국 관계당국은 공공질서를 파괴할 우려가 있다는 이유로 이를 불허한다고 발표하였음.

지난번 라바시에서 전개된 시위가 질서유지속에서 진행되기는 하였으나, 이에 편승한 일부 데모대들이 반정부 구호를 외쳐 치안당국을 경악시킨것으로 알려진

중아국 장관 차관 1차보 2차보 미주국 중아국 정문국 청와대
총리실 안기부

PAGE 1

91.02.17 01:04
외신 2과 통제관 CA

0081

사실과 또한 민간 방공대피호에 대한 공습으로 수많은 이락 바그다드 민간 주민들이 무참하게 학살 당하였다는데 대한 모로코 국민들의 비통하는 분격속에 시위행진이 과열될 위험이 있음을 주재국 관헌당국은 크게 우려하여 동 집회를 불허한것으로 관측되고 있음. 끝.

(대사 이종업-국장)

예고:91.12.31 일반일

검 토 필 (1991. 6. 30)

PAGE 2

0082

외 무 부

종 별 :

번 호 : MOW-0086 일 시 : 91 0218 1300

수 신 : 장 관(중근동,마그,대책본부,미북)

발 신 : 주 모로코 대사

제 목 : 페만 사태

주재국 정부대변인은 이락의 쿠웨이트로부터 조건부 철수 제의에 관한 주재국 국왕의 언명을 다음과 같이 발표하였음.

''주재국은 2.16 오후 긴급각의를 소집하고, 이자리에서 모로코는 유엔안 보위결의 606호에 의거,쿠웨이트로 부터 철수할것을 수락한다고 언명한 후세인 이락대통령의 입장을 만족스럽게 받아들인다고 언명하였다. 이락의 이러한 입장은 페만지역 정당한 평화를위한 긍정적인 제 1보가 된다. 페만지역 평화는 이락국민의 위신 유지와자 부심 및 이락의 영토보존 존중에 입각해야 된다.''.끝.

(대사이종업-국장)

중아국	1차보	2차보	중아국	정문국	안기부	대책반	차관	장관	청와대

총리실 미주국

PAGE 1

91.02.19 09:49 WG

외신 1과 통제관

0083

가

외 무 부

종 별 :

번 호 : MOW-0094 일 시 : 91 0223 1600

수 신 : 장관(중동일,중동이,대책본부,미북,정일)

발 신 : 주 모로코 대사

제 목 : 페만사태(자료응신 제24호)

1. 본직은 2.21 당지주재 우방국 대사들(미, 쏘, 포루투갈, 터어키, 스페인,나이지리아, 서서, 화란, 자이르, 아이보리코스트, 이집트, 유고, 멕시코대사)을 오찬에 초대 환담한바, 그중 참고사항을 다음과같이 보고함.

가. 이락군의 즉각 무조건 쿠웨에트 철수를 포함한 소련 평화안 제의를 이락이 수락한다면 페만 평화적 해결의 일보가 될것임. 일부 대사들은 쏘련평화안이 연합국 내부 결속을 이환시킬 우려도 있음을 지적함.

나. 미국대사는 주재국을 비밀리에 미국무성 고위층인사(EAGLE BURGER 국무차관보)가 방문했다는 주재국 관영통신 MAP 보도를 시인하였으나, 방문 목적및 결과에 대해서는 언급을 회피함. 이와관련 주재국 국왕이 모로코 국민의 이락지지 여론을 고려, 사우디 파견 군대를 철수하므로서 반이락 연합전선에서 이탈하게 될것을 우려, 이에 대비하고자함이 이번 방문 주요 목적일것이라고 관측되고 있음. 미국 대사는 주재국 정부 입장과 모로코 국민의 친이락 감정간에 큰 괴리가 있어, 야당 및 재야단체가 이를 그들의 정치목적에 이용하는데 문제가 있으나주재국 국왕이 이를 잘 처리하고 있다함.

2. 미대통령 대이락 최후통첩에 관해 다음요지 OPINION 지 논평기사가 게재되었음.

''미 대통령의 대이락 최후 통첩은 월권 행위이다. 유엔안보위만이 그런 최후통첩을 할수있다. 미국은 유엔을 마치 미국 행정기관처럼 착각하고 있다. 이것은 소련 평화안을 호의적으로 받아들인 유엔 사무총장에 대한 반박이된다. 이것은 소련 평화안을 거절하는것이며 소련에대한 도전이다. 이것은 연합국이 추구하는 목적이 무엇인가를 분명히 하였다''

한편 2.23 자 주재국 주요 일간지들은 사설및 해설기사를 통해, 이락의 쏘련 평화안 수락을 크게 환영하고, 페만 사태 평화적 해결을위해 연합국측도 유엔안보위

중아국	장관	차관	1차보	2차보	미주국	중아국	정문국	청와대
안기부								

PAGE 1

91.02.24 03:05

외신 2과 통제관 CW

0084

결의를 존중하여 이에 협력할것을 촉구하였음. 끝.

(대사이종업-국장)

PAGE 2

0085

원 본

외 무 부

종 별 :

번 호 : MOW-0097 일 시 : 91 0226 1900

수 신 : 장 관(중동일,중동이,정일)

발 신 : 주 모로코 대사

제 목 : 쿠웨이트 국경일(자료응신 제25호)

주재국 하산국왕은 2.25 쿠웨이트 국경일을 맞아 EMIR 국왕에게 축전을 발송하였는바 ''우리는 쿠웨이트의 해방 이후에나 마음의 평온을 찾을수있을것'' 이라고 강조함.끝.

(대사이종업-국장)

중아국 중아국 정문국

PAGE 1

91.02.27 09:49 WG

외신 1과 통제관

0086

외 무 부

암 호 수 신

종 별 :

번 호 : MOW-0102 일 시 : 91 0301 1800

수 신 : 장관(중동일,중동이,대책본부,미북,정일)

발 신 : 주 모로코 대사

제 목 : 걸프만사태(자료응신 제26호)

1. 걸프만전쟁 정전에대한 주재국 정부 공식 반응은 상금없으나, 정부 견해를 표명하는 것으로 알려진 LE MATIN 지는 사설및 기사에서 주재국 정부의 일관된입장이 2.16 자 주재국 각의에서 주재국 국왕이 언명한것임을 계속 상기시킴으로서 주재국 입장을 간접적으로 시사하고 있음. 국왕은 쿠웨이트 철수를 이락이 제의한것과 관련 2.16 각의에서 걸프만 평화에관한 부문에서 다음과같이 언명하였음.

''LA PAIX DOIT ETRE FONDEE SUR LA PRESERVATION DE LA DIGNITE DU PEUPLEIRAKIEN, SA NON HUMILIATION ET SUR LE RESPECT DE SON INTEGRITE TERRITORIALE.''

동지는 또한 사설에서 이락이 쿠웨이트에서 철수한 오늘날 이사건을 처리하는데 보였던만큼의 같은 결의와 열성을 가지고 지난 40 년간 채택되었으나 상금 이행되지 않고있는 팔레스타인 국민의 자결권 행사에 관한 유엔결의를 이행하기 위해 유엔은 국제회의를 소집 팔레스타인 문제 해결을 할것을 촉구하였음.

2. 야당지도 사설및 기타 기사에서 걸프만 지역 진정한 평화를 위해서는 중동지역 모든문제 특히 팔레스타인 문제의 정당한 해결을 선행조건으로 요구함을 지적하고, 역외 강대국들은 내정간섭을 중단할것으로 요구하였음.

이번 전쟁에 관하여서는 야당지는 이번 전쟁을통해 이락국민들은 전체 아랍회교국민들이 걸어야할 희생, 집념, 용기, 결의의 길을 보여주었으며, 강대국들의 아랍회교 세계에대한 제국주의적 야망을 폭로하였다고 전쟁의 의의를 분석 평가하고, 아랍 회교국민들은 중동지역 안정 및 평화구실로 추진되는 강대국들에 의한 새로운 형태의 식민주의를 거부해야 한다고 논하였음. 끝.

(대사 이종업-국장)

중아국	장관	차관	1차보	2차보	미주국	중아국	정문국	청와대
안기부								

PAGE 1 91.03.02 06:25

외신 2과 통제관 CE

0087

관리

외 무 부

종 별 :

번 호 : MOW-0109 일 시 : 91 0306 1830

수 신 : 장 관(중근동,마그,미북,정일)

발 신 : 주 모로코 대사

제 목 : 걸프만 사태(자료응신 제 28호)

주재국 외무성 대변인은 걸프만전쟁 종전에 관하여 3.5 요지 다음과 같이 언명하였음.

''모로코는 걸프만 종결을 환영하며 이 전쟁종결이 모든 아랍국가 및 국민들의 이익을 위하여, 또한 아랍 형제간의 우애와 협력을 촉진하고 상처를 치료할 수 있기 위하여 아랍국가간의 관계 정상화를 초래하게 될 것을 바란다.''

또한 동 대변인은 최근 이락 사태 발전에 관하여 모로코는 깊은 우려를 표명한다고 하였음. 동대변인은 모로코는 이락의 영토 보전을 존중하며 비록 이락국민 내부 구성 요소간에 존재하는 문제가 비록 그 규모가 어떤 것이던간에 이락의 단합을 위해하여서는 않되며, 이락의 영토보존을 위해 모든 세력의 간섭이나 지원이 배제된 가운데 국민적 테두리내에서 해결되어야 한다고 강조하였음.끝

(대사이종업-국장)

중아국 1차보 2차보 미주국 중아국 정문국 안기부

PAGE 1

91.03.07 10:18 WG

외신 1과 통제관

0088

3. 모리타니

0089

관리번호	90/913

외 무 부

종 별 :

번 호 : MTW-0175 일 시 : 90 0811 1530

수 신 : 장관(중근동)

발 신 : 주 모리타니 대사대리

제 목 : 대이라크 제재조치

대:AM-0145

1. 이라크의 쿠웨이트 침공및 합병선언에 대해 주재국정부는 일체의 공식논평 및 보도를 자제하는등 간접적으로 이라크를 지지하는 자세를 견지하고있음.

2. 작 8.10 카이로 아랍정상회담에서 대 이라크제재조치의 일환으로 이집트등이 사우디에 파병키로한것과 관련, 당지에서는 금 8.11 4 백명규모의 데모대가 미국, 이집트, 모로코등 주요국 대사관앞에서 시위를 감행함.

3. 한편 당지에서는 주재국내 바쓰주의자들의 주동으로 현재 약 1,500 명의 이라크지지 지원병들이 등록을 필하고 출국을 대기중이라는 소문이 돌고있는바, 확인되는 대로 추보예정임.

4. 주재국 치안당국은 8.10 부터 미국, 프랑스를 비롯 이집트, 모로코등 주요국 공관주변에 무장경관을 배치하여 보호조치를 강화하고 있는바, 당관도 유사시에 대비 공관원및 교민가족들에 대해 신변안전에 유의토록 조치하였음. 끝.

(대사대리 김원철 - 국장)

예고:90.12.31. 일반

중아국	장관	차관	1차보	2차보	정문국	청와대	안기부	대책반

PAGE 1

90.08.12 18:01

외신 2과 통제관 DO

0090

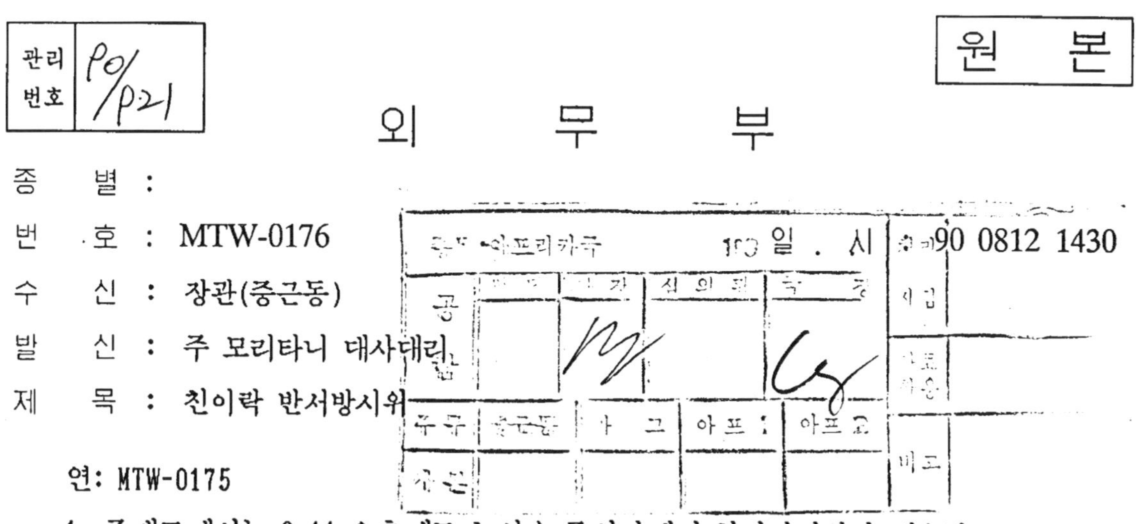

관리 번호 90/p21

원 본

외 무 부

종 별 :

번 호 : MTW-0176

일 시 : 90 0812 1430

수 신 : 장관(중근동)

발 신 : 주 모리타니 대사대리

제 목 : 친이락 반서방시위

연: MTW-0175

1. 주재국에서는 8.11 오후에도 누악쇼 중심가에서 친이락시위가 계속됨.

2. 주재국 치안당국은 외국공관 무단침입 시위자에게 발포령을 하달하고 주요국 공관에대한 경비를 강화하고 있어 별다른 불상사는 없었음.

3. 본직은 8.12 불란서 대사를 면담한바, 동대사는 이락점령지 쿠웨이트에 파견되기를 희망하는 주재국 자원자수는 1,600 여명으로 대부분이 전쟁도 하지않고 월 미화 1,000 불을 준다는 조건에 현혹된 실업자들이며, 이는 이락대사관이 아닌 몇몇 바쓰주의자들이 주동이 되어 추진하고있으나 주재국정부는 이들의 출국을 불허키로 결정, 암암리에 무산 노력중인 것으로 안다고 말함.

4. 주재국 치안상태는 극히 양호하며 주재국 정부및 언론의 무반응 태도와는달리 대부분의 시민들은 이락보다 실질적인 원조를 더많이 제공해온 사우디와 쿠웨이트에 다소 동정적인 반응을 보이고있음. 끝.

(대사대리 김원철-국장)

예고:90.12.31 일반

중아국 정문국 청와대 안기부

PAGE 1

90.08.13 17:03

외신 2과 통제관 BT

0091

관리번호	90/1634

원 본

외 무 부

종 별 :

번 호 : MTW-0180 일 시 : 90 0818 1500

수 신 : 장관(중근동)

발 신 : 주 모리타니 대사대리

제 목 : 이락지원 자원자

연: MTW-0176

대: AM-0145

1. 연호 자원단에 주재국에서는 1,600 여명이 지원 하였으나 실제로 적합자로 등록을 필한자 (출국시 $1,500, 월 $1,000 지급을 약속 받은자)는 460 여명으로 8.17(금)이락 향발 예정이었으나 현재까지 정부의 중립적인 태도 견지로 출국이 이루어지지 못하고있음.

2. 시내 곳곳에는 작일에 이어 금일도 동 자원단에 서명 하거나 친이락 시위에 가담키 위해 10-20 명씩 모여있는 것이 목격되고있으나 정부의 강력한 통제로 더이상 등록이나 시위가 이루어지지 못하고있음.

3. 사태추이 계속관찰, 수시보고하겠음. 끝.

(대사대리 김원철-국장)

예고:90.12.31 일반

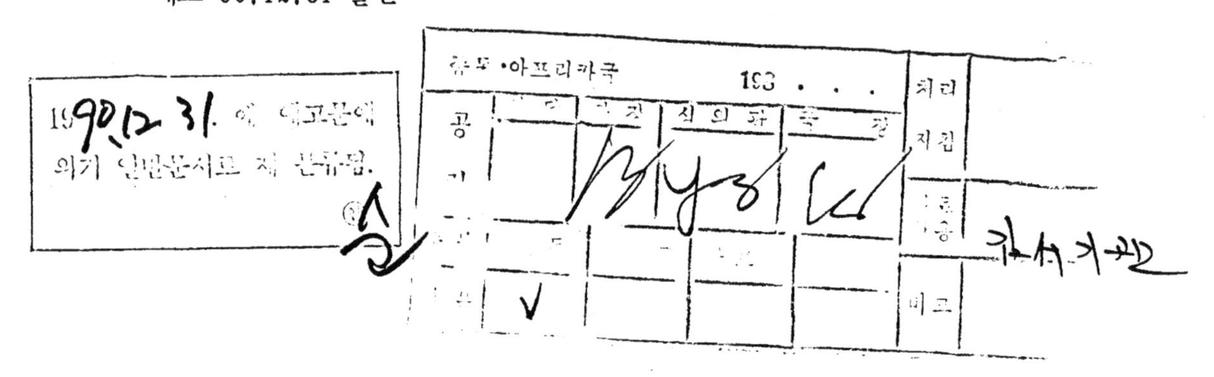

중아국 정문국 청와대 안기부 대책반

PAGE 1 90.08.20 16:58

외신 2과 통제관 BT

0092

관리번호	90-2064

외 무 부

종 별 :

번 호 : MTW-0204 일 시 : 90 0919 1200

수 신 : 장관(마그)

발 신 : 주 모리타니 대사대리

제 목 : 이락 쿠웨이트사태관련 주재국 정세

대:MTW-0180

1. 본직이 금 9.18 당지주재 모로코대사를 예방 탐문한바 연호 이락지원 자원자 460 명중 150 명이 9.20 리비아 항공편(전세)으로 이락향발예정이며 주재국정부도 이를 민간이하는일로 방임할 것으로 보인다고함.

2. 또한 주재국정부는 9.16 생선 40 톤가량을 이라크에 항공편으로 보냈으며 금주중 설탕(수량미상)도 이라크에 발송예정이라함.

3. 한편 이락 쿠웨이트사태이후 쿠웨이트의 대주재국지원(주재국 정부재정의 30%차지)이 중단됨으로써 동지원에 의해 운영되던 병원에 근무하던 17 명의 모로코, 팔레스타인 의사들과 주재국에서 활동중이던 40 명의 시리아교사들이 모리타니아를 철수중이며, 주재국은 향후 수개월내에 심각한 경제적 어려움에 처할것으로 예상된다함. 끝.

(대사대리 김원철-국장)

예고:90.12.31. 일반

중아국 차관 ~~1차보~~ 미주국 2차보 청와대 안기부 대책반

PAGE 1 90.09.19 22:39

외신 2과 통제관 CF

0093

관리번호	91-800

원 본

외 무 부

종 별 :

번 호 : MTW-0009 일 시 : 91 0112 1600

수 신 : 장관(중근동,마그,정일)

발 신 : 주 모리타니 대사대리

제 목 : 페만사태 관련 주재국정세(자료응신 1 호)

대:WMEM-0004

연:MTW-247

1. 페만사태와 관련 본직은 금 1.12 당지 불란서대사를 면담한바, 동인은 1.16-17경 이락의 쿠웨이트 철수설과 관련 본국으로부터 아무런 연락을 받지못하였다고 말하고, 현재로서는 당지 프랑스 민간인이나 공관원 가족의 철수계획은 없으나 철수 결정시 알려주겠다함. 또한 동인은 페만전쟁 발발시 페만사태 당사국및 여타 중동제국은 물론 특히 친이락 성향의 주재국및 수단에서 친이락 세력이 우세하여 혼란이 발생할 우려가 있을것으로 보며 주재국 정부로서는 정정 불안사태 방지를 위해 총력을 기울일것이나 완벽 통제는 어려울것으로 본다고 언급함.

2. 당관 관찰

가. 연호보고대로 주재국정부는 쿠데타미수설을 계기로 작년 12 월 지방자치단체 선거기간이래 대규모 흑인검거를 단행해오고있으며, 현재도 시내곳곳에 군경을 배치하여 치안유지에 총력을 기울이고있음.

나. 상기 흑인검거사태와 관련, 최근에 결성된것으로 추정되는 소위 모리타니 민족민주운동은 최근집권이래 흑인들에게 온갖박해를 가해오고있는 현정권을 인종차별 정권으로 규정짓고 지난연만이래 대흑인 박해 사례를 열거하면서 주재국내에 다당제 도입, 민주화, 생활수준 향상등을 위해 모리타니국민(특히 아프리카계 흑인)이 단결 및 부쟁할것을 호소하는 서한을 주재국 각계에 발송한바 있음.

다. 페만사태가 전쟁으로 발전시 주재국내의 혼란에 편승하여 반정부세력의활동이 표면화될 우려도 없지않은바, 금후 당관은 비상근무체제에 돌입, 특이사항 있을시 보고예정임.

3. 누아디부거주 1,400여명 선원및 교민대책과 관련, 본직은 금 1.12 한인회장에게

중아국	장관	차관	1차보	중아국	정문국	청와대	안기부

PAGE 1 91.01.13 21:40

외신 2과 통제관 CF

0094

주재국이 분쟁지역과 멀리떨어져 있어 사태발전으로인한 직접피해는 없을것이나,
유사시에 대비 비상연락망을 정비하고 대피계획을 수립토록 조치하였음. 끝.

(대사대리 김원철-국장)

예고:91.6.30 까지

관리번호	91-805

원 본

외 무 부

종 별 :

번 호 : MTW-0010 일 시 : 91 0113 1500

수 신 : 장관(중근동,마그)

발 신 : 주 모리타니 대사대리

제 목 : 페만사태관련 주재국정세

(자료응신:2 호)

연:MTW-0009

1. 미의회의 1.12 페만전쟁 지지표결이후인 금 1.13 주재국내에서 친이락주의자들이 2-3 백명 규모의 데모를 감행함.(주재국정부는 지금까지 친이락및 친사우디 데모 시도를 모두 사전에 엄격히 제지해오고 있었음)

2. 이와관련 본직은 금 1.13 당지주재 모로코대사를 면담한바, 동인은 전쟁발발시 당지 미, 사우디, 쿠웨이트, 이집트, 프랑스인들이 테러의 주대상이 될것이나 특히 한국인들은 그렇지 않을것으로 보며, 연호 모리타니 민족민주운동과 관련, 동단체가 세네갈 접경지역인 로쏘부근에 아프리카흑인계(소닝케및 월로프족)를 중심으로 이미 조직화되어있으나 누악숏까지 그세력이 미치지는 못하고 있다고함. 또한 동인은 주재국정부는 반미데모가 격화되어 이를 통제치 못하는경우반정부화하여 현군사 정권의 전복 가능성을 크게 우려하고 있어 현재상태로 서는 여하한 데모도 진압코자 최대한의 노력을 경주하고 있으나 흑인 모르족인 하라틴들이 현집권세력으로부터 소외되어 아프리카 흑인들에 동조하고 있어 3-4 년내에 현집권층이 정권을 유지하기 어려운 상황에 직면할것으로 본다고 말함.

3. 아국교민대책과 관련, 당지교민들이 아국회사진출이 아닌 현지취업을 통해 주재국경제에 크게 기여하고 있는점을 감안할때 직접적인 테러의 대상이되지는 않을것이나 잡범죄행위등에 대비한 대책을 수립하여 시행토록 조치하고있음. 끝.

(대사대리 김원철-국장)

예고:91.6.30 까지

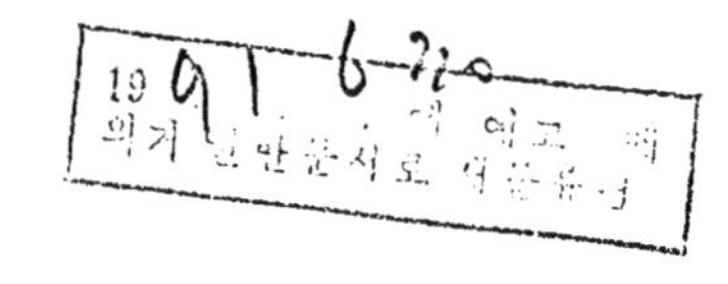

중아국	장관	차관	1차보	2차보	중아국	청와대	총리실	안기부

PAGE 1

91.01.14 22:00

외신 2과 통제관 CH

0096

관리번호	91-304

원 본

외 무 부

종 별 :

번 호 : MTW-0011 일 시 : 91 0114 1500

수 신 : 장관(중근동,마그)

발 신 : 주 모리타니 대사대리

제 목 : 페만사태관련 주재국정세

연:MTW-0010

1. 페만사태와 관련, 아국교민및 선원들이 거주하고있는 누아디부에서 1.13. 150 명규모의 친이락 데모가 있었으며, 금 1.14 에도 수도 누악숏에서 소규모데모가계속됨.

2. 본직은 금 1.14 당지주재 미국대사를 면담한바, 동인은 주재국내 평화봉사단 거의전원및 공관원가족등 대부분의 미국인이 철수하여 현재 20 명정도의 필수요원만이 남아있으며 주재국정부의 친이락성향때문에 당지가 수단보다는 더 위험한 곳으로 본다함. 끝.

(대사대리 김원철-국장)

예고:91.6.30 까지

19 91. 6. 30. 예고문에 의거 일반문서로 재분류됨

중아국 장관 차관 1차보 2차보 중아국 청와대 총리실 안기부

PAGE 1

91.01.15 01:00

외신 2과 통제관 CH

0097

관리번호 91/280

원 본

외 무 부

종 별 :

번 호 : MTW-0016 일 시 : 91 0119 1130

수 신 : 장관(중근동,마그)

발 신 : 주 모리타니 대사대리

제 목 : 이락 대통령 가족 주재국 대피설

1. 당지에서 청취된 영 BBC 및 불 FRI 라디오방송은 1.18 18:00 뉴스부터 사담 후세인 이락 대통령가족(부인및 고위정부관리 일행)이 군용기 1 대및 민간항공기 1 대를 타고 모리타니아에 피신(1.16 도착, 1.17 입국)하였으며 모리타니정부 대변인은 이를 센세이셔널한 여론조작을 위해 날조된 허위보도라고 일축하였다고 보도함.

2. 이락 비행기 2 대의 갑작스런 누약솟 출현을보고 당지에서는 동비행기가다량의 무기를 싣고 왔으며 세네갈과의 전쟁시 사용하려는 무기라는 루머가 나돌았음. 확인되는대로 보고예정임.끝.

(대사대리 김원철-페만비상대책본부장)

예고:91.6.30 까지 예고문에 의거 일반문서로 재 분류됨.

검토필(1991.6.30.)

중아국 장관 차관 1차보 2차보 중아국 정문국 청와대 안기부

PAGE 1 91.01.20 00:25

외신 2과 통제관 CW

0098

관리번호	91-1504

원 본

외 무 부

종 별 :

번 호 : MTW-0018　　　　일 시 : 91 0119 1530

수 신 : 장관(중근동,마그)

발 신 : 주 모리타니 대사대리

제 목 : 걸프전쟁관련 주재국정세

연:MTW-0015,0016

1. 본직이 금 1.19 당지주재 프랑스대사를 면담 확인한바, 동대사는 주재국내 반미데모는 당분간 계속될것으로보나 현재 대사관구내에 집결해있는 자국인들의 본국철수 계획은 없으며, 금일오전 주재국 타야대통령이 자신을 대통령궁으로초치 면담시에도 동대통령은 주재국내의 데모를 정부가 엄격히 억제하고있으며시내경계경비를 강화하고 있으므로 곧 정상으로 돌아갈것이므로 프랑스대사관측도 협조하여줄것을 요청하였다함.

2. 이락 대통령부인 주재국 도피설과 관련 동대사는 타야대통령이 금일 면담시 이를 직접 부인하였다고 하면서 동 도피설이외에도 이락비행기 10 대가 주재국 남동부에 위치한 NEMA 에 생활필수품을 싣고왔다는 소문까지 나돌고있으나 모두 확인할수 없는 실정이라함. 끝.

(대사대리 김원철-페만비상대책본부장)

예고:91.6.30 일반

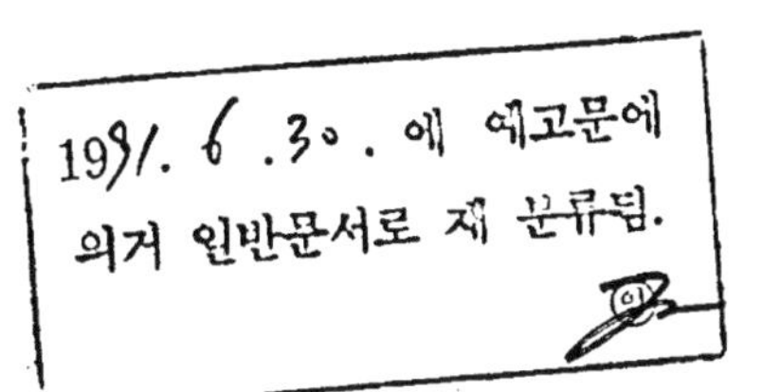

중아국　장관　차관　1차보　2차보　중아국　정문국　청와대　안기부

PAGE 1　　　　91.01.20 01:00
외신 2과 통제관 CW

0099

관리번호	91/651

원 본

외 무 부

종 별 :

번 호 : MTW-0020 일 시 : 91 0120 1600

수 신 : 장관(중근동,마그)

발 신 : 주 모리타니 대사대리

제 목 : 이락대사대리 내방

당지 주재 CHASSAB 이락대사대리는 1.20 본직을 예방, 자국의 쿠웨이트 점령은 아랍내부의 문제이며, 미국의 이락공격은 이락의 군사시설 파괴를 목적으로한 내정간섭이라고 비난하는등 자국입장을 설명하고 한국이 미국의 대 이락공격에 영국이나 프랑스처럼 가담하지 않은데대해 감사하다고 말한바, 이에대해 본직은 동인에게 직접 찾아와 설명하여 준데대해 사의를 표명함. 끝.

(대사대리 김원철-국장)

예고:91.6.30 까지

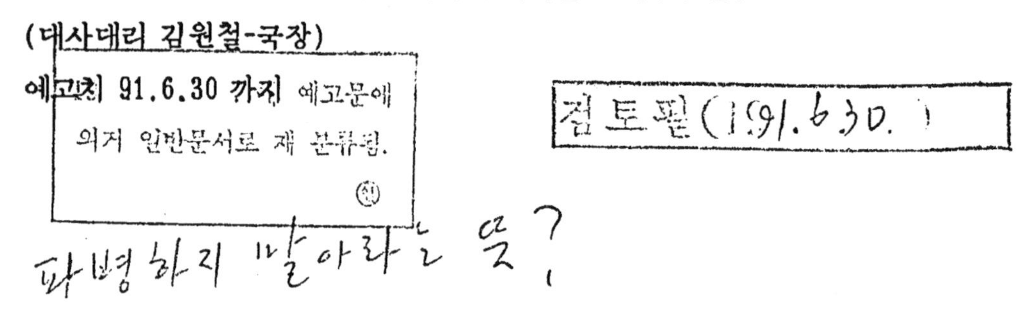

예고문에 의거 일반문서로 재 분류됨.

검토필(1991.6.30.)

파병하지 말아라는 뜻?

중아국	장관	차관	1차보	2차보	중아국	정문국	청와대	안기부

PAGE 1

91.01.21 18:27

외신 2과 통제관 CW

0100

관리 번호	91/1482

원 본

외 무 부

종 별 :

번 호 : MTW-0027 일 시 : 91 0123 1800

수 신 : 장관(중근동,마그,영사)

발 신 : 주 모리타니 대사대리

제 목 : 걸프전쟁관련 주재국정세보고

1. 본직은 금 1.23 당지 주재 TWADELL 미국대사를 면담, 걸프전쟁관련 현황청취및 주재국 정세에관해 의견을 교환한바 동인은 주재국에서의 반미 데모사태에 우려를 표명하고, 특히 미, 불, 독등 서방인에 대한 테러위험성이 높다고하면서 최근 불, 독, 알제리인이 주재국에서 심하지는 않으나 시내에서 테러를 당하였다는 소문은 사실로 판명되었다함.

2. 주재국은 금 1.23 이락의 대 이스라엘 스쿠드미사일 공격에 답하여 반미 데모가 있었는바, 아국선원이나 교민에 대한 피해는 없었음. 끝.

(대사대리 김원철-폐만비상대책본부장)

예고:91.6.30 일반

1991.6.30. 에 예고문에 의거 일반문서로 재 분류됨.

중아국	장관	차관	1차보	2차보	미주국	중아국	영교국	청와대
총리실	안기부							

PAGE 1

91.01.24 20:37

외신 2과 통제관 DO

0101

관리번호	91-1474

외 무 부

종 별 :

번 호 : MTW-0031 일 시 : 91 0126 1130

수 신 : 장관(중근동,마그,영사)

발 신 : 주 모리타리 대사대리

제 목 : 걸프전쟁관련 주재국정세보고

연:MTW-0028

1. 주재국에서는 작 1.25 회교주일을 맞아 누악솟에서 예배후 3,000 명이상이 걸프전 발발이래 최대규모의 데모를 감행함. 주재국 군경은 최루탄을 쏘며 강력저지, 큰 불상사는 없었음.

2. 누아디부파 아국선원및 교민은 안전함.

3. 당지 불대사관은 자국민들에대해 대사관구내대피 또는 자택밖외출금지 조치를 취했으나 데모가 예상대로 조용히 끝나자 구내대피 교민을 귀가조치함.

4. 주재국에서는 앞으로도 계속 데모는 있을것으로 보이며 외국인보호및 시민의 조속한 정상생활 복귀를 위하여 정부의 강력한 저지가 예상됨에 따라 당분간 극적인 변화가 없는한 긴장이 계속되는 가운데 시민의 정상생활 복귀 조치를 조용히 취해 나갈것이나 어려움은 점점 많아질것으로 전망됨.

5. 마그렙 국가연합(UMA)은 모로코, 알제리등의 주도로 걸프전 휴전및 이라크군철수, 쿠웨이트에 마그렙군파견및 유엔 안보리회의 개최안등에 대한 국제사회의 수용거부로 아랍인에의한 아랍문제의 해결에 한계를 노정하고 있으며, 걸프전의 장기 및 확전이 되어가는 경우 각국동요사정에 따라 공식, 비공식 군대 또는 자원병파견등이 있지않을까 우려됨. 끝.

(대사대리 김원철-페만사태비상대책본부장)

예고:91.6.30 일반

1991. 6. 30. 에 예고문에 의거 일반문서로 재 분류됨.

중아국 장관 차관 1차보 2차보 중아국 영교국 청와대 안기부

PAGE 1 91.01.26 21:11

외신 2과 통제관 CA

0102

관리 번호	91-1458

원 본

외 무 부

종 별 :

번 호 : MTW-0041 일 시 : 91 0131 1600

수 신 : 장관(중근동,마그)

발 신 : 주 모리타니 대사대리

제 목 : 걸프전쟁관련 주재국정세

연:MTW-0038

1. 주재국 디디외상은 1.30 걸프전쟁발발후 최초의 기자회견(외신기자포함)을 갖고 하기 요지 성명을 발표함.

가. 걸프전발발 14 일째인 현재 연합군의 이락전역에대한 무차별공습으로 인해 노약자, 부녀자포함 수많은 인명피해 뿐아니라 문화, 과학, 사회 경제시설이파괴됨.

나. 연합군은 사실상 이락의 인적, 물적능력의 파괴를 군사목적으로 삼음으로써 유엔안보리 결정사항의 범위를 일탈함.

다. 또한 지난 1.15 이후 점령지역거주 팔레스타인인들은 야간통금조치로 인해 많은 고통을 겪고있음.

라. 유엔안보리가 전쟁과 파괴를 정당화시키는 도구가되어서는 안되며, 평화와 안정유지라는 본연의 책임을 이행할것을 촉구함.

마. 걸프전쟁 뿐아니라 모든 중동문제, 특히 팔레스타인문제에 대한 평화적인 해결책을 모색해야함.

2. 상기 주재국외상의 성명은 최근 일부 아랍국및 회교국들이 연합군이 쿠웨이트 해방이라는 유엔결정사항의 목적을 벗어나고 있다고 비난한것과 같은 맥락으로서, 특히 이락의 무차별파괴문제와 더불어 팔레스타인인 문제해결의 필요성을 언급한것은 주재국정부가 기존의 친이락경향을 더욱 뚜렷이 한것으로서 주목됨. 끝.

(대사새리김원철-페만비상대책본부장)

예고:91.6.30 일반

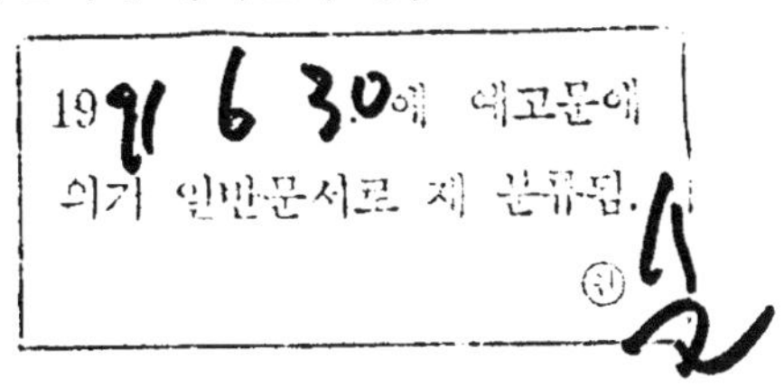

중아국 장관 차관 1차보 2차보 중아국 청와대 안기부

PAGE 1

91.02.01 05:30

외신 2과 통제관 CH

0103

관리 번호	91-280

외 무 부

종 별 :

번 호 : MTW-0042 일 시 : 91 0202 1530

수 신 : 장관(중근동,마그,영사)

발 신 : 주 모리타니 대사대리

제 목 : 걸프전쟁관련 주재국정세

연:MTW-0021

1. 주재국은 금 2.2 예정대로 각급학교의 수업을 재개함.

2. 주재국에서는 작 2.1 회교주일 예배후 데모감행시도가 있었으나 군경의 철저한 저지로 무산됨.

3. 주재국은 걸프전 발발이후 긴장상태 지속으로 시민들이 막대한 불편을 겪고 있음을 감안 이의 정상화를 위하여 가시적인 노력을 기울이고 있으나 중동사태가 언제 악화될지 모르는 상황이므로 주재국 국민은 물론 외국인들도 조용히 사태추이를 계속 주시하고 있음.

4. 연호 1.20 라스팔마스로 긴급 대피하였던 부녀자들도 거의 전원 누아디부로 되돌아와 정상생활중임.끝.

(대리대사 김원철-페만비상대책본부장)

예고:91.6.30 일반

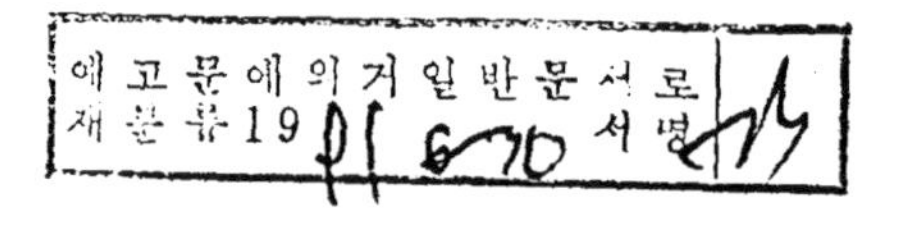

중아국	장관	차관	1차보	2차보	미주국	중아국	영교국	청와대
총리실	안기부							

PAGE 1

91.02.03 07:25

외신 2과 통제관 DO

0104

관리 번호	91-1380

원 본

외 무 부

종 별 :

번 호 : MTW-0047 일 시 : 91 0214 1200

수 신 : 장관(중동1,중동2)

발 신 : 주 모리타니 대사대리

제 목 : 이락부수상 방모

연:MTW-0046

1. SADDOUNE HAMADI 이락부수상이 2.13 방모하여 타야국가원수 예방후 동일당지를 출발함.

2. 2.12. 연합군의 바그다드 공습으로 방공호에 피신중이던 수백명의 이라크 민간인이 사망한것과 관련 2.13 누아디부에서는 학생들이 수업거부사태가 있었으며 수도인 누악숏에서는 이락부수상 출발시 소규모 친이락데모가 있었는바,주재국에 긴장상태가 점차 고조되고있는 분위기임.

3. 한편연합국 공습으로 피해를 입고 있는 국민을 지원키위해 10 명의 주재국 의료지원단이 의약품과함께 2.13 이라크로 향발함. 끝.

(대사대리 김원철-페만비상대책본부장)

예고:91.6.30 일반

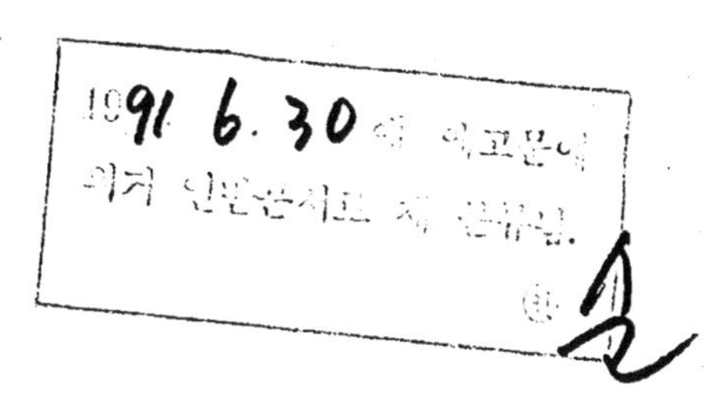

중아국	장관	차관	1차보	2차보	중아국	정문국	청와대	안기부

PAGE 1

91.02.14 22:55

외신 2과 통제관 DG

0105

관리 번호	91-130

외 무 부

종 별 :

번 호 : MTW-0049 　　　　일 시 : 91 0217 1530

수 신 : 장관(중동1,중동2)

발 신 : 주 모리타니 대사대리

제 목 : 걸프전쟁관련 주재국정세

연:MTW-0047

1. 연합군의 2.13 공습으로 인해 바그다드 방공호대피 수백명의 이락인들이 사망한것과 관련 주재국정부는 2.15 일을 국가적인 애도일로 정하였으며 동일 수도 누악숏에서는 3-4 천명의 대규모 친이락시위가 있었음.

2. 이와관련 학생들의 수업거부 움직임도 있었으나 정부의 강력봉제로 2.16 은 시위없이 조용히 지나갔으며 각급학교도 정상적으로 운영되고있음.

3. 연호 2.13 당지를 방문한 SADDOUNE HAMADI 부수상은 주재국 타야국가 원수 예방후 가진 기자회견에서 연합군이 핵무기 사용을 위협하고 있으나 이락으로서는 이에 대응하여 화학무기등 가능한 모든방법을 동원하여 대응 할것이라고 언명함. 끝.

(대사대리김원철-페만비상대책본부장)

예고:91.6.30 일반

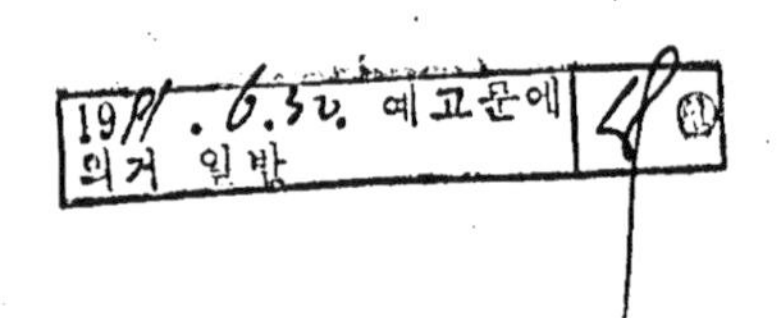

중아국	장관	차관	1차보	2차보	미주국	중아국	청와대	총리실
안기부								

PAGE 1 　　　　91.02.18 20:11

외신 2과 통제관 DO

0106

관리번호	91-156

외 무 부

종 별 :

번 호 : MTW-0062 일 시 : 91 0303 1530

수 신 : 장관(중동일,중동이)

발 신 : 주 모리타니 대사대리

제 목 : 걸프전관련 주재국정세

연:MTW-0056

1. 주재국은 금 3.3 각급학교 수업을 재개함. 미국의 정전선언과 휴전회담개시로 이락의 패배가 완연해짐에따라 주재국의 분위기는 무겁게 가라앉아 있으며대부분 유색계통인 반이락 분자들도 이락의 패배를 당연한것으로 받아들이면서도 겉으로 드러내지 못하고있음.

2. 대부분의 시민생활은 정상으로 돌아가고 있으나 당지 외국공관등에대한 경비는 계속되고있음. 주재국은 금번전쟁의 여파및 사우디, 쿠웨이트, 불, 미등으로부터의 원조자금 유입 중단으로 어려워진 경제난타개를 위해서도 서방제국과의 관계유지가 필요하므로 친이락 태도가 급격히 감소하고 국민의 자급자족및 애국심 고양운동 전개, 90.11 월 쿠데타 미수사건으로 체포된 반정부분자 석방등 일련의 대국민 유화책을 펴가고 있는것으로 탐문됨.

3. 누아디부거주 아국선원및 교민은 동요없이 정상생활중임.끝.

(대사대리김원철-비상대책본부장)

예고:91.6.30 일반

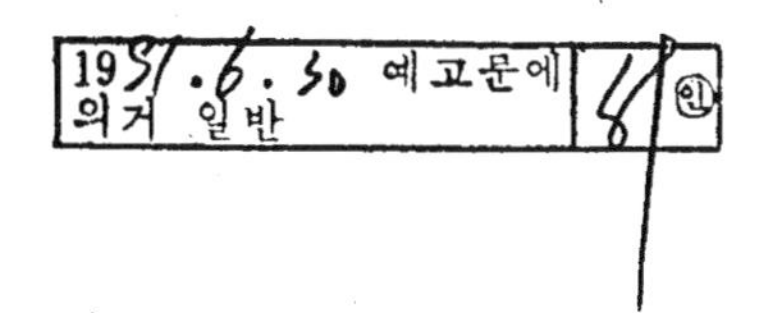

중아국 차관 1차보 2차보 중아국 청와대 안기부

PAGE 1

91.03.04 17:40

외신 2과 통제관 BN

0107

4. 바레인

0108

관리번호	90/1202

원 본

외 무 부

종 별 : 지 급

번 호 : BHW-0137 일 시 : 90 0802 1240

수 신 : 장관(중근동,정일)

발 신 : 주 바레인 대사

제 목 : 이라크의 쿠웨이트 침공(자료응신 제28호)

1. 주재국은 금 8.2. 새벽 이라크의 쿠웨이트 침공과 관련 침묵해오다가 라디오 방송이 12 시 정오 정기 뉴스를 통하여 비로소 이라크군의 쿠웨이트 침공을 보도한바, 그 내용은 금일 새벽 2 시 쿠웨이트 국방부는 이라크에 대하여 무력 행위를 즉각 중단할 것을 촉구하고 쿠웨이트는 모든 합법적인 방법을 통하여 쿠웨이트의 주권을 수호할 것이라고 성명을 통하여 천명하였으며, 이와 관련하여 현재 카이로에서 개최중인 OIC 외무장관 회의에 참석중인 GCC 외무장관들이 FAISAL 사우디 외무장관 숙소에서 회동중이라고 논평없이 사실 보도함.

2. 상기 관련 주재국은 금 8.2 오전 현재 정부의 긴급회의 소집이나, 관계부처의 비상근무등의 특별조치는 취하고 있지 않으며 공항도 정상 운영중임. 주재국은 지난 7.31 부터 ASHOORA 애도기간이 주말과 연계되어 명 8.3 까지 연휴기간이 됨으로써 주재국 정부관리들과의 접촉도 어려운 형편임.

3. 주재국 방송은 BBC 나 기타 외신이 전하는 바와 같은 이라크군의 주요 시설, 기관장악등에 관하여는 언급을 회피함으로서 비교적 축소보도의 경향을 보이고 있는바, 본건 관련 주재국측 반응등을 계속 주시, 특이 동향 파악시 추보 위계임을 우선 보고함. 끝.

(대사 우문기-국장)

예고:90.12.31 일반

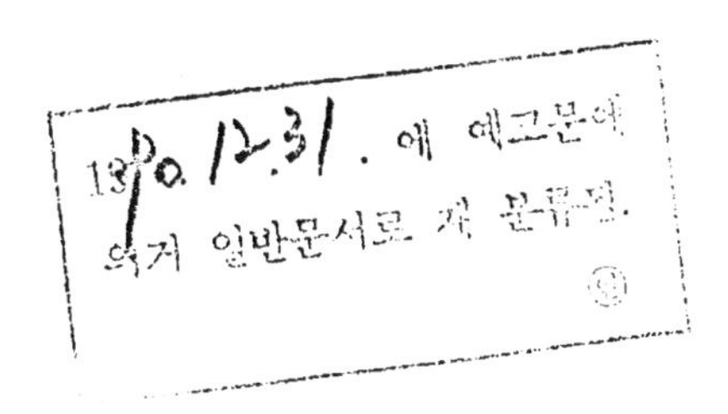

중아국 장관 차관 1차보 2차보 정문국 청와대 안기부

PAGE 1

90.08.02 21:29

외신 2과 통제관 CN

0109

관리 번호	90/1221

원 본

외 무 부

종 별 :

번 호 : BHW-0138 일 시 : 90 0803 1700

수 신 : 장관(중근동,정일)

발 신 : 주 바레인 대사

제 목 : 이라크의 쿠웨이트 침공(자료응신 제29호)

연:BHW-0137

1. 주재국 정부는 금 8.3 17:00 현재 금번 사태와 관련 공식 입장을 발표하고 있지는 않으나, 신문.방송등 언론들은 인접국인 사우디, UAE 등과는 달리 금번 사태를 대대적으로 보도하고 있으며, 당관이 비공식적으로 파악한바에 따르면 주재국 군은 대외 발표는 없었으나 비상체재에 임하고 있음.

2. 한편 당지의 일반 분위기는 매우 평온한 상태이며, 주재국 정부는 주재 전 외교공관의 외곽 경비를 담당하고 있는바, 이라크, 쿠웨이트 대사관에 대한 경비병력의 증감없이 평소와 전혀 다름이 없는 분위기임.끝.

(대사 우문기-국장)

예고:90.12.31 일반

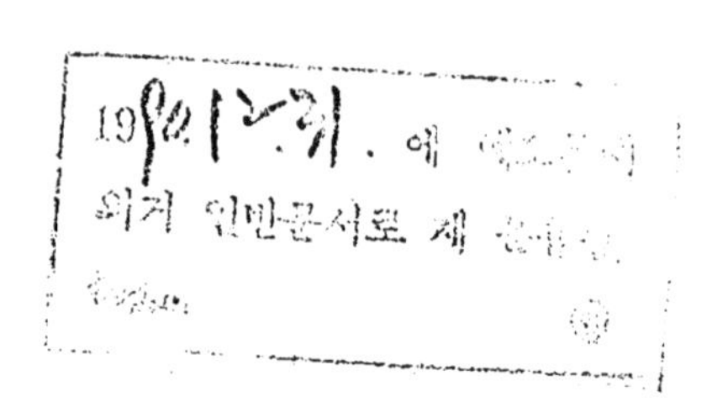

중아국	차관	1차보	2차보	정문국	청와대	안기부

PAGE 1

90.08.04 01:27

외신 2과 통제관 DH

0110

관리번호	90/1246

원 본

외 무 부

종 별 :

번 호 : BHW-0141 일 시 : 90 0805 1500

수 신 : 장관(중근동,정일)

발 신 : 주 바레인 대사

제 목 : 쿠웨이트 사태(자료응신 제30호)

연:BHW-0138

1. 쿠웨이트 사태와 관련 금 8.5 현재 카이로에서의 GCC 외무장관회의 공동성명 이외의 별도의 입장등을 표명하고 있지는 않음.

2. 주재국 언론들은 금 8.5 에도 금번사태를 대대적으로 보도하고 있으며, SAAD 왕세자겸 수상, SABAH 부수상겸 외무장관을 비롯한 쿠웨이트 각료들의 지난 8.3 각의 모습을 1 면 전면에 걸쳐 게재함.

3. 당지의 일반적인 분위기는 계속 평온을 유지하고 있으며, 금융 시장도 별다른 동요없이 정상을 유지하고 있음.

4. 한편, MUBARAK 외무장관은 작 8.4 오전 귀국하였으며, 귀국 직후 ISA 국왕및 HAMAD 왕세자등에게 카이로 회의 결과등에 대해 설명하고, 그에 대한 주재국측의 향후 입장등에 대해 협의한 것으로 전해지고 있음. 끝

(대사 우문기-국장)

예고:90.12.31 일반

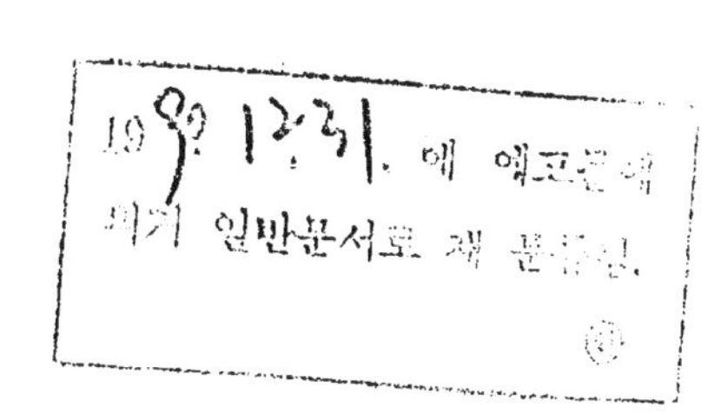
1990.12.31. 에 예고문에 의거 일반문서로 재 분류됨.

중아국 차관 1차보 2차보 정문국 청와대 안기부

PAGE 1

90.08.05 23:24

외신 2과 통제관 CF

0111

관리번호	90/1315

원 본

외 무 부

종 별 :

번 호 : BHW-0142 일 시 : 90 0807 1630

수 신 : 장관(중근동,정일)

발 신 : 주 바레인 대사

제 목 : 쿠웨이트 사태(자료응신 제31호)

1. 주재국의 HAMAD 왕세자 겸 방위군 사령관의 경호관이 사석에서 발설한 바에 따르면, 8.5 주재국 공군 기지에서 두대의 전투기가 발진, 쿠웨이트내 이라크군 사령부 상공을 정찰 비행한 사실이 있으며, 이라크 정부는 이와관련 주재국 정부에 대해 동행위를 적대행위로 간주한다면서 엄중 경고하였는바, 현재로서는 동 내용의 진의 여부를 확인할 길은 없음.

2. 한편, MUBARAK 외무장관은 금 8.7 젯다 개최 GCC 긴급 외무장관회의에 참석키 위해 당지를 출발한 것으로 전해지고 있음. 끝.

(대사 우문기-국장)

예고:90.12.31 일반

중아국 차관 1차보 2차보 정문국 청와대 안기부

PAGE 1

90.08.08 03:40

외신 2과 통제관 DO

0112

관리 번호	90/083

원 본

외 무 부

종 별 :

번 호 : BHW-0149 일 시 : 90 0810 1215

수 신 : 장관(중근동,정일)

발 신 : 주 바레인 대사

제 목 : 쿠웨이트 사태관련 주재국 정세(자료응신 제34호)

연: BHW-0146(1),0147(2)

1. 연호(1), 주재국내 8.10. 현재 정세를 아래 보고함.

가. 바레인 정부는 8.8 밤을 기해 중앙은행 보유 자금 및 주요 유가증권을영국으로 안전 대피 시킨것으로 전해지고 있음.

나. 주재국 화폐의 대미 환율이 시중에서 비공식적으로 약 30 프로이상 인상되었음에도 불구, 미화 구입은 거의 불가능한 실정이며, 이에따라 금융기관의 업무도 사실상 마비되어 가고 있고, 바레인 중앙은행은 작 8.9 당지 시중 금융기관들에 대해 예금인출등의 일반 업무에는 정상적으로 임해 줄것을 협조 요청한 바있음.

다. 주재국의 물가는 지난 수일간 계속 앙등세를 보이고 있으며, 쌀, 설탕,밀가루 등의 일부 생필품은 이미 품귀현상을 보이고 있음.

라. 당지에 체류하던 외국인들 중 일본인들은 각자의 판단에 따라 일부 필수 요원을 제외하고는 거의 철수하였다고 하며, 미국 및 영국인들의 경우 특별한사유가 없는한 대부분 당지를 떠나고 있는것으로 전해지고 있으며, 영국항공은당지와 런던간에 임시로 특별기를 운행하고 있다함.

2. 당지 아국 거류민들의 경우, 외환은행, 한일은행, 영진공사등은 직원가족들만 본사의 지시 내지 양해하에 일단 본국으로 철수할 예정이라고 함.

3. 이란 외무장관은 8.9 연호(2), 예정대로 주재국을 방문, MUBARAK 외무장관과 외무장관 회담을 갖고, RAFSANJANI 이란 대통령의 구두 친서를 전달한후 동일자로 당지를 출발하였음.

4. 한편, ISA 국왕은 카이로 긴급 아랍정상회의에 참석키 위해 MUBARAK 외무장관을 대동, 작 8.9 당지를 출발하였음. 끝.

중아국 차관 1차보 2차보 정문국 청와대 안기부

PAGE 1

90.08.10 19:51

외신 2과 통제관 BT

0113

(대사 우문기-국장)
예고:90.12.31 일반

PAGE 2

0114

관리번호	90/1364

원 본

외 무 부

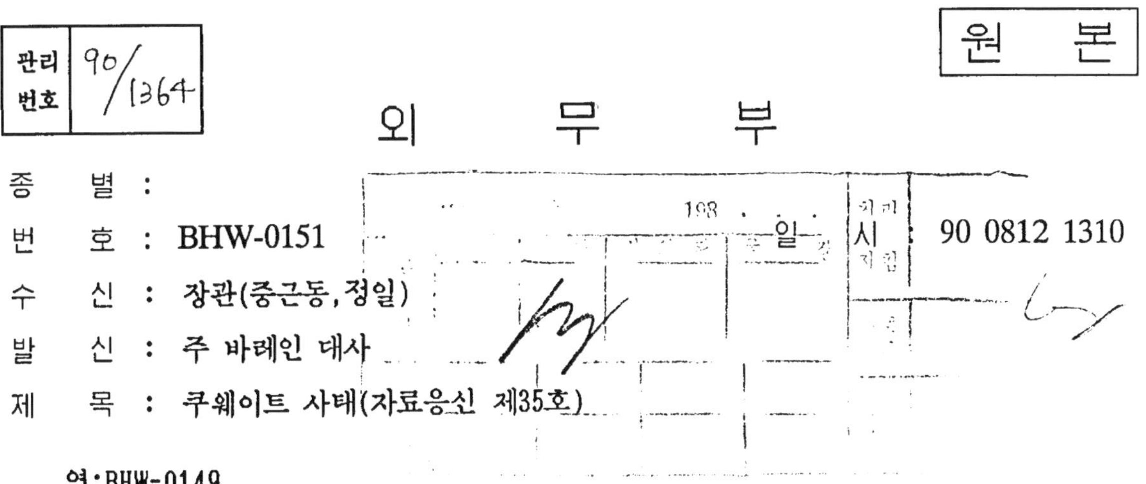

종 별 :

번 호 : BHW-0151 일 시 : 90 0812 1310

수 신 : 장관(중근동,정일)

발 신 : 주 바레인 대사

제 목 : 쿠웨이트 사태(자료응신 제35호)

연:BHW-0149

1. 연호, ISA 국왕은 카이로 긴급 아랍정상회의 참석후 작 8.11 귀국하였음.

2. 당지에서는 작 8.11 정오경 수차례의 대공포 소리가 들려와 시민들간의 일부 동요가 있었는바, 동 사건 관련 당관이 조사, 확인바를 아래 보고함.

가. 작 8.11. 국왕의 바레인 귀국 시각에 즈음하여, 쿠웨이트에서 발진한 이라크 조기 경보기가 현재 미 공군등이 주둔하고 있는 사우디 담맘 비행장 상공 가까이로 접근을 기도함.

나. 이에 대해 미군측은 ISA 국왕의 전용기가 걸프만 상공에 접근중이었기 때문에 만약의 실수등을 고려, 대공 미사일 발사등의 강력한 대응 조치를 취하지 못하고 대공포에 의한 공포 발사를 통해 동 이라크 경보기의 접근을 저지함.

다. 이라크 측은 동 조기 경보기 발진 사실을 즉각 부인하였음.

라. 상기관련 사우디는 현재 대공 방위체제가 대공 미사일을 중심으로 구축되어 있고, 대공포는 보유하고 있지 않은 것으로 전해지고 있어 동 대공포는 미군측에 의한 발사인 것으로 확인되고 있음.

3. 한편 불란서 정부는 최근의 걸프사태등과 관련하여 불란서측의 대 GCC 방어 의지등을 다짐하기 위해 걸프 제국에 특사를 파견할 예정으로 있으며, 동 특사는 명 8.13 당지 도착 예정이라함. 끝.

(대사 우문기-국장)

예고:90.12.31 일반

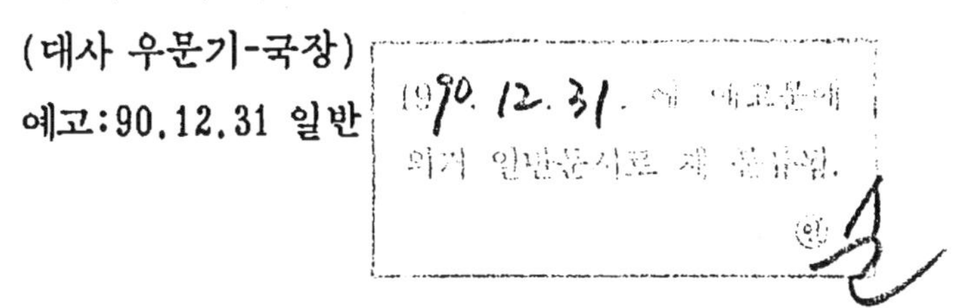

중아국	장관	차관	1차보	2차보	정문국	청와대	안기부	대책반

PAGE 1

90.08.12 19:40

외신 2과 통제관 DO

0115

관리 번호	90/1370

외 무 부

종 별 :

번 호 : BHW-0151 일 시 : 90 0812 1310

수 신 : 장관(중근동,정일)

발 신 : 주 바레인 대사

제 목 : 쿠웨이트 사태(자료응신 제35호)

연:BHW-0149

1. 연호, ISA 국왕은 카이로 긴급 아랍정상회의 참석후 작 8.11 귀국하였음.

2. 당지에서는 작 8.11 정오경 수차례의 대공포 소리가 들려와 시민들간의 일부 동요가 있었는바, 동 사건 관련 당관이 조사, 확인바를 아래 보고함.

가. 작 8.11. 국왕의 바레인 귀국 시각에 즈음하여, 쿠웨이트에서 발진한 이라크 조기 경보기가 현재 미 공군등이 주둔하고 있는 사우디 담맘 비행장 상공 가까이로 접근을 기도함.

나. 이에 대해 미군측은 ISA 국왕의 전용기가 걸프만 상공에 접근중이었기 때문에 만약의 실수등을 고려, 대공 미사일 발사등의 강력한 대응 조치를 취하지 못하고 대공포에 의한 공포 발사를 통해 동 이라크 경보기의 접근을 저지함.

다. 이라크 측은 동 조기 경보기 발진 사실을 즉각 부인하였음.

라. 상기관련 사우디는 현재 대공 방위체제가 대공 미사일을 중심으로 구축되어 있고, 대공포는 보유하고 있지 않은 것으로 전해지고 있어 동 대공포는 미군측에 의한 발사인 것으로 확인되고 있음.

3. 한편 불란서 정부는 최근의 걸프사태등과 관련하여 불란서측의 대 GCC 방어 의지등을 다짐하기 위해 걸프 제국에 특사를 파견할 예정으로 있으며, 동 특사는 명 8.13 당지 도착 예정이라함. 끝.

(대사 우문기-국장)

예고:90.12.31 일반

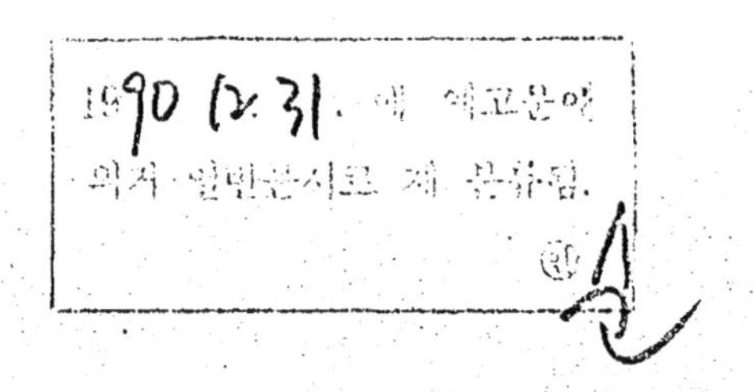
1990 12. 31. 에 예고문에 의거 일반문서로 재 분류됨.

중아국	장관	차관	1차보	2차보	정문국	청와대	안기부	대책반

PAGE 1

90.08.12 19:40

외신 2과 통제관 DO

0116

관리번호	90/2026

원 본

외 무 부

종 별 : 지 급

번 호 : BHW-0159 일 시 : 90 0814 1525

수 신 : 장관(중근동,정일)

발 신 : 주 바레인 대사

제 목 : 쿠웨이트사태(자료응신제36호)

1. 쿠웨이트의 SALEM SABAH AL SALEM 내무장관은 작 8.13. 금번 사태관련 쿠웨이트 국왕의 특사자격으로 주재국을 방문, ISA 국왕을 예방함.

2. 한편 주재국 정부는 작 8.13. 부터 적극적으로 아래와 같이 민심 수습책을 전개하였음.

가. 중앙은행이 금융 거래에 강력히 개입, 제한적이나마, 시중에서 주재국 화폐에 의한 미화 매입가능

나. 일반상점들의 경우 여하한 경우에도 당국의 사전 승인없이 상품가격 인상 엄금 및 납득할 만한 사유없는 철시 엄금을 통해 생필품을 포함한 일반 상품의 유통질서 회복.

3. 현재 주재국의 전반적인 분위기는 적어도 표면상으로는 평시 질서를 회복하고 있음.

(대사 우문기-국장)

예고:90.12.31 일반

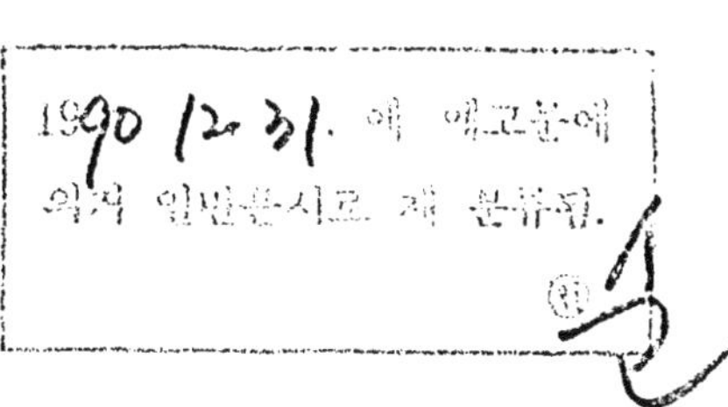

중아국	장관	차관	1차보	2차보	정문국	청와대	안기부

PAGE 1

90.08.14 23:01

외신 2과 통제관 CN

0117

관리 번호	90/2021

원 본

외 무 부

종 별 :

번 호 : BHW-0163 일 시 : 90 0815 1930

수 신 : 장관(중근동,정일)

발 신 : 주 바레인 대사

제 목 : 쿠웨이트 사태(자료응신 제37호)

1. 작 8.14 밤 당지 주재 이라크 대사관 (공관에서 200M 거리) 에 대한 총기 난사 사건이 발생하였는바, 동 사건이 당지로 피난온 쿠웨이트인에 의한 것이었는지의 여부는 상금 확인되지 않고 있으며, 주재국 정부는 중화기등을 동원 이라크 대사관 외곽 경비를 대폭 강화하였음.

2. 한편, 주재국을 비롯한 GCC 제국은 향후 이라크인, 요르단인, 팔레스타인인에 대한 거주허가 신규 발급 및 갱신을 중단하기로 결정한 것으로 전해지고 있음.

3. 전기 2 항 관련, 당지 현대건설측에 의하면, 금 8.15. 당지 ASRY 조선소확장공사 입찰 참여사의 동 조선소 현장 답사시 주재국측은 사전 회람을 통하여 이라크, 리비아, 이스라엘 방문 기록이 있는 사람은 조선소 내부출입을 불허하겠다고 통보하였다고 하는바, 리비아, 이스라엘 입국 경험자에 대해서는 당초입국 심사시부터 입국이 불허되고 있는 실정에 비추어, 동 사전 통보는 이라크입국 경험자에 대한 규제조치의 일환인 것으로 추정됨. 끝.

(대사 우문기-국장)

예고:90.12.31 일반

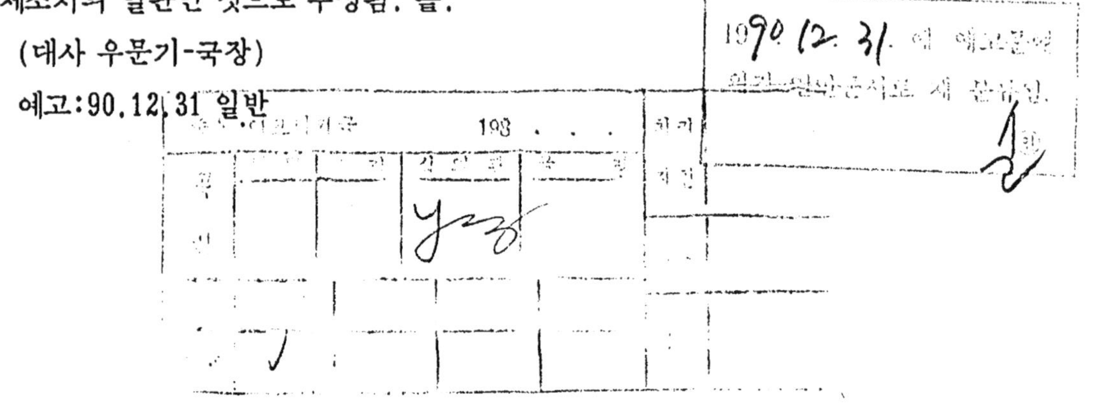

1990.12.31. 에 예고문에 의거 일반문서로 재 분류됨.

중아국 차관 1차보 2차보 통상국 정문국 청와대 안기부

PAGE 1

90.08.16 04:04

외신 2과 통제관 DH

0118

관리 번호	90/2013

원 본

외 무 부

종 별 :

번 호 : BHW-0167 일 시 : 90 0818 1430

수 신 : 장관(중근동,정일)

발 신 : 주 바레인 대사

제 목 : 쿠웨이트 사태(자료응신 제38호)

1. ALAN CLARKE 영국 군수 조달담당 국무장관은 작 8.17. 주재국을 방문, ISA 국왕 및 HAMAD 왕세자 겸 방위군 사령관을 예방하고, 쿠웨이트 사태와 관련 걸프만에 출동중인 영국 공군 전부기의 주재국 공군기지 사용문제에 대한 주재국측의 동의를 요청한 것으로 전해지고 있음.

2. 주재국 측은 상기 영국 요청을 수락하였으며, ISA 국왕은 현재 오만 공군기지에 배치되어 있는 영국 전투기의 일부를 주재국측에 배치하여 줄것을 요청하였으며, 동 전투기의 재배치 문제는 양국 실무진간이에 이미 협의가 진행중인 것으로 전해지고 있음. 끝.

(대사 우문기-국장)

예고:90.12.31 일반

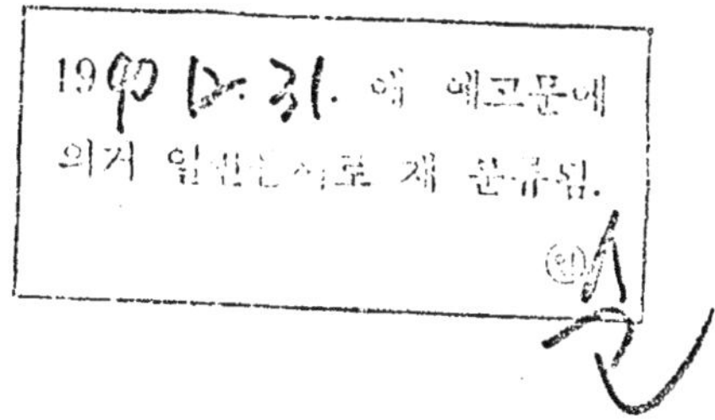

중아국 대책반	장관	차관	1차보	2차보	통상국	정문국	청와대	안기부

PAGE 1

90.08.18 21:39

외신 2과 통제관 CF

0119

관리번호	90/205

원 본

외 무 부

종 별 :

번 호 : BHW-0168 일 시 : 90 0819 1130

수 신 : 장관(중근동,정일)

발 신 : 주 바레인 대사

제 목 : 쿠웨이트사태(자료응신 제39호)

당관 김종용 참사관은 작 8.18 당지 불란서 대사관 ANIS NACROUR 1 등 서기관과 쿠웨이트 사태의 향후 추이등에 대해 의견을 교환한바, 동 요지 아래 보고함.

1. 이라크측의 이라크및 쿠웨이트내 미.영국인 출국금지 및 이라크내 주요시설에의 집단 수용 움직임등은 서방측의 군사행동 전개에 적지않은 제약을 가져올 수도 있을 것으로 예상되므로 금번 사태가 당초 예상되던 것보다 의외로 장기화할 가능성도 배제할 수 없게 되었음.

2. 서방, 특히 미국으로서는 직접적인 무력충돌 대신 후세인 이라크 대통령의 제거등 이라크 내부 정변 유발을 통한 효율적인 해결책을 모색하고 있는듯하며, 이에는 이스라엘의 깊이 개입되어 있는 것으로 추정될뿐, 불란서로서도 이와 관련한 구체적인 정보를 얻는데에는 매우 어려움.

3. 원유가격이 지속적으로 급등하는 일은 더 이상 발생하지 않을 것으로 보이는바, 이는 쿠웨이트 망명 정부의 재정 보조등과 관련, 사우디가 자국내 유전에서 쿠웨이트의 산유량을 대신 생산 쿠웨이트의 주요 공급선에 공급하여 주고 사태 해결후 쿠웨이트로 부터 동 생산량을 반환받는 방식이 취해질 것이므로 과거 오일쇼크때와 같은 심각한 공급 부족 현상은 초래되지 않을 것으로 보이기 때문임.

4. 미군의 걸프지역 진출과 관련, 미 행정부가 걸프지역의 안전 보장이 미국의 이익에 중요하다고 공식적으로 말하고 있는점에 비추어 금번 사태 해결후에도 일정 수준의 미군을 계속 이 지역에 잔류시키고자 할 것으로 보이며, 사우디 측으로서도 금번 사태로 자신들의 방위력의 한계를 절감하였을 것으로 믿어지므로 굳이 미군의 조기 완전 철수를 요구하지는 않을것으로 보임.끝.

(대사 우문기-국장)

예고:90.12.31 일반

1990 12.31. 예 예고문에 의거 일반문서로 재 분류됨.

중아국	장관	차관	1차보	2차보	정문국	청와대	안기부	대책반

PAGE 1 90.08.19 18:30

외신 2과 통제관 EZ

0120

관리번호	90/1420

원 본

외 무 부

종 별 :

번 호 : BHW-0170 일 시 : 90 0820 1050

수 신 : 장관(중근동,정일)

발 신 : 주 바레인 대사

제 목 : 쿠웨이트 사태(자료응신 제40호)

1. 주재국 정부는 작 8.19 KHALIFA 수상 주재하 각의에서 이라크 군의 쿠웨이트 영토로 부터의 무조건 철수 및 쿠웨이트 합법정부의 복귀를 촉구하였음. 이는 8.2 사태발생 이후, 주재국 정부가 취한 최초의 단독 성명임.

2. 한편, CHENEY 미 국방장관은 작 8.19. 당지를 방문 ISA 국왕, KHALIFA 수상, HAMAD 왕세자 겸 방위군 사령관등과 이례적인 동시 회담을 갖고 BUSH 미 대통령의 메세지를 전달한 후, 최근 쿠웨이트 사태를 위한 양국 협력 방안등을 협의함. 끝.

(대사 우문기-국장)

예고:90.12.31 일반

1990.12.31. 에 예고문에 의거 일반문서로 재 분류됨.

중아국	차관	1차보	2차보	통상국	정문국	청와대	안기부	대책반

PAGE 1 90.08.20 17:35

외신 2과 통제관 BT

0121

관리 번호	P01/1452

원 본

외 무 부

종 별 : 지 급

번 호 : BHW-0172 일 시 : 90 0822 1200

수 신 : 장관(중근동,정일)

발 신 : 주 바레인 대사

제 목 : 쿠웨이트 사태(자료응신 제41호)

연:BHW-0170

1. HAMAD 왕세자 겸 방위군 사령관은 작 8.21 주재국 공군기지를 시찰하는 자리에서 이라크군의 쿠웨이트 영토로부터 무조건 완전 철수를 재 촉구하였음.

2. 한편, KHALIFA 국방장관은 금 8.22 젯다에서 개최되는 GCC 국방장관회의에 참석 예정임.끝.

(대사 우문기-국장)

예고:90.12.31 일반

중아국 장관 차관 1차보 2차보 정문국 대책반

PAGE 1

90.08.22 22:25

외신 2과 통제관 CF

0122

29544

기 안 용 지

분류기호 문서번호	중근동 720	(전화 :)	시 행 상 특별취급	
보존기간	영구 · 준영구. 10. 5. 3. 1.	장 관		
수 신 처 보존기간				
시행일자	1990.8.27.			

보조기관		협조기관		문 서 통 제
국 장	전결			
심의관				
과 장				발 송 인
기안책임자	박규옥			

경 유 수 신 참 조	주 바레인 대사	발신명의	

제 목	쿠웨이트사태에 관한 아국입장

연 : WMEM-0024(8.3)

대 : BHW-0180(8.26)

이라크 · 쿠웨이트 사태 관련, 유엔안보리 결의 지지 및 준수 의지를 표명한 정부의 공식입장을 별첨과 같이 송부하오니 ~~주재국~~ 업무에 ~~접촉시 이를 적의 활용하시기 바랍니다~~. 끝. 참고 하시기 바랍니다.

첨 부 : 1. 유종하 외무차관의 기자 브리핑 내용(8.9)

2. 유종하 외무차관 발표문 (8.9)

3. 외무부 대변인 기자 브리핑 내용(8.25). 끝.

0123

1505-25(2-1) 일(1)갑
85. 9. 9. 승인 "내가아낀 종이 한장 늘어나는 나라살림"

190mm×268mm 인쇄용지 2급 60g/㎡
가 40-41 1990. 3. 30

90. 8. 9.
공보관실

1. 유종하 외무차관 기자 브리핑 내용

1. 일시 및 장소 : 90.8.9(목) 10:15-10:35, 외무부 회의실

2. 내 용 :

차관 언급 내용

한국 정부는 8.9자 이라크에 대한 유엔 안보리의 제재조치 결의 661호를 지지하며, 이의 이행 방안에 관하여 금 8.9. 오후 관계부처 회의를 가질 예정임.

유엔 안보리의 8.2.자 660호 결의에 대하여는 8.2.자 외무부 대변인 성명을 통하여 이라크군이 쿠웨이트 영토로 부터 즉각 철수해야 한다는 입장을 천명하였으며, 이러한 입장을 재강조하는 바임.

0124

COMMENTS BY VICE FOREIGN MINISTER YOO CHONG-HA
(AT a PRESS BRIEFING at 10:00 A.M., AUG. 9. 1990)

The Republic of Korea supports the U.N. Security Council Resolution No. 661, regarding economic sanctions against Iraq.
An inter-ministerial meeting for implementation of this resolution will take place in the afternoon of August 9.

We have already demanded the immediate withdrawal of Iraqi troops from Kuwaiti territory, and we reemphasize this position.

(To a question) The Government of the Republic of Korea makes it clear that the annexation of Kuwait by Iraq is unacceptable.

0125

공보관실
90. 8. 9.
19:30시

2. 유종하 외무부차관 발표문

(총리주재 관계 부처 장관 대책회의 내용)

유엔 안보이사회 결의 661호와 관련한 "데 꾸에야르" 유엔사무총장의 요청을 받고, 정부는 8.9. 오후 총리 주재하에 관계 부처 장관 회의를 개최하였음. 이 회의에는 부총리,안기부(차장), 외무(차관), 재무, 국방, 상공, 동자, 건설, 노동, 교통부와 공보처 장관이 참석하였음.

이 회의에서 정부는 유엔 안보이사회 결의에 충분히 부응하는 조치가 필요하다는 결정을 내리고 구체적으로 다음 분야에 있어서 즉시 조치를 취하기로 하였음.

1. 이라크와 쿠웨이트 지역으로 부터 오는 원유 수입은 금지한다.

2. 이 지역과의 상품교역도 의약품등 인도적인 소요에 해당하는 물품을 제외하고는 수입과 수출을 공히 금지한다.
   유엔 결의에는 특히 무기 수출 금지를 요청하고 있는 바, 한국은 무기를 수출한 적도 없고 앞으로도 수출하지 않는다.

3. 이 양 지역에 있어서 건설 공사는 수주하지 않는다.

4. 이라크와 쿠웨이트 정부 자산의 동결 요청에 대하여는 이러한 자산이 한국내에는 없음을 확인한다.

이와 별도로 오늘 회의에서는 현지 근로자를 포함한 우리 진출 인원의 안전 대책을 세밀히 검토하였는 바, 현지와 긴밀히 연락하여 모든 가능한 안전 조치를 강구해 나가기로 하였음.

이러한 제재 조치의 이행과 현지 교민의 안전 대책을 위하여 외무부 權丙鉉 본부대사를 장으로 하고 관계 부처 국장으로 구성되는 대책반을 설치 금 8.9. 부터 운영키로 하였음. 끝.

0126

공보관실
90. 8. 25.
10:00

3. 외무부 대변인 브리핑

정부는 90.8.9.자 유엔 안보리 결의 제 662호 (이라크의 쿠웨이트 합병 무효 선언)와 90.8.18.자 유엔 안보리 결의 제 664호 (이라크의 쿠웨이트 주재 외국공관 폐쇄 명령 철회 촉구)를 존중하여, 대사를 포함한 최소한의 필수인원으로 주쿠웨이트 대사관을 계속 유지하고있음. 끝.

0127

관리번호	90/1545

원 본

외 무 부

종 별 :

번 호 : BHW-194 일 시 : 90 0902 1230

수 신 : 장관(중근동,정일)

발 신 : 주 바레인 대사

제 목 : 미 하원의원단 방문(자료응신 제44호)

1.RICHARD GEPHARDT 민주당 의원등 22 명의 하원의원은 쿠웨이트 사태와 관련한 걸프순방의 일환으로 작 9.1. 당지에 도착함.

2.GEPHARDT 의원은 기자회견을 통하여, 수일내로 미 합동군 기동 타격대가 걸프에 도착할 예정이라고 밝혔으며, 이라크군이 쿠웨이트에서 철수할 경우 미군도 걸프지역에서 철수할 것인가라는 기자질문에 대하여는, 자신으로서는 알 수 없다고 말한것으로 전해지고 있음.

3. 동 의원단 일행은 금 9.2. 사우디로 출발함.

4. 한편, 카이로 아랍 외상회의에 참석한 MUBARAK 외무장관은 작 9.1 귀국하였음.

끝.

(대사 우문기-국장)

예고:90.12.31 일반

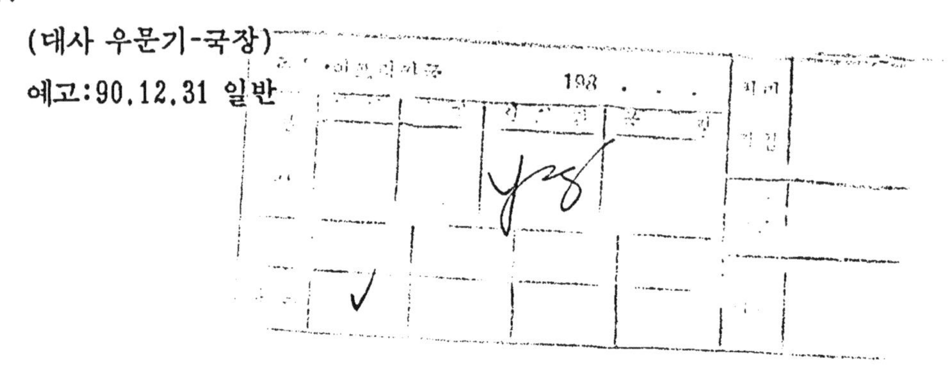

1990. 12. 31. 에 예고문에 의거 일반문서로 재 분류됨.

중아국 1차보 정문국 대책반

PAGE 1

90.09.02 19:46

외신 2과 통제관 FE

0128

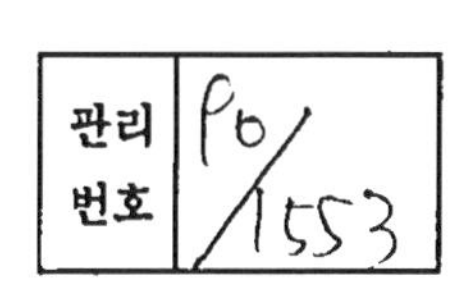

원 본

외 무 부

종 별 :

번 호 : BHW-0196 일 시 : 90 0903 1400

수 신 : 장관(중근동,정일)

발 신 : 주 바레인 대사

제 목 : 쿠웨이트 사태(자료응신 제45호)

1. KHALIFA 수상은 작 9.2. 주레 각의에서 이라크가 서방인들을 인질로 잡고 있는것은 국제법과 국제 규범및 인권 위반행위라고 공식 비난함.

2. 한편, CLAIRBORNE PELL 의원을 단장으로 하는 미 상원의원단 일행 14 명은 걸프지역 순방의 일환으로 작 9.2. 당지에 도착, ISA 국왕예방및 미군부대 시찰등을 마치고, 금 9.3. 젯다로 출발함. 끝.

(대사 우문기-국장)

예고:90.12.31 일반

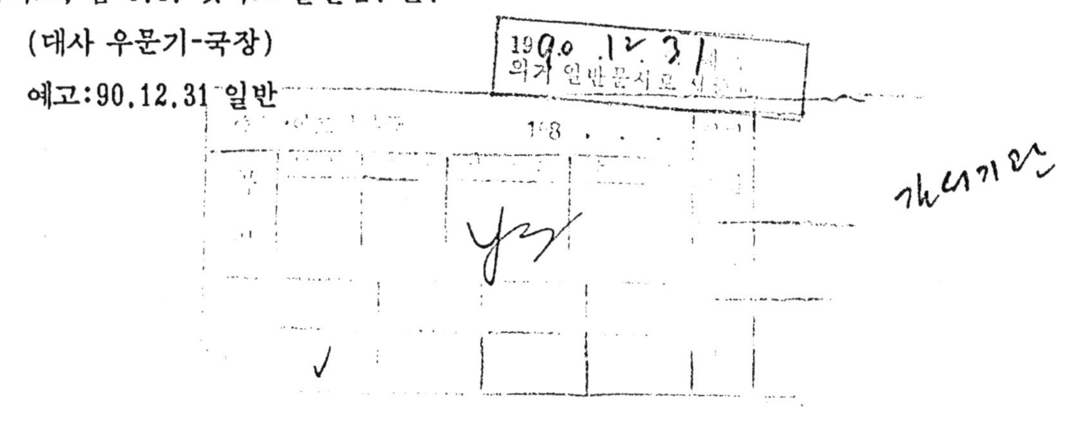

중아국	차관	1차보	2차보	통상국	정문국	청와대	안기부	대책반

PAGE 1

90.09.03 22:27

외신 2과 통제관 DO

0129

관리 번호	90/1568

원 본

외 무 부

종 별 :

번 호 : BHW-0199 일 시 : 90 0905 1320

수 신 : 장관(중근동,정일)

발 신 : 주 바레인 대사

제 목 : 쿠웨이트 사태(자료응신 제46호)

1. MUBARAK 외무장관은 금 9.5. 젯다에서 개최 예정인 GCC 외무장관회의 참석차 사우디로 출발함.

2. 한편 NORMAN SCHWARZKOPH 미국 중앙사령부(US CENTRAL COMMNAND) 사령관은 작 8.4. 당지에 도착, HAMAD 왕세자 겸 방위군 사령관및 KHALIFA 국방장관등과면담을 갖은후, 사우디로 떠남. 끝.

(대사 우문기-국장)

예고:90.12.31 일반

1990.12.31. 에 예고문에 의거 일반문서로 재분류

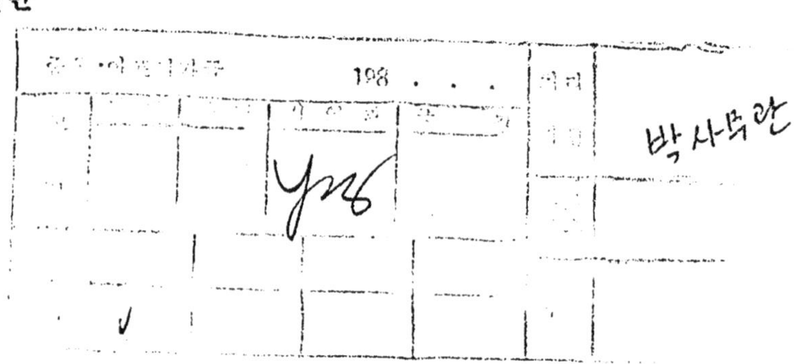

중아국 장관 차관 1차보 2차보 정문국 청와대 안기부

PAGE 1

90.09.05 22:44

외신 2과 통제관 CF

0130

관리 번호	90/2063

원 본

외 무 부

종 별 :

번 호 : BHW-0199 일 시 : 90 0905 1320

수 신 : 장관(중근동,정일)

발 신 : 주 바레인 대사

제 목 : 쿠웨이트 사태(자료응신 제46호)

1. MUBARAK 외무장관은 금 9.5. 젯다에서 개최 예정인 GCC 외무장관회의 참석차 사우디로 출발함.

2. 한편 NORMAN SCHWARZKOPH 미국 중앙사령부(US CENTRAL COMMNAND) 사령관은 작 8.4. 당지에 도착, HAMAD 왕세자 겸 방위군 사령관및 KHALIFA 국방장관등과면담을 갖은후, 사우디로 떠남. 끝.

(대사 우문기-국장)

예고:90.12.31 일반

1990. 12. 31.에 예고 의거 일반문서로 재분류

중아국 장관 차관 1차보 2차보 정문국 청와대 안기부

PAGE 1

90.09.05 22:44

외신 2과 통제관 CF

0131

관리번호	90/1582

원 본

외 무 부

종 별 :

번 호 : BHW-0203 일 시 : 90 0910 1230

수 신 : 장관(중근동,정일)

발 신 : 주 바레인 대사

제 목 : 쿠웨이트 사태(자료응신 제47호)

1. 쿠웨이트 사태와 관련 중동지역에 출동중인 서방 해군 고위 장교회의가 작 9.9. 부터 2 일간의 일정으로 당지에서 개최되고 있음.

2. 금번 회의의 주요 목적은 대 이라크 해상봉쇄 강화를 위해 걸프 및 홍해일원에서 함정들간의 무선통신 주파수 및 활동영역 조정 및 분담을 위한 것으로 전해지고 있음.

3. 금번 회의는 미 중동지역 합동군 소속인 ANTHONY LESS 및 WILLIAM FOGARTY 등 2 명의 미 해군 소장에 의해 주재되고 있으며, 참가국은 미국을 비롯 영,불, 이태리, 화란, 스페인, 벨기에, 호주, 사우디 등 인것으로 알려지고 있음.

(대사 우문기-국장)

예고:90.12.31 일반

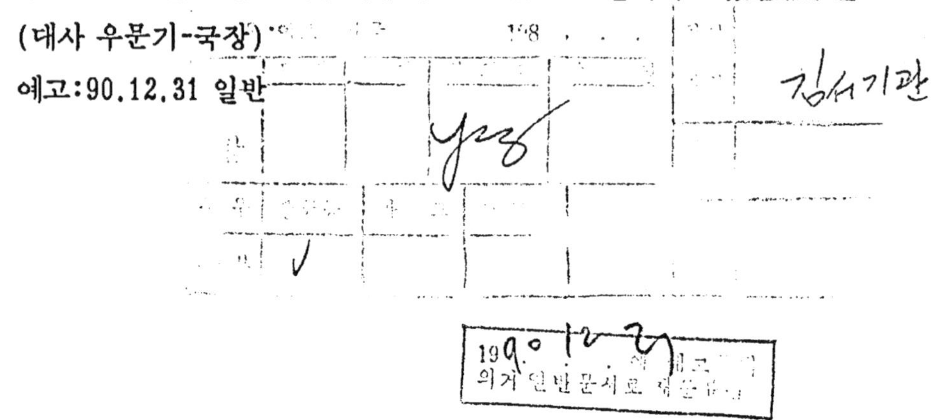

1990.12.31. 에 예고문에 의거 일반문서로 재분류됨

중아국 차관 1차보 2차보 정문국 청와대 안기부 대책반

PAGE 1

90.09.10 20:57

외신 2과 통제관 CF

0132

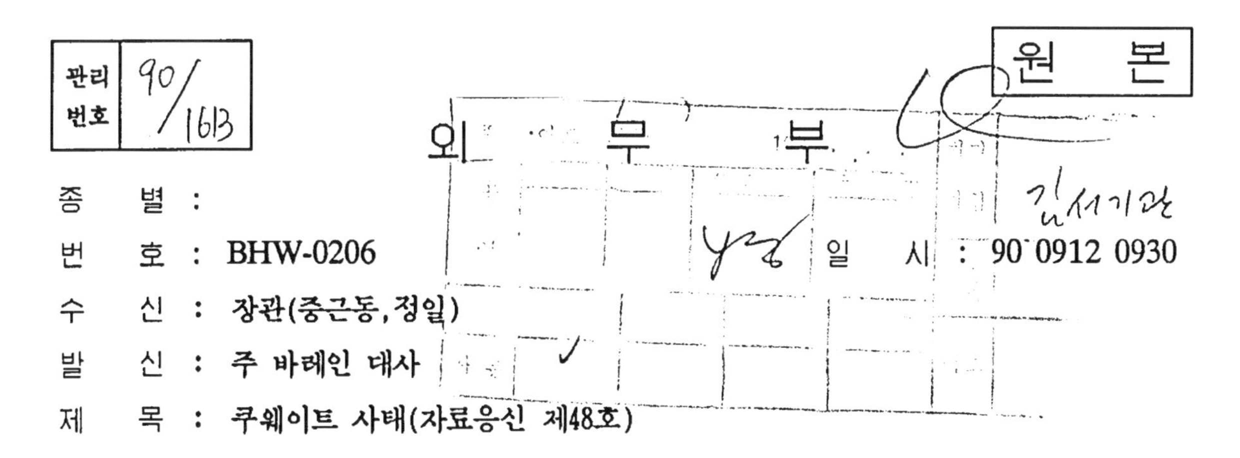

관리번호	90/1613

원 본

외 무 부

김서기관

종 별 :

번 호 : BHW-0206 일 시 : 90 0912 0930

수 신 : 장관(중근동,정일)

발 신 : 주 바레인 대사

제 목 : 쿠웨이트 사태(자료응신 제48호)

당관 김종용 참사관은 금 9.11. 외무부 정무국 ADEL-AYADI UN 및 국제기구 담당 참사관과 면담한바, 쿠웨이트 사태관련 동인의 언급요지 아래 보고함.

1. 현재까지의 GCC 의 기본입장은 금번사태가 가능한한 평화적인 방법에 의해 해결되도록 노력하는것임. 이는 대규모 무력행사에 의한 해결의 경우, 상당한 희생이 뒤따를것이 분명하기 때문임. 또한, 만약 그러한 희생이 발생할 경우에는 쿠웨이트를 비롯한 GCC 내 불순세력들이 사태 해결후 동 희생은 외국군대의 개입으로 더욱 확대되었다고 주장하면서 이를 대국민 반정부 선동책략에 이용하려고 기도할 소지도 배제할수 없기 때문임.

2. 현재 이라크 군부는 8 년동안의 전쟁에 대한 아무런 댓가없이 대이란 평화조건까지도 수락했음에도 쿠웨이트 합병의 성공여부가 극히 희박하고, 더 나아가 이라크의 쿠웨이트 침공에 대한 이란측의 비판적인 기본 입장조차도 전혀 변화가 없는데 대해서 후세인 대통령의 정책결정에 회의를 나타내며 내부적으로 상당한 불만을 표출하고 있는것으로 전해지고 있음.

3. 따라서 자신으로서는 금년말 이전에는 무력에 의한 방법이 아니고, 무고한 희생을 최소화할 수 있는 다른 바람직한 해결방법이 강구될수 있을것으로 봄.

4. 다만, 금번 사태가 바람직한 방향으로 해결된다 할지라도 걸프지역 내에서의 미군의 주둔을 포함한 파급효과는 상당히 장기간 계속될 것으로 봄.끝.

(대사 우문기-국장)

예고:90.12.31 일반

1990.12.31. 에 예고문에 의거 일반문서로 재 분류됨.

중아국 차관 1차보 2차보 정문국 청와대 안기부 대책반

PAGE 1

90.09.12 18:54

외신 2과 통제관 DO

0133

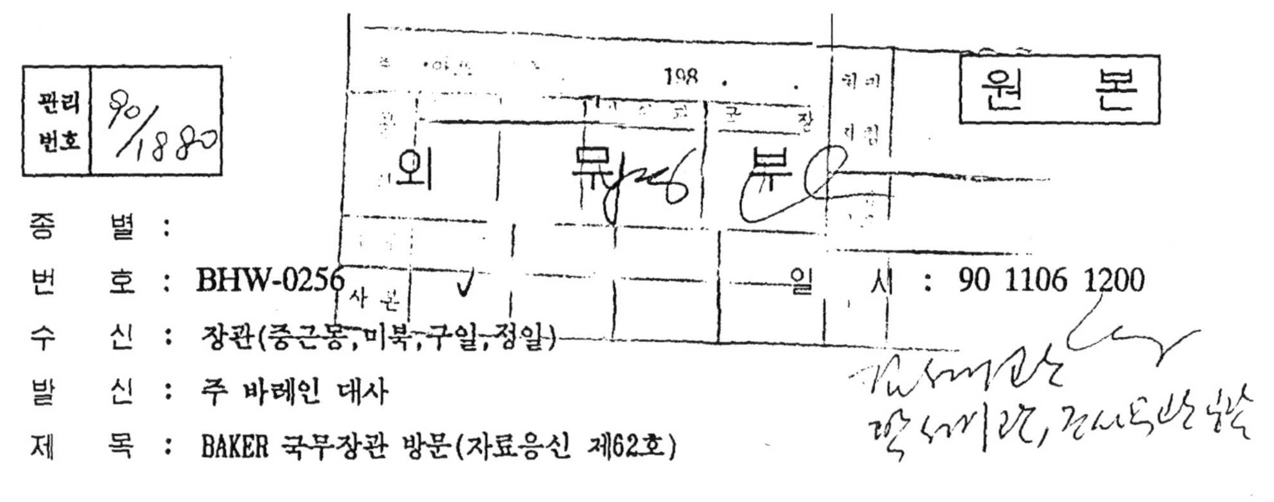

관리번호 90/1880

원 본

외 무 부

종 별 :

번 호 : BHW-0256

일 시 : 90 1106 1200

수 신 : 장관(중근동,미북,구일,정일)

발 신 : 주 바레인 대사

제 목 : BAKER 국무장관 방문(자료응신 제62호)

연:BHW-0251(1),0255(2)

1.BAKER 국무장관은 연호(1) 예정대로 당지를 방문, ISA 국왕, KHALIFA 수상, HAMAD 왕세자겸 군 사령관등과 회담및 사우디 동부 미군 방문등의 일정을 마치고, 작 11.5 사우디로 떠남.

2.BAKER 장관은 금번 주재국 방문의 주요 목적은 쿠웨이트 사태 해결방안 모색을 위한 협의 차원보다는 사태 해결후 걸프지역 안전보장및 확보등과 관련한미군의 걸프지역 계속 주둔 문제때문인 것으로 관측됨.

3. 한편, LAWRENCE GARRET 미 해군 장관은 작 11.5. 3 일간에 걸친 당지 방문을 위해 도착한바, 동 장관은 금번 사태 해결후에도 상당규모의 미 해군이 걸프 역내에 계속 주둔할 것이라고 언급한 것으로 전해지고 있음.

4. 상기관련, 당관 김종용 참사관은 작 11.5. 불란서 대사관의 ANIS NACROUR 1 등서기관과 접촉한바 동 요지 아래와 같음.

가. 외국 군대 걸프 역내 계속 주둔과 관련, 이란은 그간 걸프 역내 안보문제는 역내 국가들의 문제라면서 외국군대, 특히 미군의 역내 주둔에 반대하여 왔었으나, 동인이 근간 파악하고 있는바에 따르면, 연호(2) MUBARAK 외무장관의 이란방문등과 관련 동 문제에 대한 최소한 이란측으로 부터의 묵시적 양해가 있었던것으로 보임.

나. 즉, 지난 8 월초 이란-바레인 양국관계 정상화 문제와 관련한 VALAYATI이란 외무장관의 당지 방문에 뒤이어 곧 MUBARAK 외무장관의 이란 방문이 예정되어 있었으나, 쿠웨이트 사태 이후 미군의 역내 대규모 진주와 관련 향후 걸프지역 집단 안전 보장체 설립시 바레인의 동 외국군대 주요 기지화 가능성에 대한이란측의 우려표명 등으로 동 MUBARAK 장관의 이란 방문이 그간 지체되어 왔던것으로 보임.

다. 동 안전 보장체에 대한 불란서의 참여 가능성에 대해 동 서기관은

중아국 장관 차관 1차보 2차보 미주국 구주국 정문국 청와대
안기부 국방부

PAGE 1

90.11.07 00:03
외신 2과 통제관 CH

0134

자신으로서는 불란서는 이에 적극적으로 참여할 것으로 본다고 언명하였음. (대사 우문기-국장) 예고:90.12.31 일반

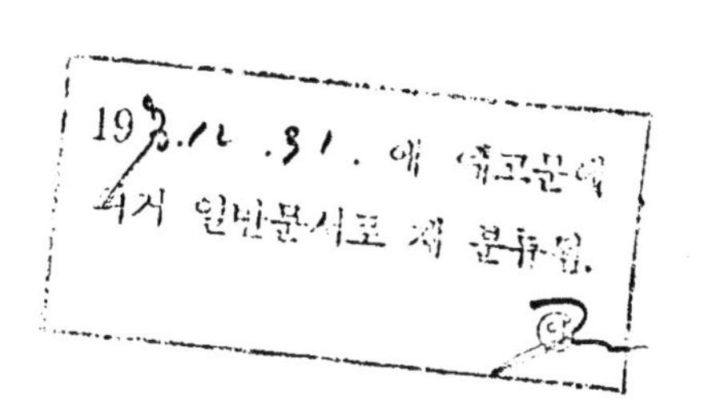

PAGE 2

0135

관리번호	90/2150

원 본

외 무 부

종 별 :

번 호 : BHW-0288 일 시 : 90 1218 1800

수 신 : 장관(중근동,정일)

발 신 : 주 바레인 대사

제 목 : 이란 외무 방문(자료응신 제73호)

1.VELAYATI 이란 외무장관은 작 12.17. 걸프 순방의 일환으로 당지를 방문,HAMAD 국왕대리(왕세자겸 군 사령관), KHALIFA 수상, MUBARAK 외무장관등과 면담을 갖고, 동일 저녁 UAE 로 떠남.

2.VELAYATI 장관은 기자회견에서 이라크의 쿠웨이트 철수에 대한 유엔 결의안의 준수및 걸프지역 안전보장은 전적으로 역내국가들의 책임이라는 것이 금번 사태와 관련된 이란의 기본 입장이라고 말함.

3. 한편, VELAYATI 장관은 상기 언급시 쿠웨이트 합법정부의 복귀에 관해서는 언급하지 않았음이 주목됨. 끝.

(대사 우문기-국장)

예고:91.6.30 일반

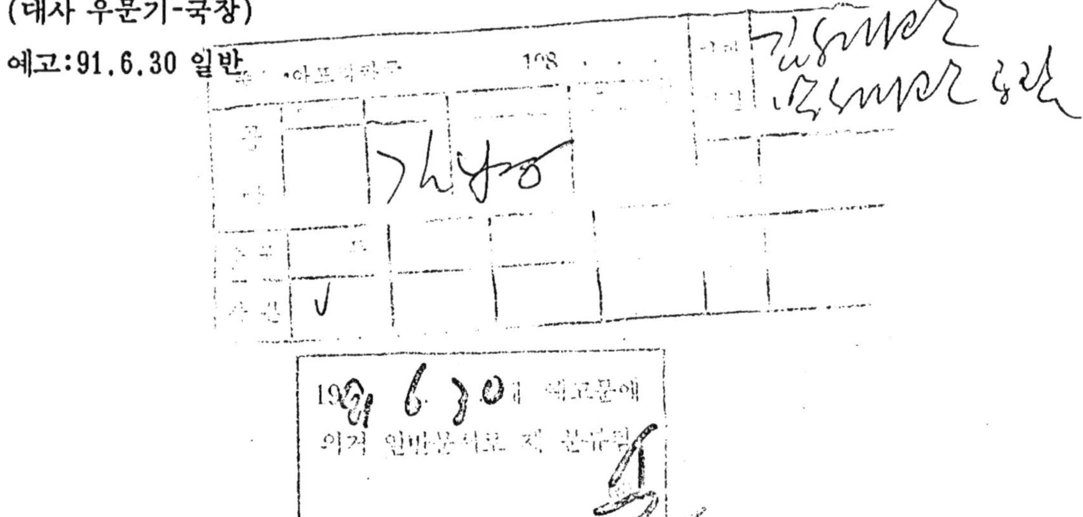

중아국 1차보 정문국 안기부

PAGE 1 90.12.19 15:27

외신 2과 통제관 CA

0136

외 무 부

종 별 : 초긴급

번 호 : BHW-0024 일 시 : 91 0117 0405

수 신 : 장 관(중근동)

발 신 : 주 바레인 대사

제 목 : 개전보고

1.국영 바레인방송은 당지시간 1.17(목) 03:00에 다국적군의 대이락 공중공격이 개시 되었다고 긴급 보도중임.

2.당관은 04:00부터 비상연락망을 통하여 전교민에게 개전사실 통보중임.

3.공관및 교민에 대한 최선의 안전대책 강구하고 있음.

4.04:05현재 바레인에 대한 이락의 공격 실증은 없음.끝.

중아국 장관 차관 1차보 2차보 미주국 중아국 정문국 종리실
안기부

PAGE 1

91.01.17 11:03 WG

외신 1과 통제관

0137

관리번호	91/259

원 본

외 무 부

종 별 : 지 급

번 호 : BHW-0035 일 시 : 91 0118 1800

수 신 : 장관(비상대책본부)

발 신 : 주 바레인 대사

제 목 : 바레인정세

연:BHW-0034

1.18, 18:00 현재 상황 연호와 동일함. 끝.

(대사 우문기-국장)

19 예고:91.6.30 일반 예고문에 의거 일반문서로 재 분류됨.

검토필(1991.6.30.)

중아국

PAGE 1

91.01.19 00:44

외신 2과 통제관 BW

0138

관리 번호	91/278

원 본

외 무 부

종 별 :

번 호 : BHW-0042　　　　　　일 시 : 91 0119 0800

수 신 : 장관(페만비상대책본부)

발 신 : 주 바레인 대사

제 목 : 바레인정세

연:BHW-0041

1.19 08 시현재 상황 연호와 동일함. 끝.

(대사 우문기-대책본부장)

예고:91.6.30 일반

19 . . . 에 예고문에 의거 일반문서로 재 분류됨.

중아국　2차보

PAGE 1

91.01.19　14:55

외신 2과　통제관 CA

0139

관리 번호	91/254

원 본

외 무 부

종 별 :

번 호 : BHW-0053 일 시 : 91 0119 2355

수 신 : 장관(중근동)

발 신 : 주 바레인 대사

제 목 : 걸프사태

연:BHW-0053

1.19, 23:55 현재 상황 연호와 동일함. 끝.

(대사 우문기-국장)

예고:91.6.30 까지 예고문에 의거 일반문서로 재 분류됨.

검토필(1991. 6.30.)

중아국

PAGE 1

91.01.20 07:22

외신 2과 통제관 BW

0140

관리번호	91/250

원 본

외 무 부

종 별 :

번 호 : BHW-0052　　　　일 시 : 91 0119 2200

수 신 : 장 관(중근동)

발 신 : 주 바레인 대사

제 목 : 걸프 사태

연:BHW-0051

1.19 일 20 시현재 상황 연호와 동일함. 끝.

(대사 우문기 - 국장)

예고:91.6.30 일반

19 예 예고문에 의거 일반문서로 재 분류됨.

검토필(1991. 6.30.)

중아국

PAGE 1

91.01.20 04:10

외신 2과 통제관 FF

0141

관리번호	91/328

원 본

외 무 부

종 별 :

번 호 : BHW-0049 일 시 : 91 0119 1600

수 신 : 장관(중근동)

발 신 : 주 바레인 대사

제 목 : 걸프사태

연:BHW-0048

1.19 16:00 현재 상황 연호와 동일함.

(대사 우문기-국장)

예고:91.6.30일반고문에 의거 일반문서로 재 분류됨.

중아국

PAGE 1

91.01.20 00:20

외신 2과 통제관 CW

0142

관리 번호	91/229

원 본

외 무 부

종 별 :

번 호 : BHW-0054 일 시 : 91 0120 0200

수 신 : 장 관(중근동)

발 신 : 주 바레인 대사

제 목 : 걸프 사태

연 : BHW-0053

1.20 02:00 현재 상황 연호와 동일함. 끝.

(대사 우문기-국장)

예고:91.6.30 까지

19 . . . 에 예고문에 의거 일반문서로 재 분류됨.

중아국

PAGE 1

91.01.20 08:34

외신 2과 통제관 BW

0143

관리번호	91/246

원 본

외 무 부

종 별 :

번 호 : BHW-0055 일 시 : 91 0120 0400

수 신 : 장관(중근동)

발 신 : 주 바레인 대사

제 목 : 걸프사태

연:BHW-0054

1.20 04:00 현재 상황 연호와 동일함. 끝.

(대사 우문기-국장)

19 예고:91.6.30 일반 예고문에 의거 일반문서로 재 분류됨.

검토필(1991.6.30.)

중아국

PAGE 1

91.01.20 10:38

외신 2과 통제관 FE

0144

관리번호	91/247

원 본

외 무 부

종 별 :

번 호 : BHW-0056 일 시 : 91 0120 0600

수 신 : 장 관(중근동)

발 신 : 주 바레인 대사

제 목 : 걸프 사태

연: BHW-0055

1 월 20 일 6 시 현재 상황 연호와 동일함. 끝.

(대 사 우문기 - 국 장)

예고:91.6.30.일반 예고문에 의거 일반문서로 재 분류됨.

검토필(1991.6.30.)

중아국

PAGE 1

91.01.20 12:31

외신 2과 통제관 BW

0145

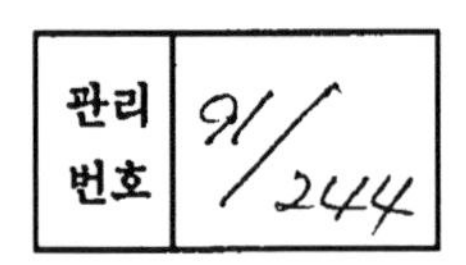

외 무 부

종 별 :

번 호 : BHW-0057　　　　일 시 : 91 0120 0800

수 신 : 장관(중근동)

발 신 : 주 바레인 대사

제 목 : 걸프사태

연:BHW-0056

1.20 08:00 현재 상황 대호와 동일함. 끝.

(대사 우문기-국장)

19예고:91.6.30일반고문에 의거 일반문서로 재 분류됨.

중아국

PAGE 1

91.01.20 14:07

외신 2과 통제관 BA

0146

관리 번호	91/604

원 본

외 무 부

종 별 : 지 급

번 호 : BHW-0062　　　　일 시 : 91 0121 1130

수 신 : 장관(중근동)

발 신 : 주 바레인 대사

제 목 : 걸프사태

당지에서는 작 1.20. 21:50-22:15 간, 금 1.21. 00:50-01:40 간 2 차례에 걸쳐 긴급 위험경보가 있었으나, 당지에 대한 직접적인 위협은 없었음.

주재국의 대공 경계망이 사우디의 동부지역 대공 경계망과 연계되어 있어 작일 야간 및 금일 새벽에 있었던 이라크의 대 리야드 및 다란 미사일 공격과 관련 동 경보가 발하여 졌던 것으로 파악되었음. 끝.

(대사 우문기-국장)

예고:91.6.30 일반 예고문에 의거 일반문서로 재 분류됨.

검토필(1991. 6.30.)

중아국　차관　1차보　2차보

PAGE 1

91.01.21　18:47

외신 2과　통제관 BA

0147

외 무 부

종 별 :

번 호 : BHW-0066 일 시 : 91 0122 1000

수 신 : 장관(중근동)

발 신 : 주 바레인대사

제 목 : 걸프사태

1.당지에 본부를 유지하고 있는 GULF AIR 는 금 1.22 15:45 부터 바레인-모스카트간 매일 1편씩 운항을 재개할 예정임.

2.주재국과 사우디간의 연육교도 금 1.22부터 GCC 국민들에 대해서는 통행이 허용됨.

3.주재국 정부는 바레인의 위험도는 상당히 감소된 것으로 확신하는 것으로 관측됨.

끝.

(대사 우문기-국장)

중아국	장관	차관	1차보	2차보	미주국	정문국	청와대	총리실
안기부	대책반							

PAGE 1

91.01.22 20:55 DA

외신 1과 통제관

0148

관리번호	91/629

원 본

외 무 부

종 별 :

번 호 : BHW-0071 일 시 : 91 0126 0940

수 신 : 장관(중근동,정일)

발 신 : 주 바레인 대사

제 목 : 걸프사태(자료응신 제3호)

금 1.26 자 AL-AYAM 아랍어 일간지 보도에 의하면, 이란의 라프산자니 대통령은 이란내 일부 급진세력들의 대 이라크 지원 주장과 관련, 작 1.25 금요설교를 통해 현 상황하에서의 대 이라크 지원은 자멸행위에 다를바 아니라고 말하고,이란은 걸프내에서의 이라크 국경확장을 결코 용납할 수 없다고 말함으로서 금번 전쟁에서의 중립입장을 재확인 한것으로 전해짐.끝.

(대사 우문기-국장)

예고:91.6.30 일반 예고문에 의거 일반문서로 재 분류됨.

검토필(1991.6.30.)

중아국 장관 차관 1차보 2차보 정문국 청와대 안기부

PAGE 1

91.01.26 16:36

외신 2과 통제관 CH

0149

관리번호	91-701

원 본

외 무 부

종 별 :

번 호 : BHW-0080 일 시 : 91 0129 1200

수 신 : 장관(중근동,정일)

발 신 : 주 바레인 대사

제 목 : 걸프사태(자료응신 제5호)

대:WMEM-0015

1. 본직은 금 1.29 당지주재 신임 이란대사 JAWAD TURK ABADI 의 예방을 받고, 걸프사태 관련한 대사의견을 청취한바 요지 다음과 같음.

가. 이라크 비행기의 이란 비상착륙과 관련, 이라크 정부는 당초 자국의 민항기 보호를 위해 이란 대피허가 요청한바 있으며, 이란 정부는 이라크 국민의 재산 피해를 조금이라도 덜어 주자는 의도에서 동 이라크 요청을 수락하였던것임. 이란은 대피 조건으로 비행기들은 반드시 이라크 국적기에 한하며, 쿠웨이트 국적기는 허용되지 않을 것임을 분명히 한바 있었음. 그러나, 대피한 비행기들 중에는 군용기들도 포함되어 있어, 이란 정부는 동 군용기들은 전쟁 종결시까지 이라크 정부의 사용을 금지키로 결정하였음.(구체적인 비행기 수에 대해서는 언급을 회피하였음.)

나. 금번 사태관련 이란의 중립입장은 확고 부동하나, 분쟁 당사자중의 어느 한편이 유엔 결의안 준수라는 선을 넘어, 금번사태를 이용 이지역에서의 헤게모니 장악을 시도할 경우, 이란은 정의에 입각, 이를 결코 좌시하지 않을 방침임.

2. 이란 대사는 이라크의 환경및 화생방무기 사용에는 반대하는 입장이었음.

3. 동 대사는 이지역의 호칭문제와 관련 이란 정부의 입장을 거듭 강조한바, 본직은 동 면담 분위기등을 고려, 대호 아측 입장을 언급하지 않고, 본국 정부에 가능한 조속한 시일내에 이란측의 입장을 적의 전달하여, 그 결과를 알려 주겠다고만 하였음. 끝.

(대사 우문기-국장)

예고:91.6.30 일반

예고문에 의거 일반문서로 재 분류됨.

검토필(1991.6.30.)

중아국 장관 차관 1차보 2차보 미주국 정문국 청와대 총리실
안기부

PAGE 1

91.01.29 21:41

외신 2과 통제관 DO

0150

관리번호 91-213

원 본

외 무 부

종 별 :

번 호 : BHW-0084 일 시 : 91 0201 1600

수 신 : 장관(미북,중근동)

발 신 : 주 바레인 대사

제 목 : 걸프사태

대:AM-0029

주재국의 AL-AYAM 반관영 아랍어 일간지는 금 2.1 1 면 3 단기사로 동경발 KUNA(쿠웨이트 통신)을 인용, 한국이 쿠웨이트로 부터 이라크를 축출하기 위한 다국적군의 군사 노력을 지원하기 위해 2.8 억불의 전비를 추가 부담하고, 5 대의 군수송기 및 150 명의 비전부 요원을 파견키로 결정하였다고 보도함. 끝.

(대사 우문기-국장)

예고:91.6.30 일반

예고문에 의거 일반문서로 재분류19 91 6.30 서명

미주국 차관 1차보 2차보 중아국 안기부 국방부

PAGE 1

91.02.01 22:29

외신 2과 통제관 BW

0151

외 무 부

종 별 :

번 호 : BHW-0088 일 시 : 91 0202 1150

수 신 : 장관(중근동,정일)

발 신 : 주 바레인대사

제 목 : 걸프사태 (자료응신 제 7호)

당지 AKHBAR AL KHALEEJ 아랍어 일간지는 금 2.2. 시리아 국영방송 보도를 인용, 리비아 카다피 국가원수가 지난 1.31 리비아 대학생들과의 면담석상에서 이라크의 대 리비아 참전 요청과 관련 일본부터 아르헨티나 까지 전세계가 쿠웨이트 회복을 위해 노력하고 있고, 또한 '전쟁은 어린아이 장난이 아니다' 며 동 요청을 거부하였다고 보도함.

끝.

(대사 우문기-국장)

중아국	장관	차관	1차보	2차보	미주국	정문국	청와대	총리실
안기부	대책반							

당직실

PAGE 1

91.02.02 19:49 DA

외신 1과 통제관

0152

깁

원 본

외 무 부

종 별 :

번 호 : BHW-0091 일 시 : 91 0202 2100

수 신 : 장관(미북,중근동)

발 신 : 주 바레인대사

제 목 : 걸프사태

연: BHW-0084

당지 AL AYAM 및 AKHBAR AL KHALEEJ 아랍어 일간지는 금 2.2. 서울발 로이터 통신을 인용, 한국정부의 다국적군에 대한 추가 지원안이 각의에서 의결 되었다고보도함.

끝.

(대사 우문기-국장) DA

미주국 대책반	장관	차관	1차보	2차보	중아국	청와대	총리실	안기부

당직실

PAGE 1

91.02.03 08:00

외신 1과 통제관

0153

관리 번호	91 -1153

원 본

외 무 부

종 별 : 지 급

번 호 : BHW-0113 일 시 : 91 0213 1115

수 신 : 장관(중일,정일)

발 신 : 주 바레인 대사

제 목 : 주재국 정세(자료응신 제9호)

걸프전쟁 개전 27 일째인 2.13 현재 주재국 정세는 다음과 같음.

1. 외환, 주식 시장을 비롯한 금융거래는 거의 완전 정상화가 이루어 졌으나, 금시장은 품귀현상을 보이고 있음.

2. 각급 학교는 1.15 일을 기하여 일단 조기 방학이 실시되었으나, 지난 2.2. 부터 개교하였으며, 이집트인을 비롯한 외국인 교사들도 거의 복귀하였음.

3. 지난 2.5. 당지 영국계 은행에 폭발물이 장치되었다는 전화 위협이 있었는바, 실제 폭발물 장치는 없었던 것으로 판명되었으며, 주재국 보안당국은 2.10. 동 전화 협박범 체포를 발표하였음.

4. 최근 약 일주일 동안 이라크의 미사일 공격 위험과 관련한 경보 발생은 없었으나, 주재국 정부는 2.7. 부터 시중에서 방독면을 판매하기 시작하였음.

5. 외견상 국민생활은 평상시와 다름없음. 끝.

(대사 우문기-국장)

예고:원본-91.6.30 일반문서로 재분류됨.

사본-91.6.30 파기

검토필(1991. 6.30.)

중아국	장관	차관	1차보	2차보	정문국	청와대	안기부

PAGE 1

91.02.13 20:23

외신 2과 통제관 DO

0154

정리보존문서목록					
기록물종류	일반공문서철	등록번호	2012090551	등록일자	2012-09-17
분류번호	772	국가코드	XF	보존기간	영구
명 칭	걸프사태 동향 : 중동지역, 1990-91. 전6권				
생 산 과	중근동과/북미1과	생산년도	1990~1991	담당그룹	
권 차 명	V.2 사우디아라비아/수단				
내용목차	1. 사우디아라비아 2. 수단				

0001

1. 사우디아라비아

0002

원 본

외 무 부

종 별 :

번 호 : SBW-0535 일 시 : 90 0724 1410

수 신 : 장 관(중근동,기협,정일,기정)

발 신 : 주 사우디 대사

제 목 : 이락-쿠웨이트 분쟁(자응 44호)

연: SBW-0496,0496

1. 주재국 공보부는 파드국왕이 7.23 정례각의에서 표제관련 하기와같이 말한것으로 발표함. (분쟁 당사국의 국가명, 분재 내용등은 밝히지않음)

0 아랍국간 분쟁은 '우호적이고 분별있는 (AMICABLE AND SANE)' 방법을 통해 해결되어야 함.

0 분쟁을 해소하기 위한 중재노력이 진행중인바, 이러한 노력이 아랍세계가 현재의 위기를 극복하고, 보다 중요한 문제에 총력을 집중하는데 도움을 주기를 기대함.

2. 파드국왕은 7.18 이락대통령 및 쿠웨이트 국왕과의 직접통화 및 쿠웨이트 외무장관 접견, 7.21 사우드 외무장관의 이락 및 쿠웨이트 파견을 통해 이락-쿠웨이트분쟁 개시 직후부터 적극적으로 중재에 나선것으로 알려지고 있으나, 주재국정부는 동분쟁이 당지 언론에는 일체 보도되지 않도록 조치를 취했왔음.

3. 한편, 미대사관 석유담당관등 당지의 석유전문가들은 연호 걸프지역 5개국석유장관회의 (7.10-11)에서 쿠웨이트, UAE 의 쿼타 위반문제가 원만히 타결된지불과 1주일도되지 않아 발생한 금번 분쟁을 의외로 받아들이는 한편, 'OPEC 유가의 25불 달성시까지는 OPEC 쿼타 상향조정 불가'를 주장해온 이락이 상습적인 쿼타 위반국이며 쿼타증대를 그간 꾸준히 요구해온 쿠웨이트 및 UAE 를 7.25 OPEC각료회의를 앞두고 사전에 제압 하기위한 고려를 포함하고 있을것으로 분석하고 있음.

(대사 주병국-국장)

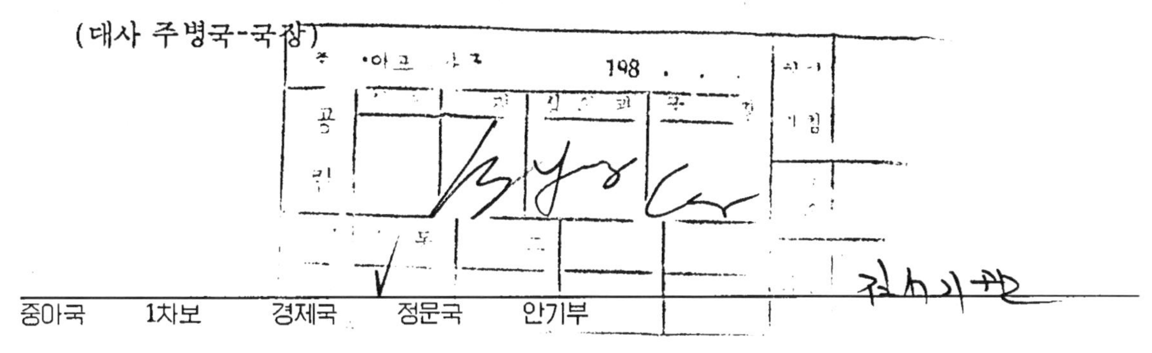

중아국 1차보 경제국 정문국 안기부

PAGE 1 90.07.25 05:18 DA

외신 1과 통제관

0003

원 본

외 무 부

종 별 :

번 호 : SBW-0546 일 시 : 90 0729 1520

수 신 : 장 관 (중근동,정일,기정,국방부)

발 신 : 주 사우디 대사

제 목 : 사우디 외무, 쿠웨이트 및 이락 방문 (자응 45호)

1. 주재국 SAUD 외무장관은 7.28 쿠웨이트 SHEIKH JABER 국왕 및 이락 HUSSEIN 대통령에게 파드국왕의 메세지를 전달했음.

2. 한편 파드국왕은 7.28 이집트 무바라크대통령과 전화접촉을 가짐.

3. 파드 국왕의 메세지내용은 알려지지 않고있으나 최근 석유문제로 야기된 이락-쿠웨이트간 분쟁과 수일내 주재국 제다에서 개최예정인 이락-쿠웨이트 대표회담에 관련된 것으로 보임.

4. 이락-쿠웨이트 회담결과등 파악되는대로 보고예정임

(대사 주병국-국장)

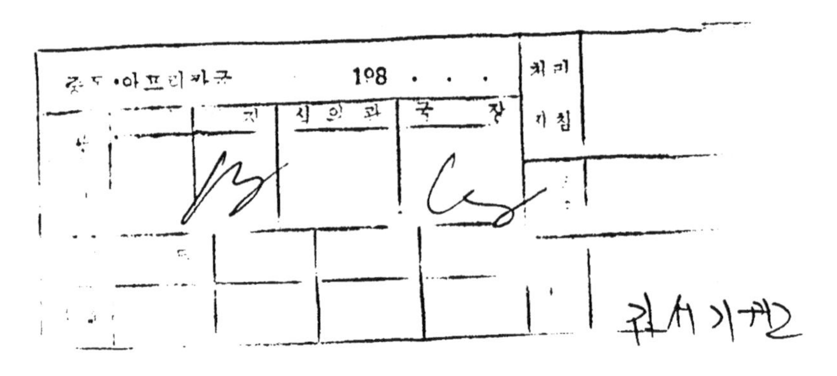

중아국 1차보 정문국 안기부 국방부 청와대

PAGE 1 90.07.29 23:00 FC

외신 1과 통제관

0004

원 본

외 무 부

종 별 :

번 호 : SBW-0551 일 시 : 90 0730 1420

수 신 : 장 관(중근동,정일,기정,국방부)

발 신 : 주 사우디 대사

제 목 : 이락-쿠웨이트 회담(자응 46호)

연: SBW-0546

1. 주재국정부 당국자는 연호 이락-쿠웨이트 양국간 회담이 7.31(화) 주재국 제다에서 개최되며, 동회담에는 이락측에서 IZZAT IBRAHIM 혁명위원회 부위원장이, 쿠웨이트 측에서 SHAIKH SAAD 황태자겸 수상이 각각 대표로 참석한다고 발표했음.

2. 동회담에서는 양국간 국경문제 및 석유생산 쿼타 문제등이 토의될것으로 보임.현재 이락측이 퀘이트측에 대해 양국국경 부근의 이락내 유전에서 채굴했다고 주장하는 원유에 대한 보상을 요구하고 있는것으로 알려져 당지에서는 동회담이 단시일내에끝날것으로 보고있지 않음.

(대사 주병국-국장)

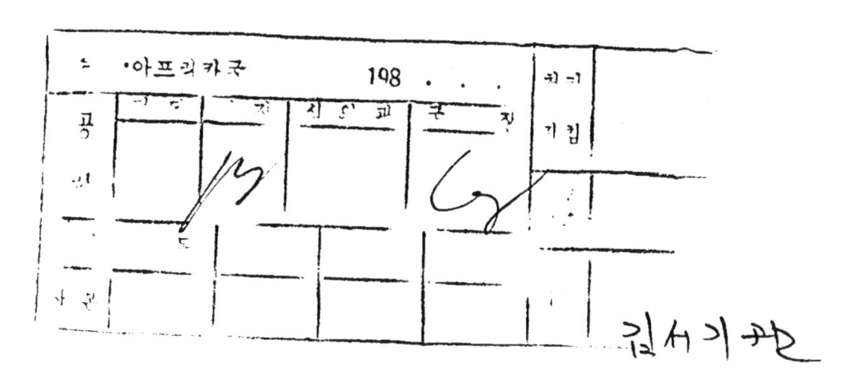

중아국 1차보 정문국 청와대 안기부 국방부

PAGE 1

90.07.30 22:01 DP

외신 1과 통제관

0005

원 본

외 무 부

종 별 : 지 급

번 호 : JDW-0095 일 시 : 90 0802 1100

수 신 : 장관(중근동)

발 신 : 주 젯다총영사

제 목 : 이라크-쿠웨이트회담

이라크-쿠웨이트간의 분규 해결을 목적으로 7.31 젯다에서 개최된 이라크-쿠웨이트 회담은 8.1 오후 결렬되어 쿠웨이트측 회담대표인 SHEIKHSAAD AL-ABDULLAH AL-SABAH 수상은 급거 쿠웨이트로 귀국했다함. 끝.

(총영사 김문경-국장)

아프리카국			198 . . .	처리 지침	
과	과장	심의관	국장		
				관련 기호	
사본				비고	

중아국 1차보 정문국 안기부

PAGE 1

90.08.02 20:19 DA

외신 1과 통제관

0006

관리 번호	90/1211

분류번호	보존기간

발 신 전 보

번 호 : WUS-2550 900802 1742 DY 종별 : 긴급

수 신 : 주 수신처 참조 대사 . 총영사

WUK -1277 WFR -1472
WJA -3270 WCN -0782
WAU -0529 WCA -0258
WSB -0277 WIR -0250

발 신 : 장 관 (중근동)

제 목 : 이라크, 쿠웨이트 침공

표제 사태 관련, 주재국 반응(영문) 및 사태 평가 내용 긴급 파악 보고 바람. 끝.

(중동아프리카국장 이 두 복)

수신처 : 주미, 영, 불, 일, 카나다, 호주, 이집트, 사우디, 이란

1990.12.31. 에 예고문에 의거 일반문서로 재 분류됨.

보안 통제	

앙 고 재	90년 8월 2일	중근동과	기안자 성명	과 장	국 장	차 관	장 관
					전결		

외신과통제

0007

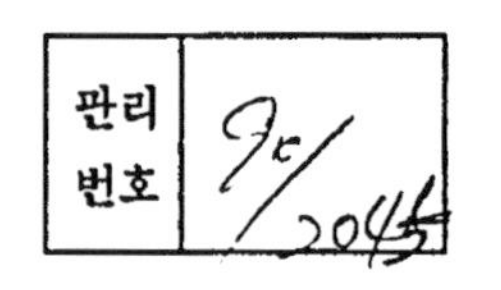

원 본

외 무 부

종 별 : 긴 급

번 호 : SBW-0562 일 시 : 90 0802 2300

수 신 : 장관(중근동,정일,국방부,기정)

발 신 : 주 사우디 대사

제 목 : 이라크, 쿠웨이트 침공(자응 47호)

대호:WSB-0277

1. 주재국 정부소식통은 금 8.2 표제사태에 대한 주재국 입장을 아래와 같이 발표함.

"THE KINGDON OF SAUDI ARABIA, WHILE FOLLOWING-UP WITH GREAT ANXIETY AND CONCERN THE DEVELOPMENTS INKUWAITI TERRITORIES, WOULD LIKE TO CLARIFY THAT CUSTODIAN OF THE TWO HOLY MOSQUES KING FAHD IBN ABDUL-AZIZ, HAS STARTED SINCE EARLY TODAY INTENSIFIED CONTACTS WITH HIS BROTHERS KINGS AND PRESIDENTS OF THE ARAB COUNTRIES, INCLUDING IRAQI PRESIDENT SADDAM HUSSEIN, WITH THE AIM OF CALMING THE SITUATION AND NORMALIZATION OF RELATIONS BETWEEN THE TWO SISTER COUNTRIES: THE REPUBLIC OF IRAQ AND THE STATE OF KUWAIT IN A WAY THAT ENSURES THE INTERESTS OF ALL."

2. 주재국 라디오 TV 및 관영 SPA 통신은 상기발표시 (22:00 당지시간)까지 이라크 쿠웨이트 침공사실 자체도 보도하지 않았음.

[84f(대사 주변국-국장)

예고:90.12.31

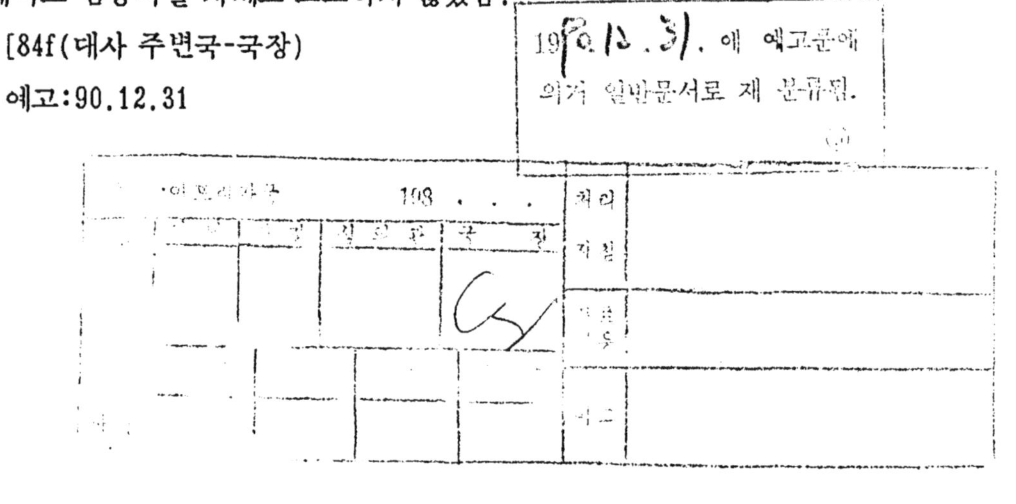

중아국 장관 차관 1차보 2차보 정문국 안기부 국방부

PAGE 1

90.08.03 06:07

외신 2과 통제관 CN

0008

관리번호	90/754

원 본

외 무 부

종 별 :

번 호 : SBW-0574 일 시 : 90 0805 1530

수 신 : 장관(중근동,정일,기정,국방부)

발 신 : 주 사우디 대사

제 목 : 예멘대통령 주재국 방문

연:SBW-569

1. SALEH 예멘대통령이 8.4 주재국을 방문, 파드국왕과 회담을 갖고 이락-쿠웨이트 분쟁 사태를 협의했음.

2. SALEH 대통령은 주재국 제다 도착성명에서 이락-쿠웨이트 분쟁 관련 현평화 노력이 적절한 해결과, 걸프지역의 평화와 안정을 가져올것이며, 아랍 단결을 증진하고 대화와 상호 이해를 통해 분쟁을 해결하려는 아랍국가 특히 사우디의 노력을 예멘이 지지한다고 밝혀음.

3. 연호 금 8.5 주재국 제다에서 개최될것으로 알려졌던 아랍 정상 회담은 취소된 것으로 알려지고 있으며, 동 회담이 취소된 이유등은 알려지고 있지 않음.

(대사 주병국-국장)

예고:90.12.31.일반

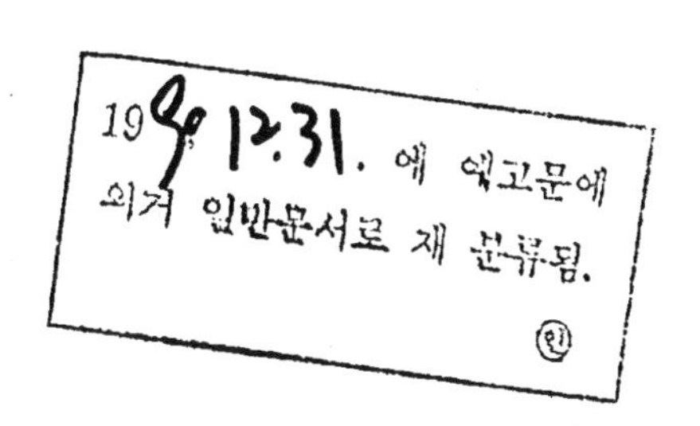

중아국 차관 1차보 2차보 정문국 청와대 안기부 국방부

PAGE 1

90.08.05 23:27
외신 2과 통제관 CF

0009

관리번호	90/1270

원 본

외 무 부

종 별 :

번 호 : SBW-0579　　　　일 시 : 90 0806 1530

수 신 : 장관(중근동,아일,정일,기정,국방부)

발 신 : 주 사우디 대사

제 목 : 일본수상 주재국 방문(자응48호)

금 8.5 당관 백기문 참사관이 주재국 외무부 아주국 ALANGERI 한국담당관에확인한바에 의하면, 일본 KAIF 수상이 90.8.18 주재국을 공식방문할 예정이라함.

(대사 주병국-국장)

예고:90.12.31 까지

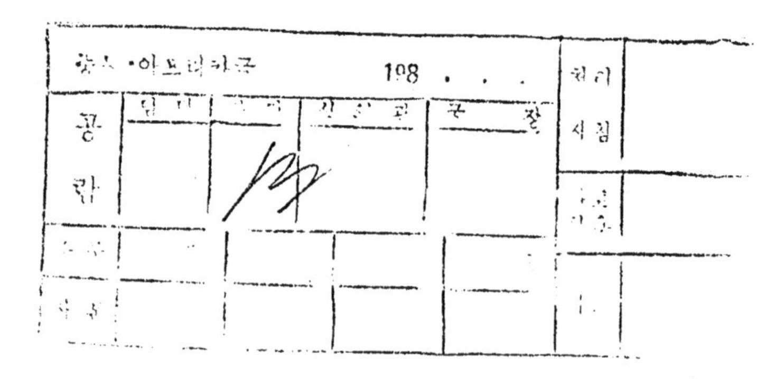

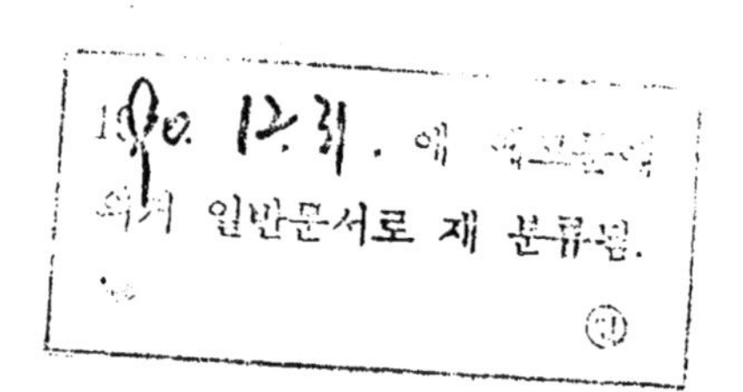

1990. 12. 31. 에 예고문에 의거 일반문서로 재 분류됨.

중아국	장관	차관	1차보	아주국	정문국	청와대	안기부	국방부

PAGE 1　　　　90.08.06 23:32

외신 2과 통제관 CW

0010

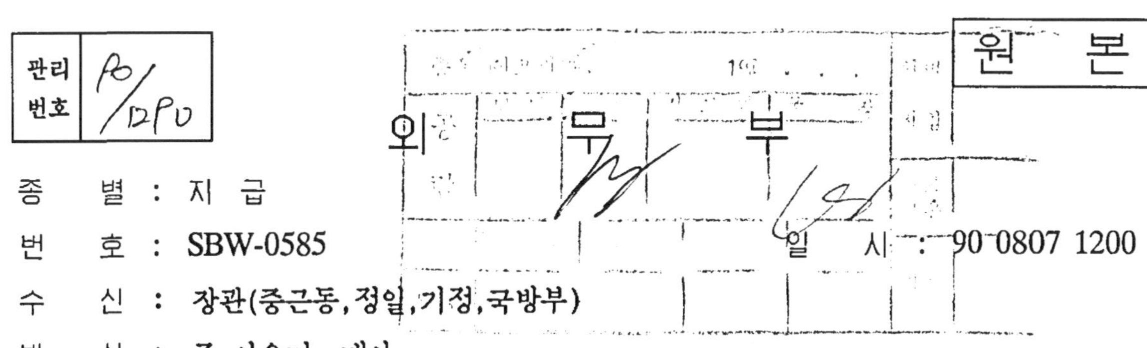

관리 번호 90/12PU

원 본

외 무 부

종 별 : 지 급

번 호 : SBW-0585 일 시 : 90 0807 1200

수 신 : 장관(중근동,정일,기정,국방부)

발 신 : 주 사우디 대사

제 목 : 이락-쿠웨이트 침공이후 주재국 정세

1. 주재국 총동원령 부인

-주재국 정부는 8.6(월) 주재국이 총동원령을 내리고 군대를 쿠웨이트 국경지대로 이동시키고, 사우디 영내에 미사일이 떨어졌다는 외신보도 내용을 전혀 근거 없는것이라고 정식으로 부인함.

2. 미국방장관 주재국 방문

-CHENY 미국방장관이 8.6 주재국을 방문, 파드국왕을 비롯한 주재국 고위인사와 회담을 가짐.

-동회담의 구체적인 내용은 알려지지 않고있으나, 동회담에서 미측은 사우디가 이락에 대해 보다 강경한 조치를 취할것을 요구하면서, 사우디영토를 통과하는 이락 송유관 폐쇄, GULF 지역 정세 악화시 양국간의 보다 원할한 상호 협조(사우디 군사시설 사용등)등을 요구한것으로 알려지고 있음

-사우디측은 이락송유관 폐쇄에 소극적인것으로 알려지고 있음.

3. 기타 주재국의 주요동정은 다음과같음.

-주재국은 8.5 비상각의 개최, 최근 걸프만 정세협의

-유럽등에서 치료, 요양중이던 술탄 국방장관 8.6 귀국

-주재국 압둘라 황태자겸 제 1 부수상 8.6 JABER 쿠웨이트 국왕등과 회담(장소 미발표)

-주재국 신문 및 방송은 현재까지 이락의 쿠웨이트 침공이후 쿠웨이트 정세및 이락군의 움직임에 관해서는 일절 보도치 않고있음.

당지 외교소식통은 사우디 일부 군인들이 국경지대로 이동했을 가능성이 농후한것으로 보고있음.

(대사 주병국-국장)

중아국 차관 1차보 2차보 정문국 청와대 안기부 국방부

PAGE 1

90.08.08 13:23

외신 2과 통제관 CW

0011

관리번호	90/1299

외 무 부

종 별 : 지 급

번 호 : SBW-0600 일 시 : 90 0808 1540

수 신 : 장관(기협,중근동,동자부,재무부,기정)

발 신 : 주 사우디 대사

제 목 : 이라크-쿠웨이트 사태

대:WSB-0287

1. 표제관련, 미 대사관 석유담당관등 당지 전문가들의 의견을 하기 보고함.

가. 금번 사태에 대사 전망

-이락의 사우디 침공 가능성을 전혀 배재할수는 없으나, 국제여론 및 미국의 군사개입등을 고려할때 그가능성은 크지않음.

-이라크가 쿠웨이트 철수의사를 전혀 보이지 않고있어, 단시일내의 사태수습 전망은 보이지않음.

나. 금번사태 장기화시 국제수급 및 유가 전망.

-현재 원유시장의 재고분, 각국의 비축분, 사우디, 베네주엘라, 이란등 OPEC회원국들의 증산등을 고려할때, 유가상승 추세는 곧 멈출것으로 봄.

(브랜트 기준 베널당 30 불을 넘지않은 수준에서 머물것으로 보는 견해가 많음.)

-이라크, 쿠웨이트산 원유의 국제시장에서의 물량은 세계원유시장이 어느정도 감당할수있음.

다. 광역전쟁등 인근지역으로 확산시 국제 수급 및 유가전망

-사우디 원유시설 파괴등이 있을 경우, 그여파는 누구도 예측할수 없을 정도로 심각할것임.

라. 주재국의 대책등

-곧 산유량의 증대에 나설것으로 보임 (주재국의 현보유량은 일산 530 만베럴정도이나, 일산 800 만베럴의 산유능력을 갖추고있음.)

-상금 주재국은 사우디내 이라크 송유관 (일산 160 만베럴 수송용량) 의 봉쇄 문제에 대하여 구체적 조치를 취하지 않고 있으나, 홍해안의 이라크 비축설비에 여유가 없게된면 송유관 봉쇄와 같은 효과를 거두게 됨.

경제국 차관 1차보 2차보 중아국 정문국 청와대 안기부 재무부
동자부

PAGE 1

90.08.08 23:02

외신 2과 통제관 DH

0012

2. 사태진전 추이 추보위계임.

(대사 주병국-국장)

예고:90.12.31 일반

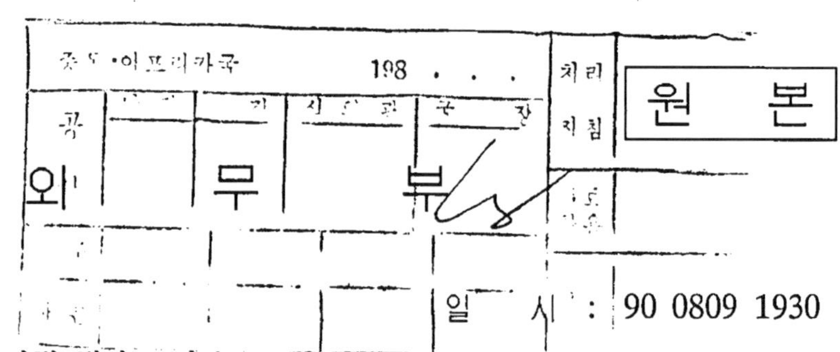

종 별 : 지 급

번 호 : SBW-0608 일 시 : 90 0809 1930

수 신 : 장 관(중근동,기정,정일,국방부)

발 신 : 주 사우디 대사

제 목 : 주재국 파드 국왕 연설 (자응 51호)

주재국 파드국왕은 금 8.9 전국적으로 방영된 연설을 통해 쿠웨이트침공 거부, 쿠웨이트 사바국왕의 복귀요구 및 미군의 사우디내 주둔등을 밝혔는바, 동 주요내용은 다음과 같음.

-이라크 쿠웨이트 공격에 깊은 유감표시.

-쿠웨이트사태의 이라크 침공이전 상태로의 회복및 쿠웨이트 사바국왕의 복귀 재요구.

-무바라크 이집트 대통령이 제의한 아랍긴급정상회담에서 아랍국들의 기대와 아랍의 연대와 단결이 이루어지기를 희망

-제다에서의 양국간 회담등 이라크와 쿠웨이트간분쟁을 해결하기 위한 사우디의노력과 시도에도 불구, 사태는 아랍국 및 평화애호국들의 기대와는 반대방향으로 전개되었음.

-이라크의 쿠웨이트 침공은 아랍국 현대 역사상 가장 사악한 공격임.

-이라크는 사우디국경에 대규모 병력을 집결시켰음.

-이러한 사태발전을 고려하고, 사우디의 영토안전 및 경제적 이익등 국익보호와 방위능력 증강을위해서 그리고 사우디의 평화약속 및 분쟁해결에 있어서의 힘에 의존 자제등을 고려하며, 사우디는 아랍 자매 우호국들의 참여 희망을 피력했음.

-미국, 영국 및 일부국가들이 사우디와의 우호관계를 고려, 사우디 군대지원을 위해 공군 및 지상군을 파견하는 조치를 취했음.

-동 파견조치는 누구를 겨냥한 것이 아니며 단순한 방어 목적임.

-사우디군대와의 공동작전에 참여한 동 군대의 사우디 주둔은 일시적인 것이며, 사우디의 요구가있을때는 언제든지 떠날 것임.

(대사 주병국-국장)

중아국 1차보 정문국 안기부 국방부 2차보 차관 장관 청와대

PAGE 1 90.08.10 02:28 CG

외신 1과 통제관

0014

관리번호 90-443

통1 김

외 무 부

종 별 : 지 급

번 호 : SBW-0623 일 시 : 90 0811 1610

수 신 : 장관(중근동)

발 신 : 주 사우디 대사관

제 목 : 이라크-쿠웨이트 사태

대:WSB-0301, AM-145

대호 관련, 당관 백기문 참사관이 주재국 외무부 ABDULLAH M.AL-HARTHTY 아랍담당 부국장을 접촉시 동인 언급한 내용 아래보고함.

1. 이라크정부의 쿠웨이트 주재국의 공식적인 입장표명은 아직없으나, 동요청을 주재국은 당연히 거부함.

2. 쿠웨이트 주재 사우디외교관은 쿠웨이트로 부터 모두 철수 하였으며, 현지직원 1 명만 사우디 대사관에 체류중임.

3. 아국의 대이라크 제재조치는 잘알고 있음.

4. 현재 걸프만 정세는 누구나 예측할수 없는 상황임.

(대사 주병국-국장)

예고:90.12.31 일반

1990.12.31.에 예고문에 의거 일반문서로 재분류됨

중아국	장관	차관	1차보	2차보	통상국	정문국	청와대	안기부

PAGE 1

90.08.12 01:15

외신 2과 통제관 CW

0015

원 본

외 무 부

종 별 : 지 급

번 호 : SBW-0627 일 시 : 90 0812 1500

수 신 : 장 관(중근동,정일,기정,국방부)

발 신 : 주 사우디 대사

제 목 : 파드국왕 기자회견

1.주재국 파드국왕은 8.10 카이로에서 가진 기자회견에서 최근의 걸프만 정세등에 관해 언급하였는바, 동 주요내용 다음과 같음.

0 선제공격

-사우디는 공격받지않는한 선제공격은 하지않을 것이며,이러한 내용은 사우디와사우디 주둔 외국군간에 합의가 되어있음.

0 쏘련지원

-쏘련은 사우디지원을 위해 군대와 군함을 파견할 용의가 있음을 밝혔음.

0 동시철군

-쿠웨이트 주둔 이라크군과 사우디 주둔 외국군의 동시철수 가능성에 대한 질문에 먼저 이라크의 철수의사 여부를 파악해야된다고 답변.

0 아랍지도자 바그다드방문

-걸프만사태 협의를 위해 아랍지도자들이 바그다드를 방문하는 문제는 아랍국정상들이 결정할 문제이며, 동 정상들이 동그룹을 선발한다면 이에 반대하지 않음.

0 쏘련과의 외교관계 수립

-사우디와 쏘련대사관 개설문제는 지켜보아야할 사안임.

2.주재국 국방부 소식통은 8.11 사우디의 대공포가 사우디 영공을 침입한 이라크정찰기 2대에 포격을 가했다는 외신보도를 정식부인했음.

3. 이라크군의 쿠웨이트 침공이후 상당수의 쿠웨이트인이 사우디로 피신해왔거나 계속 피신해오고 있으며, 8.11 현재 약 5만여명의 피난민들이 리야드소재 학교와 호텔에 수용되어있음.

(대사 주병국-국장)

중아국 1차보 정문국 안기부 국방부 통상국 당직실 그차보 차관 장관

PAGE 1 90.08.12 21:49 DN

외신 1과 통제관

0016

외 무 부

종 별 : 지 급

번 호 : SBW-0633 일 시 : 90 0813 1400

수 신 : 장 관(경이,중근동,재무부,한은(참조:기획담당이사),국방부

발 신 : 주 사우디 대사

제 목 : 중동사태관련 현지 동향

1.중동사태 이후 주재국의 각은행은 미달러화의수요급증으로 인한 현찰부족으로고객의교환요구에 응하지 못하고 있음, 특히 지난 8.8-9양일간 일부은행 및 환전상들이 공정환율보다높게 고객에게 교환해준 사실이 중앙은행에의하여 적발되어 제제조치를 받은 바 있음. 현재각은행은 1인당 5천불한도 T/C 를 발급하고있으며 중앙은행에대하여 보유외화의 매각을건의중에 있음.

2.주재국 정부는 긴급사태에 따른 일반적인우려와 달리 건설업체에 대한 공사대금을종전과 다름없이 지급하고 있음.

3.중동지역에 근무하는 각은행지점요원 및자금관리주재원의 동정은 아래와같음.

가.쿠웨이주재원은 8.3이후 통신두절로 상황파악이불가능함.

나.이락 주재원(2명)은 각은행본점의 지시에따라현재 귀국준비중임.

다.기타(사우디,바레인)주재원중외환은행(10명)은 가족을 런던에한일은행(6명)은가족을 서울로 철수중에 있고기타 은행주재원(6명)은 현재 사태를 관망하며본점과 협의중에 있음.끝

(대사 주병국-국장)

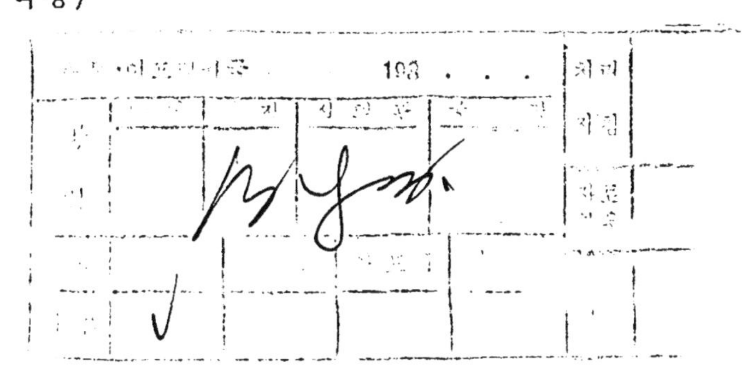

경제국 중아국 국방부 재무부 한은 장관실 1차관 2차관 청와대 안기부
총리실

PAGE 1

90.08.13 21:29 CT
외신 1과 통제관

0017

원 본

외 무 부

종 별 : 지 급

번 호 : SBW-0646 일 시 : 90 0814 1400

수 신 : 장 관(중근동,기정,정일,국방부)

발 신 : 주 사우디 대사

제 목 : 파드국왕 연설등 주재국 정세 보고(자응 52호)

1.주재국 파드국왕은 8.13 제다에서 왕궁을 방문한 시민들에게 대한 연설에서 이라크 공격에대한 주재국의 확고한 방위의지를 재천명하였는바, 동연설 주요내용 다음과 같음.

-사우디는 한치의 땅도 침략자에게 허용치 않을 것이며 침략자는 응분의 댓가를치르게 될 것임.

-8.12 사담 후세인대통령의 제의는 비실제적임.

-사담후세인이 약속등을 무시하고 쿠웨이트를 공격했으므로, 사우디를 공격치 않을 것이라고 믿을수 없음.

-현 걸프만 위기와 관련 무바라크대통령을 역할 높이 평가.

-사우디는 평화를 지킬것이며, 먼저 공격치 않을 것임.

2.8.12 개최된 주재국 주례각의에서 파드국왕은 카이로 개최 아랍정상회담 결의안에 반대하거나 유보를한 몇개 아랍국가들의 태도에 불만과 놀라움을 표시했음.

3.파드국왕은 8.12 ISHAQ KHAN 파키스탄 대통령으로부터 사우디의 군대지원을 위해 파키스탄군을 파견할 준비가 되어있다는 전화통보를 받고 감사를 표했음.

4.한편 이라크 유조선이 8.12 예인선의 안내가 없어 홍해상의 주재국 얀부항구에 정박하지 못한것으로 알려지고 있음.

(대사 주병국-국장)

중아국 1차보 정문국 안기부 국방부 2차보 대책반 통상국

PAGE 1 90.08.14 23:06 CG

외신 1과 통제관

0018

원 본

외 무 부

종 별 :

번 호 : SBW-0673 일 시 : 90 0818 1530

수 신 : 장 관 (중근동,기정,정일,국방부)

발 신 : 주 사우디 대사

제 목 : 주재국 주요동정

1. EC 대표단 (단장 GIANNI DE MECHLIS 이태리 외무장관)이 주재국을 방문, 8.16 SULTAN 국방장관과 회담을 갖고, 이라크군의 쿠웨이트철수 및 경제제를 요구한 UN 결의안 661호 및 662호에 대한 전폭적인 지지를 확약했음. 동대표단은 8.17 제다에서 쿠웨이트 외무장관과도 회담을 가졌음.

2. WATANABE 일본외상이 KAIFU 수상을 대신해서 금일중 주재국을 방문할 예정임.

3. 8.10 카이로 아랍정상회담에서의 아랍군 사우디파견결정에 따라 이집트가 5천여명, 모로코가 1천여명의 군인을 사우디에 기파병한 것으로 알려지고 있으며, 시리아는 파병문제 협의를 위한 군사사절단을 주재국에 파견하였으며, 동파병 예정규모는 알려지지 않고 있음.

(대사 주병국-국장)

중아국 1차보 정문국 안기부 국방부 대책반

PAGE 1 90.08.19 06:56 FC

외신 1과 통제관

0019

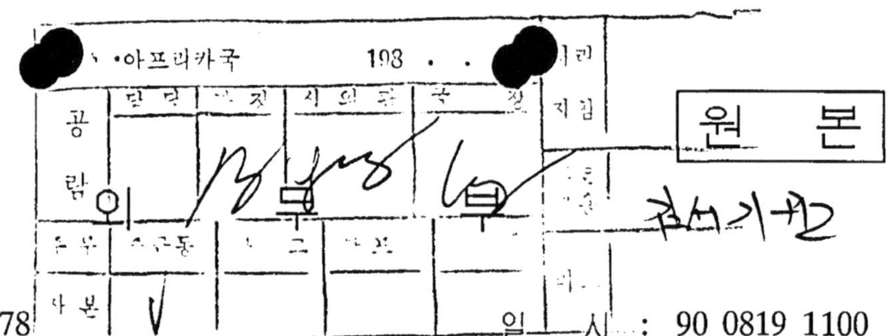

종 별 :

번 호 : SBW-0678 일 시 : 90 0819 1100

수 신 : 장 관(중근동,기정,정일,국방부)

발 신 : 주 사우디 대사

제 목 : 주재국 사우디 외무장관 기자회견(자료응신 제53호)

1.주재국 사우드 외무장관은 8.18 제다에서 기자회견을 갖고 작금의 걸프만 정세에관해 언급 하였는바, 동 주요내용은 다음과 같음.

-유엔은 현재 이락에 대한 군사적 조치를 고려중에 있음

-동지역의 군사적 대치는 이라크의 행동여하에 달려있음.

-이라크의 쿠웨이트 철수 및 쿠웨이트 합법정부의 복귀가 없는한 평화적 해결을위한 외교적노력은 가망이 없음.

-다국적군은 사우디의 요청에 따라 사우디방위를 위해 파견된것으로 사우디의 요청이 있으면 즉각 철수할것임.

-이라크가 16만 병력과 4천대 탱크를 쿠위이트에 배치시키고 10만 병력을 이란국경으로 부터 철수시킨것이 이지역 군사력 증강의 원인임.

-사우디에 대한 군사적지원은 다국적 노력에 의한것으로 미국 단독에 의한것이 아니며,이락침략을 제어하기위한 전세계의 집단안보조치임.

-문제는 미군주둔이 아니라 이락의 쿠웨이트점령임.

-이라크의 쿠웨이트 점령과 이스라엘의 팔레스타인 점령을 연결시키는것은 시니칼 할 뿐아니라 불쾌한 것임(이스라엘의 주요우방국인 미국의 도움을 요청하는것은 아이로니칼한것이 아닌가에 대한 답변에서 언급)

-바그다드내 사우디 외교관과 시민의 출국이 허용되지 않고 있음.

2.사우디 외무장관은 미국을 방문,부시대통령과 현재의 걸프만 정세등을 협의하고 8.18 오전 귀국한후 당일 주재국을 방문한 와다나베 일본외상과 제다에서 회담을가짐.

3.주재국정부 소식통은 8.18 사우디를 포함한 걸프연안 국가가 아라파트 PLO 의장을 달갑지 않은 인물이라 발표했다는 8.15자 이스라엘 방송 보도내용을 부인하고 사우디정부의 전폭적인 지지를 받고 있는 팔레스타인의 목적에 대한 사우디의

중아국 1차보 정문국 상황실 안기부 국방부 중동국 대책반 2차보 차관

PAGE 1 90.08.20 02:31 DY

외신 1과 통제관

0020

일관된입장을 재확인했음.

(대사 주병국-국장)

PAGE 2

0021

	분류번호	보존기간

발 신 전 보

WBG-0294 900820 1643 FA

번 호 : 종별 :

수 신 : 주 수신처 참조 ~~대사 . 총영사~~

발 신 : 장 관 (중근동)

제 목 : 이라크.쿠웨이트 사태

~~WSB -0341~~ WAE -0170
WYM -0184 WIR -0278
WTU -0386 WCA -0303

1. 이라크측이 서방국민의 인질 가능성을 공언하고 다국적 지상군 배치 및 해안 봉쇄망 구축으로 양측의 전투 배치가 완료된 것으로 걸프 사태는 새로운 국면을 맞고 있는 것으로 분석됨. ~~(8.20 자 동아일보는 "미.중동 전면전 불가피" 라는 썬데이 타임쓰 기사를 전재함.)~~

2. 이러한 군사 대치 상황에서 이라크측이 취할 가능성이 있는 선택 (OPTION)을 중심으로 향후 단기 전망을 주재국 정부 포함 다각적으로 파악 보고 바람. 끝.

(중동아프리카국장 이 두 복)

수신처 : 주 이라크, 사우디, UAE, 예멘, 이란, 터키 대사
주 카이로 총영사

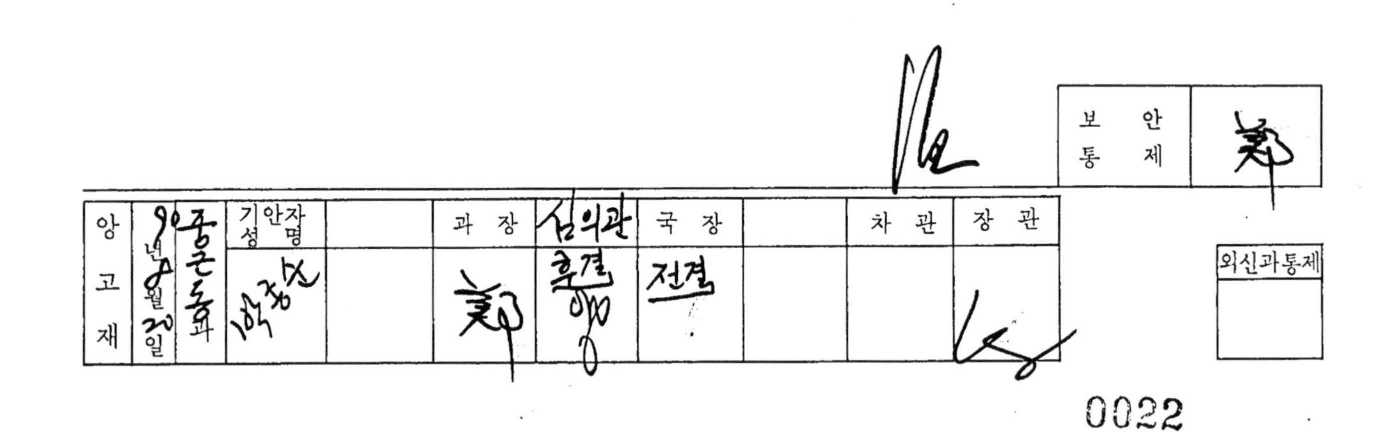

0022

원 본

외 무 부

암호수신

종 별 :

번 호 : SBW-0693 일 시 : 90 0820 1650

수 신 : 장 관(중근동,기정,정일,국방부)

발 신 : 주 사우디 대사

제 목 : 주재국동향

1. 주재국내 미군의 작전상황등을 점검하기위해 주재국을 방문한 체니 미국방장관은 8.19 미군은 필요할때까지 주둔할것임을 강조하면서 다음과같이 미군의 임무등에 관해 언급했음(8.19)

가. 미군의 임무는 이라크의 공격방지, 공격에 대비한 사우디 방위태세준비 및 훈련등을 통한 사우디군 및 기타우방국군의 군사적능력 증진에 있음.

나. 미해병대에 이어 82 및 101 공정사단이 사우디에 기파병되엇으며 파병이 추가로 있을것임.

다. 파병규모는 미언급

2. 와다나배 일외상은 8.18 사우디 외무장관과의 회담에서 유엔을 통한 사우디주둔 다국적군에 대한 지원을 하는 방안과 의료팀 파견문제를 협의한것으로 알려짐.(8.19 오만으로 향발)

3. 한편 사우드 외무장관은 8.19 이집트를 방문 무바라크 대통령과 최근의 걸프만 정세를 협의했음.

(대사 주병국-국장)

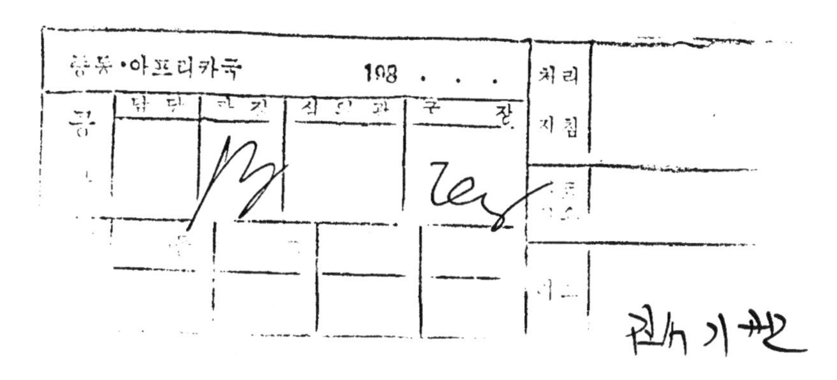

중아국 차관 1차보 2차보 정문국 안기부 국방부

PAGE 1

90.08.21 00:44

외신 2과 통제관 DO

0023

원 본

외 무 부

종 별 :

번 호 : SBW-0699　　　　일 시 : 90 0821 1430

수 신 : 장 관(중근동,정일,국방부,기정)

발 신 : 주 사우디 대사

제 목 : 주재국 신병 모집(자응 54호)

1.주재국정부는 8.20 주례각의를 마치고 파드국왕 명의의 성명서를 발표하였는바,동 주요내용 다음과 같음.

가.현 걸프만 사태로 군을 강화할 필요성에 따라 현군관계 규정에 따라 각군 신병 모집 및 훈련센터를 실치할 것을 군당국에 지시

나.금융.상업 및 경제분야가 국가에 의해 차질없이 운영되고 있고. 식료품 및 공산품이 풍부함으로 시장 안정성을 우려할 이유가 없음.

다.정부는 모든 가능성을 검토 대비하고 있음.

라.유혈이나 전쟁없이 쿠웨이트가 정상화되기를 바라며, 동정상화는 이라크군의쿠웨이트와 사우디국경으로 부터의 철수와 사바국왕의 복귀에의해서만 가능함.

2.파드국왕은 8.20 UAE 로부터 주재국을 재차방문한 체니미국방장관 일행을 접견했음.

(대사 주병국-국장)

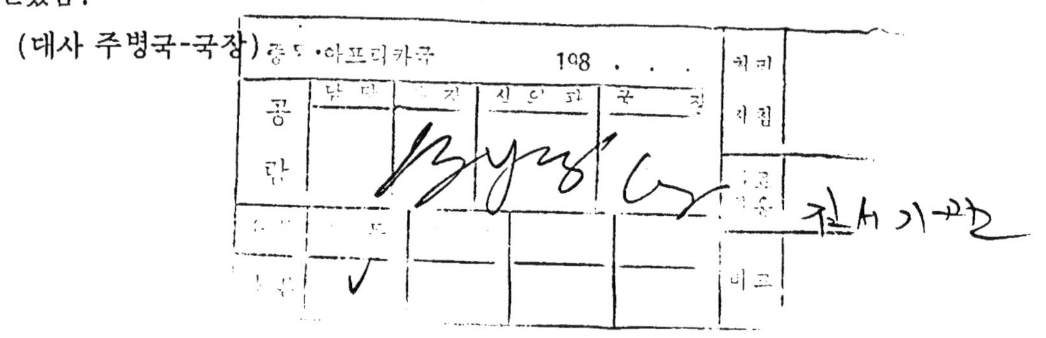

중아국　1차보　2차보　정문국　안기부　국방부　대책반

PAGE 1　　　　90.08.21　23:14 CG

외신 1과　통제관

0024

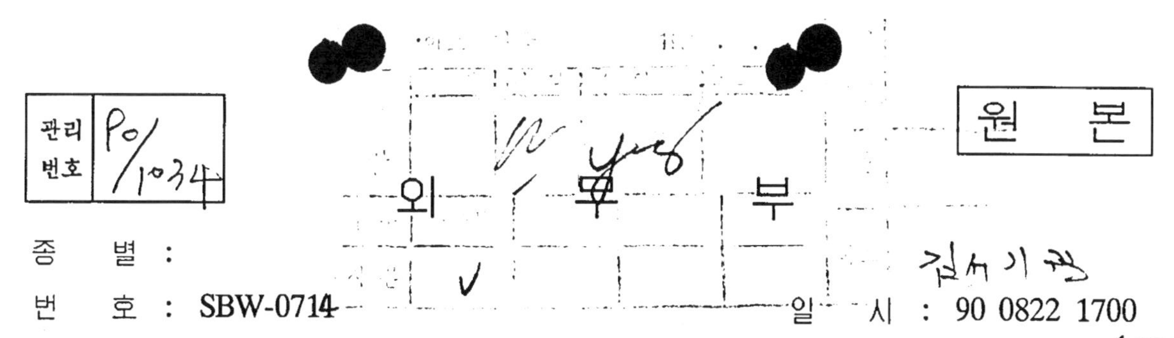

종 별 :

번 호 : SBW-0714 일 시 : 90 0822 1700

수 신 : 장 관(중근동,기정,국방부)

발 신 : 주 사우디 대사

제 목 : 이라크-쿠웨이트 사태

대:WSB-341

작금의 걸프만 긴장상태와 관련, 대호 당관이 파악한 내용을 아래보고함.

1. 주재국정부 전망(외무부 ABDULLAH AL-HARITHY 아랍담당부국장)

-금번사태는 이라크군의 쿠웨이트 철수와 사바 국왕의 쿠웨이트 합법정부 복귀없이는 어떠한 평화적 해결 노력도 가능성이 없음.

-이라크는 앞으로 쿠웨이트 합병을 기정사실화 하려는 노력을 전개할 것으로보여 동 지역의 군사 대치는 이라크의 행동 여하에 달려있음.

-그러나 미국등 우방국들의 파병으로 돌발사태가 없는한 사우디내에서의 전쟁 가능성은 현재로서는 크지않는 것으로 봄.

2. 주재국 외교소식통들의 전망

-이라크는 쿠웨이트의 합병을 공고화하기위해 가능한한 무력충돌없이 현상태를 유지하려고 노력할것임.(이라크는 현재 쿠웨이트내 쿠웨이트인을 소개시키고 이라크인의 쿠웨이트 이주조치를 취하고 있다함)

-따라서 이라크가 유엔결의에 의한 각국의 대이라크 경제제재조치등을 견디여 낼수있는 동안은 현상고착정책의 일환으로 아랍민족주의와 반미감정을 고조시켜 아랍국가의 지지를 획득하기 위한 노력을 전개할것으로봄.

-그러나 각국의 대이락 제재조치로 이라크가 어려운 입장에 처하게되는경우이라크는 미국등 각국의 무력도발을 유도하여 아랍권의 대이락지지 획득을 모색할 가능성도 있음.

-미국의 대사우디 병력파견 결정 직전의 사우디-쿠웨이트 국경부근의 아라크군배치는 쿠웨이트 침공직전의 이라크군 배치상황과 흡사했음. 미국의 대사우디 병력파견은 이라크의 사우디침공을 저지했으므로 일단 성공했다고 볼수있음.,-그러나

중아국	장관	차관	1차보	2차보	청와대	안기부	국방부	대책반

PAGE 1

90.08.23 05:38

외신 2과 통제관 CF

0025

미국등 전세계의 최종목표가 이라크군의 쿠웨이트 철수이므로 각국의 대이라크 경제제재중 현재 취하고있는 제재조치가 소기의 목적을 이룰수없는경우미국은 다른조치를 강구하지 않을수 없을것임.(현상태가 계속되는경우 궁지에 몰리는것은 이라크라기 보다 오히려 미국이라 볼수있음.

(대사 주병국-국장)

예고:90.12.31

관리 번호	90/2949

원 본

외 무 부

종 별 :

번 호 : JDW-0108 일 시 : 90 0825 1620

수 신 : 장관(중근동, 아이, 영사)

발 신 : 주 젯 다총영사

제 목 : 대만 총영사관의 지위

1.8.25 소직이 당지 대만총영사와 접촉한 바, 사우디가 최근에 중공과 수교함으로서 주젯다 자유중국 총영사관은 무역대표부 젯다출장소로 그지위가 변경될것이라함. 그러나 현재까지는 대만 입국 희망 외국인에 대한 사증은 계속 발급하고 있음.

2. 주사우디 자유중국대사는 현재까지 젯다에 머물면서 사우디 외무성측과 대만무역대표부의 법적지위문제를 협의중이라하며, 동대사는 조만간 주한 자유중국대사로 임명되어 서울로 부임예정이라함. 끝.

(총영사 김문경-국장)

예고:90.12.31 까지

중아국 아주국 정문국 영교국 청와대 안기부

PAGE 1

90.08.25 23:13

외신 2과 통제관 CW

0027

관리 번호	90/2048

원 본

외 무 부

종 별 :

번 호 : JDW-0107 일 시 : 90 0825 1600

수 신 : 장관(중근동,영재)

발 신 : 주 젯 다총영사

제 목 : 교민동태보고

1. 당관관내 사우디 남서부지역 예멘 국경인접 카미스, 아브하 거주 교민중 7 세대가 그가족 13 명을 8.25 젯다발 KAL 기편 대피목적으로 귀국시킴. 대피이유는 사우디.예멘국경에서의 긴장상태 때문이라함. 이와관련, 당관은 동국경지역거주교민들에게 총성이 들린다든가 무력충돌의 징후가 보이면 즉시 차량편으로젯다로 대피토록 안내하고 있음.

2. 동국경지역에는 사우디 육군이 주둔하고 있을뿐만아니라 미공군 600 명,미육군 300 명도 주둔하고 있으며 동지역 거주교민 제보에 의하면 8.19 에는 전차대열이 약두시간동안 카미스, 아브하를 지나 남하했다함. 한편, 예멘에는 수송기등 이라크 공군기 수십대가 대기중이라는 설도있고 8.2 이라크의 쿠웨이트점령직후 포탄 2 발이 예멘측에서 부착하여 사우디영내에서 폭발한 사실도 있음.

3. 그러나 동국경지역에서 크게 멀지않은 아브하지방의 인터콘티넨탈호텔(해발 3,000M 산 정상에 위치)에 쿠웨이트왕이 피신하고 있고, 주유엔 예멘대사가예멘이 대이라크 경제제재 조치를 지지한다고 발언한 사실 및 예멘내 친사우디세력의 비중과 남북예멘이 통합한지 일천하여 국내문제에 몰두해야하는 현실에비추어볼때 현상황하에서는 사우디.예멘간의 무력충돌이 발생해서 아국교민이 대피해야하는 사태로까지 발전할 가능성은 크지않은 것으로 보임.끝.

(총영사 김문경-국장)

예고:90.12.31 까지

중아국 대책반	장관	차관	1차보	2차보	정문국	영교국	청와대	안기부

PAGE 1

90.08.25 23:12

외신 2과 통제관 CW

0028

/ 김

외 무 부

종 별 :

번 호 : SBW-0721 일 시 : 90 0825 1520

수 신 : 장 관(중근동,기정,정일,국방부)

발 신 : 주 사우디 대사관

제 목 : 이라크의 공관폐쇄 조치 거부

1.주재국 외무부는 8.23 이라크의 쿠웨이트내 외국대사관 폐쇄명령을 거부한다고아래와 같이 밝힘.

-주재국은 유엔, OIC 및 아랍연맹 결의안에 의거 동 명령을 거부함

-쿠웨이트 합법정부와의 외교관계를 계속함

2.주재국 국방부관계자는 8.23 사우디 항공기가 이라크 영공을 침범했다는 아라크주장은 근거 없는 것이라고 공식 부인했으며, 아울러 주재국정부는 이스라엘 항공기및 군대가 사우디영토에 주둔하고 있다는 요르단 신문 보도내용이 근거없는 것이라는 내용의 각서를 주재 사우디대사를 통해 요르단 외무부에 전달했음.

(대사 주병국-국장)

중아국 1차보 2차보 정문국 안기부 국방부 대책반 통상국 미주국

PAGE 1

90.08.25 23:12 CG

외신 1과 통제관

0029 허

원 본

외 무 부

종 별 :

번 호 : SBW-0743 일 시 : 90 0829 1400

수 신 : 장 관(중근동,정일,기정,국방부)

발 신 : 주 사우디 대사

제 목 : 걸프만 정세와 관련한 주재국 동정 (자응 55호)

1.주재국 파드국왕은 8.27 (월)주례각의에서 현걸프만 사태가 평화적 방법으로해결되기를 희망하고, 동평화적 해결을 위해 이라크군의 쿠웨이트 합법정부의 복귀를 다시한번 강조했음.

2.주재국 합동사령관 KHALED IBN SULTAN 중장은 8.27 리야드에서 가진 기자회견에서 이라크는 사우디를 침공할 의사가 있었다고 언급 하였는바, 동기자회견 주요내용 다음과 같음.

-이라크는 2개 기갑사단으로 쿠웨이트 점령이 가능 했는데도 불구하고 동침공에 7개사단을 동원했음. 이는 이라크가 사우디 침공의사를 가지고 있었음을 나타낸것임.

-파드국왕의 우방국들에 대한 군사지원 요청 결정은 적절한 것으로, 이러한 결정은 이라크에 충격을 주었으며 이라크의 추가 공격을 저지한것임.

-이라크는 사우디 국경으로부터 3개사단을 철수시켰음.

3.한편 SAUD 외무장관은 8.25 모로코를 방문, 하산 국왕에게 최근 걸프만 사태와 관련한 파드국왕의 메세지를 전달했음.

(대사 주병국-국장)

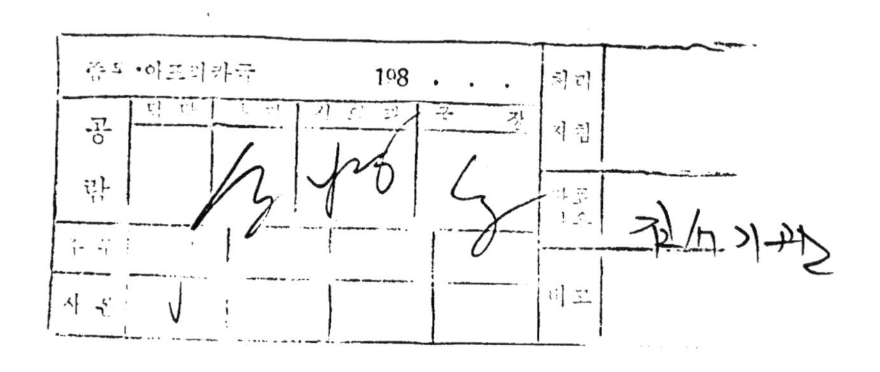

중아국 1차보 정문국 안기부 국방부 미주국 통상국 대책반 2차보

PAGE 1

90.08.28 23:18 DA

외신 1과 통제관

0030

원 본

외 무 부

종 별 :

번 호 : SBW-0751 일 시 : 90 0829 1600

수 신 : 장 관(중근동,정일,기정,국방부)

발 신 : 주 사우디 대사

제 목 : 걸프만 정세관련 주재국 정세(자응57호)

1. SAUD 외무장관은 8.28 쿠웨이트를 이라크의 제19번째주로 결정한 이라크의 조치는 이라크가 CUELLER유엔사무총장과의 회담에 동의한후나온것으로,이라크가 평화를 원치않고 있음을나타낸것이라고 비난했음.

2. SAUD 외무장관은 8.27 영국을방문,대처수상을 면담,파드국왕의 친서를전달한후 8.28에는 불란서를방문,미테랑대통령에게 파드국왕의 친서를전달하고 듀마스외무장관과 이라크의쿠웨이트침공에 따른 걸프만정세를 협의했음.

3.한편 킹영국 국방장관이 8.28 주재국을방문,파드국왕과 회담을 가진후 바레인으로향발했음.

(대사 주병국-국장)

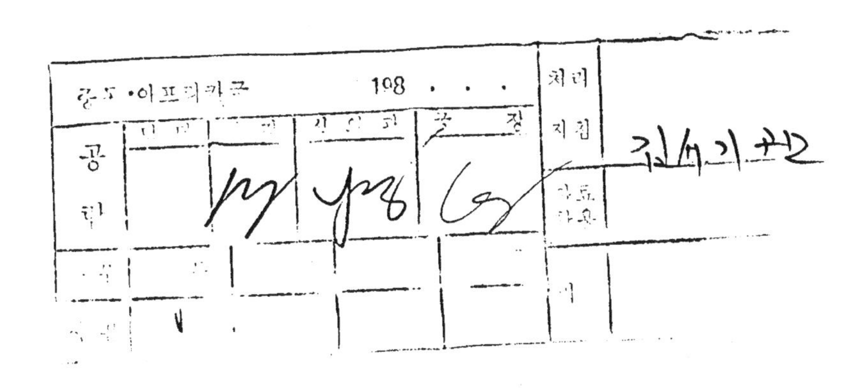

중아국 정문국 안기부 국방부 미주국 통상국 대책반 1차보 2차보

PAGE 1

90.08.29 22:47 CT

외신 1과 통제관

0031

원 본

외 무 부

종 별 :

번 호 : SBW-0774 일 시 : 90 0902 1700

수 신 : 장 관 (중근동,정일,기정,국방부)

발 신 : 주 사우디 대사

제 목 : SULTAN 국방장관 기자회견

주재국 술탄 국방장관은 9.1 주재국 다란에서 기자회견을 갖고 작금의 걸프만 사태에 관해 언급했는바, 동주요내용 아래 보고함.

1. 이라크로부터 사우디를 방어하기위해 파견되는 아랍, 이스람 및 우방국가의 병력수에는 제한이 없음.

2. 동군대는 사우디방어를 위해 파견되었으며, 평화가 수립되면 철수할것임.

3. 걸프만위기의 평화적해결 방안을 찾는것이 필요하며 유엔에 의한 대이라크 경제제재가 평화를 가져오기를 희망함.

4. 사우디가 어느국가 특히 아랍국가를 공격한다는것은 상상할수 없는 일이며, 사우디에 대한 공격가능성을 제어하기위한 경우에만 사우디군은 출동할것임.

5. 민간인을 인질화하고 그들의 이주권리를 거부하는것은 인간윤리에 반하는것임.

(대사 주병국-국장)

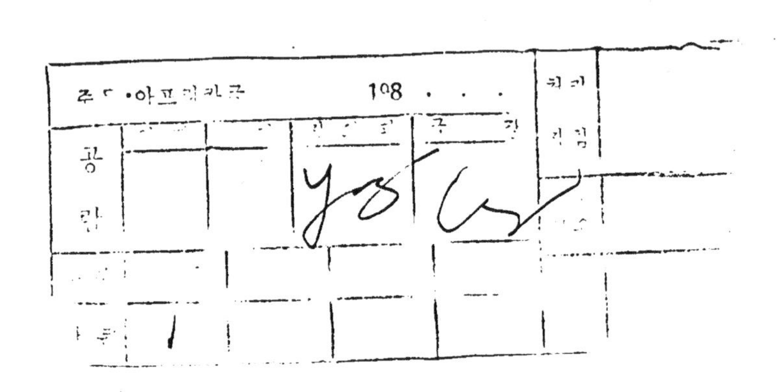

중아국 1차보 정문국 안기부 국방부 대책반 미주국 통상국 2차보 청와대

PAGE 1

90.09.03 04:42 FC

외신 1과 통제관

0032

원 본

외 무 부

종 별 :

번 호 : SBW-0790 일 시 : 90 0905 1800

수 신 : 장 관(중근동,정일,기정,국방부)

발 신 : 주 사우디 대사

제 목 : SAUD 외무장관 기자회견(자응 58호)

주재국 SAUD 장관은 9.5 제다에서 주재국을 방문중인 영국기자들과 기자회견을 갖고 아래와 같이 걸프만 정세에 관해 언급했음.

1.작금의 걸프만 정세의 해결방안은 아라크군의 쿠웨이트 철수와 쿠웨이트 합법정부의 복귀임.

2.최근 유엔사무총장의 이라크 외무장관과의 회담에서 걸프만사태의 평화적 해결이 이루어지기를 기대했으나 동결과에 실망함.

3.유엔안보리가 채택한 대이라크 제재결의안 철저이행이 필요함.

4.헬싱키 미.소 정상회담이 이라크에 대한 국제적 행동을 강화하는 계기가 되기를 바람.

(대사 주병국-국장)

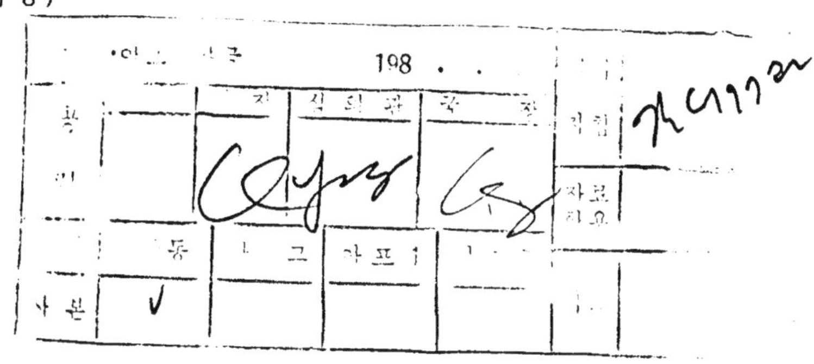

중아국 1차보 정문국 안기부 국방부 미주국 통상국 재책반 2차보

PAGE 1

90.09.06 09:32 WG

외신 1과 통제관

0033

관리 번호 Po-1918

외 무 부

종 별 :

번 호 : SBW-0815　　　　　　일 시 : 90 0910 1600

수 신 : 장관(중근동,국방부,기정)

발 신 : 주 사우디 대사

제 목 : 걸프만사태 전망

대:WSB-381

1. 작금의 걸프만 사태 전망등과 관련, 주재국정부 및 언론계 인사등과 접촉, 조사파악한 내용 아래 보고함.

가. 걸프만 사태 해결 방안

1). 걸프만사태 해결 방안

-사우디는 걸프만 사태의 정치적해결 환영, 그러나 이라크군의 쿠웨이트 철수 및 쿠웨이트 합법정부의 복귀없는 정치적 해결 시도는 무의미하다는 입장

-현재 이라크가 쿠웨이트 합병의 가속화 및 외국인의 인질화를 기하고 쿠웨이트 문제를 다른지역문제(팔레스타인문제 및 레바논문제)와 연계시켜 아랍세계의 지지를 도모하면서 쿠웨이트 문제 중요성 감소노력을 전개하고 있어 정치적 해결 가능성은 희박한것으로 보고 있음.

2). 대이라크 제재

-유엔 안보리 결의안에 의한 대이라크 군사적, 경제적 제재조치는 이라크의대외 의존도를 고려할때, 이라크에 심한타격을 준것으로 예상되며, 이라크 국민 또는 군대에의한 사담후세인 제거가능성이 있다고 봄.

-그러나 현재 동조치의 철저한 이행은 이루어지지 않고있다고 평가(소련 군사고문단 이라크 계속 주둔등)

3). 군사적 대응

-정치적, 외교적 해결노력이 성과가 없는 경우 군사적 대응방안이 고려될수있을것임.

-군사행동시 아랍세계는 물론 서방국가로 부터의 거센 반발 및 비난이 예상되고 외국인질이 희생되는 문제점 대두

중아국	장관	차관	1차보	2차보	청와대	안기부	국방부	대책반

미주국

PAGE 1　　　　　　90.09.10 23:06

외신 2과 통제관 CF

0024

나. 전망

이라크가 쿠웨이트 합병을 공고화하고 아랍세계의 지지획득을 위한 노력을 전개하는등 쿠웨이트에서의 철수를 현재 고려하지 않고있고, 대이라크 제재조치 강화와 함께 미국등 여타국가의 군사력증강이 계속되고 있는 가운데 걸프만사태의 해결전망이 현재로서는 불투명하며 극적인 상황변화가 없는한 걸프만의 긴장상태는 장기화 될것으로 보고있음.

-군사적대응 여부 및 시기는 미국등 관련국들의 국익과 여론의 여하에따라 결정될것으로 보고있음.

-미군등의 사우디주둔은 이라크의 대사우디 위협이 계속되는 한 어느정도 장기화 될것으로 전망

2. 한편 BANDAR 주미 사우디대사는 9.8 제다에서, 미군철수후 걸프지역 방어를 위해 NATO 와 비슷한 안보기구가 검토되고 있다는 보도를 부인하면서 미국 및 사우디 어느국가도 동문제를 고려하지 않고있다고 언급했음.

(대사 주병국-국장)

예고:90.12.31.까지

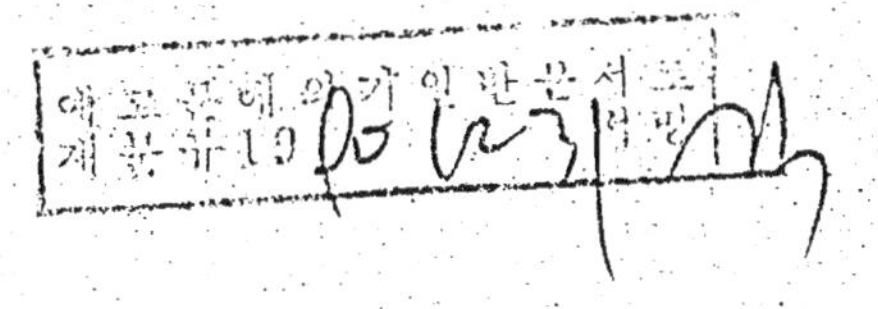

PAGE 2

0035

원 본

외 무 부

종 별 :

번 호 : SBW-0822 일 시 : 90 0911 1440

수 신 : 장 관(중근동,동구1,정일,기정,국방부)

발 신 : 주 사우디 대사

제 목 : 주재국과 소련 외교관계(자응 59호)

1.주재국 사우드 외무장관은 9.9 제다에서 기자회견을 갖고, 사우디와 소련양국간에 외교관계 수립을 위한 진지한 접촉이 진행중이며, 모든문제에 대해 양해가 성립되었다고 하면서, 양국간 외교관계 수립이 임박하였다고 언급하였음.

2.당지 정통한 소식통은 사우드 외무장관이 내주중 쏘련을 방문, 양국간 외교관계 수립에 필요한 최종 마무리를 지울 예정이라고 언급했음.

3.한편 당지 외교 소식통들은 사우드 외무장관의 소련과의 외교관계 수립 언급이 헬싱키 미.소 정상회담이 끝난 직후에 나온점을 지적, 사우디가 동정상 회담에서 소련이 이라크의 쿠웨이트 침공과 관련 취한 입장에 대해 만족하고 있는것으로보고 있으며 양국간 외교관계 수립이 9월중에 이뤄질 것으로 관측하고 있음.

4.주재국과 소련관계는 1926년 외교관계 수립후 1938년의 소련측의 대사 소환과 1943년 사우디 정부의 소련대사 재부임 요청 거부이후 현상태가 계속되어 왔으나, 그동안 사우드 외무장관은 아랍-이스라엘 분쟁 및 이란-이라크 전쟁과 관련한 회담을 위해 수차례 소련을 방문한바 있으며, 또한 금년도 하지순례 기간중 약1,000명의 소련 모슬렘이 주재국 부담으로 방문한바 있음. 끝

(대사 주병국-국장)

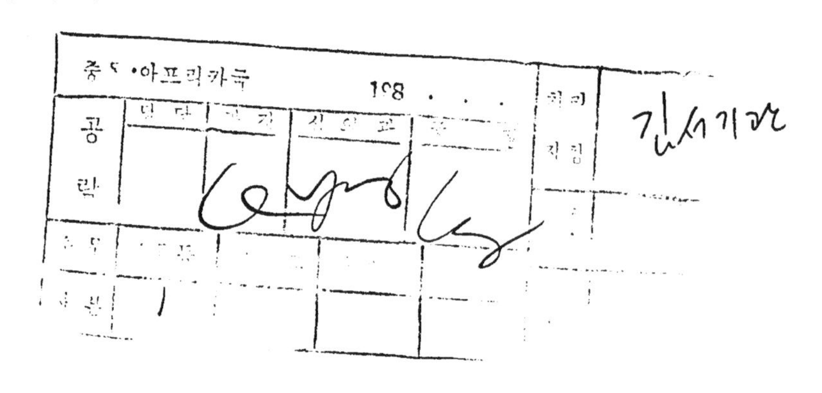

중아국 1차보 구주국 정문국 안기부 국방부

PAGE 1

90.09.11 22:20 DA

외신 1과 통제관

0036

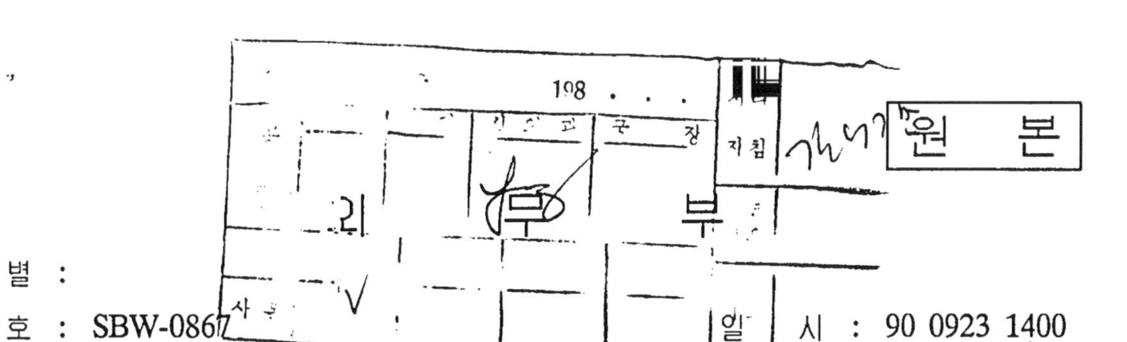

종 별 :
번 호 : SBW-0867
일 시 : 90 0923 1400
수 신 : 장관(중근동,정일,국방부,기정)
발 신 : 주 사우디 대사
제 목 : 사우디와 친이락 주변 국가와 관계긴장(자응 62호)

1. 주재국 외무부는 사우디 주재 이락크, 예멘 및 요르단 외교관 일부를 추방시켰다고 9.22 아래와 같이 발표했음(탐문한바에 의하면 요르단는 외교관 20 여명, 예멘 30 여명 및 보조 인원 20 명이 각각 추방 당한것으로 알려지고 있음)

-사우디정부는 동외교관들이 사우디 안보와 위해한 활동과 외교 관행과 양립할수없는 행위를 한것을 인지하고 관련 대사관에 주의를 환기했음

-그러나 동활동이 계속되어 사우디정부는 관련국에 대해 동 외교관들을 철수시키고 대사관 직원수를 제한 할것을 요청했음

2. 한편, 사우디의 대요르단 원유공급 중단보도와 관련, HISHAM NAZER 사우디 석유장관은 9.22 대요르단 원유 공급중단은 요르단이 원유 대금을 지불치않아사우디 석유회사가 취한조치로서, 정부가 취한조치는 아니라고 언급했는바, 동관련 주요내용은 아래와 같음

-요르단의 원유대금 지불이 2 년간 연기되었고 다시 동대금을 3 년분할 지불토록 결정하였으나 요르단은 일차분인 4 천만불을 지불기일(지난 7 월)이 지나도록 지불치않고 있음

-사우디 파드국왕이 동대금 지불을 면제 했다는 요르단 석유장관의 말을 인용 보도한 내용은 사실무근임

-사우디 석유회사는 상업베이스로 거래하므로 사우디 정부가 개입 할수없음

-사우디 석유회사가 요르단 원유 수요량의 절반을 공급하기로 약속한바 없음

-요르단이 동체불금을 지불하는대로 대요르단 석유수출은 재개될것임

3. 또한 사우디정부는 9.19 일부 주변국들의 국민들이 주재국에서 향유하던특권(국경에서의 비자발급, 사우디인의 보증없이 사우디내 상업종사등)을 취소하고 여타국 국민들과 똑같은 대우를 반도록 조치했는바, 그동안 주로 예멘 및

중아국 차관 2차보 정문국 안기부 국방부

PAGE 1

90.09.24 05:26
외신 2과 통제관 FE

0037

수단 국민들이 동특권을 향유해왔음

4. 이와같은 주재국의 일련의 조치는 이락의 쿠웨이트침공이후 친 이라크입장을 취해온 주변 아랍국들에 대한 주재국의 강한 불만을 표시한것으로 보임

(대사 주병국-국장)

원 본

외 무 부

종 별 :

번 호 : SBW-0923 일 시 : 90 1009 1450

수 신 : 장관(중근동,국방부,기정)

발 신 : 주 사우디 대사

제 목 : 이스라엘 비난성명

주재국정부는 10.8 이스라엘 점령지에서의 팔레스타인에 대한 이스라엘의 공격을 비난하는 성명서를 발표함

1.사우디는 수백명의 팔레스타인을 살상한 이스라엘의 야만적인 행동을 우려함

2.사우디는 이스라엘이 저지른 범죄적 폭력을 강력히 비난하며, 고국을 되찾으려는 팔레스타인 국민을 지지함

3.사우디는 이슬람국가와 국제사회가 팔레스타인 운동을 지지할것을 촉구함

(대사 주병국-국장)

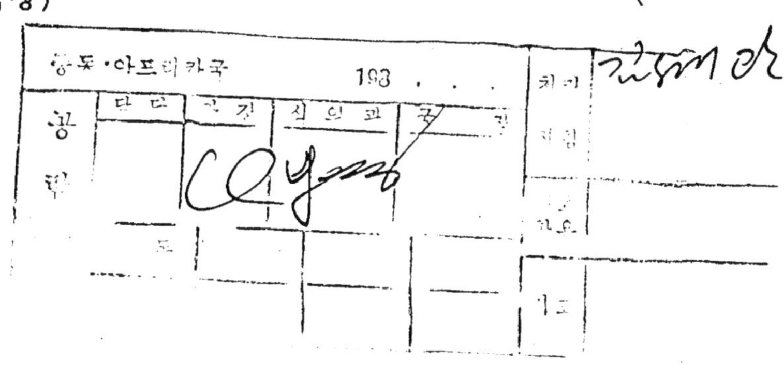

중아국 1차보 정문국 안기부 국방부

PAGE 1

90.10.09 20:58 DA

외신 1과 통제관

0039

관리번호	90/1860

원 본

외 무 부

종 별 :

번 호 : SBW-1010 일 시 : 90 1103 1100

수 신 : 장관(중근동,국방부,기정)

발 신 : 주 사우디 대사

제 목 : 걸프만사태

대:WSB-484

걸프만사태 관련, 주재국정부 인사등을 접촉 파악한 동사태 귀추 및 전망등을 아래와 같이 보고함

1. 현황

0 유엔을 통한 대이라크 제재조치, 다각적인 외교적 노력에도 불구, 이라크가 쿠웨이트로부터의 철수에 불응하고 있어.걸프만사태의 평화적 해결노력이 불투명한 가운데, 이라크 및 미국이 대치지역에의 군사력을 증강시키는등 걸프만정세는 새로운 긴장국면으로 접어들고 있음.

2. 외교적노력

0 외교적노력 및 대이라크 제재조치로 무력충돌없이 이라크가 쿠웨이트로부터 무조건철수, 걸프만사태가 평화적으로 해결되기를 기대

0 그러나 이라크는 쿠웨이트로부터의 철수를 고려치않고 오히려 서방인질 석방등 평화적 공세로 반이라크 동맹을 와해시키면서 시간을 벌려는 노력을 하고있어 평화적 해결노력에 대한 기대는 감소

0 최근 소련 고르바초프대통령이 제의한 아랍국가간 회담개최는 걸프만사태가 아랍문제인 동시에 또한 국제문제화 되어있고 또한 사우디 및 이집트의 사담후세인 대통령에 대한 강한 불신 및 배신감과 아랍권의 분열로 동회담 개최는 어려운것으로 보임.

0 사담후세인대통령의 갑작스런 이란과의 화해조치등에 비추어급작스런 사태진전 가능성을 배제하지 않으나, 현실성은 적은것으로 보고있음

3. 군사적 대결

가. 현재 평화적 해결 노력등이 뚜렷한 성과를 거두지 못하고있고 또한

중아국 대책반	장관	차관	1차보	2차보	정문국	청와대	안기부	국방부

PAGE 1 90.11.04 00:24

외신 2과 통제관 CW

0040

외국군사력을 걸프만 지역에 무한정 장기주둔 시킬수없기 때문에 군사적 충돌가능성이 있는것으로 보고있음

나. 그러나 현재 소련이 군사력 사용에 반대입장을 나타내고 있고 불란서등이 대이라크 제재조치에 좀더 시간을 주자는 입장을 취하는등 대이라크 동맹 주요국가간에 무력사용에 이견이 있는데가, 이라크의 지상군에 대항하기 위해서는 미지상군 추가파병이 필요하여 당장 미국에의한 군사력사용은 없을것으로 보고있음

다. 한편 미국이 군사력사용 가능성을 배제하지 않고있어, 미국이 군사력 사용하는경우 동시기는 여름과 라마단이 시작되는 91 년 3 월 이전이 될것으로 보고있음

4. 전망

가. 미국은 소, 영, 불등과의 대이라크 동맹 강화를 도모하면서, 유엔을 통한 대이라크 압력가중과 외교적 노력을 통해 사태의 평화적 해결을 위해 계속 노력하면서, 다른한편 이라크에 대한 군사적 위협을 아울러 강화할것으로 예상됨

나. 현재로서는 극적인 상황변화가 없는한 이라크의 쿠웨이트로부터의 즉각적인 철수는 없을것으로 전망되고있으며 대이라크 제재조치 효과에 대해서도 상반된 전망이 공존하고 있음

다. 이라크가 쿠웨이트로부터 철수하지 않을경우 무력충돌 가능성이 높은것으로 전망되고 있으나 무력사용 가능여부는 미국과 소련, 불란서 및 영국과의 협조여하에 크게 좌우될것으로 전망되고있음, 그러나 최악의 경우 미국 단독에 의한 군사력 사용 가능성도 배제되지 않고 있음

라. 이라크가 쿠웨이트로부터 철수하는 경우 이라크와 쿠웨이트간 국경문제및 유전문제 회담이 곧 개최될것으로 전망되고있음

마. 걸프만사태가 어떻게 해결되던, 팔레스타인 문제가 다시 중요한 문제로대두되고, 아랍권의 재편이 이루어질것으로 보이며, 사우디의 대외정책, 경제,사회전반에 많은 변화가 예상되고 있음

(대사 주병국-국장)

예고:91.6.30. 까지

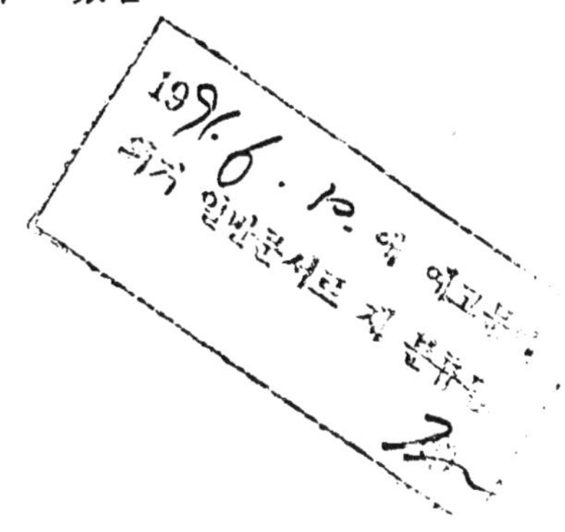

PAGE 2

0041

원 본

외 무 부

종 별 :

번 호 : SBW-1028 일 시 : 90 1106 1400

수 신 : 장 관(중근동,정일,기정,국방부)

발 신 : 주 사우디 대사

제 목 : 미국무장관 주재국방문(자응 66호)

1. 베이커 미국무장관은 11.5 젯다에서 파드국왕등과 회담을 가졌는바, 동회담에서 양측은 미군 지휘권과 관련, 사우디내에서의 미군활동은 사우디-미국 합동지휘부의 지휘하에 놓이고, 이라크와의 무력충돌시 쿠웨이트와 이라크내에서의 미군사활동은 미국단독 지휘하에 움직인다는 원칙에 합의한것으로 알려지고있음.

2. 베이커장관은 사우디국왕과의 회담에앞서 타이프에서 11.5 JABER AL-SABAH 쿠웨이트왕등과 회담을 가진후 아래와같이 걸프사태등에 관해언급함

가. 걸프사태는 새로운 국면에 접어들고있으며, 이로인해 다국적군은 모든 가능한선택을 행사할수있는 태세를 갖추게될것임

나. 미국은 외교적, 정치적 해결 희망을 포기하지 않고있음, 그러나 군사력 사용도배제되어서는안됨

다. 군사행동을 위한 일정표는 동회담에서 토의되지 않았음. 끝

(대사 주병국-국장)

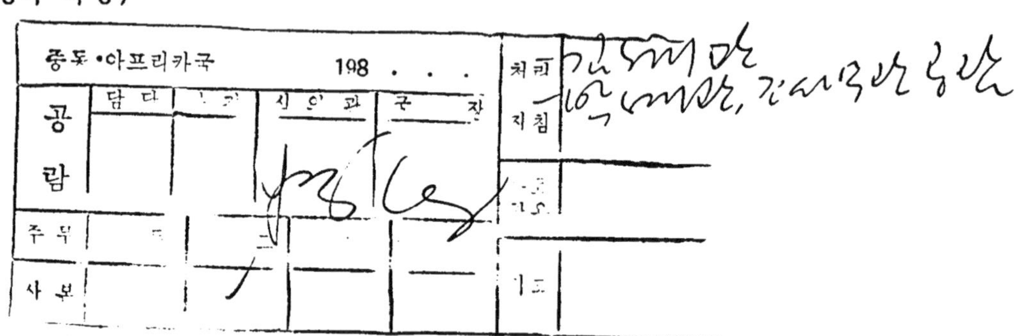

중아국 1차보 정문국 안기부 국방부

PAGE 1 90.11.06 23:07 DP

외신 1과 통제관

0042

관리번호	90/1913

원 본

외 무 부

종 별 : 지 급

번 호 : SBW-1055 일 시 : 90 1113 1400

수 신 : 장 관(중근동,기정,국방부)

발 신 : 주 사우디 대사

제 목 : 중국 외교부장,주재국방문(자응 69호)

1. 중국 QIAN QICHEN 외교부장이 11.12 바그다드로부터 주재국을 방문, 주재국 파드국왕 및 사우디 외무장관과 회담을 가짐

2.11.8 방문에 이어 두번째 주재국 방문인 금번 회담에서의 토의내용은 밝혀지지 않고 있으나 QIAN 부장의 바그다드 방문 결과등이 협의 된것으로 보임

3. 특히 QIAN 외교부장은 바그다드 방문시가 모로코 HASSAN 왕의 긴급 아랍정상회담 개최제의 시기와 일치하고, 바그다드가 동회담 제의를 몇가지 조건하에서 수락한점과 중국이 걸프만사태의 아랍내 해결을 지지하고있는 입장인점등을 감안할때 금번 주재국 파드국왕과의 회담에서 동긴급정상회담 개최문제도 협의된것으로 관측되고있음

(대사 주병국-국장)

예고:90.12.31. 까지

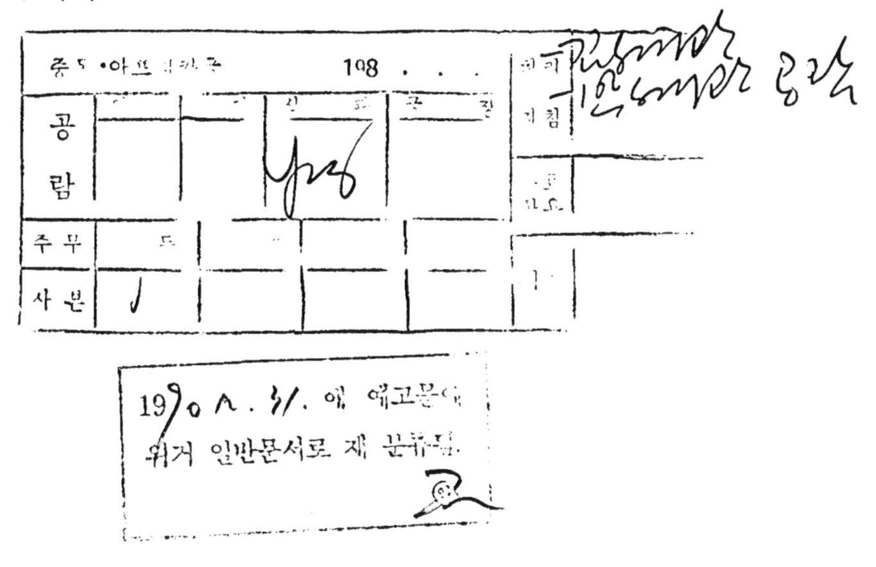

중아국 차관 1차보 2차보 아주국 정문국 청와대 안기부 국방부

PAGE 1

90.11.13 21:58

외신 2과 통제관 BW

0043

원 본

외 무 부

종 별 :

번 호 : SBW-1062 일 시 : 90 1114 1400

수 신 : 장 관(중근동,기정,국방부)

발 신 : 주 사우디 대사

제 목 : 걸프만사태

주재국 영자지 RIYADH DAILY 지는11.14,걸프만사태와 관련 전쟁이 불가피하다는 내용 의 사설을 게재하였는바,동 주요내용 아래보고함

1.걸프만사태의 아랍권내 해결희망은 없음,만약 후세인대통령이 아랍권에 의한해결에 관심이 있었다면,지난번 카이로 정상회담에서 이니시아티브를 추구했을것임

2.아무도 외교를 통해 후세인대통령의 마음을 움직일수 없음,사담후세인 대통령은 지금도 쿠웨이트 침공 직후때처럼 완고함

3.전쟁은 피할수없으며,걸프만사태 해결을 위해서는 다른 대안은 존재하지 않음

4.이라크에 대한 행동의 주저는 후세인에게 이득이됨,이라크 독재자는 지난 몇주간에 보아온것처럼,모든 순간을 유리하게 이용할것이 분명함,시간이 갈수록 사담은이지역에서의 패권장악을 위해 점점 더 자신을 갖고 모두에게 도전할것임.끝

(대사 주병국-국장)

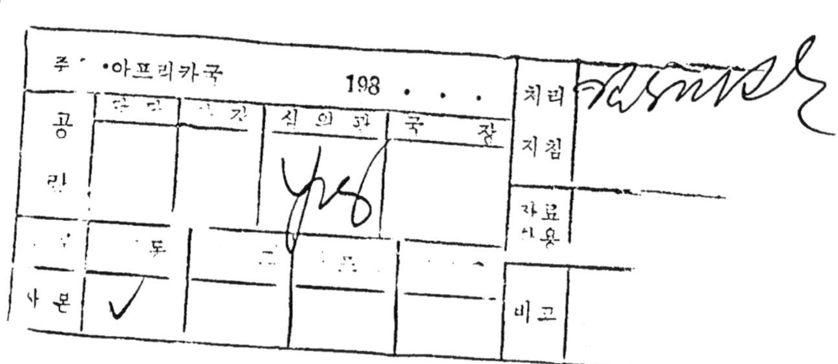

중아국 1차보 정문국 안기부 국방부 미주국 통상국 대책반 2차보

PAGE 1 90.11.14 23:59 DP

외신 1과 통제관

0044

외 무 부

종 별 :

번 호 : SBW-1096 일 시 : 90 1122 1750

수 신 : 장 관 (중근동,기정)

발 신 : 주 사우디 대사

제 목 : 미대통령 주재국 방문

연: SBW-1089

1. 부시미대통령은 11.21 주재국 제다에 도착, 파드국왕과 회담을 가졌는바, 동회담후 발표된 성명서의 요지는 다음과 같음

가. 다국적군은 걸프사태가 끝나거나 사우디 정부의 요청이 있을 경우 즉각 철수함

나. 이라크군의 쿠웨이트 철수와 합법정부의 복귀를 요구한 유엔 안보리 및 아랍연맹 결의안의 이행이 필요함

다. 쿠웨이트내의 쿠웨이트국민 및 외국인에 대한 이라크군의 야만적 행위를 비난하고 이라크정부가 유엔 안보리 결의안을 준수할 것을 촉구

2. 부시대통령은 또한 사우디에 체류하고있는 JABERLA-SABAH 쿠웨이트 국왕과도회담을 가졌는바, 동회담후 부시대통령이 언급한 주요내용 다음과 같음

가. 걸프사태와 관련한 유엔안보리 10개 결의안에 구체화되어 있는 목적에 대한미국의 공약 재강조

나. 이라크를 축출하기위한 모든 선택권은 OPEN 되어 있으며, 이러한 선택들이 효과를 나태내도록 하기 위한 조치들이 즉각 취해져야할 필요가 있다는데 자바국왕과합의함

다. 사담후세인에 대한 연합국의 동맹은 강력하며, 사담후세인에 대한 강력한 전선이 형성되어 있음

라. (고르바초프 대통령이 즉각적인 유엔 안보리회의를 요구한 것에 대해 질문을 받고)동 요구는 타당하다고 한후, 유엔 안보리조치는 11.30 이전에 취해져야 한다고 언급

마. 사담후세인에게 선택의 기회는 열려있으며, 더 늦기전에 본심으로 돌아가기를 기대

중아국 1차보 통상국 정문국 안기부 대책반 안기부 미주국 2차보

PAGE 1 90.11.23 07:49 FC

외신 1과 통제관

0045

바. 이라크에 대한 경제제재 조치가 효과를 나타내고 있음. 그러나 동제재의 완전한 효과시기는 말할수 없음.끝

(대사 주병국-국장)

관리 번호	90/1984

원 본

외 무 부

종 별 :

번 호 : SBW-1119 일 시 : 90 1128 1600

수 신 : 장관(중근동)

발 신 : 주 사우디 대사대리

제 목 : 사우디 외무 쏘련방문

1. 사우디 SAUD 외무및 ABA AL- KHAIL 재무경제장관이 11.27(화) 모스크바를 방문, 세바르드나제 외상및 고르바쵸프 대통령과 걸프만 정세에 관해 협의 했음. 그러나 구체적인 협의내용은 알려지지 않고있음.

2. 한편 주재국 관련소식통에 의하면, 지난 11.22 부시 미 대통령 사우디 방문시 사우디 측은 미국측에 대해 라마단(91 년 3 월) 이전에 걸프만 사태가 해결되기를 바란다는 희망을 표명한 것으로 알려지고 있음을 참고바람.

(대사대리 박명준 - 국장)

예고 91.6.30 까지

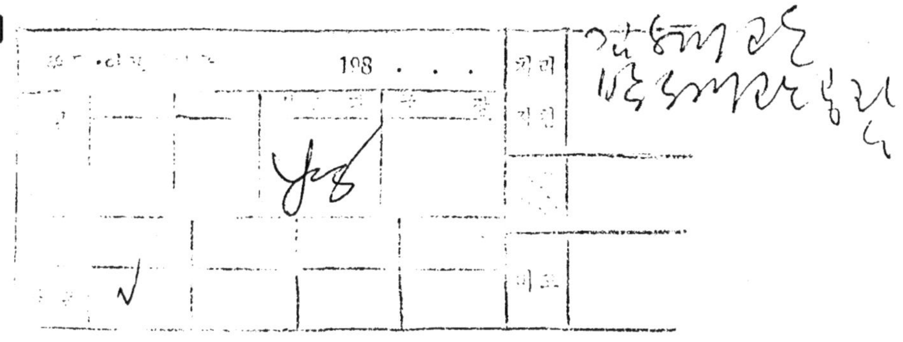

1991.6.30. 에 예고문에 의거 일반문서로 재 분류됨

중아국 차관 1차보 청와대 안기부

PAGE 1

90.11.29 05:44

외신 2과 통제관 DO

0047

외 무 부

종 별 : 지 급

번 호 : SBW-0033 일 시 : 91 0106 1030

수 신 : 장 관(기협,중근동,동자부,기정,국방부)

발 신 : 주 사우디 대사

제 목 : 페만사태

대:WSB-0003

대호 관련 당지 석유전문가들의 견해를 종합보고함

1.양측 공격에 의한 유전에 대한 예상타격 및복구에 소요되는 시간

0 이라크의 공격으로 인한 사우디 유전의 피해는 하기와 같은 이유로 별로크지 않을 것임

-원유채굴시설이 넓은 지역에 산재해 있어 공군력이 열세인 이라크로서는 폭격에 한계가 있으며 미사일에 의한 공격도 용의치 않음

-유전의 파괴는 MINING 이 아닌 폭격이나 미사일공격으로는 별효과가 없음

-이란-이라크전시에도 유전등의 피해는 크지 않았음

0 복구 소요시간도 사우디의 경우에는 오랜기간을 요하지 않을것으로 봄

2.원유생산 및 유가에 대한 영향

0 주재국은 전쟁중에도 가급적이면 현수준의 원유생산을 유지하려고 최대한 노력할것임

0 전쟁발발시 유가는 전쟁계속기간,사우디뿐만아니라 이라크 및 쿠웨이트 석유시설 파괴정도,항만시설 파괴여부,복구에 소요되는 기간선진국의 비축원유 방출여부등 수많은 변수에 의해 좌우되는 관계로 현시점에서 예상이 극히어렵다는 것이 대부분의 견해임(일부인사는전쟁중의 유가로 베럴당 70불정도로 예상하기도함).끝

(대사 주병국-국장)-

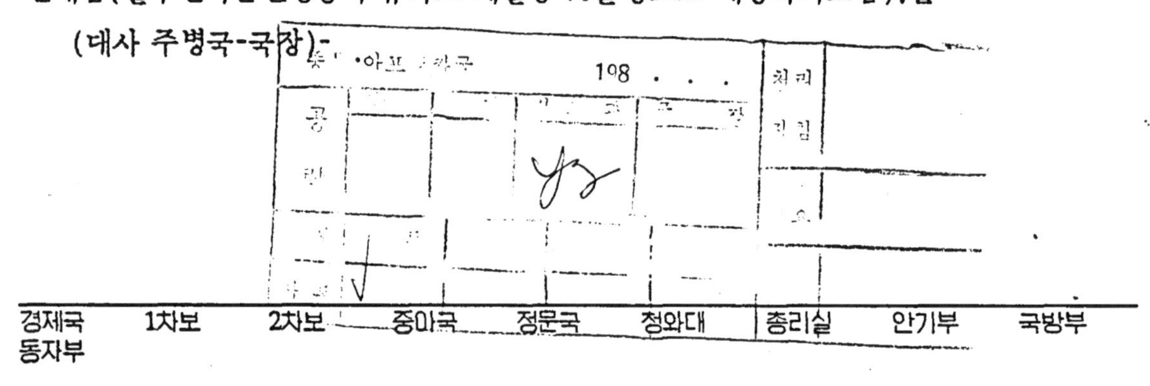

경제국 동자부 | 1차보 | 2차보 | 중아국 | 정문국 | 청와대 | 총리실 | 안기부 | 국방부

PAGE 1 91.01.06 17:54 DY

외신 1과 통제관

0048

관리번호	91/1081

분류번호	보존기간

발 신 전 보

번 호 : WUS-0131 910114 1646 FC 종별 : 긴급

수 신 : 주 수신처 참조 대사. 총영사

WJA -0173 WUK -0087
WSV -0117 WFR -0062
WUN -0071 WIT -0079
WSB -0084 WCA -0043

발 신 : 장 관 (중근동)

제 목 : 폐만사태 비상 대책

연 : WUS-0107

연호와 같이 폐만사태 비상 대책 수립에 참고코자 하니 1.13. 케야르 유엔 사무총장의 사담 후세인 대통령 회담, 유엔안보리 소집, 결과 및 1.14. 이라크 비상의회 소집, 기타 유엔이 정한 이라크의 철군 시한을 앞두고 일련의 움직임에 주재국 정부, 언론계, 학계등의 관찰, 정세전망, 입장등을 파악 지급 보고 바람. 끝.

관련국가의 중재노력 등

유엔이 정한 철군시한을 앞두고, 중동문제해결을 위한 국제적노력이 금후 48시간이내에 적극화될것으로 보이는바, 귀주재국 ~~이러한~~

당국, 언론논평 및 긴박한 접촉, 이러한 동향을 수시로 지급 보고바람.

1991. 6. 30. 에 예고문에 의거 일반문서로 재분류됨

(차 관 유 종 하)

예 고 : 91.6.30. 까지

수신처 :

주미, 일, 영, 소, 불, 유엔, 이태리 사우디, 이집트 대사

보안통제	

앙고재	91년 1월 14일	중근동과	기안자 성명		과 장	국 장	차 관	장 관

외신과통제

0049

관리번호	91-66

	분류번호	보존기간

발 신 전 보

번 호 : WJA-0203 외 별지참조   WSB-0098
종별 : 910115 1927

수 신 : 주 수신처 참조 ~~대사, 총영사~~

발 신 : 장 관 (미북)

제 목 : UN 안보리 철군 시한 경과 관련 성명 발표

1. 페만 사태와 관련 UN 안보리가 설정한 1.15. 이라크군 철수 시한이 임박함에 따라 독일 정부는 상기 시한전 이라크군의 철군을 촉구하는 수상실 명의 성명을 1.14. 발표하였음.

2. 본부 조치 결정에 참고코자 하니, 1.15. 시한을 전후하여 주재국 정부의 여사한 입장 표명이 있을 경우 발표 즉시 지급 보고 바람. 끝.

(미주국장 반기문)

검토필 (91. 6. 30.)

예고 : 91.12.31. 일반

수신처 : 주일, 주영, 주불, 주카나다, 주이태리, 주벨지움, 주덴마크, 주그리스, 주터어키, 주호주대사
(사본 : 주미대사) 주카이로총영사, 주파키스탄, 주스웨덴, 주방글라데시, 주모로코, 주세네갈, 주체코, 주소대사

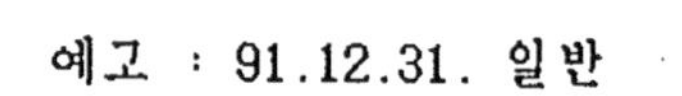

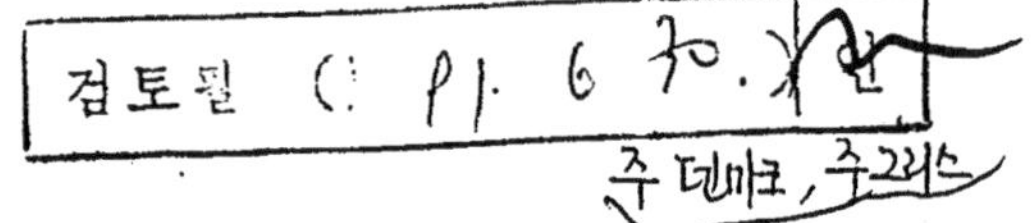

일반문서로 재분류(1991.12.31.)

중동아국장
대 변 인

보안통제	

앙고재	91년 1월 15일	북미과	기안자 성명		과 장	심의관	국 장		차 관	장 관
							전결			

외신과통제

0050

유엔 안보리 철군 시한 경과후

~~대한민국 정부~~ 외무부 대변인 성명(안)

1991. 1. 16.

1. 대한민국 정부는 유엔 안보리 결의가 설정한 1.15. 철수 시한이 지났음에도 불구하고 이라크 정부가 쿠웨이트에 불법 주둔중인 이라크군을 아직 철수치 않고 있음을 유감스럽게 생각합니다.

2. 이에 따라 페르시아만 지역정세가 전쟁 발발 일보 직전으로 치닫고 있어 페르시아만 인근지역 전체는 물론 전세계인들을 공포와 불안에 떨게하고 있는데 대해 우리는 깊은 우려를 갖고 있습니다.

3. 우리 정부는 이라크 정부가 지금이라도 전세계 평화 애호인의 염원에 부응하여 유엔 안보리 결의가 요구하고 있는 바와 같이 쿠웨이트로부터 즉각 철군할 것을 거듭 촉구하는 바입니다.

4. 대한민국 정부는 이 기회를 빌어 페르시아만 지역에 파견된 미국을 비롯한 다국적군의 헌신적인 평화유지 노력에 깊은 경의와 찬사를 보내고자 합니다.

끝.

중동아국장 대변인

앙고재	북미과	91년 1월 15일	담당	과장	심의관	국장	차관보	차관	장관

0051

관리 번호	91-150P

원 본

외 무 부

종 별 : 긴 급

번 호 : SBW-0108 일 시 : 91 0116 2200

수 신 : 장 관(중근동,국방부,기정,노동부)

발 신 : 주 사우디 대사

제 목 : 걸프사태 동향

91.6.30. 기조로

1. 아국의료진이 배치된 지역인 주재국 알 누아이리아 (리야드 기점 500KM,국경선으로 120KM 떨어짐)에 파견된 아국사전 조사단보고에 의하면, 금 1.16 현재 전선에 특별한 징후는 보이지 않고있으며, 일부 기갑부대의 전선으로 이동이 있었다고함

2. 금일 현재 리야드는 특별한 동요나 혼란은 없으며, 슈퍼마켓, 백화점, 일반상점들도 평상시대로 영업을 하고있음,1.15 이전 2.3 일간은 일반인들의 창문에 붙이는 테이프, 전등, 전지, 식수, 쌀, 설탕등의 구입이 급증했으나 금일은그런 상황이 보이지 않고 있음

3. 금일현재 1.15 이 경과함에 따른 주재국 정부의 특별한 공식 발표는 없음

(대사 주병국-국장)

예고:91.12.31 일반

중아국	장관	차관	1차보	2차보	청와대	총리실	안기부	국방부
노동부	대책반							

PAGE 1

91.01.17 05:59

외신 2과 통제관 CE

0052

원 본

외 무 부

종 별 : 초긴급

번 호 : SBW-0114 일 시 : 91 0117 0400

수 신 : 장 관(중근동,국방부,기정)

발 신 : 주 사우디 대사

제 목 : 미국.이라크 공격

1. 1.17 02:38 부로 미공군은 이라크 바그다드에 대한 공습공격을 개시했음
현재 미군 공습이 계속중이며, 전투기 편대의 북진이 목격되고있음

2. 주재국 알루아이리아에 체류중인 아국조사단 일행 23 명은 1.17 04:00 확인결과 이상없으며, 비상대기중임 (황진하대령, 황법무관, 김남선소령은 리야드에 체류)

3. 리야드는 현재 공습경보가 계속 울리고 있으며, 현재까지 당지교민은 아무련 이상이 없는것으로 파악되고있음

(대사 주병국-국장)

예고:91.12.31 일반

검 토 필 (1991. 6. 30)

중아국 장관 차관 1차보 2차보 청와대 총리실 안기부 국방부

PAGE 1

91.01.17 10:51

외신 2과 통제관 BT

0053

관리 번호	91/2048

	분류번호	보존기간

발 신 전 보

번 호 : WUS-0179 910117 1105 FK 종별 : 초긴급

수 신 : 주 수신처 참조 대사. ~~총영사~~

발 신 : 장 관 (중근동)

제 목 :

WJA -0228 WUK -0113
WGE -0079 WFR -0087
WCA -0056 WJO -0081
✓WSB -0116 WTU -0027

귀지에서 파악할수 있는 페르샤만의 전황을 수시로 긴급 보고 바라며, 이스라엘의 참전 여부가 금후 사태 발전의 큰 변수가 될것인바, 이에 관한 정보도 적극 수집 보고 바람. 끝.

(장 관) ~~(미 상 목)~~

수신처 : 주 미, 일, 영, 독, 불, 카이로, 요르단, 사우디, 터키 대사

예 고 : 91.6.30. 일반

보 안 통 제	기

앙 고 재	91년 1월 17일	중근동과	기안자 성 명		과 장		국 장		차 관	장 관
			김탁		기					기재

외신과통제

0054

관리 번호	91 -1532

원 본

외 무 부

종 별 : 초긴급

번 호 : SBW-0119 일 시 : 91 0117 0600

수 신 : 장관(중근동,대책반,국방부,기정)

발 신 : 주 사우디 대사

제 목 : 미국.이라크 공격

대:WMEM-8, WSB-116

연:SBW-114

1. 당지시간 06:10 현재 전방지역 아국 군의료진 보고에 의하면, 전방상황은 별다른 움직임이 없으며, 다란 체류 교민에 의하면, 현재 이라크를 공격한 전부기들이 다란공항에 착륙중에 있는것이 목격되었다고 함

2. 금번 사태와 관련 현재 이라크측에 의한 이스라엘에 대한 공격은 없음

(대사 주병국-국장)

예고:91.12.31 일반

91.6.30. 검토필

중아국	장관	차관	1차보	2차보	청와대	안기부	국방부	대책반

PAGE 1

91.01.17 13:33

외신 2과 통제관 BT

0055

김

외 무 부

종 별 : 지 급

번 호 : SBW-0137 일 시 : 91 0117 1900

수 신 : 장 관(중근동,국방부,기정) 미북

발 신 : 주 사우디 대사

제 목 : 걸프사태

1. 1.17 이라크군이 사우디알카푸치 (사우디-쿠웨이트 국경에서 남쪽으로 약 15KM 소재) 를 포격하여, 현재 정유 저장탱크가 불타고 있음, 다국적군은 이에 응하지않았음, 동 지역에는 아국 교민는 체류하지 않고 있음.

2. 다국적군의 아라크 공격시, 미폭격기 F-18 1대와 영국 토이네이도 1대가 각각격추되어 동 조종사가 실종한 것으로 보임

(대사 주병국-국장)

중아국	장관	차관	1차보	2차보	미주국	중아국	정문국	청와대
총리실	안기부	국방부	대책반					

PAGE 1

91.01.18 03:23 CG

외신 1과 통제관

0056

외 무 부

종 별 : 긴 급

번 호 : SBW-0146 일 시 : 91 0118 1110

수 신 : 장 관(중근동,대책반,국방부,노동부,기정)

발 신 : 주사우디대사

제 목 : 걸프사태

1.이라크가 금 1.18 새벽 주재국 다란지역을 목표로 발사한 스쿠드 미사일은 다국적군의 요격미사일에 의해 중도에서 격추되었으며,쿠웨이트와의 국경 지역에 배치된 다국적 군은 현재 전투태세에 들어갔음

2.주재국 파드국왕은 1.17 개최된 비상각의에서 다국적군에 의한 이라크공격은 현 상황을 바로잡고,쿠웨이트 해방을 목표로 하는 모든 결의안을 실천하기위해 필요한 조치였다고 언급했음

3.1.17 주재국 표정은 조용하고 정상적이었으며,별다른 동요는 없었음,주재국 내무부는 주재국의 법과 질서를 해치려는 시도에대해 엄한 처벌을 할것이라고 다시 한번 경고했음

4.한편 주재국 국방부는 트럭소지자와 트럭운전자는 리야드 합동군사령부등에 연락하여 줄것을 요청하였음

(대사 주병국-국장)

중아국	장관	차관	1차보	2차보	미주국	정문국	상황실	청와대
총리실	안기부	국방부	노동부	대책반				

PAGE 1

91.01.18 18:52 BX

외신 1과 통제관

0057

외 무 부

종 별 : 긴 급

번 호 : SBW-0154 일 시 : 91 0118 1720

수 신 : 장 관 (중근동,국방부,기정)

발 신 : 주 사우디 대사

제 목 : 걸프사태

미 중앙사령부 사령관겸 DESERT STORM 사령부사령관 NORMAN SCHWARZCHOFE 장군은 금1.18 15:00(당지시간) 기자회견을 갖고 금일의 전투상황등을 설명하였는바, 동 주요내용 아래와 같음

1. 금일 이라크에 대한 공격에는 미국이외에 사우디아라비아, 쿠웨이트, 영국, 카나다, 프랑스 및 이태리가 참가했음

2. 지금까지 공격에서 7대의 비행기가 실종되었는바, 미군기 3대, 쿠웨이트기 1대, 영국기 2대, 이태리기 1대임(매일 2000회 출격함)

3. 금일 3대의 스쿠드미사일 이동발사대를 파괴하였으며, 추가로 발견된 8대의 발사대중 3대가 더 파괴된 것이 확인되었음

4. 금번 작전은 목적을 달성할때까지 계속될 것이며, 가능한 우군과 무고한 이라크 국민의 희생을 최소화려고 노력하고 있음

(대사 주병국-국장)

중아국	장관	차관	1차보	2차보	미주국	중아국	정문국	청와대
총리실	안기부	국방부	국방부					

PAGE 1

91.01.18 23:19 FC

외신 1과 통제관

0058

긴

미북.

외 무 부

종 별 : 긴 급

번 호 : SBW-0175 일 시 : 91 0119 1740

수 신 : 장 관(중근동,대책반,국방부,기정)

발 신 : 주 사우디 대사

제 목 : 걸프전

금 1.19 1640 당지 미군사령부는 성명을 통해 어제밤 미군헬리콥터 및 군함이 쿠웨이트 연해의 9개의 OIL PLATFORM 을 기습공격, 12명의 이라크군을 포로로 노획하였다고 발표함

상기는 금번 전쟁중 다국적군에 의한 최초의 이라크군 포로 노획이됨

(대사 주병국-국장)

중아국	장관	차관	1차보	미주국	중아국	정문국	청와대	총리실
안기부	국방부	대책반	2차보					상황실

PAGE 1

91.01.19 23:50 DA

외신 1과 통제관

0059

외 무 부

종 별 : 긴 급

번 호 : SBW-0176 일 시 : 91 0119 1800

수 신 : 장 관(중근동,대책반,국방부,기정)

발 신 : 주 사우디 대사

제 목 : 걸프전

금 1.19 주다란 미총영사관은 사우디내 국제공항의 폐쇄로 인한 민간항공기의 취항중단을 감안, 철수를 희망하는 동부지역 거주 미국인을 미군용기편에 안전지역(구라파 예상)으로 대피시킬 계획이라고 밝힘 (항공료는 자담).

끝

(대사 주병국-국장)

중아국 장관 차관 1차보 미주국 중아국 정문국 청와대 총리실
안기부 국방부 대책반

PAGE 1 91.01.20 00:29 DA

외신 1과 통제관

0060

김

M사.

외 무 부

종 별 : 긴 급

번 호 : SBW-0180 일 시 : 91 0119 2200

수 신 : 장 관(중근동,국방부,기정)

발 신 : 주 사우디 대사

제 목 : 걸프 전

연:SBW-176

미중앙사령부 참모장 JOHNSTON 장군은 금 1.1918:30 기자회견을 갖고 금일 현재의 전투상황을 설명한바, 동주요내용을 하기보고함

(연호 이락포로 12명 생포내용은 생략)

1.현재까지 다국적군의 주 공격목표는 이락 및 쿠웨이트의 군사시설, 방공망,사령부 등이며, 아직 지상군간의 교전은 없음

2.금일 오후 3시 현재 다국적군은 하루 4,000회의 출격을 기록하고 있으며, 최근 24시간 동안 공중전에서 5대의 이락전투기를 격추하여, 지금까지 격추된 이락의 전투기는 총 10대에 이름 (MIRAGE: 3대, MIG23: 1대), 한편 최근 24시간동안 미군기는 3대가 손실되었으며(이중 1대는 이락과의 교전이 아닌 사고로 손실), 개전이후 총 5대의 미군기가 격추 됨

3.이락군은 어제 새벽 이스라엘 및 사우디에 대해 8발의 스쿠드 미사일을 발사한데 이어, 1.19 새벽에는 이스라엘을 향해 3발의 미사일을 발사하여, 이중 1발이 텔아비브 근교에서 폭발함

이락의 스쿠드미사일 공격회수가 줄어든것은 이락의 이동 스쿠드미사일 발사대에 대한 다국적군의 적극적인 폭격에 기인한듯 함

(대사 주병국-국장)

중아국	장관	차관	1차보	2차보	미주국	중아국	정문국	정와대
총리실	안기부	국방부	대책반	상황실				

PAGE 1

91.01.20 04:21 DA

외신 1과 통제관

0061

외 무 부

종 별 : 지 급

번 호 : SBW-0186 일 시 : 91 0120 1110

수 신 : 장 관(중근동,국방부,기정)

발 신 : 주 사우디 대사

제 목 : 걸프전

1.19 개최된 주재국 비상각의에서 파드국왕은 다국적군의 이라크 공격과 관련하여 사우디에 대한 이라크의 비방을 묵살하고, 사담후세인 대통령이 사우디와 기타 아랍국가들의 평화해결 노력과 중재노력을 거부했으므로 현사태의 모든 책임을 져야한다고 강조했음.

(대사 주병국-국장)

중아국	장관	차관	1차보	2차보	미주국	정문국	상황실	안기부
국방부								

PAGE 1

91.01.20 17:00 DN

외신 1과 통제관

0062

외 무 부

종 별 : 긴 급

번 호 : SBW-0195 일 시 : 91 0120 2000

수 신 : 장 관(중근동,국방부,기정)

발 신 : 주 사우디 대사

제 목 : 걸프전

금 1.20 2030 미 DESERT STORM 사령부 대변인은 금일 현재의 전투상황을 설명한바,요지하기 보고함

1.금일 1800 현재 다국적군은 총 7,000회의 출격을 기록하며 공중전에서 총15대의 이락 전투기를 격추함,(금일 5대를 격추).

한편 최근 24시간동안 미군기는 3대가 격추 되어,이락의 포하에 격추된 미군기는 총8대임

2.1.18 밤 쿠웨이트 연해의 OIL PLATFORM 공격에서 총23명의 이락군을 포로로 생포했으며,교전중 이락군의 피해는 사망5명,부상4명임

3.현재 DESERT STORM에는 미군 460,000명이 참가하고있음(육군250,000명, 해군75,000명,해병대85,000명,공군 50,000명)

4.아직 지상군간의 직접교전은 없음

(대사 주병국-국장)

중아국	장관	차관	1차보	2차보	미주국	정문국	상황실	청와대
총리실	안기부	국방부						

PAGE 1

91.01.21 05:34 BX

외신 1과 통제관

0063

세부

김

외 무 부

종 별 : 초긴급

번 호 : SBW-0202 일 시 : 91 0120 2300

수 신 : 장관(중근동,국방부,기정)

발 신 : 주 사우디 대사

제 목 : 걸프전

1.금 1.20 오후 9시 58분경 리야드 지역에 공습경보가 약15분동안 울렸는바, 사우디 당국자는 이락의 미사일 2발이 리야드북방 17마일 지점에서 PATRIOT 미사일에 의해 파괴되었으며, 인명 및 재산피해는 없는것으로 밝혔다함.

2.동 경보는 비슷한 시간에 다란 및 바레인에도 울렸다함

(대사 주병국-국장)

중아국	장관	차관	1차보	2차보	미주국	정문국	상황실	청와대
총리실	안기부	국방부						

PAGE 1

91.01.21 05:19 BX

외신 1과 통제관

0064

원 본

외 무 부

종 별 : 긴 급

번 호 : SBW-0224 일 시 : 91 0122 1030

수 신 : 장 관(중근동,국방부,기정)

발 신 : 주 사우디 대사

제 목 : 걸프전

1. 1.21 새벽 4시경 리야드 지역에 2발의 SKUD 미사일 공격이 있었으나 PATRIOT 미사일에 모두 요격 되었으며, 그중 1발의 파괴된 동체가 시내 중심가에 떨어짐, 피해는 경미 하다고 함

2. 또한 오전 7시20분 경에도 리야드 지역에 미사일 공격이 있었으나 미사일에 요격된 것으로 알려짐

(대사 주병국-국장)

중아국	장관	차관	1차보	2차보	미주국	정문국	청와대	총리실
안기부	국방부	대책반						

상황실

PAGE 1 91.01.22 20:32 DA

외신 1과 통제관

0065

원 본

외 무 부

종 별 : 긴 급

번 호 : SBW-0226 일 시 : 91 0122 1200

수 신 : 장 관(중근동,국방부,기정)

발 신 : 주 사우디 대사

제 목 : 걸프전

연:SBW-224

1. 금 1.22 1030 미중앙사령부 대변인은 어제밤과 오늘새벽에 있었던 이락의 사우디에 대한 SKUD 미사일공격 개요를 아래와 같이 공식 발표함

가. 1.21 밤 10시경 다란지역으로 SKUD 미사일 1발이 발사되어 PATRIOT 미사일에 의해 파괴됨

나. 1.22 오전 0345 리야드 지역에 SKUD 미사일 2발이 발사되어, 1발은 PATRIOT 미사일로 요격 되었으며, 파괴된 동체가 시내에 떨어짐, 남은 1발은 행방은아직 파악되지 않음

다. 1.22 오전 7시30분 동부지역에 SKUD 미사일 3발이 발사되어, 군사지역으로 날아온 1발은 요격 되었으며, 남은 2발은 사람이 살지않은 사막에 떨어짐

2. 연호 2항관련, 리야드 지역에도 공습경보가 울렸으나 실재 공격은 동부지역인 것으로 판명됨

(대사 주병국-국장)

0066

관리 번호	91-1421

원 본

외 무 부

종 별 :

번 호 : JDW-0026 일 시 : 91 0123 1615

수 신 : 장관(대책반)

발 신 : 주 젯 다총영사

제 목 : 걸프전(5)

연:JDW-20,22

연호, 당지 젯다발 SAUDIA 국제선중 뉴델리, 카라치, 마닐라행 항공편이 금1.23 부터 안전상 이유로 취소됨. 동 국제선 운항의 취소는 최근 마닐라에서의아랍테러분자의 테러행위 등에 기인하는 것으로 보임.끝.

(주 젯다총영사-걸프전대책본부장)

예고:91.6.30 일반

1991. 6. 30. 에 예고문에 의거 일반문서로 재분류됨.

대책반 장관 차관 1차보 2차보 청와대 안기부

PAGE 1

91.01.24 01:14

외신 2과 통제관 CH

0067

원 본

외 무 부

종 별 : 지 급

번 호 : SBW-0251 일 시 : 91 0123 2210

수 신 : 장관(중근동,국방부,기정)

발 신 : 주 사우디 대사

제 목 : 걸프전

1. 금 1.22.1700 당지 미군 당국이 기자회견에서 밝힌 내용은 다음과 같음.

-현재까지 17대의 이라크기가 격추되었음

-어제 2대의 미군기가 사고로 실종되었으며, 현재까지 실종된 미군기는 14대로서 9대는 이라크의 공격에의해, 2대는 사고 (NONCOMBAT) 로 나머지 3대는 헬리콥터로서 역시 사고로 실종되었음

-구름등 나쁜 기후조건으로 이라크측 피해 상황파악이 어려운 실정임

2. 한편 미군기가 바그다드 소재 어린이 분유공장을 공격했다는 보도와 관련지상전에서 수명의 이라크군이 포로로 잡혔다는 보도에 대해서는 아는바없다고 동당국은 밝혀 옴

(대사 주병국-국장)

중아국 장관 차관 1차보 2차보 중아국 정문국 청와대 총리실
안기부

PAGE 1

91.01.24 08:19 AQ

외신 1과 통제관

0068

원 본

외 무 부

종 별 :

번 호 : SBW-0261 일 시 : 91 0124 1100

수 신 : 장 관(중근동)

발 신 : 주 사우디 대사

제 목 : 걸프전

1.사우디 관련 소식통에 따르면 1.23 2300경 이라크는 사우디에 대해 5개의 SKUD 미사일을 발사(2개는 리야드목표,3개는 다란목표)했음

4개는 패트리오트 미사일에 의해 요격되었으며,1개는 다란 앞바다에 떨어졌음

2.1.23 당지에서 있었던 정례기자 브리핑에서 다국적군대변인 MIKE SCOTT중령은 1.22 사우디쿠웨이트 국경에서 다국적군간에 소규모 전투가 있었으며,동전투에서 6명의 이라크군이 포로로 잡혔으며,미군은 2명이 경상을 입었다고 말했음,동대변인은 이어서 미군이 포로로 잡혔는지에 대해서는 정보가 없다고 말하고,양측은 동국경에서정기적으로 포격을 교환하고 있다고 추가로 언급했음.끝

중아국 대책반	장관	차관	1차보	2차보	정문국	청와대	총리실	안기부

PAGE 1

91.01.24 21:03 DP

외신 1과 통제관

0069

원 본

외 무 부

종 별 : 지 급

번 호 : SBW-0282 일 시 : 91 0125 2340

수 신 : 장관(중근동,국방부,기정)

발 신 : 주 사우디대사

제 목 : 걸프전

1.미해병대 ROBERT JOHNSTON 소장은 금 1.25 당지에서 가진 정례 기자회견에서다음과 같이 언급했음

-약 60여명의 이라크군이 다국적군의 보호하에 있으며, 그중 29명은 쿠웨이트섬 QARUH 점령시 포로로 잡혔음

이라크군 포로들은 제네바 협약에 따라 처우 받을것임

-몇몇 포로들에 의하면 하루에 한끼의 식사밖에 하지 못했다고 함

2.금 1.25 2230-2315 사이에 주재국 리야드 지역에 수차례 공습경보가 울렸으며, 이라크 스쿠드미사일 공격이 있은것으로 보임. 주재국으로 부터 아직 공식적인발표는 없음

(대사 주병국-국장)

중아국 장관 차관 1차보 2차보 미주국 청와대 총리실 안기부
국방부 대책반

PAGE 1 91.01.26 06:31 DA

외신 1과 통제관

0070

원 본

외 무 부

종 별 : 지 급

번 호 : SBW-0288 일 시 : 91 0126 1200

수 신 : 장 관 (중근동,국방부,노동부,기정)

발 신 : 주 사우디 대사

제 목 : 걸프전

1. 이라크는 1.25 1032 4번째로 주재국 리야드를 목표로 2개의 SKUD 미사일을 발사했음

2. 1개는 요격되었으나, 나머지 1개는 리야드 구 도심상가인 바타에서 폭발하여 6층 관공서 건물이 파괴되었으며, 1명(사우디인)이 사망하고 30명(19명: 사우디인, 11명: 외국인)이 부상당했음. 아국교민의 피해는 없음

3. 한편 이라크의 SKUD 미사일 공격으로 그동안 휴교했던 주재국 리야드소재 미국인 학교는 금 1.26다시 개학했음

(대사 주병국-국장)

중아국 장관 차관 1차보 2차보 미주국 청와대 총리실 안기부
국방부 노동부 대책반

PAGE 1

91.01.26 19:07 FC

외신 1과 통제관

0071

원 본

외 무 부

종 별 : 지 급

번 호 : SBW-0296 일 시 : 91 0126 2230

수 신 : 장 관(중근동, 국방부, 기정)

발 신 : 주 사우디 대사

제 목 : 걸프전

1. 1.26 18:00 미군사령부 MIKE SCOTT 중령이 정례기자회견에서 밝힌 주요요지는 다음과 같음.

가. 미군포함 다국적군은 현재 약 685,000명임.

나. 어제 격추된 다국적군기나 이라크기는없음.

현재까지 실종된 다국적기는 17대이며, 격추된 이라크기는 19대임.

적어도 지하에있는 23대의 이라크기가 파괴된것이 확인 되었음.

다. 금일현재 29개의 기뢰를발견, 파괴하였으며, 적어도 10대의 이라크군함이 격침되었음.

라. 이라크는 계속 기름을 걸프만으로 버리고있으며, 동기름이 퍼진 범위는 30MILEX 8MILE임. 군사적 측면에서 동기름의 영향은 적음.

마. 이라크는 어제 모두 9발의 스커드미사일(6발은 이스라엘, 3발은 사우디목표)을 발사하였으며, 모두요격되었음.

리야드 목표 2발중 1발의 탄두가 파괴되지않고 지상에서 폭발하여 1명이 죽고 약 23명이 부상함.

현재까지 45발의 스커드미사일이 발사되었음(사우디목표 25발, 이스라엘목표 20발)

2. 미군사령부 발표에이어 계속된 기자회견에서 사우디군 당국이 밝힌 주요내용은 다음과 같음.

가. 이라크는 1.25 22:23에 리야드를 목표로 스커드미사일 2발을 1.26 03:23에 다란을 목표로 1발을 각각 발사했음.

리야드 목표 2발중 1발의 폭약파편이 관공서 건물에 떨어졌으며, 1명이 사망하고30명이 부상함.

중아국	장관	차관	1차보	2차보	종리실	안기부	국방부

PAGE 1

91.01.27 10:24 FG

외신 1과 통제관

0072

나. 어제 이라크군 장교2명과 사병 10명이 국경선을 넘어와 사우디군에 항복했음.

다. 현재까지 다국적군기의 총 20,000여회 출격중 사우디기는 1282회 출격했음.

3. 금일 미군사령부 기자회견시 미군당국은 이라크군 항공기 7대가 이란에 비상착륙했다는 보도와관련, 공식적인 정보가 없다고말했으며, 특히 금일 회견에서는 걸프만에 버려진 기름에대한 질문이 많았음.

(대사 주병국-국장)

PAGE 2

0073

원 본

외 무 부

종 별 : 초긴급

번 호 : SBW-0299 일 시 : 91 0126 2340

수 신 : 장관(중근동,기정,국방부)

발 신 : 주사우디대사

제 목 : 걸프전

금 1.26 2300 이라크는 리야드 및 다란을 향해 다시 스커드미사일 1발을 발사했으나, 패트리오트 미사일에 의해 요격되었음

(대사 주병국-국장)

중아국	장관	차관	1차보	2차보	미주국	정문국	청와대	총리실
안기부	국방부	대책반						

PAGE 1

91.01.27 07:08 DQ

외신 1과 통제관

0074

원 본

외 무 부

종 별 :

번 호 : SBW-0317 일 시 : 91 0128 1900

수 신 : 장관(중근동,국방부,기정)

발 신 : 주 사우디대사

제 목 : 걸프전

1.금 1.28 1800 정례 기자회견에서 미중앙사 PATSTEVENS 준장이 밝힌 주요요지아래보고함

가.금일 이라크에 대한 공중공격에는 9개국이 참가 (미, 사우디, 쿠웨이트,카탈, 바레인, 영, 카나다, 이태리, 불)

나.금일 2000회 이상 출격, 50프로 이상은 전부출격이며, 16프로가 미국 이외의 출격 회수임

다.공중전에서 현재까지 격추된 이라크기는 모두 26대 (미그 29: 8, F1: 9,미그 23: 7, 미그 25: 2대)

라.현재까지 이란으로 도주해온 이라크기는 모두 69대 (30대: 수송비행기, 39대: 전투기와 폭격기)

마.현재까지의 이라크군 포로는 105명

바.지난 3일동안 다국적군기의 실종은 없었음, 그러나 미해병대 해리어기 1대가 실종 되었다는 보도가 있어 조사중임

사.걸프만에의 기름 방출은 1.26 폭격으로 정지된것으로 보임, 걸프만의 기름은 1일 15마일 속도로 남쪽으로 움직이고 있음

2. 1.27의 정례 기자회견에서 SCHWARZKAPH 미중앙사 사령관이 밝힌 주요요지는 다음과 같음

가.이라크의 걸프만으로의 기름방출을 막기위해 1.26 이라크가 통제하고 있는쿠웨이트의 MINA AL-AHMADI) 유전시설 폭파했음

나.1.27 4대의 이라크 미그 23을 격추했음

다.걸프전 개전이후 9대 이라크기가 이란으로 도주했음

(대사 주병국-국장)

중아국 장관 차관 1차보 2차보 미주국 청와대 총리실 안기부
국방부 대책반

PAGE 1

91.01.29 04:25 DA

외신 1과 통제관

0075

원 본

외 무 부

종 별 : 지 급

번 호 : SBW-0320 일 시 : 91 0129 0200

수 신 : 장 관(중근동,기정,국방부)

발 신 : 주 사우디 대사

제 목 : 걸프전

1.28 2100 이라크는 리야드를 향해 다시 스커드 미사일을 발사했으나,요격되었음
(대사 주병국-국장)

중아국	장관	차관	1차보	2차보	정문국	청와대	총리실	안기부
국방부								

PAGE 1

91.01.29 16:31 WG

외신 1과 통제관

0076

관리번호	91-700

원 본

외 무 부

종 별 : 지 급

번 호 : SBW-0326 일 시 : 91 0129 1100

수 신 : 장관(중근동,통일,상공부,기정)

발 신 : 주 사우디 대사

제 목 : 전시주재국 상거래 동향

걸프전 발발에 따른 아국상사지사 동향과 주재국 상거대동향은 다음과 같음

1. 아국상사지사 동향

가. 리야드 및 동부지역

0 선경, 삼성, 럭금, 대우, 쌍용, 현대, 효성, 한국중공업, 대한전선, 한국강관 및 유성(담맘)등 11 개업체중 현대, 효성, 한중, 대우를 제외한 7 개업체는 전원 귀국함. 잔류업체도 전부 제다로 이동함

나. 제다지역

0 갑을, 대우, 동국, 럭금, 삼성, 선경, 쌍용, 현대, 효성, 금호타이어, 한국타이어, 금성사, 삼성전자, 한일합성등 14 개업체중 현대, 효성, 한국타이어, 금호타이어를 제외한 10 개업체는 전원귀국함

2. 상거래동향

가. 시중거래 동향(리야드및 동부지역)

0 식품, 석유류, 일반잡화등 생필품 수급은 8.2 이후 현재까지 큰변동이 없이 정상적임

0 도매업을 비롯한 무역업무는 외국인 주재상사등의 철수로 크게 위축되고 신규발주는 일부 원자재부분을 제외하고는거의없은편임

0 반면 주재국의 식품공급업체, 군납업체, 건설 및 용역업체, 일부 제조가공업체(군복, 담요, 가방등 전시특수품)등은 상대적으로 전시 호황국면을 맞고있으며, 주재국 상무부에 따르면 매출액이 평소보다 50%이상 수배에 이르고 있다고함

나. 당대사관 및 제다무역관의 인콰이어리 내도건수는 전쟁발발전 월평균 200-300 건에서 20%이하로 감소되었으나 2 월이후 다소회복될 전망임

중아국	장관	차관	1차보	2차보	통상국	청와대	총리실	안기부
상공부								

PAGE 1

91.01.29 23:24

외신 2과 통제관 CW

0077

3. 품목별 동향

가. 철강, 금속, 섬유원단등 원자재 부분은 각공장들의 재고분이 거의 바닥나고있어 기발주분의 시급한 선적을 요청하고있으며, 신규주문도 활발함

나. 세탁기, 냉장고등 가전제품도 제다지역을 중심으로 공급부족이 나타나고 있으며, 라디오수신기도 평소 인기가 없는중국제품까지 활발한 판매를 보이고있음

다. 승용차는 전쟁발발 이후 군용을 제외하고는 저조하나 부품수요가 크게 일고있음

라. 기타 담요, 가방, 메트리스등 난민용품 수요가 많음

4. 금융 및 수송

가. 모든 외국환 업무와 무역대금 결제등은 정상으로 운영되고 있음

나. 담맘 및 제다항구는 정상운영되고 있으며, 일반상품 수출업체 애로가 없음, 아국으로부터의 우편도 정상도착되고 있음, 제다공항은 국제선 운항을 재개로 리야드 공항은 국내선만 운항중임

5. 건의사항및 업계 유의사항

가. 주재국 업체들은 아국업체들이 전쟁으로 생산을 중단하거나 선적을 지연시키고 있는데 대한 불만이 많은바, 기존 계약분에 대하여는 차질없이 이행되도록 주의환기가 요망됨

나. 전쟁위험부담 감소를 위하여 신규발주분에 대하여는 FOB 조건 또는 현금 결재방식등 계약을 유도함이 필요하나 너무 경직되지 않도록 조치바람

다. 상사주재원이 철수한 경우 기존 거래선과의 관계유지등 특별한 대책이 강구되어야 하며, 전황이 안정되는대로 조속 복귀함이 필요함

라. 전후 시설복구, 재고량 물량부족에 따른 수요급증등에 대비한 업체별 수출 확대방안 수립이 필요함.

(대사 주병국-국장)

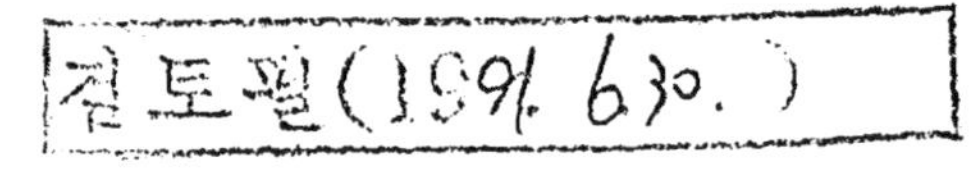

예고:91.12.31 일반

상공부에 공람

PAGE 2

0078

외 무 부

종 별 :

번 호 : SBW-0327 일 시 : 91 0129 1500

수 신 : 장관(중근동,기정,국방부)

발 신 : 주사우디대사

제 목 : 주재국 정세

1. 1.29 개최된 주재국 정례각의에서 HISHAM NAZER 석유광물 장관은 이라크가 1천백만 베럴 이상의 원유를 걸프만에 방출했으며, 동 기름유출이 현재는 멈춘 것으로보이나, 동 결과에 대한 완전한 분석이 이루어 지지 않았다고 말했음. 한편 주재국 정부는 대학교를 포함, 모든 학교의 방학을 2.16 까지 연장하기로 결정함

2. 제다소재 영국 항공(BA) 관계자는 1.28 동 항공이 1.30(수)부터 주2회 제다-런던간 운항을 재개한다고 발표했음

(대사 주병국-국장)

중아국 정문국 안기부 국방부

PAGE 1 91.01.30 01:37 CG

외신 1과 통제관

0079

길

세별

외 무 부

종 별 : 지 급

번 호 : SBW-0395 일 시 : 91 0204 2300

수 신 : 장관(중근동,국방부,기정)

발 신 : 주 사우디대사

제 목 : 걸프전

1. 2.4 1930에 있은 정례 기자회견에서 미중앙사 ROBERT JOHNSTON 소장이 밝힌 주요.내용은 다음과갈음

-이라크의 지휘통제소, 핵 및 화학무기 생산공장, 공화국 수비대등에 대한 9개 연합국의 공습이 계속되었음, 지난 24시간동안 2,700 출격 하였으며, 현재까지 44,000회 이상 출격하였음, 이는 매 1분마다 1회폭격 출격했다는 것을 의미함

-어제저녁 8시경 쿠웨이트에서 차량들이 움직이는것이 감시망에 포착되어, 집중포격, 파괴하였음, 금일오후 조종사 보고에 의하면, 쿠웨이트내의 25-30 대의이라크 탱크가 폭격으로 파괴되거나 불타고 있다고함

-이라크 지상군 움직임과 관련, 어제는 매우 조용하였음

-한국전 이후 최초로 미조리 전함이 16인치 포를 발사하였음

-어제 세곳의 스커드미사일 발사장소를 폭격 하였으며, 동폭격으로 세곳에 있던 차량들이 파괴되었음

-어제 제다에서 버스에 대한 총격사건이 발생했음, 동버스에는 3명의 미군과 1명의 사우디 경비병및 이집트인 운전수 1명이 타고있었음, 동총격이 난사 (RANDOM)이고 작은 목표물을 노린것으로 보이며, 동사건이 반드시 계획된 테러공격이라고 보기에는 너무이름

-어제 미군 AH-1 한대가 사고로 사우디내에 추락하였으며, 동승무원 4명이 사망했음 -2.미군측 가자회견에 앞서있는 기자회견에서 영국군 당국은 DESERT STOM 작전 개시 이래 이라크측이 이라크 공군을 공격에 사용한적은 없다고 밝혔으며, 사우디군 AL-RABAYAN 대령이 밝힌 내용은 다음과 갈음

-알카프지 작전등에서 노획한 이라크군 장비는 탱크 11대, 장갑차량 70대,대형트럭 10대, 10톤트럭 1대등 총 93대임, 현재 사우디군이 보호하고있는 이라크군 포로는

중아국 장관 차관 1차보 2차보 미주국 청와대 총리실 안기부
국방부 대책반

PAGE 1

91.02.05 06:48 DA
외신 1과 통제관

0080

모두 742명 이며, 그중 43명은 장교임 (최고계급 소령)

-사우디 관계당국의 임시보고에 의하면, 어제밤(2.3) 1137 제다에서 GULF PALACE 호텔에서 공항으로 가는 민간 SHUTTLE 버스에 대해 휴대병기에 의한 총격이있었음, 동총격으로 인한 버스 유리파편에 의해 2명의 미군과 사우디 경비병이약간의 부상을 입었음

-동 총격사건을 조직적인 테러공격이라기 보다는 단순한 사건으로 봄, DESERT STOM 작전이래 사우디내에 테러행위나 테러시도는 없었음

(대사 주병국-국장)

PAGE 2

0081

외 무 부

종 별 : 지 급

번 호 : SBW-0431 일 시 : 91 0209 1500

수 신 : 장 관 (중근동,국방부,기정)

발 신 : 주 사우디 대사

제 목 : 미국방장관 주재국 방문

1. 체니 미국방장관과 포웰 합참의장은 2.8주재국 리야드에 도착하였으며, 미 중앙사 사령관 슈워즈코프장군 및 통합작전사령관 KHALID BINSULTAN 장군과 각각 회담을 갖고 걸프전쟁 진전현황등에 관해 협의했음. 이에 앞서 동장관일행은 타이프에 AL-AHMEDAL -SABAH 쿠웨이트 국왕과 회담을 갖고, 걸프전쟁관련 전비부담문제 및 진전상황을 협의한 것으로 알려짐

2. 체니장관은 동행기자들과의 회견에서 지상전을 결정하는 미군 사상자 수의 최소화가 최우선적으로 고려되어야 하고, 아울러 여타 연합군의 의견도 고려되어야 한다고 말하였음

3. 동장관은 주재국 관계 고위인사와의 회담등을 마치고 2.10(일) 주재국을 출국할 예정임

(대사 주병국-국장)

중아국 장관 차관 1차보 2차보 미주국 정문국 청와대 총리실
안기부 안기부 국방부

PAGE 1

91.02.09 22:39 FC
외신 1과 통제관

0082

가

외 무 부

종 별 : 지 급

번 호 : SBW-0460 일 시 : 91 0212 1100

수 신 : 장관(중일,국방부,기정)

발 신 : 주 사우디대사

제 목 : 주재국 정세

연: SBW-456

1.주재국 파드국왕은 2.11 개최된 정례각의에서 걸프사태와 관련한 주재국 입장을 아래와 같이 밝혔음

-평화적 해결 시도에 이라크의 쿠웨이트 및 사우디 국경으로 부터의 철수와 쿠웨이트 합법 정부의 복귀가 포함되지 않는다면, 동시도는 무의미한것임

-이라크의 쿠웨이트로 부터의 축출을 위해 무력사용을 허용한 유엔 안보리 결의안 678의 실행을 위한 주재국 결의를 강조

2.술탄 국방장관은 동각의에서 쿠웨이트 해방을 위해 현재 진행중인 군사작전의 성공에 만족을 표시했음

3.연호 이라크가 발사한 스커드 미사일 파편이 리야드 소재 이맘대학에 떨어져 2명이 부상했음

(대사 주병국-국장)

중아국	장관	차관	1차보	2차보	미주국	청와대	총리실	안기부
국방부	대책반							

당직실

PAGE 1

91.02.12 20:37 DA

외신 1과 통제관

0083

76

외 무 부

종 별 : 지 급

번 호 : SBW-0528 일 시 : 91 0220 1530

수 신 : 장 관(중일,미북,정일,국방,기정)

발 신 : 주 사우디대사

제 목 : 주재국 정세(자응 2호)

주재국 파드국왕은 2.19 이슬람 학자들에 대한 연설에서 최근의 걸프정세와 관련 다음 과 같이 언급했음

-사담후세인 대통령은 쿠웨이트와 사우디에 입힌 피해에 대한 보상을 해야함

-이라크의 쿠웨이트와 사우디 국경으로부터의 전면적이고 무조전적인 철수없이는걸프사태의 해결무망

-쿠웨이트가 곧 해방되기를 희망함

-사담후세인은 모든 평화제의를 거부했기 때문에 걸프사태를 평화적으로 해결하려는 의도가 없었음을 강조

-다국적군이 거주지역에 폭격을 가했다는 후세인의 주장을 반박하고 다국적군은군 시설만을 목표로 했다고 언급

-후세인은 리야드,다란 및 알바틴의 주거지역에 34발의 스커드 미사일을 발사하여 부녀자를 포함한 민간인을 사상시켰음

-사우디와 쿠웨이트 양국간에 역사적 유대를 강조하고 후세인이 이라크의 쿠웨이트 공격에 대한 사우디 입장이 이라크에 호의적일것이라고 생각한것은 잘못임

-만약에 사우디가 이라크의 침략 가능성에 대한 방어조치를 취하지 않았을 경우사태는 악화되었을 것임

-사우디내의 회교성지(메카,메디나)가 다국적군 보호하에 있다는 주장을 반박하고,다국적군은 동지역으로 부터 1,500KM 떨어진곳에 주둔하고있다고 말함

2.주재국 영자지 ARAB NEWS 지는 2.20 소련내 위기라는 제하의 사설에서 걸프전쟁과 관련한 최근 소련의 외교적 노력에 대해 다음과 같이논평했음

-소련이 내부적으로는 혼란과 재난의 구렁에서 허우적 거리면서, 지난 3일간 이라크, 이란 및 EC 외무장관등을 모스크바로 초청,중동 평화와조화를 위하여

중아국 미주국 정문국 안기부 국방부 1차보 2차보 차관 장관 청와대
총리실 안기부 대책반

PAGE 1 91.02.21 03:07 CT

외신 1과 통제관 ·

0084

노력하는등 국제 외교활동의 초점이된것은 주목할만한것임

-소련으로부터의 소식은 중동에 관한것이나 소련 자체 붕괴 가능성은 아직 극복되지않고있음

-소련의 이러한 국내위기를 고려할때, 고르바쵸프가 국제 문제 해결을 위해 많은귀중한 시간을 할애하는것은 이상하게 보일지 모름

-고르바쵸프는 중동문제 해결 노력이 성공하는 경우, 세계가 소련을 국내적으로도와 줄것으로 기대하는지 모름, 그러나 그것은 잘못된것임, 국제사회는 소련을 지원하는데 매우 조심성을 나타내고있음, 지난달의 리투니아 및 라트비아에 대한 강압은많은 친구를 소련으로부터 멀어지게 했음

-고르바쵸프는 평화노력으로 감사를 받을지 모름, 그러나 소련을 구제할수는 없음, 장기적으로는 그자신을 구제하지 못할 가능성도 있음

(대사 주병국-국장)

7h

외 무 부

종 별 : 지 급

번 호 : SBW-0550 일 시 : 91 0223 1110

수 신 : 장관(중일,미북,국방,기정)

발 신 : 사우디 대사

제 목 : 주재국 반응

주재국 정부는 2.22 미국과 소련의 걸프 평화안 제안과 관련 아래 요지의 성명을 발표했음

-사우디 정부는 고르바쵸프 소련 대통령과 부시 미대통령이 각각 제의한 중동평화제안을 지지하며, 동제안에 따라 이라크가 유엔 결의안을 수락하기를 기대함

-동 2개의 제안은 이라크의 쿠웨이트 침공과 관련한 모든 유엔 결의안의 완전한 이행을 확보해 줄것을 단언하며, 국제사회의 요구대로 이라크의 유엔 결의안 수락은 불가피 함

(대사 주병국-국장)

중아국	장관	차관	1차보	2차보	미주국	정문국	청와대	총리실
안기부	국방부	장황설						

PAGE 1

91.02.23 18:44 DA

외신 1과 통제관

0086

76

외 무 부

종 별 : 지 급

번 호 : SBW-0546 일 시 : 91 0222 2200

수 신 : 장관(중일,미북,국방,기정)

발 신 : 주 사우디 대사

제 목 : 걸프전

1.2.22 1900 정례 기자브리핑에서 미중앙사가 밝힌 주요내용은 다음과 같음

-지난 25시간동안 통신망,공화국수비대,전략목표물,스커드미사일등에 대한 공습계속(출격 2700회,총 91,000회)

-지난 24시간동안 실종된 다국적군기나 격추된 이라크기는 없음,이란으로 넘어간이라크기도 없음

-어제 미헬기(UH-60)1대가 사우디에서 훈련중 기상악화로 추락

-KTO에 대한 출격 100회,공화국 수비대100회,스커드미사일 100회

-어제 저녁(2100) 이라크는 HAFAR AL-BATIN을 향해 스커드미사일 1발을 금일 새벽 0230에 다란 및 바레인을 향해 1발을 각각 발사했음,사상자나 피해는 없었음(모두 72발)

다국적군은 계속해서 국경지역에서 이라크군과 교전 3차례의 교전에서 이라크군탱크18대,차량15대등을 파괴시키고,이라크군 100명이상을 포로로 잡음

동교전에서 다국적군은 1명이 사망하고 5명이 부상당함

-다국적군은 국경지역에서의 이라크군에 대한 정찰과 수색을 계속하고 있음

사령관은 미군은,미대통령이 내리는 어떠한 행동이나 명령을 수행할 태세를 완전히 갖추고 있다고 말했음을 전달함

-금일 부시대통령의 발표에서 언급한 쿠웨이트내 유전과 관련,지난24시간 동안 이라크는 쿠웨이트내 140개 이상의 유정을 파괴,현재 불타고 있음,쿠웨이트지역의 25프로가 동연기로 뒤덮였음,유전관련 시설도 조직적으로 파괴하고있음

2.이어서 있은 사우디군측 브리핑에서 언급한 주요내용은 다음과 같음

-어제 아침 사우디군 정찰대가 미해병의 지원을 받아 이라크 기갑부대와 교전,이라크군 탱크 2대와 포1문을 파괴시킴

중아국	장관	차관	1차보	2차보	미주국	정문국	청와대	총리실
안기부	국방부							

PAGE 1

91.02.23 06:33 DQ

외신 1과 통제관

0087

-어제 사우디 정찰대가 이라크 국경으로부터 북쪽으로 1KM지점에서 지뢰밭을 발견,지뢰 75개를 제거함

-다국적군은 북부걸프만에서 15개의 기뢰를 발견,파괴시킴

(대사 주병국-국장)

관리 번호	91-867

원 본

외 무 부

종 별 : 지 급

번 호 : SBW-0560 일 시 : 91 0224 1000

수 신 : 장관(중일,미북,국방,노동,기정)

발 신 : 주 사우디 대사

제 목 : 걸프전쟁

1.2.24 04:00 다국적군에 의한 대이라크 지상전 발발에 따라 당관은 즉각 비상연락망을 통하여 당지 교민들에게 동지상전 발발 사실을 알려줌과 동시에 있을지도 모를 모든 공습 및 화학전등에 대비 안전조치를 취하도록 조치하였음

2. 금일새벽 04:40 경 이라크는 리야드를 향해 스커드미사일 1 발을 발사하였으나 요격되었음. 그러나 동탄두는 리야드시내 국민학교에 떨어져, 동건물만 대파하고 인명피해는 없었음

3. 현재 리야드시내는 동요없이 평온을 유지하고 있음

(대사대리 박명준-국장)

예고:91.6.30 까지

1991.6.30. 에 예고문에 의거 일반문서로 재 분류됨.

중아국	장관	차관	1차보	2차보	미주국	청와대	총리실	안기부
국방부	노동부							

PAGE 1

91.02.24 16:46

외신 2과 통제관 CE

0089

외 무 부

종 별 : 지 급

번 호 : SBW-0566 일 시 : 91 0224 1610

수 신 : 장관(중일,미북,국방,기정)

발 신 : 주사우디대사대리

제 목 : 주재국 반응

연:SBW-550

2.24 자 주재국 일간지는 연호 주재국 입장을 아래와 같이 정정 발표하였음을 보도함

-사우디정부는 소련지도자의 제의를 계속 주시해왔음

-부시대통령이 소련제안을 통보 받은후 발표한 성명과 백악관 대변인의 성명을 면밀히 검토한후 사우디정부는 상기 미국의 2개 성명 내용과 견해가 동일함을 확인함

(대사대리 박명준-국장)

중아국	장관	차관	1차보	2차보	미주국	정문국	청와대	총리실
안기부	국방부	대책반						

PAGE 1

91.02.24 23:30 DQ

외신 1과 통제관

0090

관리번호	91-1386

원 본

외 무 부

종 별 : 지 급

번 호 : SBW-0567　　　　일 시 : 91 0224 1620

수 신 : 장관(중동일,미북,국방,기정)

발 신 : 주 사우디 대사대리

제 목 : 걸프전쟁

1. 사우디군측 대변인 RABAYAN 대령은 금일 성명서를 통해 현재 작전은 계획대로 잘 진행되고 있다고 말하면서, 전황은 작전 안전문제 때문에 당분간 발표하지 않기로 하였다고 했음

2. 아국 의료지원단에게 확인한 바, 현재까지 특이사항은 없으며, 대기상태에 있다함

3. 이라크는 금일 오전 1130 스커드미사일 2발을 HAFAR AL-BATIN에 발사하였으나 요격되었음

(대사대리 박명준 - 국장)

예고:91.6.30 일반

1991.6.30. 에 예고문에 의거 일반문서로 재분류됨.

중아국	장관	차관	1차보	2차보	미주국	청와대	안기부	국방부

PAGE 1　　　　91.02.24 23:09

외신 2과 통제관 CF

0091

가

외 무 부

종 별 : 지 급

번 호 : SBW-0576 일 시 : 91 0225 1000

수 신 : 장 관(중일,미북,국방,기정)

발 신 : 주 사우디 대사대리

제 목 : 걸프전

SHIHABI 주유엔 사우디대사는 2.24 걸프지상전 발발과 관련, LONDON RADIO와의 회견에서 다음과 같이 언급하였음

- 이라크는 2.24 지상전발발에 대해 책임을 져야함
- 이라크는 걸프위기의 평화적 해결을 위한 모든노력을 거부했음
- 이라크정권의 비타협성, 힘에대한 과대평가 및 국제정세에 대한 무지가 걸프지역의 긴장확대를 가져왔음
- 국제사회는 한나라에 대한 다른나라의 침략을 더이상 인내하지 않음

(대사대리 박명준-국장)

중아국	장관	차관	1차보	2차보	미주국	정문국	청와대	총리실
안기부	국방부							

PAGE 1

91.02.25 15:34 WG

외신 1과 통제관

0092

원 본

외 무 부

종 별 : 지 급

번 호 : SBW-0598 일 시 : 91 0226 2100

수 신 : 장 관(중일,미북,국방,기정)

발 신 : 주 사우디 대사대리

제 목 : 걸프전

1. 26.1830 기자 발표에서 미중앙사 NEAL 준장이 발힌 주요내용은 다음과같음. - 군사작전은 계획이상으로 진행되고 있음.

- 전쟁은 끝나지 않았음. 이락크군은 아직도 쿠에이트시를 포함 쿠웨잇트에 남아서 계속 공격을 하고있음. 이라크군은 계속 연합군과 쿠웨이트 국민에게 위협이 되고있음.

- 이라크군은 철수하는 것이 아니고, 연합군의 공격을 받아 퇴각한것임. 이라크군은 무기를 버리지 않고있음.

- 연합군은 지상,해상 및 공중경격를 계속하고 있음.

- 2.25 2023 이라크의 스커드미사일 공격으로 동부지역의 미군 막사가 동탄두에 의해 파괴되어 현재 미군 28명이 사망하고, 100여명이상이 부상당함.

- 연합군은 이라크군 21개 사단을 괴멸시키거나 무력화시켰음, 이라크군은 현재 퇴각하고 있음, 쿠웨이트 외각의 쿠웨이트 국제공항에서 치열한 뱅크전이 진행중에 있음.

- 공화국 수비대 수비대가 퇴각하는 움직임은 없으며, 공화국 수비대와 교전중에 있음.

- 지상전 발발 이래 현재 이라크군 탱크 400 대이상을 파퇴시키고, 이라크군 포로는 30,000명이상임.

- 미군 피해는 사망 4명, 부상 21명임 (스커드 미사일 공격에 의한 피해는 불포함)

- 어제 공중 출격회수는 3000회 였으며, KTO 에대한 출격회수는 1400 회였음

- 해군은 계속 쿠웨이트 해안에서 작전을 수행중임

- 사담은 유엔 결의안을 수락해서 전쟁을 종식시킬 의사를 나타내지않고 있음, 연합군은 사담이 유엔결의 안을 준수하고 이라크군을 패퇴시킬때까지 모든 수단을

중아국	장관	차관	1차보	2차보	미주국	정문국	청와대	총리실
안기부	국방부							

PAGE 1

91.02.27 09:33 AQ

외신 1과 통제관

0093

이용할 것임

- 현재 불타고 있는 유전은 590 개소이며, 이라크는 계속 유전관련 시설을 파괴시키는등 쿠웨이트내 시설을 파괴시키고있음.

2. 1900 시에 있는 기자발표에서 사우디군 RABAYAN 대령이 밝힌 주요내용은 다음과 같음

- 다국적군 피해는 상망 13명, 부상 43명임.

- 2.25 다란에서 이어, 2.26 0130 경 이라크는 카타르를 향해 스커드미사일 1발을 발사했음, 동 미사 일은 걸프만에 떨어짐, 현재까지 사우디를 향해 발사한 스커드 미사일은 41발이며, 바레인과 카타르를 향해 가각 1발을 발사함.

- 어제 730명 (대대장 포함 장교 121명)의 이라크군 1개 대대가 사우디군에 투항해 왔음.

(대사대리 박명준-국장)

PAGE 2

0094

원 본

외 무 부

종 별 : 지 급

번 호 : SBW-0600 일 시 : 91 0227 1100

수 신 : 장 관 (중일,미북,국방,기정)

발 신 : 주 사우디 대사대리

제 목 : 주재국 반응

2.25 및 2.26 사담후세인의 쿠웨이트로 부터 이라크군 철수발표와 관련 주재국 관계 당국은 아래와같이 주재국 입장을 밝혔음

-사우디는 2.25 및 2.26 이라크 지도자에 의해 발표된 성명을 주시해왔음. 그러나 동 성명서에서 이라크의 쿠웨이트 점령에 관한 유엔 안보리 결의안과 아랍 및 이슬람 결의안을 이라크가 수락한다는 내용을 발견하지 못했음

-사우디정부는 이라크 성명서가 요구사항 등을 만족시키지 못하고 있다고 생각함

(대사대리 박명준-국장)

중아국 장관 차관 1차보 2차보 미주국 정문국 청와대 총리실
안기부 국방부 대책반

PAGE 1

91.02.27 22:07 DA

외신 1과 통제관

0095

외 무 부

종 별 : 지 급

번 호 : SBW-0619 일 시 : 91 0228 1430

수 신 : 장관(중일,미북,국방,기정)

발 신 : 주사우디대사대리

제 목 : 주재국 반응

2.27 주 미 부시대통령의 이라크군에 대한 연합군의 공격 중지 발표와 관련,주재국 관계당국은 2.28 사우디정부는 부시대통령이 제의한 조건에 따른 휴전을 지지하고 지킬것이라고 언급했음.

(대사대리 박명준-국장)

√중아국 √장관 차관 √1차보 2차보 미주국 정문국 청와대 총리실
안기부 국방부

PAGE 1

91.02.28 21:03 DQ
외신 1과 통제관

0096

외 무 부 가

종 별 : 지 급

번 호 : SBW-0625 일 시 : 91 0228 2110

수 신 : 장관(중일,미북,국방,기정)

발 신 : 주사우디대사대리

제 목 : 걸프전

1.금 2.28 1830 기자브리핑에서 미중앙사 NEAL준장이 밝힌 주요내용은 다음과같음

-미군 포함 연합군은 현재 방어태세를 취하고있음,그러나 필요한 경우 공격자세로 전환할 태세를 갖추고있음

-연합군은 공중 및 지상 정찰,감시활동을 계속하고 있음

-2.28 0800경 적에 의한 휴전 위반사례가 몇건 있었음,이는 통신 두절에 따른 것으로 봄

-2.28 1230에도 적의 공격이 있었음,이라크군 탱크및 로켓트포가, 추락한 UH-60기 사상자를 처리하는 미공수부대를 공격해와,즉시 아군이 반격하여 T53탱크 2대 및 로켓트 발사대 2대를 파괴시켰음

-연합군은 이와같이 고립상태하에 있는 적의 공격이 있을것으로 보고 이에 대비하고있음

2.이어 1900 기자브리핑에서 사우디군 RABAYAN대령이 밝힌 주요내용 아래보고함

-사우디정부는 이라크와의 휴전을 위하여 부시미대통령이 발표한 성명과 조건을지지하고 승인함

-통합군 수령관 KHALID BIN SULTAN중장이 금일 오전 다국적군을 시찰하기 위해 KU를 방문했음

-다국적군은 현재 KU시를 몇개 구역으로 구분,위협 요소제거등 시민들의 안전 확보를 위한 임무를 수행중임

-2.28 1000 KU국제공항이 군사작전 및 외교사절을 위해 부분적으로 재개되었음

-다국적군은 지상군의 재무장및 연료보급,공중정찰,기뢰제거 작업등을 계속하고있으며,이상사태 발생에 대비 경계상태에 있음

(대사대리 박명준-국장)

중아국 장관 차관 1차보 2차보 미주국 정문국 청와대 총리실
안기부 국방부

PAGE 1 91.03.01 06:57 DQ

외신 1과 통제관

0097

원 본

외 무 부

종 별 : 지 급

번 호 : SBW-0630 일 시 : 91 0301 1500

수 신 : 장관(중일,미북,국방,기정)

발 신 : 주 사우디대사대리

제 목 : 걸프전 휴전

걸프전쟁 휴전과 관련, 3.1자 주재국 영자지 ARABNEWS 지는 ''걸프 에서의 승리'' 제하 다음과같은 내용의 사설을 게재하였음

-사담 후세인을 제외하고 누구도 바라지 않던 전쟁은 이라크 독재자의 패배로끝났음, 정당한 전쟁의 정당한 결과임

-다국적군의 목적은 이라크의 전쟁능력의 파괴에 있었으나, 금번 전쟁으로 현대국가로서의 이라크는 전기, 수도, 통신이 없는 국가가 되었으며, 복구에는 수년의 기간과 몇십 억불이 소요될것임-이라크는 반드시 배상을 해야하며,관련자는전쟁범죄 재판에 회부 되어야함

-이라크 장래를 위해 권력으로부터 사담 후세인의 제거가 바람직함, 사담 후세인의 제거가 다국군의 목적이 아니더라도, 사담이 화해와 재건을 추구하는 온건지도층으로 대체 되는것이 바람직함

-그러나 사담은 권력을 재장악 하려고 시도할 가능성이 많은 것으로 보이는바, 이것은 이라크 장래를 위해 바람직하지 못함

-장기적인 지역안보가 급선무이며, GCC가 우방국들과 제휴하여 이지역의 장래평화를 확보하는데 중요한 역할을 수행할것임, 그러나 지역안보 체제 만으로는 평화가 보장된다고 할수 없으며, 군비통제 협정이 반드시 이루어져야 함, 그리고 더욱 중요한것은 각국 정부들의 준수 의지임

-세계는 지금 역사적인 기로에서 있음, 냉전의 시대는 가고 새로운 세계 질서의 기회가 오고있음

(대사대리 박명준-국장)

중아국	장관	차관	1차보	2차보	미주국	정문국	청와대	총리실
안기부	국방부	대책반						

PAGE 1 91.03.01 23:45 DA

외신 1과 통제관

0098

외 무 부

종 별 : 지 급

번 호 : SBW-0632 일 시 : 91 0301 2130

수 신 : 장관(중일,미북,기정,국방)

발 신 : 주 사우디대사대리

제 목 : 걸프전

3.1 1830 기자 브리핑에서 미중앙사 NEAL 준장이 밝힌 주요내용은 다음과 같음

-공식적인 휴전을 위한 준비가 진행중에 있음, 부시 대통령이 제시한 조건이이라크 지도부에 의해 수락될때 까지는 공식적인 휴전은 없음

-연합군은 방어태세를 취하면서, 필요한 경우 공격을 취할수있는 태세를 갖추고 있음

-연합군은 공중 정찰등을 계속하고 있음

-공중정찰 결과에 따르면 이라크차량 (많은경우 70대)이 바스라에서 바그다드로 향하는것이 관측되고 있으며, KTO로부터 철수하는 차량은 더이상 보이지 않음

-KU 국제공항이 재개되어 C-130이 착륙하고 있음

-현재 KU에 미국,영국,불 및 카나다 대사관이 재개되어 업무를 수행하고 있음

-해상에서는 기뢰제거 작업등이 계속되고 있음

-전장은 고립된 이라크군과의 충돌발생, 상당수의 지뢰발으로 매우 위험한 지역임

-3.1 0200경 미군부대가 이라크군 버스 2대를 검문 과정에서 두번째 버스로부터 공격이 있어 미군이 즉각 이에 응사, 동뻐스를 파괴시키고 9명을 포로로 잡음

-오늘 아침 의사등을 태운 차량이 지뢰 폭발로 인해 2명이 숨지고 1명이 부상당하였음

-이라크는 아직도 지뢰 위치등에 관한 정보를 제공치 않고 있음

(대사대리 박명준-국장)

중아국	장관	차관	1차보	2차보	미주국	정문국	정와대	총리실
안기부	국방부	대책반						

PAGE 1 91.03.02 06:45 DA

외신 1과 통제관

0099

원 본

외 무 부

종 별 :

번 호 : SBW-0718 일 시 : 91 0309 1510

수 신 : 장관(중일,미북,국방,기정)

발 신 : 주 사우디대사

제 목 : 미국무장관 주재국방문

1. 베이커 미국무장관은 3.8 주재국을 방문, 파드국왕및 사우드 외무장관등과전후지역안보, 걸프지역에의 미군 주둔문제, 아랍-이스라엘 분쟁, 걸프지역경제재건 및 NON-CONVENTIONAL ARMS 통계 문제등에 관해 협의했음

2. 베이커 장관은 3.8 슈워즈코프 미중앙사 사령관도 면담 하였으며, 3.9에는 타이프를 방문, 쿠웨이트 JABER AL-AHMED AL-SABAH 국왕을 면담할 예정임. 동장관은 쿠웨이트 방문후 다시 주재국을 방문, 이집트, 시리아 및 GCC 6개 회원국등 8개국 외무장관과 회담, 걸프지역 안보협력 체제등을 논의할 예정으로 있음

3. 이집트, 시리아 및 GCC 6개 회원국등 8개국 외무장관은 지난 3.6 다마스커스에서 회담을 갖고, 전후 걸프 안보유지 목적의 이집트및 시리아군으로 구성되는 평화유지군 구성, 중동지역 에서의 새로운 아랍질서 확립 및 대량 살상무기 제거등에 합의한바 있음

(대사대리 박명준-국장)

중아국 1차보 미주국 정문국 안기부 국방부 2차보 장관 차관 청와대

PAGE 1

91.03.10 08:09 DA

외신 1과 통제관

0100

원 본

외 무 부

종 별 :

번 호 : SBW-0726 일 시 : 91 0310 1820

수 신 : 장관(중일,미북,국방,기정)

발 신 : 주사우디대사

제 목 : 주재국 반응

연:SBW-718

1.주재국 관계당국은 부시대통령의 3.6 미 상.하양원 합동회의 연설 및 베이커 국무장관과 파드국왕과의 회담에 대해 다음과같이 언급하였음

-부시대통령의 연설에 경의를 표함

-부시대통령의 연설에는 아랍-이스라엘 분쟁을 종식하고 걸프지역 평화와 안정수립에 긍정적이고 중요한 내용이 포함되어 있음

-사우디는 팔레스타인 문제와 팔레스타인 인민의 자유와 합법적 권리회복에 우선권을 두고있음

-파드국왕 및 사우디 외무장관과 베이커장관간의 3.9 자 회담에서 양국은 양국관계 및 걸프지역 일반문제에 대해 이해를 같이하였음

2.베이커장관은 3.9 쿠웨이트 방문후 3.10 사우디를 재방문하였으며,이집트,시리아 및 GCC 6개국등 8개국 외무장관과 회담을 가질 예정 (대사 주병국-국장)

중아국 미주국 안기부 국방부

PAGE 1

91.03.11 05:55 DQ

외신 1과 통제관

0101

가

외 무 부

종 별 :

번 호 : SBW-0735 일 시 : 91 0311 2000

수 신 : 장 관(중일,미북,국방,기정)

발 신 : 주 사우디 대사

제 목 : 베이커 국무장관 주재국방문

연:SBW-718

1.사우디 외무장관은 3.10 리야드에서 베이커 미국무장관과 GCC 회원국,이집트 및 시리아 8개국 외무장관간 회담후 8개국은 베이커장관의 4개항 중동평화 제의를 지지한다고 말하였음

2.베이커장관의 4개항 중동평화 제의는 걸프지역안보계획, 경제협력, NON-CONVENTIONAL 무기 유입억제 및 아랍-이스라엘 평화증진등을 내용으로하고 있음, 걸프지역 안보 계획은 이지역 유전보호를 위해 이집트 및 시리아군으로 구성대는 상비군을 설치하고, 이러한 상비군은 미군주둔으로 뒷받침된다는 내용으로 되어있음

3.전항의 8개국 외무장관들은 3.10 회담을 마친후 다음과같은 내용의 코무니케를 발표했음

- 중동지역 문제해결 강조
- 걸프지역 안보와 팔레스타인 문제를 다룬 부시대통령의 3.6 자 연설에 감사표시
- 새아랍질서 수립을 위한 토대로서 유엔과 아랍연맹의 제원칙 고수 강조
- 지금이 아랍-이스라엘 분재의 포괄적인 해결을 위한 가장 적절한 시기임
- 유엔 후원하 국제평화회의 개최가 이스라엘의 팔레스타인 영토점령 종식을 위한 출발점이될것임

4.한편, 베이커장관은 유엔 후원하의 중동평화회의 개최관련 아래와 같이 언급했음

- 아직 중동평화희의를 개최할 적절한 시기가 아니므로 동회의 개최에 반대함
- 이스라엘 방문중 팔레스타인을 만날계획이며, 팔레스타인과 이스라엘의 대화를 진척시키고자함

(대사 주병국-국장) W

중아국 1차보 미주국 정문국 안기부 국방부 그러한 차이 장관 해명

PAGE 1

91.03.12 10:08

외신 1과 통제관 ·

De 0102

번호 : USW(F) — 0816

수신 : 장 관 (미북, 서구일, 중근동) 발신 : 주미대사

제목 : Rocard 불 수상 Bush 대통령 예방 (2 매)

WHITE HOUSE PHOTO OPPORTUNITY, THE OVAL OFFICE MEETING BETWEEN PRESIDENT BUSH AND FRENCH FOREIGN MINISTER MICHEL ROCARD MONDAY, MARCH 11, 1991

Q Mr. President, what is your expectation for the Israeli talks?

PRESIDENT BUSH: They know I don't take questions in these photo opportunities, but they occasionally ask in spite of the ground rules. Once in awhile I violate my own rules and then it throws things off.

MINISTER ROCARD: That is for you, Mr. President.

PRESIDENT BUSH: It is up to you to answer if you would like to.

Q Mr. Rocard (inaudible)?

MINISTER ROCARD: I didn't get the question.

We are pressing for resolution and we think in the Middle East, as I think the American authorities and certainly the President who -- President Bush, who said that last week the Israelis and Palestinians have to find an issue, and if the international community can contribute to create the conditions for their direct meeting, any type of institution of conference will be useful, the heart of the matter, the substance more than the procedure. We proposed once -- one. We do hope there will be a resolution in a way, and I am sure the United States and France will act in a converting way to resolution.

PRESIDENT BUSH: That, I am certain of. You know, one of the great things about this recent effort was that we were just solidly together, and I think that sent a very strong signal to others around the world, and I hope you will convey to the President my thanks and my sentiments of deep appreciation on behalf of the American people, because France is a key, terribly important country with special knowledge and interest in that part of the world, and we just came together - the UN, elsewhere, and it was a wonderful thing. So carry my thanks back to everybody that was involved, please, sir.

MINISTER ROCARD: Mr. President, thank you very much for those words. We were happy to be again very close together as we have been in many difficult periods of history, but there again, we are very close and acting together, and having victory together.

PRESIDENT BUSH: That's right. That's right. I mentioned your distinguished general -- my French is terrible -- but Roquegeofre, but General Schwarzkopf was very high in his praise of him in the way he conducted the French forces, led the French forces. So all of that worked out. You remember in the very beginning there were all these predictions that with these different countries, that it would be very hard to sort out a proper structure

0816 -1

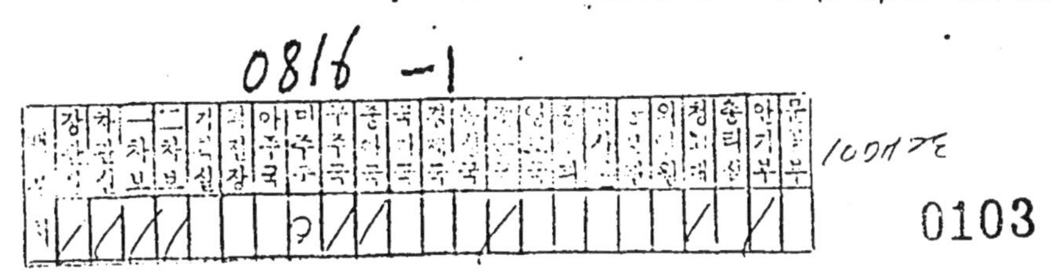

0103

for coordinating them, and it came -- it came fine.

MINISTER ROCARD: Quite well. And the idea of coordinating the soldiers of both countries under the same command was the efficient idea.

PRESIDENT BUSH: We have got some business to do, so with all appreciation for this interest and concern, thank you very much.

END

P.S. 전기 Text는 불 수상과 Bush 대통령간 photo-opportunities 시 주고 받은 대화내용인 바, 참고자료 活用 요망.

0816-2

0104

원 본

외 무 부

종 별 :

번 호 : SBW-0736 일 시 : 91 0311 2020

수 신 : 장 관(중일,국방,미북,기정)

발 신 : 주 사우디 대사

제 목 : 주재국입장

1.파드국왕은 쿠웨이트의 이라크군 점령으로부터의 해방 계기 고르바쵸프 소련대통령에게 보낸 메세지에서 고르바쵸프 대통령이 걸프사태와관련, 취한 적극적인 입장과 세계평화와 안정 확립을위해 취한 노력등에 사의를 표했음

2.한편,술탄 국방장관은 3.10 쿠웨이트를 방문 쿠웨이트내 사우디군을 시찰하고 쿠웨이트 SAAD황태자겸 수상을 면담한후 쿠웨이트 소재 사우디대사관에서 다음과 같이 언급했음

- 사담후세인이 권력을 장악하고 있는한 동정권과의 협력은 없을 것임

- GCC 회원국들간에 효과적인 안보협력이 이루어지고 있으며, GCC회원국들은 필요한경우 아랍국 및 우호국들의 지원을 받아 각국의 군대를 강화할것임

(대사 주병국-국장)

중아국 1차보 미주국 정문국 안기부 국방부

PAGE 1

91.03.12 10:15 WG

외신 1과 통제관

0105

원 본

외 무 부

종 별 :

번 호 : SBW-0764 일 시 : 91 0317 1410

수 신 : 장관(중일,미북,국방,기정)

발 신 : 주 사우디대사

제 목 : 라마단계기 파드국왕 연설

3.17 부터 시작되는 라마단계기 (4.14까지 계속), 파드국왕은 3.16 전국적으로 방영된 연설을 통해 (ALI AL-SHAER 공보장관 대독) 아래와같이 언급하였음

-금년도 라마단이 신의 도움으로 이라크 점령으로 부터 쿠웨이트가 해방된후 시작된데 대해 만족 표시

-걸프사태가 계속되는 동안 사우디 시민이 보여준 애국심과 헌신에 감사하며,사우디 시민의 단결과 연대가 쿠웨이트의 정통성을 회복하는데 지대한 영향을 주었음

-걸프지역 에서의 파괴적 전쟁을 회피하려는 국제적 이니시아티브를 지적하고,사담 후세인의 반항적 태도 비난

-바그다드 정권의 독재 통치하에서 신음하는 이라크 국민에 대해 동정심 표시

-현재의 먹구름이 걷혀 이라크가 아랍세계에서 건설적인 역할을 계속 수행 하기를 기대.

끝

(대사 주병국-국장)

중아국 1차보 미주국 정문국 안기부 국방부

PAGE 1 91.03.18 06:01 DA

외신 1과 통제관

0106

원 본

외 무 부

종 별 :

번 호 : SBW-0811 일 시 : 91 0325 1400

수 신 : 장관(중일,정일,기정,국방)

발 신 : 주 사우디대사

제 목 : 주재국 정세(자응5호)

1. SCHWARZKPOF 미사령관은 3.24 리야드에서 가진 기자회견에서 미군의 걸프지역 주둔문제 등에 관해 다음과 같이 언급하였음.

-90.8월 리야드로 옮겨왔던 미군 지휘통제 본부는 미국 플로리다 주 TAMPA로 옮겨지게 되고, 전방본부 (ADVANCE HEADQUARTERS)가 걸프지역에 계속 유지될것임

-걸프 각국정부의 요청이 없는한, 미국은 이지역에 미지상군을 위한 영구기지를 유지할 계획이 없으며, 쿠웨이트가 미국에 대해 공식적인 미지상군의 영구 주둔을 요청한바 없음

2.한편 파드 국왕은 3.24 일부 아랍언론이 사우디를 비방하는 것과 관련, 사우디 언론에 대해 라마단 기간동안 동보도에 대응하지 말것을 지시했음.

끝

(대사 주병국-국장)

중아국 1차보 정문국 안기부 국방부

PAGE 1

91.03.25 22:39 DA

외신 1과 통제관

0107

원 본

외 무 부

종 별 :

번 호 : SBW-0817 일 시 : 91 0326 1400

수 신 : 장관(중일,국방,기정)

발 신 : 주사우디대사

제 목 : 이스라엘 비난(자응6호)

사우디 관계당국은 3.25 이스라엘의 이스라엘 점령지역내 정착촌 건립을 비난하는 아래내용의 성명서를 발표하였음

-이스라엘이 이스라엘 점령 팔레스타인 영토에 정착촌 건립을 계속하는것은 팔레스타인문제의 평화적 해결을 추구하는 노력에 역행하는것이며,또한 유엔 결의안에 따라 이지역에 정당하고 포괄적인 평화를 수립하고자하는 목적달성을 방해하는것임

-이스라엘의 즉각적인 정착촌 건립 중지를 요구하며 팔레스타인인의 합법적인 권리를 회복하려는 노력에 대해 문호가 개방되어야 함.끝

(대사 주병국-국장)

중아국 1차보 미주국 안기부 국방부

PAGE 1 91.03.27 01:41 DQ

외신 1과 통제관

0108

원 본

외 무 부

종 별 :

번 호 : SBW-0907 일 시 : 91 0412 1800

수 신 : 장 관(중일,미북,정일,기정)

발 신 : 주 사우디대사

제 목 : 미-사우디 외무장관 회담(자응 10호)

연:SBW-882

1. SAUD 사우디 외무장관과 베이커 미국무장관은 4.11 카이로에서 회담을 갖고,중동지역 평화와 안전 및 양국관계를 협의하였음.

2.또한 사우디 외무장관은 이집트의 무바라크 대통령및 MAGUID 외무장관과도 각각 회담을가졌음.끝

(대사 주병국-국장)

중아국 미주국 정문국 안기부 /차보

PAGE 1

91.04.13 01:28 CT

외신 1과 통제관

0109

2. 수단

0110

관리 번호	90/1253

원 본

외 무 부

종 별 :

번 호 : SSW-0232 일 시 : 90 0804 1230

수 신 : 장관(중근동)

발 신 : 주 수단 대사

제 목 : 이라크,쿠웨이트 사태

대: WMEM-0024

표제사태와 관련, 주재국 언론은 외신을 인용, 사태 추이에 대한 사실 보도를 하고 있으며, 주재국 정부의 공식 입장은 상금 발표된 것이 없음. 끝.

(대사 한창식-국장)

예고: 90.12.31. 까지

90.12.31. 에 예고문에 의거 일반문서로 재 분류됨.

중아국

PAGE 1

90.08.04 21:59

외신 2과 통제관 EZ

0111

관리번호	90/1271

원 본

외 무 부

종 별 :

번 호 : SSW-0236 일 시 : 90 0806 1330

수 신 : 장관(중근동)

발 신 : 주 수 단대사

제 목 : 이라크.쿠웨이트 사태

연: SSW-0232

1. 금 8.6. 자 주재국 일간지 보도에 의하면, EL BESHIR 혁명위원장은 기자회견을 통해 표제 사태에 대한 입장을 아래 언급하였음.

가. 금번 사태에 대한 외세(제국주의, ZIONISM) 개입을 단호히 배격하며, 아랍국간의 협의에 의한 사태해결을 바람.

나. 일방 당사국을 비난하는 것은 GULF 사태의 해결책이 아님.

다. 금번 사태 해결을 위한 사우디 FAHAD 국왕의 지도력을 믿으며, HUSSEIN좁단왕의 외교노력을 지지함.

2. 한편 EL BESHIR 혁명위원장은 8.5. 예멘 대통령및 좁단왕과 전화통화를 갖고, 금번 위기의 아랍권내 협의 조정에 의한 해결과 외세 배격원칙에 합의하였다고 보도되었으며, 동 혁명위원장은 대통령 특사로 방수중인 이라크 내무장관을접견한 자리에서도 동 원칙을 강조하였다고함. 끝.

(대사 한창식-국장)

예고: 90.12.31. 까지

1990.12.31. 에 예고문에 의거 일반문서로 재 분류됨.

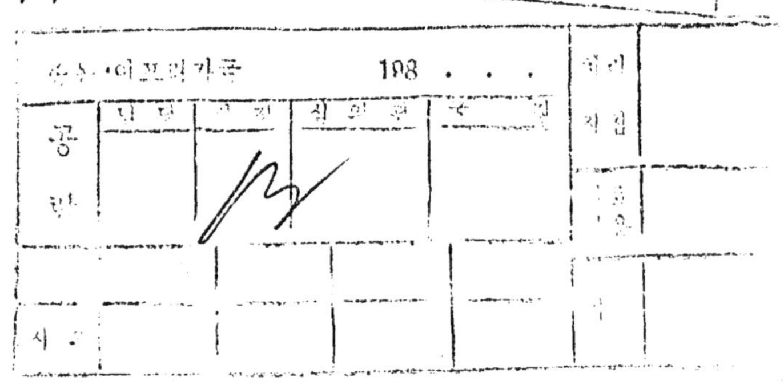

중아국 장관 차관 1차보 2차보 정문국 청와대 안기부

PAGE 1 90.08.06 23:30

외신 2과 통제관 CW

0112

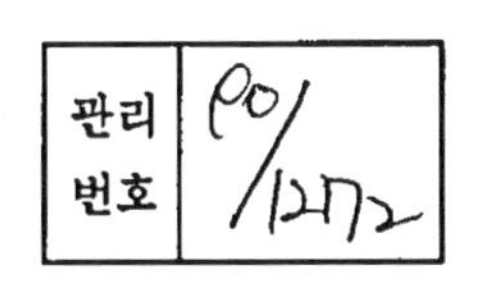

원 본

외 무 부

종 별 :

번 호 : SSW-0237 일 시 : 90 0806 1330

수 신 : 장관(중근동)

발 신 : 주 수단 대사

제 목 : 이라크.쿠웨이트 사태

대: WMEM-0024

1. 표제관련, 당지 주재 쿠웨이트 대사관은 당지 주재 외교단및 국제기구에대한 8.5. 자 회람에서, 동 대사관으로서는 현 쿠웨이트 본국 정부를 승인할 수 없으며, AL-SABBAH 전국왕에 대한 충성을 계속할것을 다짐하고, 협조를 요청해왔는 바, 참고로 보고함.

2. 동 당지 주재 쿠웨이트 대사는 외교단장직을 수행하고 있음. 끝.

(대사 한창식-국장)

예고: 90.12.31. 까지

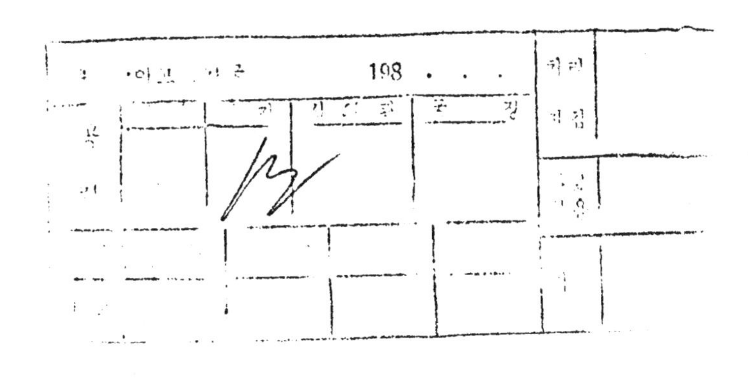

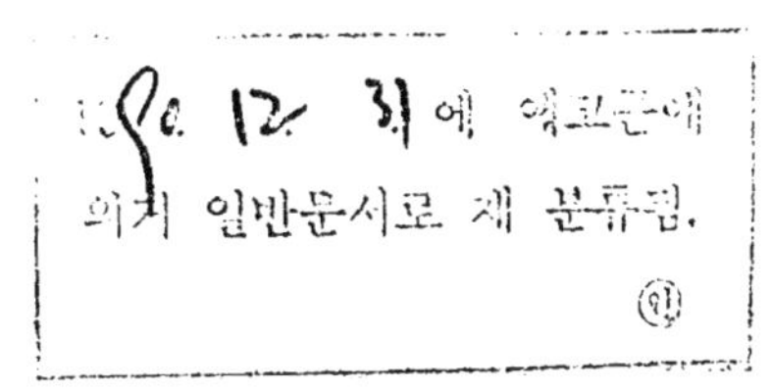

중아국 장관 차관 1차보 2차보 정문국 청와대 안기부

PAGE 1

90.08.06 23:20

외신 2과 통제관 CW

0113

외 무 부 김

종 별 :

번 호 : SSW-0245 일 시 : 90 0811 1900

수 신 : 장 관 (중근동,마그,통일)

발 신 : 주 수단 대사

제 목 : 이락사태

1. EL BESHIR 주재국 대통령은 8.9(목) 외상등을 대동, 아랍연맹 카이로 비상 정상회담에 참가하였음.

2. 8.6.-10.21.까지 개최되고 있는 정치제도 구국회의 (NDCPS) 는 8.9. 성명을 발표하고, 아랍제국은 현재 외세간섭으로 위기에 직면하고 있으며, 전 아랍은 이에 궐기해야 할 것이라고 강조함. 또한, 카이로 아랍연맹 비상정상 회의는 분연히 궐기하여 외세간섭에 대한 위기를 극복하는 용기와 책임을 갖어야 한다고 강조했음.

3. 주재국 수도 카르툼 인민회의 (THE POPULAR COMMITTES) 는 GULF 지역에 대한외국의 간섭과 제국주의 침략을 단호히 분쇄해야 한다는 성명서를 발표함.끝.

(대사 한창식-국장)

중아국 1차보 중아국 통상국 정문국 안기부

PAGE 1 90.08.12 09:05 FC

외신 1과 통제관

0114

원 본

외 무 부

종 별 :

번 호 : SSW-0249 일 시 : 90 0814 1230

수 신 : 장 관(중근동,마그,통일)

발 신 : 주 수단 대사

제 목 : 쿠웨이트 합병

1. 작 8.13. 주재국 수도 KHACTOUM 중심가에서 10만여명이 동원된 군중 시가행진이 있었으며, 이들은 미국을 위시한 외세의 아랍 개입을 규탄하고, 이락을 지지함.

아랍및 이스람 지지 수단인민기구(SPOSAIN)이름하에 학생단체, 노조및 지역 인민조직을 중심으로 동원된 시위대는 당지 미대사관과 이락대사관을 통과하면서 외세의아랍 간섭 배제를 외치고, 후세인 이락대통령을 아랍의 영웅으로 외쳤음.

2. 동 시위대는 아랍의 문제는 아랍권 자체가 해결하며, 미국과 외국 군대는 즉시 아랍에서 철수해야 한다고 주장함.

한편, 학생연맹을 중심으로 이락전에의 의용군에 자원할 것을 독려하고 이들의 지원을 받음.

3. Y. ARAFAT PLO 의장이 8.13. 급거 당지를 방문, BESHIR 위원장과 요담후 동일 출발함.

동인은 BESHIR 의장과의 회담에서 금번 GULF 사태와 점령지 팔레스타인인의 부쟁을 계속 지원하는 문제를 협의함.

ARAFAT 의장은 HUSSEIN 이락 대통령의 최근 제의는 중동문제 해결의 중요한 진전이라고 지지했음.끝.

(대사 한창식-국장)

중아국 1차보 중아국 통상국 정문국 2차보 대책반

PAGE 1

90.08.14 21:03 CG

외신 1과 통제관

0115

원 본

외 무 부

종 별 :

번 호 : SSW-0261 일 시 : 90 0819 1800

수 신 : 장 관(중근동,마그,통일)

발 신 : 주 수단 대사

제 목 : 이락,쿠웨이트 사태

연: SSW-0249

표제관련, 언론에 보도된 주재국 특이사항을 보고함.

1. 작 8.18. 대규모 시위 군중이 당지 미국대사관앞에 집결, 외국군의 무조건 즉시 철수를 요구하고, 사담 후세인 이락대통령에 대한 지지를 호소함.

2. EL BESHIR 혁명위원장은 8.18. 사나를 방문,SALIH 예멘대통령과 GULF 지역 정세를 협의하고, 외세를 제거하는 것이 금번 사태의 해결책임을 재확인함.(외무성측에 확인한바,BESHIR 대통령은 계속 알제리아 및 기타 국가를 순방 예정이라함)

3. 8.17.에는 후세인 대통령의 특사로 이락 노동장관이 수단을 방문, EL BESHIR혁명위원장에게 최근 사태 진전에 대하여 설명함.끝.

(대사 한창식-국장)

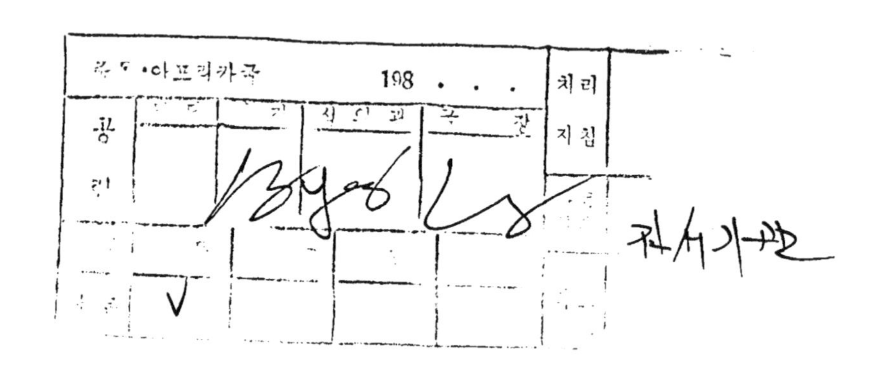

중아국 1차보 중아국 통상국 정문국 상황실 안기부

PAGE 1

90.08.20 03:08 DY

외신 1과 통제관

0116

외 무 부

종 별 :

번 호 : SSW-0266 일 시 : 90 0820 1340

수 신 : 장 관(중근동,마그,경이)

발 신 : 주 수단 대사

제 목 : 수단선박 강제 회항

1. 주재국 언론보도에 의하면, 주재국의외무,법무,교통,공보장관은 8.19. 합동기자회견을갖고, 지난 8.18(토) 죨단 AGABA 항에서의 수단선박 DONGOLA 호에 대한 미국의억류 조치는불법이며, 인권조항 위반행위로서 수단각료회의는 이를 미국및 유엔에 항의하고,아랍연맹과 아프리카단결기구등에 통보키로의결하였다고 밝힘.

2. 상기 보도에 의하면, 수단정부는 죨단에 대피중이던 쿠웨이트 거주 수단인 5백명(주로부녀자및 아동)를 급히 귀국시키기 위하여 포트수단에서 하역작업중이던 DONGOLA 호를긴급히 AGABA 항으로 파견하였던바, AGABA항구에서 미 해,공군이 동 선박을수색하고 즉시포트 수단항으로 회항토록 강제 조치하려고 하였다는것임(동 선박에 실려있던 강철 200톤 은 급히 출발하느라고 미처 하역을 마치지 못한 잔여품이었다고함.)

3. ALI SAHLUL 외무장관은 이미 주미 수단대사를통하여 미국측에 항의를 전달하였으며, 이락국적이 아닌 선박에 대하여 ARAB GULF 가 아닌해역에서 미군이 강제 억류조치한데 대해 유엔사무총장에게도 강력히 항의하고, 유엔결의경제제재 조치의 정의와 범위에 대해 문의할예정이라고 동 기자회견에서 밝힘.끝.

(대사 한창식-국장)

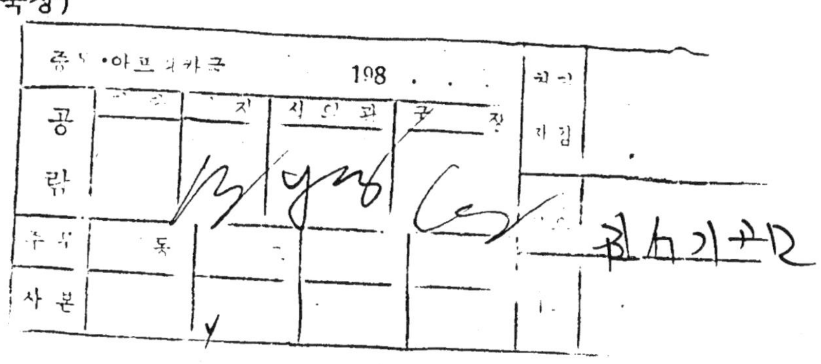
198 . . .
공람
주무 동
사본

중아국 ② 경제국

PAGE 1

90.08.21 21:28 CT

외신 1과 통제관

0117

원 본

외 무 부

종 별 :

번 호 : SSW-0273　　　　일 시 : 90 0825 1330

수 신 : 장 관(중근동,마그,통일)

발 신 : 주 수단 대사

제 목 : 이락,쿠웨이트 사태

연: SSW-0261

언론등에 보도된 표제사태 관련 주재국 특이사항을 보고함.

1. 금 8.25.자 주재국 주요 일간지 보도에 의하면, 후세인 요단국왕이 8.23. 당지를 방문(예멘방문후), EL BESHIR 혁명위원장과 표제사태의 아랍권내 자체해결 원칙등에 관하여 협의함.

2. 한편, EL BESHIR 혁명위원장은 GULF 사태해결을 위한 외교적 노력의 일환으로아랍제국 순방을 곧 재개할 것(지난 8.18-21.간에는 예멘,알제리,튜니지아,리비아등을 방문한 바 있음)이라고 보도됨.

3. ALI SAHLOUL 외상은 이집트가 이달말 개최를 주장하는 아랍외상회의는 연기되어야 할 것이라고 밝힘.끝.

(대사 한창식-국장)

중아국　1차보　2차보　중아국　통상국　대책반　미주국

PAGE 1

90.08.25　21:15 CG

외신 1과 통제관

0118

원 본

외 무 부

종 별 :

번 호 : SSW-0274 일 시 : 90 0826 1330

수 신 : 장 관 (중근동,마그,통일,정일)

발 신 : 주 수단 대사

제 목 : 이락, 쿠웨이트 사태 (PNIO 보고)

연: SSW-0273

1. 주재국 일간지 AL ENGAZ AL WATANI (아랍어)는 8.26. 걸프사태와 관련, EL BESHIR 혁명위원장이 수일내에 쫄단과 이락을 방문하고, 사담 후세인 이락대통령과 금번 사태해결방안을 협의할 것이라고 보도함.

2. 상기 혁명위원장의 순방에는 리비아군 사절단이 동행할 것이라고함.끝.

(대사 한창식-국장)

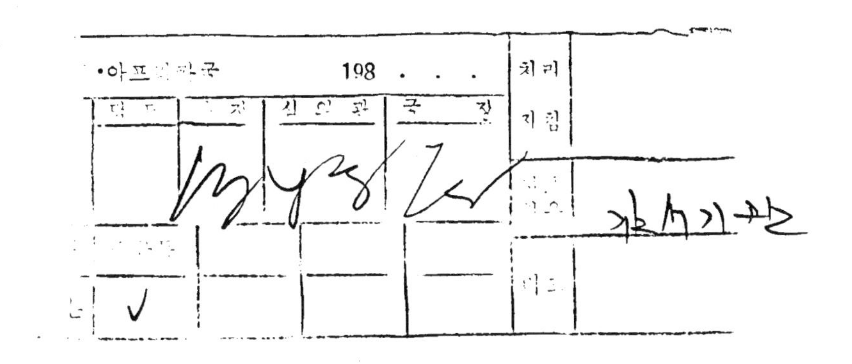

중아국 1차보 중아국 통상국 정문국 안기부 대책반 2차보

PAGE 1

90.08.26 22:12 FC

외신 1과 통제관

0119

원 본

외 무 부

종 별 :

번 호 : SSW-0277 일 시 : 90 0827 1200

수 신 : 장관(중근동,마그,통일,정일)

발 신 : 주 수단 대사

제 목 : 이락.쿠웨이트 사태(PNIO 보고)

연: SSW-0274

표제관련, 주재국의 특이사항을 보고함.

1. ALI SAHLOUL 외상은 IGADD 회의참석차 8.25.나이로비에 도착하여 공항성명을통해, 수단이 이락에게 군사기지를 제공하였다는 최근 일부외신보도는 허위이며, 수단에 적대적인 외부세력에 의한 언론 조작이라고 비난함.

2. 주재국 혁명위 부위원장 EL ZUBAIR 소장은8.25. 당지 언론 성명을 통하여, 수단 영토내의 이락 항공기, 미사일 배치에 관한 외신보도가 근거없는 허위보도라고 이를 부인하였음.

3. 지난 8.13. 주재국 수도 KHARTOUM 에서외 세개입을 반대하고 이락을 지지하는 군중시위가 있은후, 8.25.에는 PORT SUDAN 항에서도 다수군중이 이락지지 시위 행진을 전개하였음.끝.

(대사 한창식-국장)

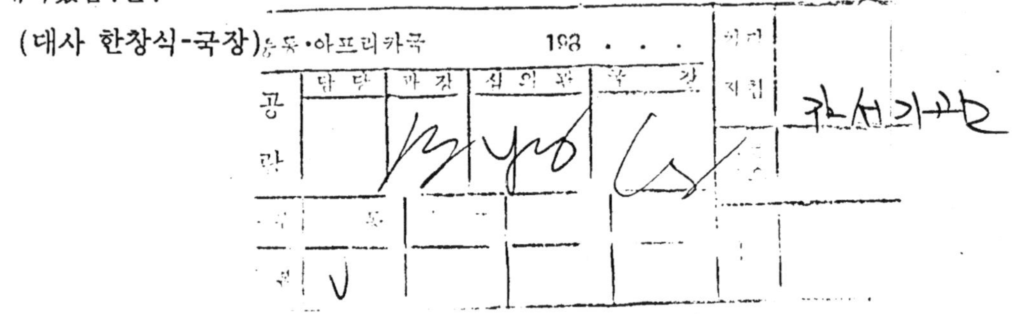

중아국 1차보 중아국 통상국 정문국 안기부 2차보 대책반 미주국

PAGE 1

90.08.27 22:50 DP

외신 1과 통제관

0120

원 본

외 무 부

종 별 :

번 호 : SSW-0278　　　　일 시 : 90 0828 1300

수 신 : 장관(중근동,마그,통일,정일)

발 신 : 주 수단 대사

제 목 : 이락.쿠웨이트 사태(PNIO 보고)

연: SSW-0274

1. EL BESHIR 혁명위원장은 리비아군 사절단과 함께 8.26-27.간 요르단과 이락을 방문, 요르단 PRINCE AL HASSAN, 사담 후세인 이락 대통령, TARIG AZIZ 이락 외상등과 GULF 사태해결 방안을 협의하고 귀국하였다고 금 8.28.자 당지 일간지들이일제 보도함.

2. EL BESHIR 혁명 위원장은 도착 성명에 의하면, 금번 이락 대통령과의 회담은 GULF사태의 아랍권내 평화적 해결 모색면에서 성공적이었으며, 수단, 리비아및이락은 동 사태를 아랍권내 자체 해결과 평화적 해결노력을 계속할 것에 의견을 같이 했다고 함.

보도에 의하면, 후세인 이락대통령은 BESHIR 위원장의 바그다드 도착및 출발시공항에서 영접했다고 함. 끝.

(대사 한창식-국장)

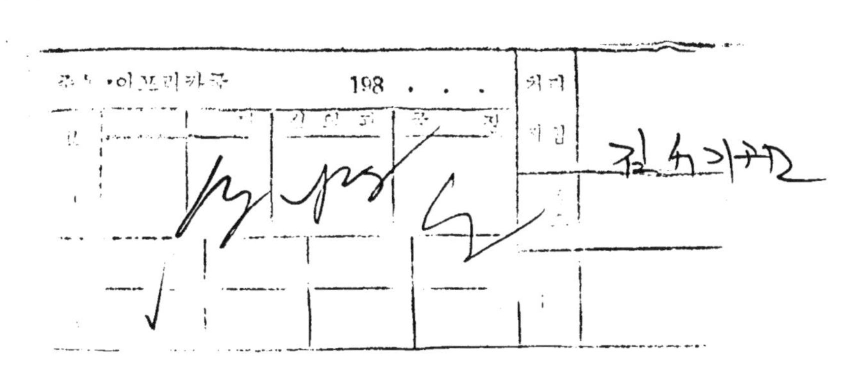

중아국　1차보　중아국　통상국　정문국　안기부　미주국　대책반　그리니

PAGE 1　　　　90.08.28　23:01 DA

외신 1과 통제관

0121

원 본

외 무 부

종 별 :

번 호 : SSW-0287 일 시 : 90 0901 1200

수 신 : 장관(중근동,마그,통일,정일)

발 신 : 주 수단 대사

제 목 : 이락.쿠웨이트 사태(PNIO 보고)

연: SSW-0283

1. EL BESHIR 혁명위원장은 리비아의 혁명기념일행사 참석을 위하여 8.31. 트리폴리로 향발하였음. 혁명위원자은 GADDAFI 리비아지도자와 수단-리비아간 통합집행계획 관련 합의사항을 서명하고, GULF 사태 해결에 관한 아랍권대책을 협의할 것이라함.

2. 동위원장은 당지 출발에 앞서 발표한 언론성명에서, 수단은 GULF 사태에 관한모든 UN안보리 결의사항을 포함한 유엔결의안을 준수할것이라고 하면서 그러나, 금번 사태는 외세개입이없이 아랍권 자체내에서 모든 아랍국가의 주권과권위가 보존되는 배향으로 해결되어야 하며, 이를위한 외교노력을 강조하였음.

3. 한편, EL BESHIR 혁명위원장의 사담후세인 이락대통령앞 친서를 전달하기 위한 특사가 9.1.이락에 파견될 것이라고 보고되었음.끝.

(대사 한창식-국장)

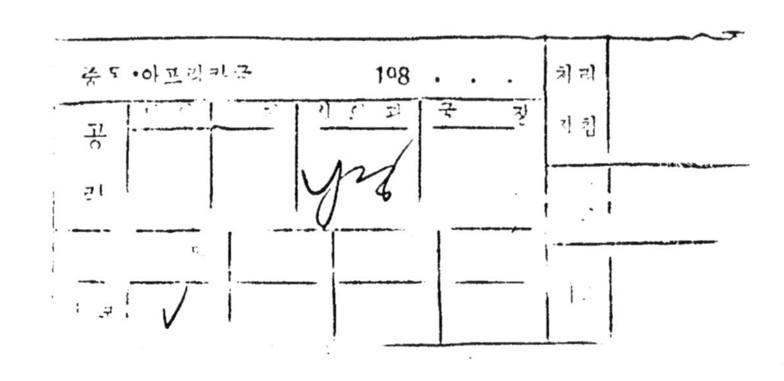

중아국 1차보 중아국 통상국 정문국 안기부 대책반

PAGE 1 90.09.01 21:07 DN

외신 1과 통제관

0122

관리 번호	90-595

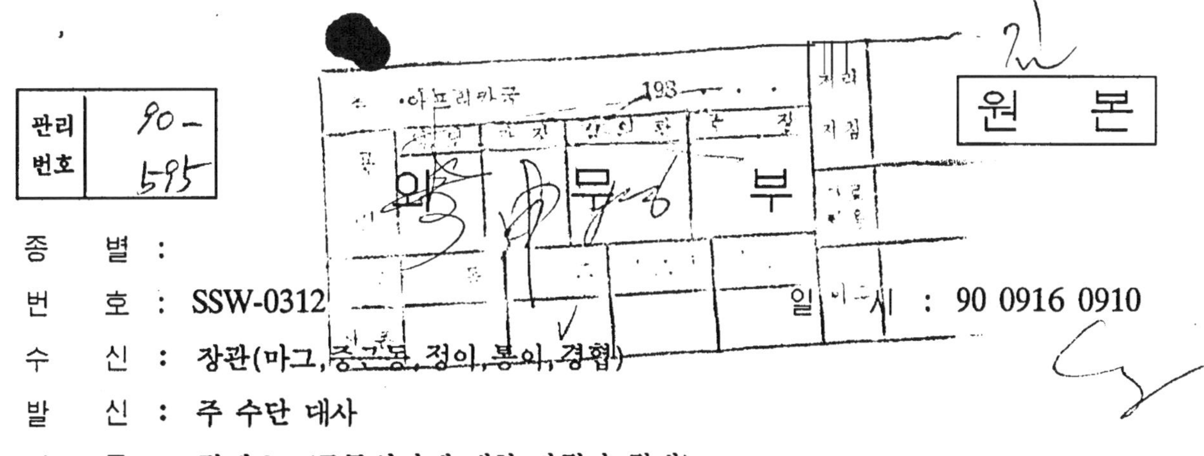

종 별 :

번 호 : SSW-0312 일 시 : 90 0916 0910

수 신 : 장관(마그, 중근동, 정의, 통의, 경협)

발 신 : 주 수단 대사

제 목 : 정세보고(중동위기에 대한 강경파 견해)

1. 그간 본직은 SALIH BIN KOBBI 당지 주재 알제리아대사의 예방(양국 수교이후 처음)을 받고, 또 답방을 하는 가운데, 특히, 중동위기와 관련한 알제리아등 강경 아랍권의 자세와 생각등을 청취했는바, 관련사항을 참고로 보고함.

2. 동인은 현 상황하에서 중동위기는 종국적으로 이락의 승리가 확실한 것으로 본다고함.

이락에 의한 KUWAIT 의 점령은 용납할 것이 아니나, 그것을 이유로 미국을 위시한 외국군대가 사우디에 주둔하는 것은 있을 수 없으며, 이는 아랍 MENTALITY 로써는, 쿠웨이트 사태보다, 더욱 용납이 않됨.

특히 아랍 석유생산의 최중요한 심장부에 외국군대가 진주하고 직접 간접으로 영향을 준다는 것은 단순한 사우디만의 문제가 아님.(알제리등 강경 아랍권은 중요 산유국으로서 석유통제권에 대해서는 생사의 문제로서 예리하게 신경을 쏟고 있는 것으로 관측되었음.)

또한 사우디는 모스렘 종주국이며, 외국군의 주둔은 오랜 역사를 가진 아랍의 자존심이 용서 안함.

3. 애급 대통령및 사우디 왕가등이 반 이락세력을 형성하고 있으나, 이스람을 믿는 이들 국가의 아랍군대가 이락국민에 대하여 전쟁을 하라고 강요한다 해도 용감하게 싸우리라고는 기대하지 못할 것임. 최근 이란과 이락이 화해 움직임을 보이고 있는 것도 자연스러운 것이며, 이는 이락 봉쇄에 큰 변도 요소임. 여하간 이락국민의 80 프로 이상이 이스람의 시아파인 점으로 보아, 시아파의 종주국인 이란과 위기에 협력하는 것은 자연스런 결과라고 봄.

시리아는 이락과 정치적인 RIVAL 관계에서, 적에 대한 적대세력은 친구라는 단순한 입장으로 반이락 세력을 형성하고 있으나, 서방과 본질적 협력요소가 있는 것으로

중아국	장관	차관	1차보	2차보	중아국	경제국	통상국	정문국
청와대	안기부	대책반						

PAGE 1

1990.12.31. 예고문에 의거 일반

90.09.16 19:44
외신 2과 통제관 EZ

0123

보지않음.

4. 이와같은 상황에서 이락-쿠웨이트 중동위기는 시간이 갈수록 이락측에 유리할 것으로 보며, 아랍(강경파) 민족의 단결은 더욱 강화될 것임.

5. 분석 평가

가. 상기는 강경아랍권의 생각 방향의 일면을 나타내는 것으로 보며, 참고할 필요가 있다고봄.

나. 중동위기와 관련, 북한이 강경아랍측에 서서, 국제적 고립을 증대하고 있거니와, 이와같은 북한의 태도는 대 강경아랍권을 활용하려는 외교적 전술 이외에, 상기와 같은 강경 아랍권의 생각도 수용하고 있을수도 있다고봄.

다. 상기와 같은 점을 고려, 대서방, 대아랍 강경파 및 대 북한정책을 종합적으로 판단하여 대처해 나아감이 필요할 것으로 사료함. 끝.

(대사 한창식-차관보)

예고: 90.12.31. 까지

PAGE 2

0124

관리번호	91-1510

외 무 부

종 별 :

번 호 : SSW-0027 일 시 : 91 0117 1800

수 신 : 장관(중근동,마그) 사본:이우상 주수단대사

발 신 : 주 수단대사다리

제 목 : 페만 사태

대: WMEM-0008,0009 91.6.30. 검토필

1. 당지 반응

가. 1.17. 16:00 시 현재 주재국 정부의 공식 입장 발표는 없으며, 관영 라디오 방송은 전쟁발발에 관해 외신을 인용 보도하고 있음.

나. 10시부터 학생 시위대가 후세인 지지, 미국타도, 아랍승리를 외치며, 산발적으로 시내를 행진함.

다. 미대사관은 1.16. 저녁, 대사를 포함한 대사관, USAID, 국제기구 근무자와 일반인등 잔류인원 전원을 해병대 요원과 함께 특별기편으로 완전 철수함.

라. 시내 상황은 전쟁 발발전의 이락지지, 외세배격을 강조하던 분위기와는 달리, 조용하고 차분한 가운데 라디오를 통해 전황 파악에 관심이 집중돼 있음.

휴일인 내일까지 별다른 움직임은 없을 것으로 보임.

2. 당지 조치사항

가. 당관은 휴일중에라도 긴급한 상황이 발생할 경우, 교민 전원을 대우아파트 단지로 대피토록 하여 집단 대처 예정임.

나. 공관에는 당관 직원이 계속 대기 근무중이며, 청사및 관저의 외부 경호및 내부 경비를 강화함.

다. 현재로서는 철수를 희망하는 교민이 없고, 동 문제를 검토한 단계가 아니나, 교민 개개인에 대하여 출국비자, 여권등 출국을 위한 사전 조치 강구는 지시하고 있음.

라. KAL 기 착륙허가는 외무성에 72 시간 이전에 문서로 신청하여야 함. 허가 획득상 큰 어려움은 없을 것으로 봄.끝.

(대사대리 김재국-국장)

중아국	장관	차관	1차보	2차보	중아국	청와대	안기부

PAGE 1 91.01.18 06:15

외신 2과 통제관 CF

0125

예고: 91.12.31. 일반

PAGE 2

0126

관리 번호	91-1521

원 본

외 무 부

종 별 :

번 호 : SSW-0029 일 시 : 91 0118 2010

수 신 : 장관(마그,경이) 사본:이우상 주수단대사

발 신 : 주 수페단 대사대리

제 목 : 페만 사태

대: WMEM-0010

연: SSW-0027

1. 금 1.18. 주재국은 휴무인 관계로 평온한 분위기인 바, 당지 교민중 일부만 대우아파트 단지에 대피해 있음.

2. 명 19 일 오전 10 시에는 이락 지지 군중 시위가 예정되어 있는바, 어제의 학생 시위와는 달리 금번 시위에는 각지역 지명단체등에서 다수의 인원이 동원될 것으로 생각되므로, 시위가 과격해져 외국인에 대한 위해사태까지 악화될 경우에는 당관은 당초 계획대로 교민을 대우아파트에 전원 대피토록 조치 예정임.

3. 본직은 금일 오후 상기 대우아파트 단지가 소재하는 바리지역 스포츠클럽에 90 년도 체육용품 일부를 전달하였는 바, 동 전달식에는 클럽회원및 주민대표 50 여명이 참석, 우의를 다졌음.

이와같은 행사는 만일의 사태에 대비한 교민보호 조치로서도 의의가 크다고사료함.

4. 1.18.20:00 시 현재 당지 교민 안전에는 이상이 없음. 끝.

(대사대리 김재국-본부장)

예고: 91.12.31. 일반

91. 6. 30.

중아국	장관	차관	1차보	2차보	경제국	청와대	안기부

PAGE 1 91.01.19 03:59

외신 2과 통제관 CH

0127

관리번호	91-1470

외 무 부

종 별 :

번 호 : SSW-0039 일 시 : 91 0123 1805

수 신 : 장관(중근동,마그) 사본: 이우상 주수단대사

발 신 : 주 수 단대사대리

제 목 : 걸프사태

연: SSW-0032

1. 걸프전과 관련, 주재국의 공식성명 발표는 상금 없으나, 당지 언론에 보도된 EL BESHIR 혁명위원장, KHALIFA 혁명위 외무위원장등의 발언내용을 보면, 미국등 다국적군의 이락공격 행위는 이락군의 쿠웨이트 철수목적에 있는 것이 아닌 이락의 자원과 이슬람 세력을 철저히 파괴하려는 불법행위이고, 수단은 걸프전 종식을 위해 리비아, 차드, 예멘, PLI, 튜니시아등 아랍제국과 협력할 것이라는등 친이락 입장을 분명히 하고있음.

2. 한편, 이는 1.19. 당지 시위대가 이집트대사관앞에서 무바락 타도, 아스완댐 파괴등을 외친데 대한 항의 조치로서 카이로대학 카르툼 분교등 이집트계 학교 폐쇄와 이집트 항공의 취항을 중단시킨 바 있음.(학교는 수일후 재개되었으나, 항공기 취항은 계속 중단됨)

3. 당지 교민은 정상생활을 영위하고 있음. 끝.

(대사대리 김재국-국장)

예고: 91.12.31. 일반

91.6.30. 김조직

중아국 중아국 중아국

PAGE 1

91.01.24 05:37

외신 2과 통제관 FE

0128

관리번호	91/641

외 무 부

종 별 :

번 호 : SSW-0051 일 시 : 91 0128 1500

수 신 : 장관(마그,중근동,정일)

발 신 : 주 수 단대사

제 목 : 주재국 정세(혁명위원장 연설)

(PNIO 보고-4)

1. 연: SSW-0003

1. 당지 관영 언론보도에 의하면, EL BESHIR 혁명위원장은 1.26. 혁명위원,각료및 정치, 경제, 사회 지도층과 지역 인민대표들이 참석한 회의에서, 주요 대내외 정책에 관한 혁명정부의 입장을 밝혔는바, 요지를 보고함.2.SHARIA LAW 채택

가. 89.10. 국민평화회의가 연방제 정부및 이슬람 법률의 책택을 건의한데 따라 91.1. SHARIA LAW 채택을 선언, 형법개정안이 최근 각의를 통과 시행케 되었음.

나. 고리대금, 독점, 부정, 부당이득 행위를 사법제도의 전면적 개편을 위한 국민법률회의를 3.4-18 간 개최 예정임(의장은 혁명위 부위원장)

3. 연방제 추진: 가. 수단의 지리적 조건과 종족, 문화의 다양성에 비추어 국가통일을 위해서는 지방 분권적 연방정부제가 최적임.

나. 특히, 남부지역 주민이 연방제를 환영하는 바, 행정구역 개편등 구체적시행조치가 곧 발표될 것임.

4. 걸프전

가. 다국적군의 무력행위는 유엔결의안을 일탈하고 있는바, 수단정부는 이락의 확고한 대항자세를 찬양하고 알라신을 신봉하는 힘은 무기보다 강력함을 확신, 이락지지 입장에 변함이 없음.

나. 걸프전의 유일한 수혜국은 이스라엘인 바, 이를 지원하는 서방 제국주의, 패권주의 세력에 대항하여 각국의 회교세력이의 봉기할 것을 촉구함.

5. 평가

가. 수단정부의 이슬람법률(사법)과 연방정부(행정) 채택은 지난 90.10. 정치제도 국민회의가 결의한 인민회의제(의회) 책택과 함께 군사혁명후 1 년반만에혁명정부 3

중아국 장관 차관 1차보 2차보 중아국 정문국 청와대 안기부

PAGE 1 91.01.29 00:10

외신 2과 통제관 FE

0129

권의 형태를 결정한 것으로 평가되며, 앞으로 의회, 정부, 법원 조직에 관한 세부 계획이 발표될 것으로 예상됨.

나. 걸프전과 관련한 수단정부 입장은, 외세배격, 아랍권 단결에 의한 평화적 해결원칙하에 실질적으로 이락지지를 분명히 하고 있음. 혁명정부는 또한 친이락 아랍권의 행동통일을 위한 최근 리비아(BAKRI 정부위원장및 문공장관)및 예멘(KHALIFA 외무위원장)에 요인을 파견, EL BESHIR 혁명위원장의 멧세지를 전달하였음. 끝.

(대사 이우상-국장)

예고: 91.12.31. 까지

검토필(1991.6.30.)

관 서북

외 무 부

종 별 :

번 호 : SSW-0083 일 시 : 91 0218 1200

수 신 : 장 관(중이,중일,정일)

발 신 : 주 수단 대사

제 목 : 주재국 정세(걸프사태 관련)

1. 당지 언론보도에 의하면 이락부수상 SAADOUN HAMADI는 2.14. 당지를 방문, ELBESHIR 혁명위원장에게 후세인 대통령의 멧세지를 전달하고 걸프사태를 협의하였으며, KHALIFA 외무위원장등 혁명위 지도자들과 최근 아랍정세등에 관해 의견을 교환한후 당일 저녁 예멘으로 향발함.

2. HAMADI 이락 부수상은 당지 언론회견과 군중대회 연설을 통하여 다국적군의 이락 민간인 대피소 공습행위를 비난하고, 사우디를 비롯한 다국적군 가담 아랍권 국가들의 다국적군 이탈과 이들 국가의 국민들에게 정부 전복을 촉구하였음. HAMADI 부수상은 또한,아랍국가들에게 다국적군 국가들과의 관계단절과 유엔결의안 거부를 촉구함.

3. 한편, 주재국의 EL BESHIR 혁명위원장은 2.16. ALI SALIH 예멘대통령의 전화를 받고,동인과 최근 걸프사태 정세를 협의하였으며,외무성은 2.15. 이락의 쿠웨이트철수제의에 대해 지지성명을 발표함. 외무성은 걸프전의 즉각 종전, 대량살상의 방지, 유엔권능의 회복기회로서 금번 이락측 제의를 지지한다고 하고,관계국들의 동 제의 수락을 촉구함.

4. 당지 서방측 외교관들은 이락 부수상의 당지 방문시 행한 여사한 발언내용에비추어 2.15.이락측의 쿠웨이트 철수 제안을 신빙성이 없는것으로 관측하고 있음.끝.

(대사 이우상-국장)

√중아국	장관	차관	1차보	2차보	미주국	중아국	정문국	청와대
총리실	안기부	대책반						

PAGE 1

91.02.18 20:54 DQ

외신 1과 통제관

0131

정 리 보 존 문 서 목 록

기록물종류	일반공문서철	등록번호	2012090552	등록일자	2012-09-17
분류번호	772	국가코드	XF	보존기간	영구
명 칭	걸프사태 동향 : 중동지역, 1990-91. 전6권				
생 산 과	중근동과/북미1과	생산년도	1990~1991	담당그룹	
권 차 명	V.3 아랍에미리트연합국/예멘				
내용목차	1. 아랍에미리트연합국 2. 알제리 3. 예멘				

0001

1. 아랍에미리트연합국

0002

원 본

외 무 부

종 별 :

번 호 : AEW-0203 일 시 : 90 0731 1610

수 신 : 장관(중근동)

발 신 : 주 UAE 대사

제 목 : 주재국 대통령 애급방문

1.주재국 대통령은 금7.31 애급에서 무바락 애급 대통령과 회담 아랍문제와 양국관계에 관하여 협의할 예정이라고 주재국 언론은 보도함.

2.동회담은 최근 이락.쿠웨이트 영토 분쟁에 즈음하여 무바락 대통령이 이락.쿠웨이트를 방문함과 아울러 사우디가 주재에 나서는등 아랍의 분렬을 사전 예방하려는 노력의 일환으로 분석됨.

3.주재국 대통령은 모로코를 현재 비공식 방문중이며 모로코에서 애급으로 직행할 예정임.

대사 박종기-국장

중동·아프리카국	198 . . .	처리지침	
담당 / 과장 / 심의관 / 국장		관련내용	
		비고	검서기관

중아국 1차보 정문국 안기부

PAGE 1

90.08.02 20:22 DA

외신 1과 통제관

0003

원 본

외 무 부

종 별 :

번 호 : AEW-0210 일 시 : 90 0804 1800

수 신 : 장 관(중근동,정일,기정)

발 신 : 주 UAE 대사

제 목 : 제목 이라크 쿠웨이트 사태

대:WMEM-0024

연:AEW-02031.

1.대호,이라크 쿠웨이트 사태관련,주재국 정부의 단독, 공식 입장및 논평은 상금 없었으나 8.3 GCC공동명의로 이라크의 쿠우웨이트 침공을 비난 하고 즉각철수를요구하였음.

2.주재국은 사태 발생일 8.2일 저녁 TV NEWS 시간에도 사실 보도차 한바 없으며,익일 민영 일간지로도 조심스러히 이라크의 쿠우웨이트 침 공 사태를 보도 하는동시에 사설에 이라크의 쿠웨이트 침공을 비난 하는논평을 게재 한바 있음

3.주재국은 동사태와 관련

가.당일에는 사실조차 보도하지하지 않는 극히 신중을 기함

나.군도 비상사태에 들어 갔다는 소문은 있으나 표면상 특이한 움직임은 없음. 다만,공휴일로 지정된바 있는 8.6일 대통령 취임기념 행사를 일체 취소 함

4.연호,애급을 방문 중에 있던 주재국 대통령은 8.2 사우디로 직행,사우디 국왕과 회담후 8.3 귀국한바 있음

5.당관은 동사태관련,UAE가 쿠웨이트에 이은 제22의 TARGET 가 될 가능성을 감안,비상안전대책을 마련하는등 상사원들에게 유사시 사태에 대비한 협조 체재를 강구토록 하였으며,진전 상황 추보 위계임(대사 박종기-국장)

중아국 1차보 2차보 정문국 청와대 안기부

PAGE 1

90.08.05 13:03 AZ

외신 1과 통제관

0004

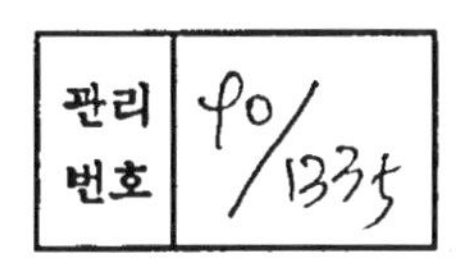

외 무 부

종 별 :

번 호 : AEW-0217 일 시 : 90 0809 1430

수 신 : 장 관(기협,중근동,기정)

발 신 : 주 UAE 대사

제 목 : 이락-쿠웨이트사태

대 WAE-148

연 AEW-0214

1. 대호 이락, 쿠웨이트 사태에 관한 당지의 언론 외교관및 관계자등의 의견을 아래와 같이 보고함.

가. 금 8.9 아랍 정상회담에서 이락이 철수할수 있는 명분과 쿠웨이트가 납득할만한 결과가 나오지 않는다면 동 사태의 해결 실마리가 불투명함.

나. 현재 유가가 $32 까지 폭등하고 있으나 일시적 현상이며 시장기능은 회복 조만간 진정될것임.

다. 주재국으로 까지 전쟁이 확산될 가능성은 희박하나 사담 후세인의 비정상적 돌발적 성격및 행위도 배제 못하며 만약 사태발생시 원유의 국제수급에 막대한 차질과 유가앙등을 피할수 없음.

2. 주재국 대통령은 이란대통령의 특사를 접견하고 금일 카이로로 정상회담차 향발 하였으며 동사태에 조심스러이 사우디와 공동보조로 대처해 나가고 있음.

(대사 박종기-국장)

예고: 90.12.31 까지

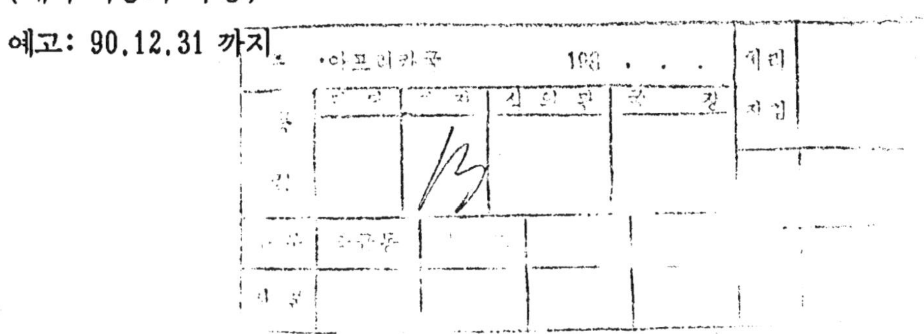

경제국 장관 차관 1차보 2차보 중아국 청와대 안기부

PAGE 1

90.08.09 22:03

외신 2과 통제관 DL

0005

관리번호	90/1628

원 본

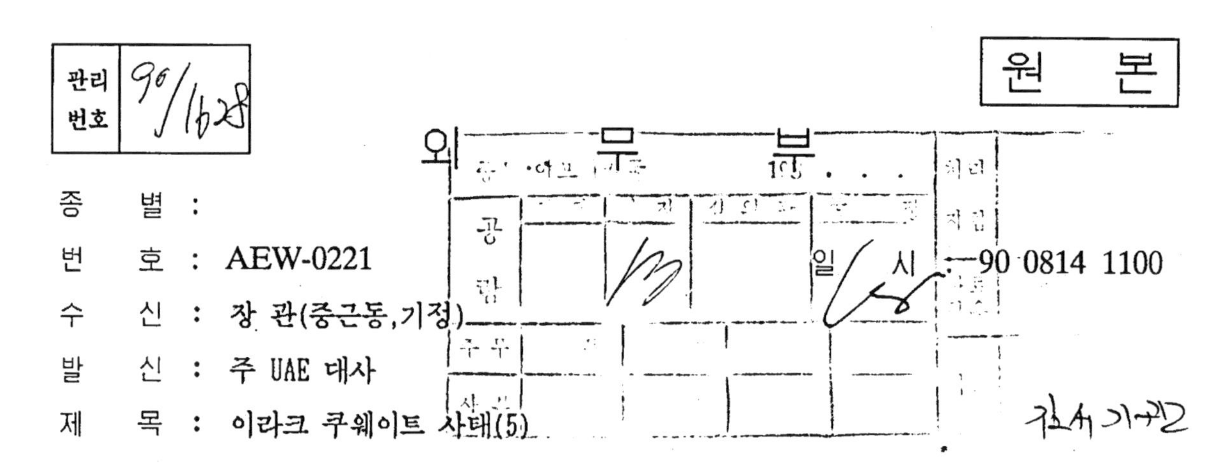

종 별 :

번 호 : AEW-0221

일 시 : 90 0814 1100

수 신 : 장 관(중근동,기정)

발 신 : 주 UAE 대사

제 목 : 이라크 쿠웨이트 사태(5)

대: WBH-0092, 연: AEW-0219

1. 이라크 쿠웨이트 사태에 관련 주재국 동정 아래와 같음.

가. 주재국 군 당국은 8.13 현재 사태에 즈음 국가 위기에 대처코자 주재국 국민으로서 (15 세-40 세) 6 주간의 군사기술 훈련과정 희망시 전문분야 2 주연장)을 마련하고 희망자를 모집하고 있음.

나. 주재국 모하마드 국방장관은 주재국은 사랑과 평화와 안정의 오아시스 이며 주재국 국민과 외국인들은 협동과 우애속에 지내고 있다고 언급 하였음

2. 8.13 주재국내 약 200 명의 쿠웨이트인이 (현재 5-6 천명 거주, 체류) 쿠웨이트 대사의 인솔하에 이라크의 철수를 요구하는 가두시위를 벌였으며, 시위중 대사는 이라크를 비난함과 동시에 주재국 대통령의 쿠웨이트인들에 대한 호의에 감사 한다고 언급 하였음.

(대사 박종기-국장)

예고: 90.12.31 일반

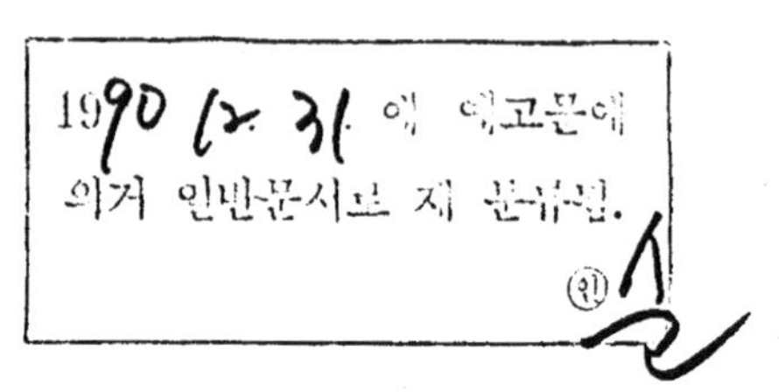
1990 12. 31 에 예고문에 의거 일반문서로 재 분류됨.

중아국 차관 1차보 2차보 청와대 안기부

PAGE 1

90.08.14 17:34

외신 2과 통제관 DL

0006

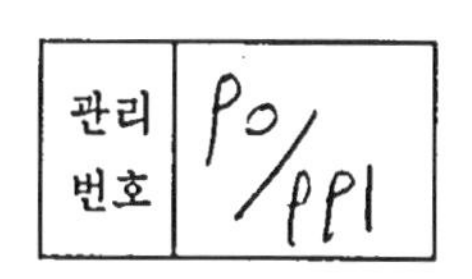

원 본

외 무 부

종 별 :

번 호 : AEW-0234 일 시 : 90 0820 1330

수 신 : 장관(중근동,기정)

발 신 : 주 UAE 대사

제 목 : 이라크-쿠웨이트 사태(6)

연: AEW-0221

1. 연호, 8.20 주재국 언론 보도에 의하면, 주재국 정부는 동사태에 따른 아랍및 국제노력에 부응하고, 현사태 발전에 비추어, 역내 방어목적으로 아랍및 우방국군의 UAE 주둔에 합의하였다 함.

2. 동건 외무부에 탐문 확인한바, 아래와 같음.

가. 국가안위및 원유의 원활한 운송을 위하여 취한 조치임

나. 현재로서는 주로 영국및 애급군의 주둔할 것임

다. 주둔에 따른 경비문제는 파견국의 요청이 있을시 고려될 것임

3. 동조치는 8.18 영국 CLARK 국방장관 방문후 구체화 된것으로 관측됨.

(대사 박종기-국장)

예고:90.12.31 일반

1990.12.31. 에 예고문에 의거 일반문서로 재 분류됨.

중아국 차관 1차보 2차보 통상국 청와대 안기부 대책반

PAGE 1

90.08.20 19:33

외신 2과 통제관 BT

0007

	분류번호	보존기간

발 신 전 보

번 호 : WBG-0294 900820 1643 FA 종별 :

수 신 : 주 수신처 참조 대사. 총영사

WSB -0341 WAE -0170
WYM -0184 WIR -0278
WTU -0386 WCA -0303

발 신 : 장 관 (중근동)

제 목 : 이라크.쿠웨이트 사태

1. 이라크측이 서방국민의 인질 가능성을 공언하고 다국적 지상군 배치 및 해안 봉쇄망 구축으로 양측의 전투 배치가 완료된 것으로 걸프 사태는 새로운 국면을 맞고 있는 것으로 분석됨. ~~(8.20 자 동아일보는 "미.중동 전면전 불가피" 라는 썬데이 타임쓰 기사를 전재함.)~~

2. 이러한 군사 대치 상황에서 이라크측이 취할 가능성이 있는 선택 (OPTION)을 중심으로 향후 단기 전망을 주재국 정부 포함 다각적으로 파악 보고 바람. 끝.

(중동아프리카국장 이 두 복)

수신처 : 주 이라크, 사우디, UAE, 예멘, 이란, 터키 대사
주 카이로 총영사

보 안 통 제	

앙 고 재	90년 8월 20일	중근동과	기안자 성 명		과 장	심의관	국 장		차 관	장 관
						후결	전결			

외신과통제

0008

관리번호	90/1010

원 본

외 무 부

종 별 :

번 호 : AEW-0236 일 시 : 90 0821 1400

수 신 : 장관(중근동,기협)

발 신 : 주 UAE 대사

제 목 : 이라크-쿠웨이트 사태(7)(자료응신12호)

대:WAE-0170

연:AEW-0234

대호, 소직은 8.21 외무부 AL KINDI 정무국장을 면담(오참사관 배석) 동사태를 논의하였는바, 동인 반응은 아래와 같음.

가.UN 및 아랍연맹 결의에 부응, UAE 는 아랍및 우방국군 주둔에 합의하였음

나. 또한 UAE 는 8.20 미국방장관 방문시 요청한 미군의 UAE 군사시설 사용도 허가하였음

다. 사담 후세인이 더이상의 군사적 도발은 불가하다는 것을 인식한 것으로판단되며, 따라서 동사태를 정치적으로 해결코저 모색할 것이나 명분과 실리가있는 해결책이 없으므로 현사태는 장기화될 가능성이 큼

2. 동인은 쿠웨이트, 이라크내 한국인의 안전에 대하여 우려를 표명하고, 동사태가 군사적 충돌없이 평화로이 해결되길 희망한다고 언급하였음을 첨언 보고함. 끝.

(대사 박종기-국장)

예고:90.12.31 일반

중아국 대책반	차관	1차보	2차보	경제국	통상국	정문국	청와대	안기부

PAGE 1

90.08.21 21:36

외신 2과 통제관 CW

0009

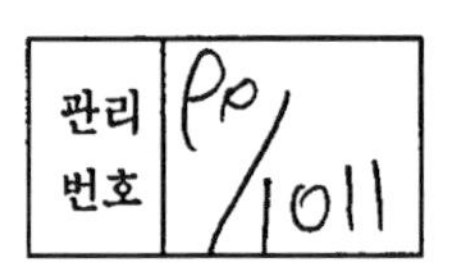

외 무 부

종 별 :

번 호 : AEW-0237 일 시 : 90 0821 1430

수 신 : 장관(기협,중근동,정일)

발 신 : 주 UAE 대사

제 목 : 이라크-쿠웨이트 사태(8)(자료응신 13호)

대:WAE-0169

1. 대호, 소직은 8.21 주재국 국영회사인 ADNOC 대표 AL MAZROUI 를 면담(오참사관 배석) 하였는바, 동인 반응 아래와 같음.

가.UAE 는 단기적 유가폭등을 반대하며 국제유가의 안정을 목표로 삼고 있으며, 따라서 한국등 기존 원유 도입선에 대하여는 지속적 공급에 차질이 없을것임

나. 또한 UAE 는 현재는 이라크. 쿠웨이트사태 직전 결정된 OPEC 쿼타 150 만 B/D 생산을 고수하고 있으나, 동사태로 인한 이라크. 쿠웨이트의 감산물량만큼은 반드시 보충생산되어야 한다고 생각하고 있음. 현재 OPEC 는 보충물량 협의를 모색코자하나 알제리, 리비아등의 반대로 지연되고 있으며, 만일 OPEC 에서의협의가 이루어지지 않는경우 사우디를 포함 몇개국의 증산에 의해 해결될것으로 생각함

다. 유가는 현재 비정상적으로 폭등하고 있으나 전술한 보충물량등에 의거 시장기능을 회복 21 불에서 2-3 불 정도 오른 가격으로 유지될것으로 전망됨

2. 동인은 UAE 의 산유능력을 약 3.5 백만 B/D 로 말한바 있으나 실제 2.1 백만 B/D 가 최대 산유능력인 것으로 당지 전문가들은 보고 있으며 동사태 추이에 따라 증산은 확실시 될것으로 관측됨. 끝.

(대사 박종기-국장)

예고:90.12.31 일반

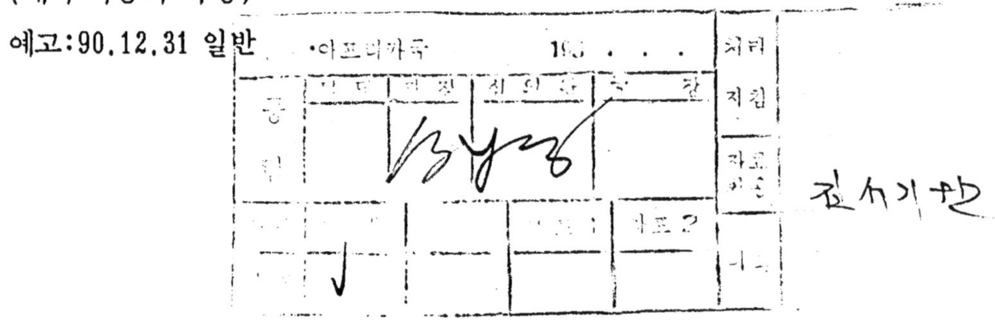

경제국	차관	1차보	2차보	중아국	통상국	정문국	청와대	안기부
동자부	대책반							

PAGE 1

90.08.21 21:39

외신 2과 통제관 CW

0010

관리번호	90-522

외 무 부

종 별 :

번 호 : AEW-0241　　　　일 시 : 90 0822 1330

수 신 : 장관(중근동,기협,정일)

발 신 : 주 UAE 대사

제 목 : 이라크-쿠웨이트 사태(9)(자료응신 14호)

연:AEW-0234

1. 연호.소직은 8.22 당지 영국대사와 접촉, 동사태에 따른 영국군의 당지주둔등에 관하여 문의한바, 아래 반응을 보였음.

가. 영국은 UAE 와의 전통우호관계에 비추어, 지난 CLARK 국방장관 방문시 주재국의 기지사용문제를 먼저 제의하지는 않았으나 주재국 정부가 영국군의 기지 사용등을 제의, 합의한바 있음

나. 영국은 현재로서는 동지역에 지상군 부입을 고려하고 있지 않으며, 해.공군만을 파견했다고 함

2. 동대사는 이라크의 압력에도 불구하고, 쿠웨이트주재 영국대사관을 철수하지 않을것이라는 영국정부 입장을 재확인함. 끝.

(대사 박종기-국장)

예고:90.12.31 일반

1990.12.31.에 예고문에 의거 일반문서로 재분류됨

중아국 대책반　차관　1차보　2차보　경제국　통상국　정문국　청와대　안기부

PAGE 1　　　　90.08.22 19:03
외신 2과 통제관 DO

0011

관리번호	90/1670

원 본

외 무 부

종 별 :

번 호 : AEW-0245 일 시 : 90 0825 1400

수 신 : 장관(중근동,기협,정일)

발 신 : 주 UAE 대사

제 목 : 이라크-쿠웨이트 사태(10)(자료응신 15호)

연:AEW-0241

1. 소직은 연호사태 관련, 당지주재 미국대사를 8.25 접촉한바, 동인 반응 아래와 같음.

가. 현사태와 관련, 우선 미국은 억류된 미인질의 안전과 테러 가능성을 우려함

나.UAE 주둔 미공군력은 이라크 공격을 충분히 방어할 능력이 있는바, UAE 는 전쟁 위험지역은 아니라고 생각함다. 만약 유사시 공로철수와 동시 육로철수지로 오만을 생각하고 있는바, 사전 오만정부와 협조체제를 구축하는 것이 바람직함

2. 아울러, 소직은 미국대사에게 상호신속한 정보교환 CHANNEL 마련을 제의하고 유사시 대피및 철수등 미측의 협조를 요청하였는바, 동인은 호의적인 반응을 보였음.

(대사 박종기-국장)

예고:90.12.31 일반

중아국 대책반	장관	차관	1차보	2차보	경제국	정문국	청와대	안기부

PAGE 1

90.08.25 19:44

외신 2과 통제관 CW

0012

관리번호	90/1152

원 본

외 무 부

종 별 :

번 호 : AEW-0257 일 시 : 90 0902 1300

수 신 : 장관(중근동,기협,정일)

발 신 : 주 UAE 대사

제 목 : 이라크-쿠웨이트 사태(13)(자료응신18호)

연:AEW-0255

1. 영국 HURD 외무장관이 9.1. 주재국 ZAYED 대통령을 방문, THATCHER 수상의 구두 메세지를 전달함.

2. 동인은 기자회견에서 ZAYED 대통령과의 면담시 양국은 이라크의 UN 결의수락등 동사태 해결에 대한 양국의 기존입장을 재확인함.

3. 금번 방문은 수일전 불란서 미테랑 대통령 특사의 방문에 이어 이루어진것으로서, 동사태 관련 군사분야등 제반 협력관계 증진을 구체적으로 모색한 것으로 관측됨. 끝.

(대사 박종기-국장)

예고:90.12.31 일반

1990.12.31 예고문에 의거 일반문서로 재분류됨

중아국 차관 1차보 2차보 경제국 정문국 안기부 대책반

PAGE 1

90.09.02 18:40

외신 2과 통제관 FE

0013

관리번호 90-1901

외 무 부

종 별 :

번 호 : AEW-0258 일 시 : 90 0903 1300

수 신 : 장관(중근동,기협,정일)

발 신 : 주 UAE 대사

제 목 : 이라크-쿠웨이트 사태(14)(자료응신 19호)

연: AEW-0257

1. 주재국 MOHAMMED 국방장관은 9.2. 연호 주재국을 방문중인 HURD 영국 외무장관과 회담을 하였음.

2. 동인은 회담후 기자회견에서 아랍및 다국적군과 함께 GCC 군들이 사우디HAFR AL BATIN 지역에 주둔하고 있으며 UAE 는 필요시 UAE 군을 증파할 계획이라고 함.

3. 또한 동인은 팔레스타인 문제가 이라크-쿠웨이트 사태로 인하여 국제적 무관심속에 소홀히 다루어져서는 안됨을 강조하고 아랍은 팔레스타인의 권리를 결코 포기하지 않을 것임을 밝혔음.

(대사 박종기-국장)

예고:90.12.31 일반

예고문에 의거 일반문서로 재분류19 90.12.31 서명

중아국	차관	1차보	2차보	경제국	정문국	청와대	안기부	대책반

구주국 미주국

PAGE 1

90.09.03 19:02

외신 2과 통제관 BT

0014

관리 번호	

원 본

외 무 부

종 별 :

번 호 : AEW-0262 일 시 : 90 0905 1400

수 신 : 장관(중근동,기협,정일)

발 신 : 주 UAE 대사

제 목 : 이라크-쿠웨이트 사태(15)(자료응신 20호)

연:AEW-0258

1. 주재국 외무부는 9.4. 아랍방위협정및 CAIRO 아랍 정상회담 결의에 의거,애급. 모로코.시리아군의 주재국 파병을 받아 들였음을 공식으로 발표함.

2. 한편, 주재국 ZAYED 대통령은 9.4.RASHID 외무담당 국무장관을 특사로 임명, 이란 RAFSANJANI 대통령에게 친서를 전달함.

3. 주재국은 이라크-쿠웨이트 사태에 이은 확전에 대비, 외교적으로는 이란과 선린우호관계 증진을 모색하여 이라크의 주재국 안보위협에 대처하고, 군사적으로는 미.영등 서방으로 하여금 공군과 해군을 주둔케하고 지상군은 아랍 연합군을 주둔케하여 주재국 안보의 대미 서방의존에 대한 리비아등 여타 아랍의 비난을 회피코자 하는것으로 관측됨. 끝.

(대사 박종기-국장)

예고:90.12.31 일반

19 90 . 12. 31 예고문에 의거 일반문서로 재분류됨

중아국 대책반	장관	차관	1차보	2차보	경제국	정문국	청와대	안기부

PAGE 1

90.09.05 19:19

외신 2과 통제관 EZ

0015

주 아 랍 에 미 리 트 연 합 국 대 사 관

주 아랍에미리트(노) 32464 -233 1990. 9. 6.

경 유 : 외무부장관

수 신 : 노동부장관

참 조 : 직업안정국장

제 목 : 이라크,쿠웨이트사태 관련 동향보고

이라크,쿠웨이트사태 관련 주재국 동향을 별첨과 같이 보고 합니다.

첨 부 : 동향보고서 1부. 끝.

예 고 : 90. 12. 31파기

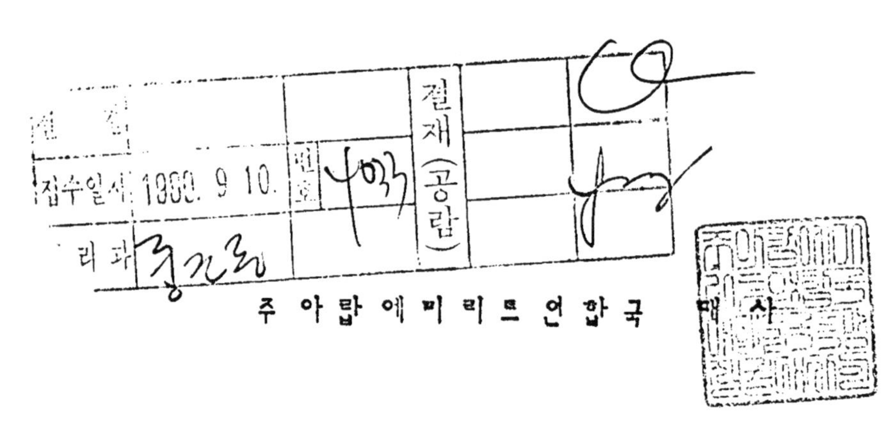

주 아 랍 에 미 리 트 연 합 국 대 사

0016

이라크, 쿠웨이트사태 관련 동향보고서

1. 사태발생 이후 일정별 주재국 동향

- 1990. 8. 2 : 당일에는 사실조차 보도하지 않는 극히 신중을 기함.
- 8. 3 : 민영 일간지만 조심스럽게 이라크의 쿠웨이트 침공 사실을 보도하는 동시, 사설에 이라크의 쿠웨이트 침공을 비난하는 논평을 게재함.
- 8. 9 : 주재국 대통령 아랍정상회담 참석.
- 8. 12 :
  - 당지주재 일본상사 주재원 포함 가족모두 철수.
  - 동사태 이후 일시에 미화가 반출되므로 인하여 당지 은행 및 일반 환전상에서는 미화의 반출과 교환이 불가능한 상태이며(단 해외송금 및 TC발급 가능) 식량 비축등 미세한 민심의 동요발생.
- 8. 13 :
  - 주재국 군당국은 사태에 따른 국가위기에 대처코저 주재국 국민으로서(15세 - 40세) 6주간의 군사기술훈련 과정(희망시 전문분야 2주 연장)을 마련하고 희망자 모집.
  - 주재국 Mohammed 국방장관은 주재국은 사랑, 평화, 안전의 오아시스이며 주재국 국민과 외국인들은 협동과 우애속에 지내고 있다고 언급.
  - 주재국내 약200명의 쿠웨이트인들(현재 5 - 6천명 주재국에 거주 또는 체류)이 쿠웨이트 대사의 인솔하에 이라크의 철수를 요구하는 가두시위를 벌였으며, 시위중 대사는 이라크를 비난함과 동시 주재국 대통령의 쿠웨이트인들에 대한 호의에 감사한다고 언급.

○ 8. 20 : - 주재국 정부는 동사태에 따른 아랍 및 국제노력에 부응하고 현사태 발전에 비추어 역내 방어목적으로 아랍 및 우방국군의 주재국 주둔에 합의.

- 미군의 주재국 군사시설 사용허가.

○ 8. 27 : 당지 언론은 주재국 외무부 발표를 인용, 주재국은 주쿠웨이트 U.A.E.대사관을 폐쇄하지 않을것으로 보도.

○ 8. 31 : - 주재국은 미국, 영국등의 다국적국 기지사용과 더불어 이라크, 쿠웨이트로부터의 철수 애급인들에 대한 귀국항공기 제공등 (요르단 - 카이로) 경비를 제공할 것이라고 발표.

- 주재국 Khalifa 황태자는 주재국내 유입 쿠웨이트난민에 대하여 100만디람(미불 270만불)을 지원한바 있으며, 주재국 여성연맹은 외무부와 협조, 쿠웨이트난민을 위한 자선 외국음식바자회를 개최하는등 쿠웨이트난민에 대한 각계로부터 지원이 점증.

○ 9. 1 : 영국 HURD 외무장관이 주재국 대통령을 방문 영국 수상의 구두 메세지 전달, 동인은 기자회견에서 주재국 대통령과의 면담시 양국은 이라크의 UN결의 수락등 동사태 해결에 대한 양국의 기존입장을 재확인.

○ 9. 2 : 주재국 Mohammed국방장관은 주재국을 방문중인 HURD 영국수상과 회담.

- 동인은 회담후 기자회견에서 아랍 및 다국적군과 함께 GCC군들이 사우디 Hafr al Batim 지역에 주둔하고 있으며, 주재국은 필요시 군대를 증파할 계획이라고 발표.
- 또한 동인은 팔레스타인 문제가 이라크, 쿠웨이트사태로 인하여 국제적 무관심속에 소홀히 다루어져서는 안됨을 강조하고 아랍은 팔레스타인의 권리를 결코 포기하지 않을것임을 밝혔음.

3 - 2 0018

2. 전 망

가. 정 세

사담후세인 이라크 대통령은 더이상의 군사적 도발은 불가하다는 것을 인식한 것으로 판단되며, 따라서 동사태를 정치적으로 해결코저 모색할 것이나 명분과 실리가 있는 해결책이 없으므로 현사태는 장기화될 가능성이 큼.

나. 유 가

○ 주재국은 국제유가의 안정을 목표로 삼고 있는바, 한국등 기존 원유 도입선에 대하여는 지속적 공급에 차질이 없을것으로 판단됨.

○ 또한 주재국은 현재 이라크, 쿠웨이트사태 직전 결정된 OPEC 쿼타 150만 B/D 생산을 고수하고 있으나, 동사태로 인한 이라크, 쿠웨이트의 감산물량만큼은 반드시 보충생산되어야 한다고 생각하고 있음, 현재 OPEC 는 보충물량 협의를 모색코자 하나 알제리, 리비아등의 반대로 지연되고 있으며 만일 OPEC 에서의 협의가 이루어지지 않을경우 사우디를 포함 몇개국의 증산에 의거 해결될것으로 전망됨.

3. 아국근로자 보호

비상철수 계획을 수립한 후 각 건설현장 책임자와 계속적으로 접촉, 상황을 주시하며 만약의 사태에 대비하고 있음.

3 - 3

0019

관리번호	90/1184

원 본

외 무 부

종 별 :

번 호 : AEW-0264 일 시 : 90 0908 1300

수 신 : 장관(중근동,기협,정일)

발 신 : 주 UAE 대사

제 목 : 이라크-쿠웨이트 사태(16)(자료응신 21호)

연:AEW-0262

1. BAKER 미국무장관이 9.6 주재국 ZAYED 대통령을 방문, 최근 이.쿠사태 진전에 관하여 논의하였음.

2. 주재국 ZAYED 대통령은 미측에게 아래 사항을 재확인함.

가. 이라크군의 무조건 철수및 KUWAIT 정부의 원상회복이 현재의 역내 위기를 해결할수 있는 길임

나. 아울러 동사태 해결을 위해서는 총체적인 국제적 의지를 실현할 필요성이 있음

3. 동장관의 주재국방문은 이.쿠사태후 CHENEY 국방장관의 군사협력 협의차 주재국 방문후 양국협력관계를 정치적 외교적 차원으로도 계속 결속강화하는데 그목적이 있는것으로 관측됨. 끝.

(대사 박종기-국장)

예고:90.12.31 일반

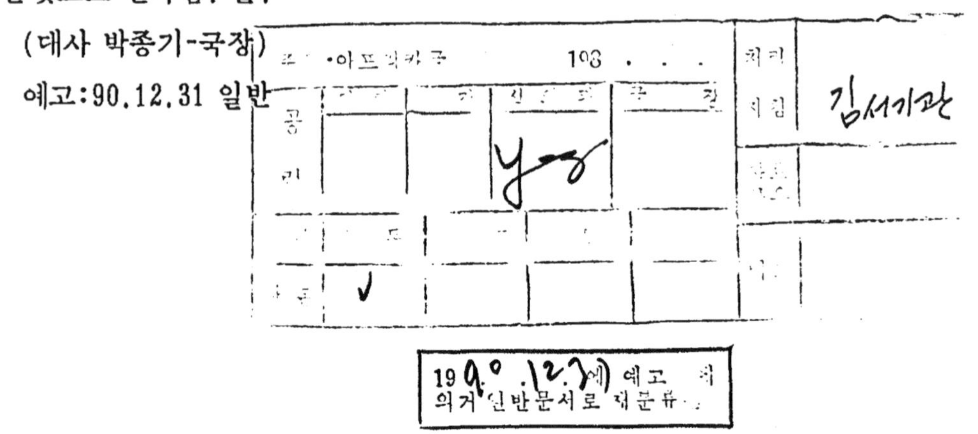

1990.12.31에 예고문에 의거 일반문서로 재분류됨

중아국 차관 1차보 2차보 경제국 정문국 안기부 대책반

PAGE 1

90.09.08 20:41

외신 2과 통제관 DO

0020

원 본

암호수신

외 무 부

종 별 :

번 호 : AEW-0286

일 시 : 90 0922 1300

수 신 : 장관(중근동,정일)

발 신 : 주 UAE 대사

제 목 : 벵글라데시 대통령 주재국 방문(자료응신 26호)

ERSHAD 벵글라데시 대통령이 9.22. 주재국을 방문, ZAYED 대통령과 이.쿠사태및 양국관계발전에 대하여 회담예정임.끝.

(대사 박종기-국장)

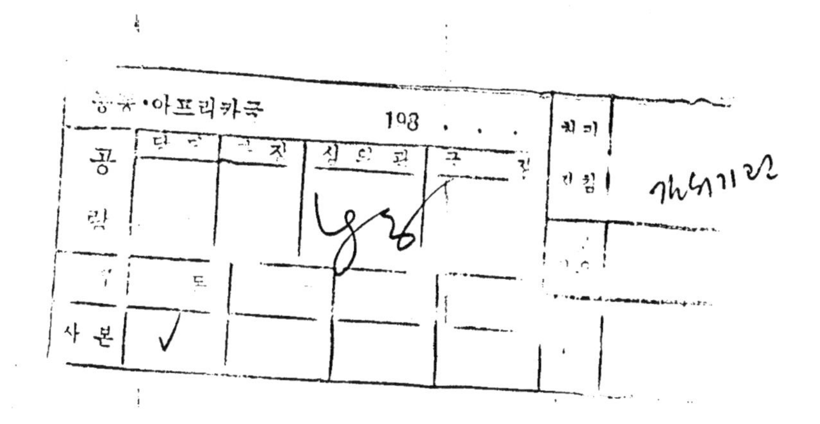

중아국 아주국 정문국 안기부

PAGE 1

90.09.22 22:07

외신 2과 통제관 CW

0021

원 본

암호수신

외 무 부

종 별 :

번 호 : AEW-0293　　　　　일 시 : 90 0924 1200

수 신 : 장관(중근동,정일)

발 신 : 주 UAE 대사

제 목 : 방글라데시 대통령 UAE방문(자료응신 28호)

연:AEW-0286

1. 연호, 양국정상은 이라크의 쿠웨이트로부터 무조건 철수및 쿠웨이트 정부의 원상회복을 촉구하고, 이슬람 국가들이 일치단결하여 현사태에 대처할 것을강조하였음.

2.ERSHAD 대통령은 9.24. 출발에 앞서 방글라데시는 아시아 회교국인 파키스탄, 인도네시아, 말디브, 말레이지아, 브루나이 5 개국과 함께 주도적으로 이.쿠사태를 평화적인 방법으로 해결하기 위하여 공동대처하는데 합의하였다 함. 끝.

(대사 박종기-국장)

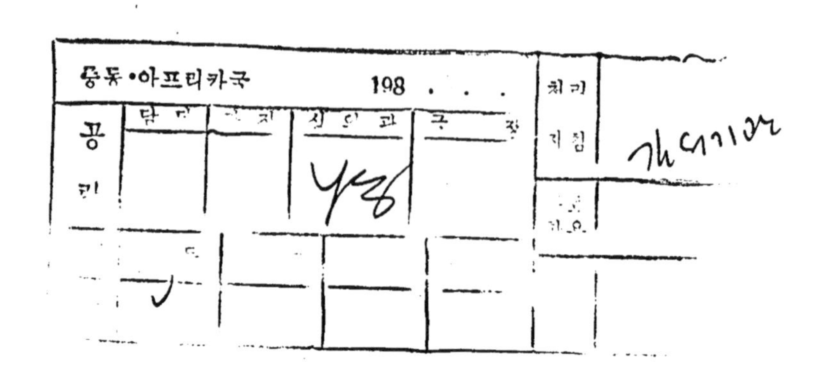

중아국 차관 1차보 정.문국 청와대 안기부

PAGE 1　　　　　90.09.24 17:31

외신 2과 통제관 BW

0022

관리 번호	90/1347

외 무 부

원 본

종 별 :

번 호 : AEW-0310 일 시 : 90 1004 1200

수 신 : 장관(중근동,정일)

발 신 : 주 UAE 대사

제 목 : 불대통령 주재국 방문(자료응신 30호)

1. 불란서 MITTERAND 대통령이 외무.국방장관을 대동,10.3. 주재국을 처음으로 공식방문하였음.(금일 10.4. 사우디 향발예정)

2. 주재국 언론은 양국정상은 이.쿠사태 진전상황에 관하여 논의하고 의견을 같이 하였으며 ZAYED 대통령은 이.쿠사태에 관한 불란서의 입장에 대하여 사의를 표하였다고 보도함.

3. 동방문은 MITTERAND 대통령의 이.쿠사태해결 5 개안 제시에 대한 UAE 정부의 반응및 GCC 국의 신무기 구입등에 있어서 미국에 대한 일방적 의존도를 경계, 주재국에 대한 전통적 군사협력관계를 강화하는데 그목적이 있는것으로 관측됨. 끝.

(대사 박종기-국장)

예고:90.12.31 일반

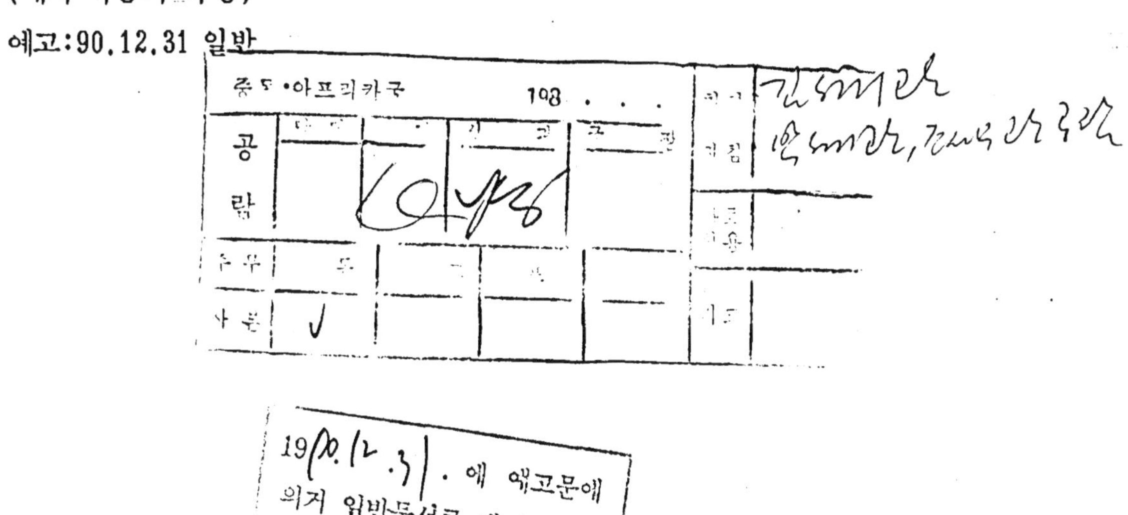

중아국 차관 1차보 2차보 정문국 청와대 안기부

PAGE 1

90.10.05 01:00
외신 2과 통제관 CA
0023

외 무 부

암 호 수 신

종 별 :

번 호 : AEW-0311 일 시 : 90 1004 1300

수 신 : 장관(중근동,정일)

발 신 : 주 UAE 대사

제 목 : 이.쿠사태(21)(자료응신 31호)

원 본

연:AEW-0221

KSFJA, PHPEULHL ZAYED 대통령은 10.2. 주재국 지원병훈련 퇴소식에 참석, 훈련을 무사히 마친 지원병들을 치하하고 격려하였음. 끝.

(대사 박종기-국장)

중아국 차관 1차보 2차보 정문국 청와대 안기부

PAGE 1

90.10.04 23:13

외신 2과 통제관 CA

0024

원 본

외 무 부

종 별 :

번 호 : AEW-0326　　　　일 시 : 90 1015 1400

수 신 : 장관(중근동,정일)

발 신 : 주 UAE 대사

제 목 : OZAL 터키 대통령 주재국 방문

1. OZAL 터키대통령이 10.14.주재국을 방문 ZAYED 대통령과 회담하였음.

2. OZAL 대통령의 금번 주재국 방문은 사우디,카타르, 이집트,시리아 순방의 일환으로 이루어진 것이며 이.쿠 사태로 인한 경제적 손실에 따른 보상문제등이 주로 논의될 것이라고 외교 소식통들은 관측하고 있음. 끝.

(대사 박종기-국장)

중동·아프리카국	198 . . .				처리지침
공람	담당	과장	심의관	국장	

중아국　1차보　정문국　안기부

PAGE 1

90.10.15　22:58 DA

외신 1과 통제관

0025

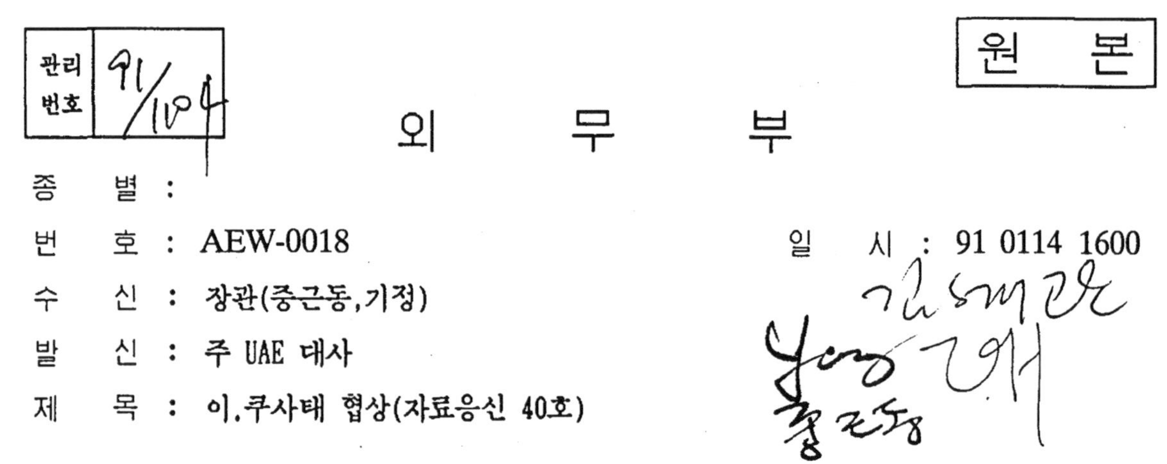

관리번호 91/104

원 본

외 무 부

종 별 :

번 호 : AEW-0018 일 시 : 91 0114 1600

수 신 : 장관(중근동,기정)

발 신 : 주 UAE 대사

제 목 : 이.쿠사태 협상(자료응신 40호)

91.1.9.BAKER 국무장관과 AZIZ 외무장관의 제네바 회담결과에 관한 미 BAKER국무장관의 하기 REPORT 를 당지 미대사관을 통하여 입수하였는바 참고바람.

-WANTED TO PROVIDE YOU QUICKLY WITH MY IMPRESSIONS OF MEETING TODAY WITH FM AZIZ.

-I EMPHASIZED AT OUTSET THAT I HAD COME NOT TO NEGOTIATE, BUT TO COMMUNICATE, TO LISTEN AS WELL AS TALK.

-THE MESSAGE THAT I CONVEYED FROM PRESIDENT BUSH AND OUR COALITION PARTNERS WAS A SIMPLE ONE: IRAQ MUST EITHER COMPLY WITH THE WILL OF THE INTERNATIONAL COMMUNITY AND WITHDRAW PEACEFULLY FROM KUWAIT, OR BE EXPELLED BY FORCE.

-THE IRAQI LEADERSHIP MUST HAVE NO ILLUSIONS AND NO MISUNDERSTANDINGS.ONE WAY OR ANTHER, IRAQ WILL LEAVE KUWAIT.

-I EMPHASIZED REPEATEDLY TO FM AZIZ OUR STRONG AND GENUINE PREFERENCE FOR A PEACEFUL RESOLUSION. THE ROAD TO THAT OUTCOME HAS BEEN MADE CLEAR INTWELVE UNSC RESOLUTIONS:

-IMMEDIATE, UNCONDITIONAL WITHDRAWAL OF ALL IRAQI FORCES FROM KUWAIT.

-RESTORATION OF KUWAITI SOVEREIGNTY AND THE LEGITIMATE GOVERNMENT OF KUWAIT.

-I RIETERATED THAT THE UNITE STATES WILL NOT ATTACK IRAQ OR ITS MILITARY FORCES IF IRAQ COMPLIES FULLY WITH THE UNSC RESOLUTIONS AND MAKES NO FURTHER PROVOCATION.

-I NOTED THAT THE LARGE US FORCES IN THE GULF ARE THERE BECAUSE OF THETHREAT CREATED BY IRAQI ACTIONS. AS WE HAVE STATED PUBLICLY, AND DISCUSSED

중아국 장관 차관 1차보 2차보 청와대 총리실 안기부

PAGE 1 91.01.15 00:45

외신 2과 통제관 CH

0026

WITH OUR FRIENDS IN THE REGION, WE HAVE NO INTENTION OF MAINTAINING SUCHFORCE LEVELS THERE ONCE IRAQ WITHDRAWS AND THE THREAT RFCEDES.

-AND AS WE HAVE ALSO SAID PUBLICLY, WE SUPPORT UNSCR 660'S CALL ON IRAQ AND KUWAIT TO SETTLE THEIR DIFFERENCES PEACEFULLY AFTER REPEAT AFTER IRAQI WITHDRAWAL.

-HAVING MADE CLEAR THAT THE PATH TO PEACE IS STILL OPEN, I ALSO TRIED TO CONVEY THE CATASTROPHIC CONSEQUENCES FOR IRAQ OF FAILURE TO COMPLY FULLY AND UNCONDITIONALLY WITH THE UNSC RESOLUTIONS.

-I OUTLINED IN DETAIL FOR FM AZIZ THE CAPABILITIES OF THE MULTINATIONAL FORCES ARRAYED AGAINST IRAQ. BUT BLUNTLY, IF IRAQ CHOOSES TO CONTINUE ITS BRUTAL OCCUPATION OF KUWAIT, IT WILL CHOOSE A MILITARY CONFRONTATION WHICH IT CANNOT WIN, AND WHICH WILL HAVE DEVASTATING RESULTS FOR IRAQ.

-I WARNED FM AZIZ THAT, IN THE EVENT OF WAR, IRAQ COULD EXPECT NO BREATHING SPACE OR PREMATURE CEASEFIRE. THERE WILL BE NO STALEMATE IF A WAR BEGINS, IT WILL BE FOUGHT TO A SWIFT, DECISIVE CONCLUSION.

-I ALSO WARNED OF THE HASRH CONSEQUENCES OF ANY IRAQI USE OF CHEMICAL OR BIOLOGICAL WEAPONS. NOR WILL WE TOLERATE TERRORISM DIRECTED AGAINST AMERICANS OR THE DESTRUCTION OF KUWAIT'S OIL INSTALLATIONS.

-I MADE THESE POINTS NOT TO THREATEN, BUT TO INFORM. AND I DID SO WITHNO SENSE OF SATISFACTION, FOR WE SINCERELY WANT A PEACEFUL OUTCOME AND THE PEOPLE OF THE UNITED STATES HAVE NO QUARREL WITH THE PEOPLE OF IRAQ.

-I SIMPLY WANTED TO LEAVE AS LITTLE ROOM AS POSSIBLE FOR YET ANOTHER TRGIC MISCALCULATION BY THE IRAQI LEADERSHIP.

-I STRESSED THAT THIS IS A CONFRONTATION WHICH IRAQ CAN STILL AVOID. BUT THE CHOICE IS IRAQ'S TO MAKE.

-REGRETABLY, FM AZIZ GAVE NO INDICATION DURING OUR MORE THAN SIX HOURSOF DISCUSSIONS OF ANY FLEXIBILITY OR READINESS TO COMPLY WITH RELEVANT UNSC RESOLUTIONS.

-AZIZ REFUSED THE LETTER FROM PRESIDENT BUSH TO SADDAM HUSSAIN THAT I GAVE HIM AT THE OUTSET OF THE MEETING. HE DESCRIBED THE LETTER'S LANGUAGE AS

INAPPOPRIATE FOR A COMMUNICATION BETWEEN HEADS OF STATE. HE DECLINED TOACCEPT IT AND COMMENTED THAT THE U.S. WOULD BE FREE TO PUBLISH IT. I TOLDHIM THAT IN BEING THE ONLY IRAQI TO READ THE LETTER AND THEN REFUSE TO ACCEPT IT, HE WAS ACCEPTING A LARGE RESPONSIBILITY, BUT IF HE WANTED TO ACCEPT THE RESPONSIBILITY, SO BE IT.

-AZIZ SAID IRAQ HAD MADE NO MISCALCULATIONS. IRAQ UNDERSTANDS FULLY THE FORCES ARRAYED AROUND IRAQ AND THE EFFECTIVENESS OF THE WEAPONS WHICH COULD BE EMPLOYED BY THE COALITION FORCES.

-AZIZ SAID THE IRAQI LEADERS KNOW THE U.S. CONGRESS, READ OUR PRESS, AND WATCH U.S. TELEVISION, SO THEY HAVE NO ILLUSIONS REGARDING AMERICAN INTENTIONS.

-HE SAID IRAQ HAS EXPECTED MILITARY ACTION AGAINST IT SINCE THE BEGINNING(I.E., AUGUST 2).

-AZIZ MATAINED THAT THE PRESENT IRAQI LEADERSHIP WILL CONTINUE NOW ANDIN THE FUTURE AND THAT IRAQ WILL EMERGE FROM A WAR VICTORIOUS.

AEW-0019 호로 계속 타전함. 끝.

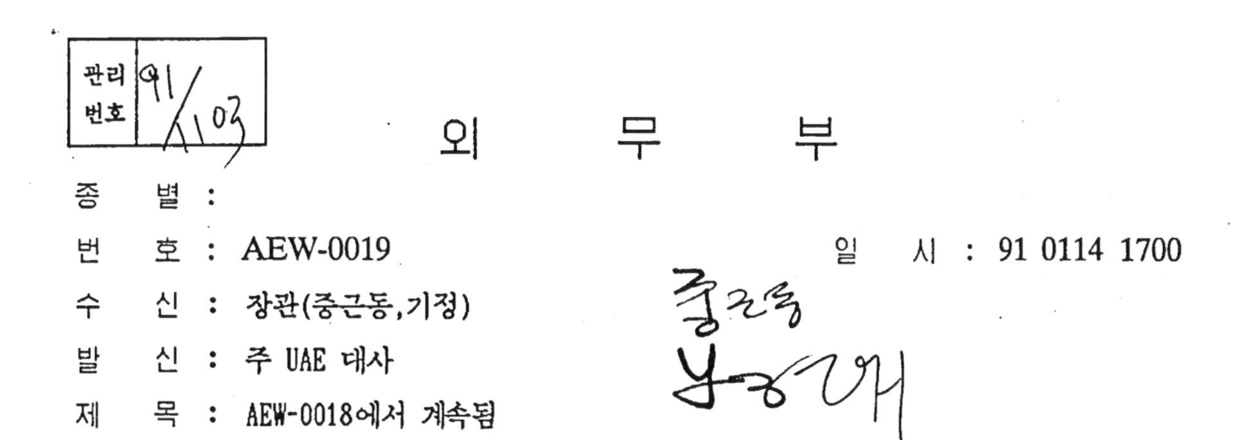

관리 번호	91/A103

외 무 부

종 별 :

번 호 : AEW-0019 일 시 : 91 0114 1700

수 신 : 장관(중근동,기정)

발 신 : 주 UAE 대사

제 목 : AEW-0018에서 계속됨

-AZIZ ARGUED AT LENGTH THAT PRIOR TO AUGUST 2 IRAQ HAD BEEN FACED WITHECONOMIC STRANGULATION. HE NOTED THAT AT THE BAGHDAD SUMMIT IN MAY, SADDAM HUSSEIN HAD SPOKEN ABOUT OIL OVERPRODUCTION AND SAID THAT ANY NATION WHICH DID NOT MEAN WAR BY THIS ACTION, SHOULD REFRAIN.

-AZIZ SEVERAL TIMES DESCRIBED ALLEGED KUWAITI ECONOMIC AGGRESSION AGAINST IRAQ.

-HE THUS DESCRIBED IRAQ'S AUGUST 2 ACTION AS A "DEFENSIVE MOVE".

-AZIZ SPOKE AT GREAT LENGTH ABOUT THE PALESTINIAN ISSUE AND ARAB-ISRAELI DIFFERENCES. HE ARGUED THAT IRAQ'S ACTION "IN THE GULF" PROVIDED A "GOLDEN OPPORTUNITY FOR THE PALESTINIAN LEADERSHIP".

-I REBUTTED THAT IRAQ HAD NOT INVADED KUWAIT TO PROMOTE THE CAUSE OF PALESTINIANS AND THAT IRAQ'S AGGRESSION HAD PRODUCED CONTRARY RESULTS.

-I TOLD HIM HIS JUSTIFICATION OF THE AGGRESSION AGAINST KUWAIT AS "DEFENSIVE" WAS LUDICROUS AND NO ONE BELIEVED IT.

-I TOLD HIM THE WAY TO CREATE OPPORTUNITIES FOR PEACEFUL SETTLEMENT OFTHE PALESTINIAN ISSUE WAS NOT THROUGH AGGRESSION BUT THROUGH WITHDRAWAL.

-AZIZ COMPLAINED BITTERLY THAT U.S. MAGAZINES IN JUNE OF 1990 HAD DESCRIBED SADDAM HUSSEIN AS THE "MOST DANGEROUS MAN IN THE WORLD" AND AS "PUBLIC ENEMY NO.ONE". I RESPONDED THAT IRAQ'S SUBSEQUENT AGGRESSION PROVED THAT THOSE DESCRIPTIONS WERE CLOSE TO THE MARK.

-AZIZ MAINTAINED THAT SADDAM HUSSEIN HAD NEVER TOLD KING FAHD, KING HUSSEIN, OR PRESIDENT MUBARAK THAT IRAQ WOULD NOT ATTACK KUWAIT IN THE DAYS

중아국 장관 차관 1차보 2차보 청와대 총리실 안기부

PAGE 1 91.01.15 01:41

외신 2과 통제관 CH

0029

PRFCEDING AUGUST 2. HE DESCRIBED THIS AS DISINFORMATION BY PRESIDENT MUBARAK AND OTHER MEMBERS OF THE ARAB COALITION. HE DENIED THAT ANYONE TOLD THEU.S. IRAQ WOULD NOT MOVE MILITARILY. IN REBUTTAL WE QUOTED FROM TWO TELEPHONE CONVERSATIONS THAT KING HUSSEIN HAD WITH PRESIDENT BUSH ON JULY 28 AND JULY 31, STATING CLEARLY KING HUSSEIN'S "ASSURANCES" THAT THERE WOULD BENO CONFLICT.

-AZIZ STATED THAT IN THE EVENT OF WAR, ALL COUNTRIES IN THE REGION WILL BE INVOLVED INCLUDING ISRAEL.

-AZIZ ARGUED THAT UN SECRITY COUNCIL RESOLUTION 678 WAS SOMEHOW INVALID BECAUSE THE IRAQI PERMANENT REPRESENTATIVE TO THE UN WAS NOT PRESENT. I POINTED OUT THAT THE IRAQI CHARGE WAS INDEED THERE. AZIZ ARGUED THAT RESOLUTION 678 AUTHORIZING THE USE OF FORCE AFTER JANUARY 15 WAS INVALID BECAUSE THERE WAS NO PRECEDENT.

-I RAISED WITH AZIZ IRAQ'S BRUTALITIES IN KUWAIT AND THE AMNESTY INTERNATIONAL REPORT DESCRIBING THESE. AZIZ BELITTLED THE REPORT.

-AZIZ STATED THAT UN SECURITY COUNCIL RESOLUTIONS ARE IMPORTANT ONLY TO POLITIANS, DIPLOMATS, LAWYERS, AND JOURNALISTS. HE SAID THAT THE FIGHTERS IN ANY WAR WILL NOT REMEMBER THESE RESOLUTIONS.

-AZIZ ALLOWED THAT WAR MUST BE "DESTINY" OR "FATE".

-AZIZ ARGUED THAT THE ARAB LEAGUE RESOLUTIONS AGAINST IRAQ'S AGGRESSION ARE NULL AND VOID BECAUSE THEY WERE NOT UNANIMOUS.

-IN THE LAST HOUR OF OUR MEETING AZIZ PROPOSED THAT HE COME TO WASHINGTON AND THAT I VISIT BAGHDAD, BUT USING THE SAME FORMULA WE HAD HEARD FORMTHEM BEFORE(YOU PICK A DATE FOR WASHINGTONWE PICK A DATE FOR BAGHDAD) HE SPECIFIED NO DATES. I POINTED OUT THAT RESOLUTION 678 WAS PASSED 40 DAYS AGO. PRESIDENTS BUSH HAD PROPOSED SUCH MEETING IN A STATEMENT ON DECEMBER 1. THE U.S. HAD OFFERED 15 DIFFERENT DATES FOR MY TRIP TO BAGHDAD BETWEEN DECEMBER 20 AND JANUARY 3 INCLUDING CHRISTMAS DAY AND NEW YEAR'S DAY.IRAQ HAD REJECTED THEM ALL.

-I POINTED OUT THAT PRESIDENT BUSH HAD ALREADY STATED THAT I WOULD NOTNOW

BE GOING TO BAGHDAD. TO PROPOSE SUCH MEETING ONLY SIX DAYS BEFORE THEJANUARY 15 DEADLINE IS A CLEAR ATTEMPT TO MANIPULATE THE DEADLINE AND TO EXTEND THE PROCESS BEYOND.

-I TOLD AZIZ THAT THE U.S. WOULD WITHDRAW ITS FIVE REMAINING AMERICAN PERSONNEL FROM OUR EMBASSY IN BAGHDAD ON JANUARY 12. I ASKED HIM TWICE FORHIS ASSURANCE THAT THEY WOULD BE PERMITTED TO DEPART WITHOUT DELAY OR HINDRANCE ON THAT DATE. THE FIRST TIME AZIZ PASSED OVER ANY RESPONSE. THE SECOND TIME HE STATED THAT "WE WILL ABIDE BY INTERNATIONAL LAW AND LIVE UP TOIT". I SAID WE UNDERSTOOD THIS TO MEAN THEY COULD LEAVE UNIMPEDED.

-I CLOSED BY CALLING AGAIN FOR IRAQ TO OBSERVE THE SECURITY COUNCIL RESOLUTIONS. I STRESSED THAT JANUARY 15 IS A REAL DEADLINE. I SAID THAT WE HAVE HAD FIVE AND ONE HALF MONTHS FOR DIPLOMATIC STEPS AND NOW IS THE TIME FOR ACTON: IRAQ'S IMMUEDIATED WITHDRAWAL FROM KUWAIT. I SAID THAT IRAQ TOOK ONLY TWO DAYS TO MOVE A HUGE FORCE INTO KUWAIT AND IT SHOULD REVERSE THAT DEPLOMENT NOW. END OF SECRETARY'S ORAL MESSAGE.

-ATMOSPHERE:THE SIX AND ONE HALF HOURS OF TALKS WERE CONDUCTED IN A PROFESSIONAL MANNER. THERE WAS A HIGH DEGREE OF INTENSITY AND THE STATEMENTSWERE BLUNT AND UNEQUIVOCAL. AT NO TIME DID ANYNE RAISE A VOICE OR CUT ANOTHER OFF. CONSIDERING THE SOMBER AND CRITICAL STAGE, THE TONE WAS COOL BUTCLEAR. BOTH SIDES DID INDEED LISTEN TO ONE ANOTHER AND EXPLAINED POSITIONS IN DEPTH. THE MEETNG WAS CONDUCTED IN ARABIC AND ENGLISH WITH CONSECUTIVE TRANSLATIONS. 끝.

(대사 박종기-국장)

예고:91.6.30 일반

PAGE 3

0031

종 별 :

번 호 : AEW-0019 일 시 : 91 0114 1700

수 신 : 장관(중근동,기정)

발 신 : 주 UAE 대사

제 목 : AEW-0018에서 계속됨

-AZIZ ARGUED AT LENGTH THAT PRIOR TO AUGUST 2 IRAQ HAD BEEN FACED WITHECONOMIC STRANGULATION. HE NOTED THAT AT THE BAGHDAD SUMMIT IN MAY, SADDAM HUSSEIN HAD SPOKEN ABOUT OIL OVERPRODUCTION AND SAID THAT ANY NATION WHICH DID NOT MEAN WAR BY THIS ACTION, SHOULD REFRAIN.

-AZIZ SEVERAL TIMES DESCRIBED ALLEGED KUWAITI ECONOMIC AGGRESSION AGAINST IRAQ.

-HE THUS DESCRIBED IRAQ'S AUGUST 2 ACTION AS A "DEFENSIVE MOVE".

-AZIZ SPOKE AT GREAT LENGTH ABOUT THE PALESTINIAN ISSUE AND ARAB-ISRAELI DIFFERENCES. HE ARGUED THAT IRAQ'S ACTION "IN THE GULF" PROVIDED A "GOLDEN OPPORTUNITY FOR THE PALESTINIAN LEADERSHIP".

-I REBUTTED THAT IRAQ HAD NOT INVADED KUWAIT TO PROMOTE THE CAUSE OF PALESTINIANS AND THAT IRAQ'S AGGRESSION HAD PRODUCED CONTRARY RESULTS.

-I TOLD HIM HIS JUSTIFICATION OF THE AGGRESSION AGAINST KUWAIT AS "DEFENSIVE" WAS LUDICROUS AND NO ONE BELIEVED IT.

-I TOLD HIM THE WAY TO CREATE OPPORTUNITIES FOR PEACEFUL SETTLEMENT OFTHE PALESTINIAN ISSUE WAS NOT THROUGH AGGRESSION BUT THROUGH WITHDRAWAL.

-AZIZ COMPLAINED BITTERLY THAT U.S. MAGAZINES IN JUNE OF 1990 HAD DESCRIBED SADDAM HUSSEIN AS THE "MOST DANGEROUS MAN IN THE WORLD" AND AS "PUBLIC ENEMY NO.ONE". I RESPONDED THAT IRAQ'S SUBSEQUENT AGGRESSION PROVED THAT THOSE DESCRIPTIONS WERE CLOSE TO THE MARK.

-AZIZ MAINTAINED THAT SADDAM HUSSEIN HAD NEVER TOLD KING FAHD, KING HUSSEIN, OR PRESIDENT MUBARAK THAT IRAQ WOULD NOT ATTACK KUWAIT IN THE DAYS

중아국 장관 차관 1차보 2차보 청와대 총리실 안기부

PAGE 1 91.01.15 01:41

외신 2과 통제관 CH

0032

PRFCEDING AUGUST 2. HE DESCRIBED THIS AS DISINFORMATION BY PRESIDENT MUBARAK AND OTHER MEMBERS OF THE ARAB COALITION. HE DENIED THAT ANYONE TOLD THEU.S. IRAQ WOULD NOT MOVE MILITARILY. IN REBUTTAL WE QUOTED FROM TWO TELEPHONE CONVERSATIONS THAT KING HUSSEIN HAD WITH PRESIDENT BUSH ON JULY 28 AND JULY 31, STATING CLEARLY KING HUSSEIN'S "ASSURANCES" THAT THERE WOULD BENO CONFLICT.

-AZIZ STATED THAT IN THE EVENT OF WAR, ALL COUNTRIES IN THE REGION WILL BE INVOLVED INCLUDING ISRAEL.

-AZIZ ARGUED THAT UN SECRITY COUNCIL RESOLUTION 678 WAS SOMEHOW INVALID BECAUSE THE IRAQI PERMANENT REPRESENTATIVE TO THE UN WAS NOT PRESENT. I POINTED OUT THAT THE IRAQI CHARGE WAS INDEED THERE. AZIZ ARGUED THAT RESOLUTION 678 AUTHORIZING THE USE OF FORCE AFTER JANUARY 15 WAS INVALID BECAUSE THERE WAS NO PRECEDENT.

-I RAISED WITH AZIZ IRAQ'S BRUTALITIES IN KUWAIT AND THE AMNESTY INTERNATIONAL REPORT DESCRIBING THESE. AZIZ BELITTLED THE REPORT.

-AZIZ STATED THAT UN SECURITY COUNCIL RESOLUTIONS ARE IMPORTANT ONLY TO POLITIANS, DIPLOMATS, LAWYERS, AND JOURNALISTS. HE SAID THAT THE FIGHTERS IN ANY WAR WILL NOT REMEMBER THESE RESOLUTIONS.

-AZIZ ALLOWED THAT WAR MUST BE "DESTINY" OR "FATE".

-AZIZ ARGUED THAT THE ARAB LEAGUE RESOLUTIONS AGAINST IRAQ'S AGGRESSION ARE NULL AND VOID BECAUSE THEY WERE NOT UNANIMOUS.

-IN THE LAST HOUR OF OUR MEETING AZIZ PROPOSED THAT HE COME TO WASHINGTON AND THAT I VISIT BAGHDAD, BUT USING THE SAME FORMULA WE HAD HEARD FORMTHEM BEFORE(YOU PICK A DATE FOR WASHINGTONWE PICK A DATE FOR BAGHDAD) HE SPECIFIED NO DATES. I POINTED OUT THAT RESOLUTION 678 WAS PASSED 40 DAYS AGO. PRESIDENTS BUSH HAD PROPOSED SUCH MEETING IN A STATEMENT ON DECEMBER 1. THE U.S. HAD OFFERED 15 DIFFERENT DATES FOR MY TRIP TO BAGHDAD BETWEEN DECEMBER 20 AND JANUARY 3 INCLUDING CHRISTMAS DAY AND NEW YEAR'S DAY.IRAQ HAD REJECTED THEM ALL.

-I POINTED OUT THAT PRESIDENT BUSH HAD ALREADY STATED THAT I WOULD NOTNOW

BE GOING TO BAGHDAD. TO PROPOSE SUCH MEETING ONLY SIX DAYS BEFORE THEJANUARY 15 DEADLINE IS A CLEAR ATTEMPT TO MANIPULATE THE DEADLINE AND TO EXTEND THE PROCESS BEYOND.

-I TOLD AZIZ THAT THE U.S. WOULD WITHDRAW ITS FIVE REMAINING AMERICAN PERSONNEL FROM OUR EMBASSY IN BAGHDAD ON JANUARY 12. I ASKED HIM TWICE FORHIS ASSURANCE THAT THEY WOULD BE PERMITTED TO DEPART WITHOUT DELAY OR HINDRANCE ON THAT DATE. THE FIRST TIME AZIZ PASSED OVER ANY RESPONSE. THE SECOND TIME HE STATED THAT "WE WILL ABIDE BY INTERNATIONAL LAW AND LIVE UP TOIT". I SAID WE UNDERSTOOD THIS TO MEAN THEY COULD LEAVE UNIMPEDED.

-I CLOSED BY CALLING AGAIN FOR IRAQ TO OBSERVE THE SECURITY COUNCIL RESOLUTIONS. I STRESSED THAT JANUARY 15 IS A REAL DEADLINE. I SAID THAT WE HAVE HAD FIVE AND ONE HALF MONTHS FOR DIPLOMATIC STEPS AND NOW IS THE TIME FOR ACTON: IRAQ'S IMMUEDIATED WITHDRAWAL FROM KUWAIT. I SAID THAT IRAQ TOOK ONLY TWO DAYS TO MOVE A HUGE FORCE INTO KUWAIT AND IT SHOULD REVERSE THAT DEPLOMENT NOW. END OF SECRETARY'S ORAL MESSAGE.

-ATMOSPHERE:THE SIX AND ONE HALF HOURS OF TALKS WERE CONDUCTED IN A PROFESSIONAL MANNER. THERE WAS A HIGH DEGREE OF INTENSITY AND THE STATEMENTSWERE BLUNT AND UNEQUIVOCAL. AT NO TIME DID ANYNE RAISE A VOICE OR CUT ANOTHER OFF. CONSIDERING THE SOMBER AND CRITICAL STAGE, THE TONE WAS COOL BUTCLEAR. BOTH SIDES DID INDEED LISTEN TO ONE ANOTHER AND EXPLAINED POSITIONS IN DEPTH. THE MEETNG WAS CONDUCTED IN ARABIC AND ENGLISH WITH CONSECUTIVE TRANSLATIONS. 끝.

(대사 박종기-국장)

예고:91.6.30 일반

PAGE 3

관리 번호	91/267

원 본

외 무 부

종 별 : 지 급

번 호 : AEW-0036 일 시 : 91 0118 1300

수 신 : 장관(중근동)

발 신 : 주 UAE 대사

제 목 : 페만 전쟁관련

대:WMEM-0010

1. 주재국 동향

가. 주재국 정부는 금번 대이락 폭격을 환영하고 있는 입장으로서 대체적으로 별다른 큰 동요는 없으나 테러등 대비 경비태세가 강화되고 있음

나. 은행, 시장, 공항등은 정상운영되고 있으나 민간항공의 당지 기착이 거의 중지된 상태임. 다만 두바이의 EMIRATES AIRLINE 이 수요의 급증에 대응 증편운영됨

다. 공공기관도 정상근무하고 있으나 학교는 휴교상태임

2. 교민관계

가. 전쟁발발 초기 아국의 특별기 운항등에 의거 많은 교민이 철수를 희망하였으나, 사태의 진전상황과 동특별기 취소에 따라 철수를 보류하고 전황을 관망하고 있는 상태임

나. 다만 상사 주재원들은 대부분 일단 전술한 EMIRATES AIRLINE 을 이용 철수를 계획(1.20-22 사이)하고 있으며 건설현장도 지금은 안정된 분위기에서 조업하고 있음

3. 당관 조치사항

가. 소직을 포함 공휴일 근무시간 관계없이 전원 비상근무에 임하고 있음

나. 특히 현안중인 군용기 영공통과 문제및 당지및 인접국으로부터의 교민철수에 대비 주재국 정부당국과 수시 접촉하고 있음

다. 교민과는 비상연락망등을 통해 수시 접촉하고 있음. 끝.

(대사 박종기-대책 본부장)

검토필(1991.6.30.)

예고:91.6.30 일반 문서로 재분류됨.

중아국 장관 차관 1차보 2차보 정문국 청와대 안기부

PAGE 1

91.01.18 18:57
외신 2과 통제관 CW

0035

관리번호	91/330

원 본

외 무 부

종 별 : 지 급

번 호 : AEW-0039 일 시 : 91 0119 1300

수 신 : 장관(중근동,기정)

발 신 : 주 UAE 대사

제 목 : 페만사태(자료응신3호)

연:AEW-0036

1. 주재국은 1.18. 국무회의를 소집, 금번 다국적군의 이라크 공격에 관하여 논의함과 동시에 내무장관으로부터 국내치안이 안전하다는 보고를 받았으며 모든 정부기관은 시민들의 안전과 복지를 위하여 최선을 다할것을 지시하였음

2. 또한 주재국 정부는 1.16. 휴교하였던 학교들을 1.19. 부터 정상수업하도록 하였음을 보고함. 끝.

(대사 박종기-국장)

19 예고:91.6.30 일반 에 예고문에 의거 일반문서로 재 분류됨.

중아국 장관 차관 1차보 2차보 정문국 청와대 안기부

PAGE 1

91.01.19 18:49

외신 2과 통제관 CW

0036

관리 번호	91 -1A??

원 본

외 무 부

종 별 :

번 호 : AEW-0053　　　　일 시 : 91 0121 1500

수 신 : 장관(중근동,기정,정일)

발 신 : 주 UAE 대사

제 목 : 걸프전쟁(자료응신6호)

연:AEW-0039

1. 연호, 주재국 동향과 관련, 아부다비 발전소가 테러에 의해 10 여분간 정전되었고 미대사관이 미국인들과 공관가족들을 철수지시했다는 유언비어등이 나돌고 있었으나 모두 사실무근으로 판명된바 있음.

2. 주재국 경찰은 검문검색을 강화하고 있으나 시민들은 동요없이 정상적으로 생활하고 있음.

3. 또한 주재국은 걸프전쟁이후 운송수단이 거의 차단됨에 따라 생필품등 수입이 격감되고 있으며 주변 시리아, 레바논, 터키등으로부터 수입되던 음식류 (특히 청과야채등)가 약 30%가량 앙등되었음. 끝.

(대사 박종기-국장)

예고:91.6.30 일반

1991.6.30. 에 예고문에 의거 일반문서로 재 분류됨.

중아국　장관　차관　1차보　2차보　정문국　청와대　안기부

PAGE 1　　　　91.01.21　21:26

외신 2과 통제관 CE

0037

관리 번호	91/160

원 본

외 무 부

종 별 : 지 급

번 호 : AEW-0057　　　　일 시 : 91 0122 1300

수 신 : 장관(중근동,통일,기정,정일)

발 신 : 주 UAE 대사

제 목 : 걸프전쟁 관련 무역관계(자료응신7호)

1. 주재국 중앙은행 총재는 1.21. 당관에 아래 사항을 알려오는 동시 아국정부의 협조를 요망하여 왔음.

가. 주재국 수입업자들이 아국은행의 선적서류 결재거부로 사실상 한국과 거래가 불가하게 되었음을 중앙은행에 진정해왔음

나. 중앙은행은 주한 UAE 대사에게 상기사실을 통보함과 동시에 최근 전쟁발발 이후에도 당지은행의 정상기능과 이를 재확인하는 중앙은행의 성명서를 송부, 아국의 협조를 얻도록 요청한바 있다함

2. 동건관련, 당지주재 아국상사에 확인한바 아국은행이 선적서류를 매입하더라도 당지은행이 선적화물의 정상적 도착등이 확인될때까지 대금결재를 지연시키는등 은행간의 네고등 차질을 빚기때문에 아국은행이 결재를 거부하고 있다함.

3. 본건, 상기에 관하여 상세 회시바라며, 참고로 최근 홍콩은행들은 제 3 국의 은행(미국등) 지불보증에 의거, 동선적서류의 결재를 이행하고 있다고함을 첨언함. 끝.

(대사 박종기-국장)

19 91.6.30 일반 예고문에 의거 일반문서로 재 분류됨.

검토필(1991.6.30.)

중아국	장관	차관	1차보	2차보	통상국	정문국	청와대	안기부

PAGE 1　　　　91.01.23 00:36
외신 2과 통제관 CF

0038

관리 번호	91- 1436

원 본

외 무 부

종 별 : 지 급

번 호 : AEW-0063 일 시 : 91 0124 1100

수 신 : 장관(중근동,기정,정일)

발 신 : 주 UAE 대사

제 목 : 걸프전쟁(자료응신8호)

연:AEW-0057

1. 주재국 ZAYED 대통령은 1.23. 소련 고르바쵸프 대통령에게 최근 쿠웨이트 해방을 위한 다국적군의 공격에 따른 사태진전상황과 이라크의 쿠웨이트 철수에 관한 소련의 확고한 입장에 사의를 표명하는 서한을 보냈음.

2. 주재국에 취항하던 민간항공사들은 AIR INDIA 등 부분적으로 운항을 재개하고 있으며 EMIRATE AIRLINE 은 1.25. 부터 80% 정상운행을 재개함. 끝.

(대사 박종기-국장)

91.6.30 일반

1991.6.30. 에 예고문에 의거 일반문서로 재 분류됨.

중아국 장관 차관 1차보 2차보 미주국 정문국 청와대 안기부
안기부

PAGE 1

91.01.24 16:52
외신 2과 통제관 BN

0039

관리 번호	91-1464

원 본

외 무 부

종 별 :

번 호 : AEW-0072　　　　일 시 : 91 0128 1300

수 신 : 장관(중근동,정일,기정)

발 신 : 주 UAE 대사

제 목 : 주재국 동향(자료응신9호)

연:AEW-0068

1. 주재국은 퇴역장교및 제대장병과 이.쿠사태후 군사훈련을 받은 지원병들을 소집하였음.

2. 쿠웨이트 국제유대 위원회(THE INT'L COMMITTEE FOR SOLIDARITY WITH KUWAIT)는 쿠웨이트 지지를 위한 표시로 금 1.28. 을 금식일로 할것을 세계 모든 무슬림에게 촉구하였음.

3.CPA 및 MEA 등 민간 항공사는 주재국 취항을 1.27 부터 정상적으로 운항한다고 발표함. 끝.

(대사 박종기-국장)

예고:91.6.30 일반

1991.6.30. 에 예고문에 의거 일반문서로 재 분류됨.

중아국　차관　1차보　2차보　정문국　안기부

PAGE 1　　　　91.01.28 18:31

외신 2과 통제관 BA

0040

관리번호	91-1454

원 본

외 무 부

종 별 :

번 호 : AEW-0077 일 시 : 91 0129 1230

수 신 : 장관(중근동,정일,기정)

발 신 : 주 UAE 대사

제 목 : 주재국 동향(자료응신10호)

연:AEW-0072

1. 당지주재 이란대사는 1.28. 주재국 국무담당 외무장관을 면담, 최근 걸프전쟁에 관하여 상호의견을 나누었음.

2. 동대사는 면담후 기자들에게 이라크기의 이란내 착륙은 이란당국이 사전 전혀 알지 못했던 비상착륙이었으며 단지 인도적 차원에서 착륙을 허가했다하고 이란은 걸프전쟁에 절대중립을 지켜 나갈것이라고 언급하였음.

3. 한편, 런던에 본부를 두고있다는 쿠웨이트 국민공동체(KUWAIT NATIONAL AGGREGATION)는 한국정부가 쿠웨이트 해방을 지지, 협조하여 주는데 감사하다는 내용의 감사장을 소직에게 1.28. 보내왔음을 보고함. 끝.

(대사 박종기-국장)

91.6.30 일반

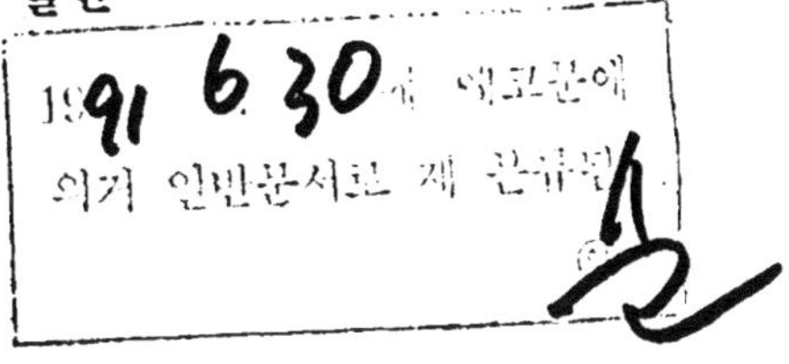

중아국 장관 차관 1차보 2차보 정문국 청와대 총리실 안기부

PAGE 1

91.01.30 06:09

외신 2과 통제관 CW

0041

외 무 부

종 별 :

번 호 : AEW-0138 일 시 : 91 0219 1300

수 신 : 장관(중일,기정,정일,아프이)

발 신 : 주 UAE대사

제 목 : 주재국 동향 (자료응신 14호)

연: AEW-0053,57

1.다국적군에 가담하고있는 주재국 공군은 미라쥬 2000으루 4회 출격, 쿠웨이트내 이라크 병참기지 공격에 처음으로 참가 하였다고 주재국 공군당국은 2.18.발표 하였음.

2.주재국은 전쟁보험료 지불로 인한 무역업자및 소비자의 부담을 줄이기 위해전쟁 보험 수수료 (WARRISK INSURANCE PREMIUM SURCHARGE)을 40 줄이기로 결정 하였다고 주재국 언론은 2.19. 보도함.

3.주재국 ZAYED 대통령은 2.18. UAE와 소말리아 간의 우호관계에 비추어, 소말리아 현사태에 고통을 받고있는 소말리아 국민들에게 의약품및 식품을 공수 원조할 것을 지시하였음.

끝.

(대사 박종기-국장)

중아국	장관	차관	1차보	2차보	미주국	중아국	정문국	청와대
총리실	안기부	대책반						

PAGE 1

91.02.19 21:27 DA

외신 1과 통제관

0042

2. 알제리

0043

관리 번호	90/902

원 본

외 무 부

종 별 :

번 호 : AGW-0140 일 시 : 90 0811 1500

수 신 : 장관(중근동,마그)

발 신 : 주 알제리 대사

제 목 : 중동사태

1. 주재국 외무장관은 카이로 아랍 외상회의 직후 이락의 무조건 철수를 주장한바 있음.

2. 연이나 8.10 카이로 아랍 정상회의에서는 침공 비난 결의에 기권하였는바, 이는 주재국의 아랍권내에서의 독자적 입장 유지와 금번 사태 해결에 중재역할 담당 가능성을 유보코저 하는 것으로 보임.끝

(대사-국장)

예고:90.12.31. 일반

1990 12. 31. 에 예고문에 의거 일반문서로 재 분류됨.

중아국	장관	차관	1차보	2차보	중아국	통상국	정문국	청와대
안기부	대책반							

PAGE 1

90.08.12 23:00

외신 2과 통제관 DO

0044

원 본

외 무 부

종 별 :

번 호 : AGW-0143 일 시 : 90 0813 1040

수 신 : 장 관(중근동,마그)

발 신 : 주 알제리대사

제 목 : 골프정세에 대한 반응

1.카이로 아랍정상회담에세 주재국은 사우디에 대한파병결의에 기권한직후 집권당인 FLN 은 외군의 개입은 아랍단결을 저해호고 분열을 심화시키므로 외군의 개입을 반대하며 아랍국가간의 대화를 촉진해야한다는 내용의 성명을 발표한바 있음.

2. 금 8.13 동당은 오는 20일을 '외국군대의 GOLF 지역 진주반대의 날' 로 정호고 대규모민 중대회를 개최한다고 발표하였음.끝.

(대사 한석진-국장)

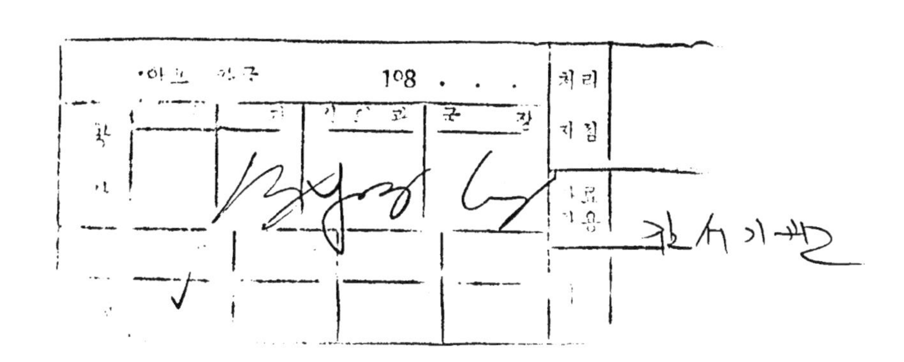

중아국

PAGE 1

90.08.13 22:08 CT

외신 1과 통제관

0045

원 본

외 무 부

종 별 :

번 호 : AGW-0147 일 시 : 90 0818 1620

수 신 : 장 관 (마그)

발 신 : 주 알제리 대사

제 목 : 쿠웨이트 사태

1. 주재국수도 알제시를 비롯한 주요 각도시에서 걸프지역에 대한 외국군대의 개입을 규탄하는 대규모 군중시위가 8.17(금) 각정당의 주도하에 거행되었음. 이들 시위자들은 대부분 이락입장 지지, 이락에 대한 국제경제봉쇄 반대, 미국군대의 성지진주반대를 주장하였음.

2. 한편 쿠웨이트 수상인 AL ABDALLAH 황태자가 모로코 방문후 8.16 당지에 도착, 주재국 HAMROUCH 수상의 영접을 받았으며 주재국 고위인사들과 일련의 면담을 갖을예정임.끝.

(대사 한석진-국장)

중아국

PAGE 1

90.08.19 07:00 FC

외신 1과 통제관

0046

원 본

외 무 부

종 별 :

번 호 : AGW-0149 일 시 : 90 0821 1500

수 신 : 장관(중근동,마그)

발 신 : 주 알제리대사

제 목 : 이락.쿠웨이트사태

연: AGW-0147

1. 8.16 쿠웨이트 수상겸 왕세자의 주재국 방문에이어, 리비아외무장관, 수단대통령, ARAFAT PLO의장, 사우디 국왕 특사, 모리타니아 내무장관, 이락대통령 특사등관련제국의 고위사절단이 주재국을 방문 CHADLI 대통령과 면담하였음.

2.특히 PLO 의장은 8.20 주재국 국영 TV 회견을 통해 아랍지도층에 큰 영향력을 갖고있는 CHADLI 대통령이 GULF 위기해결을 위해 INITIATIVE 를 발휘해야 함을 강조한바있음.

3. 금명간 예멘대통령이 주재국을 방문,''예멘.팔레스타인 공동중재안을 설명할예정이라함.끝.

(대사 한석진-국장)

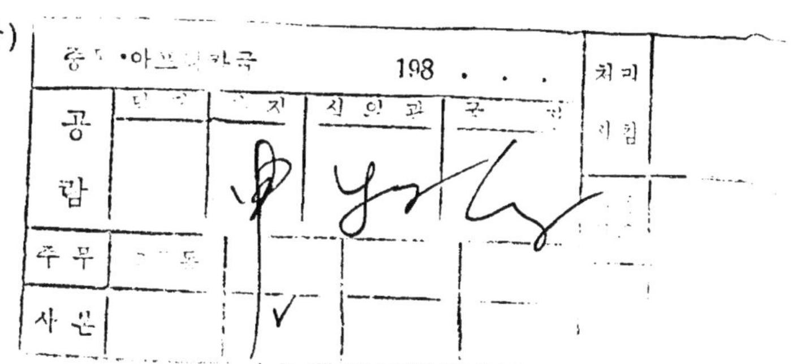

중아국 1차보 중아국 안기부 대책반 통상국 2차보

PAGE 1

90.08.22 00:42 CG

외신 1과 통제관

0047

원 본

외 무 부

종 별 :

번 호 : AGW-0159　　　　일 시 : 90 0827 1800

수 신 : 장관(중근동,마그)

발 신 : 주 알제리대사

제 목 : 이락.쿠웨이트사태

연: AGW-0149

1. 지난 8.23 카다피 대통령이 모로코에서 개최된 리비아-챠드 정상회담 참석귀로에 주재국을 방문, CHADLI 대통령과 면담한바 있으며 8.28 후세인왕이 주재국을방문 예정임.

2. GHOZALI 외상은 8.23 요르단 방문에 이어 8.24 이락을 방문하는등 주재국은사태 해결을 위한 알제리의 중재역활 수행 가능성을 신중히 모색하고 있음.

3. 주재국은 금번사태로 인해 초래될 아랍권의 세력 판도변화에 큰관심을 가지고 있기는 하나 지리상 사태현장과 멀리 떨어져있고 성유가격 폭등으로 현재까지 10억불의 예상외 수익을 보고있음. 끝,

(대사 한석진-국장)

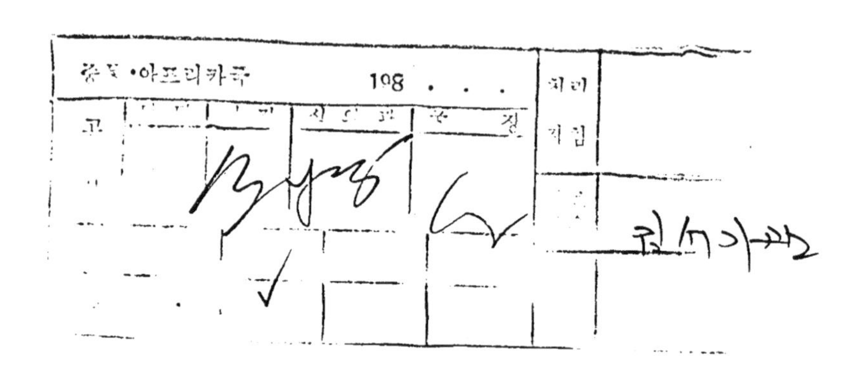

중아국　1차보　중아국　정문국　안기부　미주국　통상국　대책반　2차보

PAGE 1

90.08.28　21:51 DA

외신 1과 통제관

0048

외 무 부

종 별 :

번 호 : AGW-0161 일 시 : 90 0829 1600

수 신 : 장관(중근동,마그)

발 신 : 주 알제리대사

제 목 : 이락,쿠웨이트사태

연: AGW-0159

1. HUSSEIN 요르단국왕은 트리폴리, 튜니스 방문에 이어 주재국 방문차 8.28(화) 당지 도착하였음. 동국왕은 공항도착 기자회견을 통하여 이락-쿠웨이트 문제는 아랍권내 문제로 외세의 간섭없이 아랍제국간 대화를 통해 평화적으로 해결 되어야 한다는 소신을 밝히면서 이지역의 전쟁억제를 위해서는 빠른 정치적 해결이 요청된고 강조함.

2. 이락-쿠웨이트사태와 관련, UMA 회장국인 주재국은 8.30(목) 당지에서 UMA 5개국 외무장관회의를 개최, GULF 사태에 대한 공동입장을 정립할 예정임.끝.

(대사 한석진-국장)

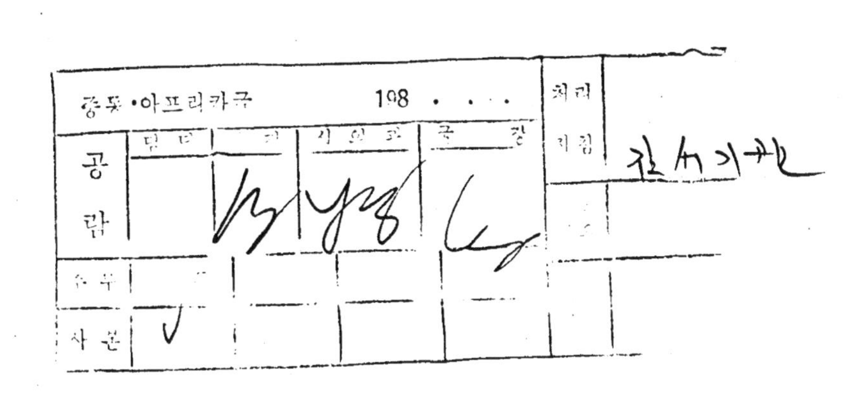

중동·아프리카국 198 . . .

공람	담당	과장	심의관	국장	처리지침
주무					
사본					

중아국 중아국 총상국 미주국 대책반 1차보 2차보 안기부

PAGE 1

90.08.30 01:35 CG

외신 1과 통제관

0049

외 무 부

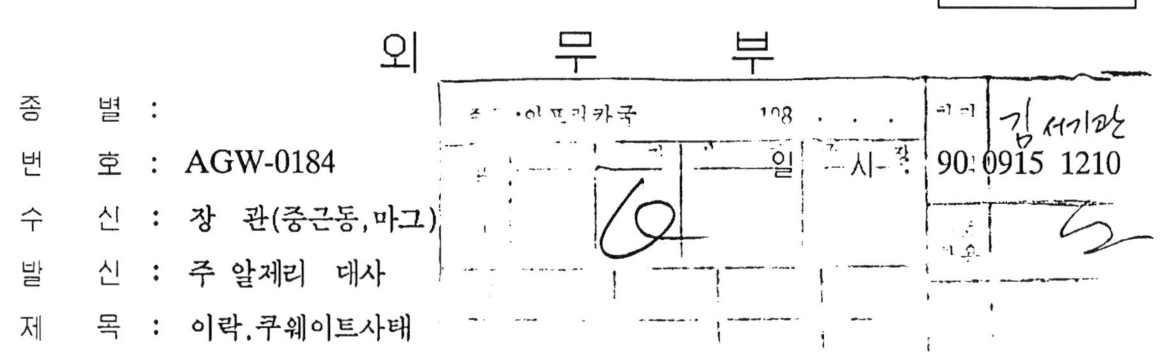

종 별 :

번 호 : AGW-0184

수 신 : 장 관(중근동,마그)

발 신 : 주 알제리 대사

제 목 : 이락.쿠웨이트사태

주재국 GHOZALI 외무장관은 표제사태에 관련, 안보리결의 661호에 대한 알제리 정부의 공식입장을 유엔 사무총장에게 공한으로 통보하였는바, 요지 아래 보고함.

1.알제리 정부는 모든 분쟁의 외부개입 또는 군사적 방법에 의해 해결되어서는 안된다는 기본 외교정책에 따라 금번 이락의 쿠웨이트 침략은 수락할수 없는 입장이나, 동문제의 해결이 아랍권내의 교섭을 통해 해결되는 것이 바람직하다는 입장임.

2.알제리 정부는 유엔헌장 및 국제법원칙과 규정을 존중해야 한다는데 이의가 없으나 금번 안보리결의 661과 관련, 아래 두가지 사항을 지적하고자함.

가.안보리는 처음으로 단합과 단호한 의지로 골프이기에 신속하고 효과적인 조치를 취하였는바, 이스라엘의 1967아랍점령와 1982 골란병합 및 레바논 침략시에는 이러한 조치가 따르지 못하였으며 유엔은 모든 유엔헌장 및 국제법 위반시 상응한 반응을 보여주어야 할것임.

나.알제리는 안보리결의 661의 3항이 이락및 쿠웨이트 국민을 기아로 몰아넣기 위한 목표가 아니므로 의약품과 식량공급은 제외되는 것으로 간주함.

3.알제리 정부는 국제 공동체 특히 안보리가 팔레스타인 영토 및 여타 아랍점령지역과 관련 채택한 결의의 단호한 적용을 기대하며, 이락.쿠웨이트 사태 관련국 책임자들은 전쟁을 지양하고 외교적 방법을 통해 문제 해결토록 최대의 온건과 자제를 발휘토록 촉구함.

(대사 -국장)

중아국 1차보 중아국 정문국 안기부

PAGE 1 90.09.17 16:23 CT

외신 1과 통제관

0050

원 본

외 무 부

종 별 :

번 호 : AGW-0190 일 시 : 90 0922 1220

수 신 : 장 관(중근동,마그)

발 신 : 주 알제리 대사

제 목 : 걸프사태

연: AGW-01881.

연호 3국정상회담참석후 대통령과 함께 귀국한 주재국 GHOZALI 외상은 금번회담에서 구체적인 평화안이나 해결책은 제시된것이 없었으며 다만 금수조치와 군사개입으로 가중되고있는 전쟁위기를 회피코자하는 시도에 불과한것이었다고 언명하였음.

2. 연이나 현지취재기자에 의하면 금번정상회담에서 모종의 중재안에 의견이 모아졌다고하며 유엔총회에 참석하는 아랍외상들을 중심으로 교섭될것으로보고있음. 끝.

(대사 한석진-국장)

중아국 1차보 중아국 정문국 안기부

PAGE 1

90.09.23 09:10 ER

외신 1과 통제관

0051

주 알 제 리 대 사 관

1990. 10. 10

알정 90-33

수신 : 장관

참조 : 중동.아프리카국장

제목 : 이락사태와 주재국의 대응

알제리는 종래 중동지역내 각종 분쟁과 항공기 납치사건등을 중재, 해결한 경험을 가지고 있고 한편, 마그레브 통합기구(UMA)의 의장직을 맡아 있기 때문에 금번 걸프사태와 관련, 아랍권내에서의 대화와 협상을 통한 평화적 해결방안 모색에 주력하고 있는바, 이락사태 발발이후 현재까지의 대응활동 경과를 별첨 요약 보고합니다.

첨부 : 이락사태와 알제리의 대응 1부. 끝.

주 알 제 리 대 사

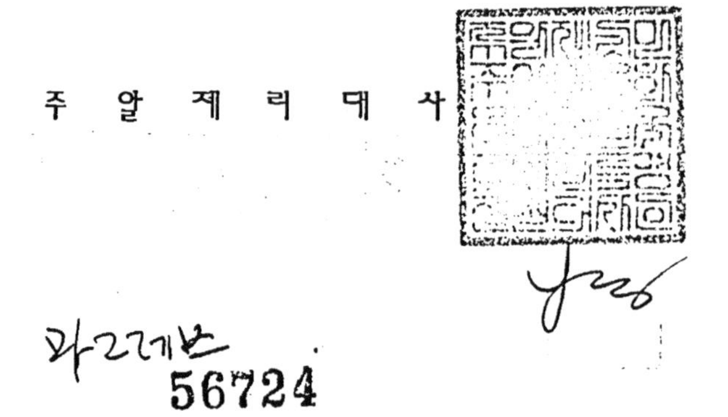

56724

0052

이락사태와 알제리의 대응

8.2	이락군의 쿠웨이트 침공사태 발생
8.3	카이로 개최 아랍외상회의에 참석한 Ghozali 외무장관은 이락군의 무조건 쿠웨이트 철수를 주장함. Ghozali 장관은 UMA 5개국 회원국간 공동입장 정립을 위해 회원국 외상과 별도 회합을 갖고 평화적 해결방안 강구, 외군의 개입 반대라는 공동입장에 합의함.
8.8	Ghozali 외무장관은 미군의 사우디 상륙이 문제해결을 악화시키는 요인이라고 지적, 이를 반대하는 동시에 이락 경제 봉쇄조치에도 반대한다는 입장을 표명함.
8.10	카이로 개최 아랍정상회의에 참석한 Chadli 대통령(Ghozali장관 및 Sahnoun 외교특보 수행)은 아랍권에서 유일한 유엔 안보리 회원국인 예멘의 Saleh 대통령과 별도 정상회담을 통해 아랍권의 분위기를 설명하였으며,
8.11	카이로 정상회의의 최종성명에 알제리는 기권함. 알제리는 상기 최종성명의 내용 일부 수정을 고집했으나 실패, 기권한것이라 함. 동일 Chadli 대통령은 Fadh 사우디 국왕, 무바락크 애급 대통령, ASSAD 시리아 대통령, Kadhafi 리비아 국가원수등과 접촉, 일련의 정상회담을 갖고 걸프사태와 관련한 아랍권의 영향력 강화 방안을 포함한 문제의 해결방안에 대해 의견을 교환함.
8.10	알제리 이락국민지지 위원회가 구성되고 8.15 동위원회가 기자회견을 통해 사우디내에 외군의 즉각 철수와 이락경제 봉쇄조치 해제를 주장함.

0053

8.12	현재 알제리 최대 정당인 구국 이스람전선(Front Islamique du Salut)은 8.17(금) 12:00시를 기해 아랍내 외군 주둔반대 도보 행진을 선포하고, FIS 의 Madani 당수는성명을 통해 이스람 국민간에 국경을 만드는 정권은 타도되어야 하고, 걸프지역의 외군주둔은 전 아랍 국민의 안보를 위협하는 도전행위라고 주장함에 따라, 전통적 회교국인 사우디의 입장을 난처하게 함.
8.16-20	8.16 쿠웨이트 수상겸 왕세자의 주재국 방문에 이어, 리비아 외무장관, 수단대통령, 아파파트 PLO 의장, 사우디국왕 특사, 모리타니아 내무장관, 이락 대통령 특사등 관련제국의 고위 사절단이 주재국을 방문, Chadli 대통령과 면담, 걸프사태 해결 방안을 협의한바 있으며, 주재국 Ghozali 외무장관은 이락 및 요르단을 방문, Chadli대통령의 친서를 전달하는등 활발한 외교접촉을 통해 알제리의 중재역할 수행 가능성을 신중히 모색함.
8.23-29	리비아의 카다피 대통령이 8.23 주재국을 방문하고, 8.28-29간 후세인 요르단 국왕이 트리폴리와 튜니스 방문에 이어 알제리를 방문, Chadli 대통령과 걸프사태 문제해결을 협의함.
8.30	UMA 회장국인 알제리는 카이로 개최, 아랍연맹 각료 이사회에 불참함.
9.2	UMA 회장국인 알제리는 UMA 5개국 외무장관 회의를 개최, 아랍권내에서 이락, 쿠웨이트 문제의 평화적 해결 강구방안에 의견을 교환하고, 무력과 외군개입을 통한 문제해결에 반대한다는 소위 "마그레브안"을 작성, 관련 5개국 정상들의 승인을 받은후, 걸프사태 관련 당사국과 접촉을 시도함.
9.19	Chadli 대통령은Ghozali장관을 대동, 모록코개최 알제리, 모록코,요르단 3국정상회의에 참석. 걸프사태의 아랍권내 문제해결 방안으로서 이락이 쿠웨이트 철수를 약속할경우 사우디주둔 외군을 철수하고 아랍 주요 국가원수 들로 구성된 원로회의(Comité des Sages)를 구성, 해결 절차를 이행한다는 골자의 문서를 작성, 후세인 이락대통령에게 전달함.

0054

10.9 상기 문서에 대하여 상금 이락측의 회답이 없다함.

* 주재국의 대 걸프사태 문제해결의 기본입장은 어떤 경우에도 무력사용은 방지되어야 한다는 것임. 금번 이락의 쿠웨이트 침략은 용납할수 없으나 동문제의 해결이 아랍권내에서 대화와 교섭등 평화적 방법에 의하여 해결되어야 한다는 것임.

0055

관리 번호 90/2129

원 본

외 무 부

종 별 :

번 호 : AGW-0307 일 시 : 90 1215 1550

수 신 : 장관(마그,중근동,기정)

발 신 : 주 알제리 대사

제 목 : CHADLI대통령중동순방

연:AGW-0298

1. 걸프사태 해결을 위하여 12.11 당지 출발한 CHADLI 대통령은 요르단, 이락, 이란을 순방후 현재 오만을 방문중인바, 당초 방문국을 결정치 않고 이락방문 성과에 따라 차기 방문국을 현지에서 결정할 계획이었다 함.

2. 이락 방문에서는 소기의 성과를 거두지 못한것으로 알려지고 있으나 금번 CHADLI 대통령의 외교 이니시아티브는 91.1.15. 이전에 평화적 문제해결을 위한 마지막 시도로서 평가되고 있으며, 주재국으로서는 최소한 당지에서 관련국의정상회담 개최에 대한 기대는 버리지 않고 있음.

3. 당지 언론보도에 의하면 CHADLI 대통령의 평화안은 쿠웨이트로부터의 이락군의 철수와 이에 대체하는 아랍 평화군의 배치 및 국제회의 개최전까지 이락,사우디간 불가침 합의성립이라함.

4. 또한 당지 언론은 금번 중재노력이 성공하지 못하는 경우에도 이스라엘의 위협에 직면한 요르단 및 나세르 민족주의를 반대하는 시리아로부터 긍정적인지지를 받아낼것이며, 중동지역의 세력판도 재조정, 특히 이락, 이란, 애급, 사우디간의 마찰을 해소하는데 도움을 줄것으로 평가하고 있음.

(대사 한석진-국장)

예고:90.12.31. 일반.

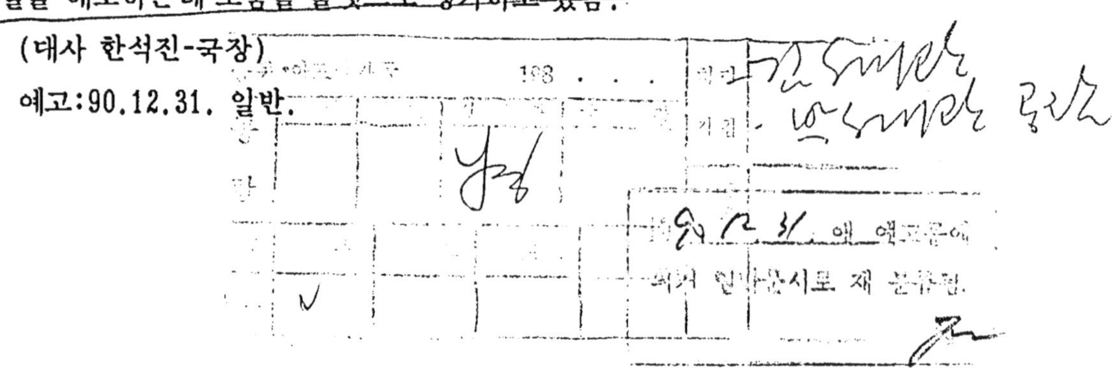

중아국 1차보 중아국 정문국 안기부

PAGE 1

90.12.16 08:20

외신 2과 통제관 EE

0056

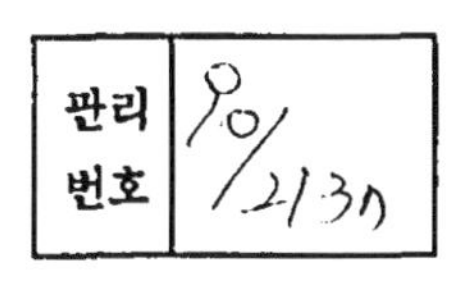

외 무 부

종 별 :

번 호 : AGW-0313

일 시 : 90 1217 1335

수 신 : 장관(마그,중근동,기정)

발 신 : 주 알제리 대사

제 목 : CHADLI 대통령 중동순방

연: AGW-0307

1. 주재국 외무부 당국은 CHADLI 대통령의 중동순방과 관련 지난 12.13 당지언론이 보도한 소위 알제리평화안 (연호 3 항참조, ALGERIANPLAN) 은 전혀 근거없는 날조라는 부인성명을 12.16 발표하고 금번 중동순방은 걸프사태를 포함한중동지역의 안보와 전쟁 회피, 평화유지를 협의하기 위한 것이라고 강조함.

2. 주재국 정부의 상기 성명은 이락의 중재 불응에 의한 평화 노력 실패에 따른 국내비판 여론을 염두에 둔것으로 관측됨.

3. CHADLI 대통령은 요르단, 이락, 이란, 오만 방문에 이어 12.15 시리아,12.16 이집트 방문후 귀국 예정이라함. 끝

(대사 한석진-국장)

예고 199012.31 일반.

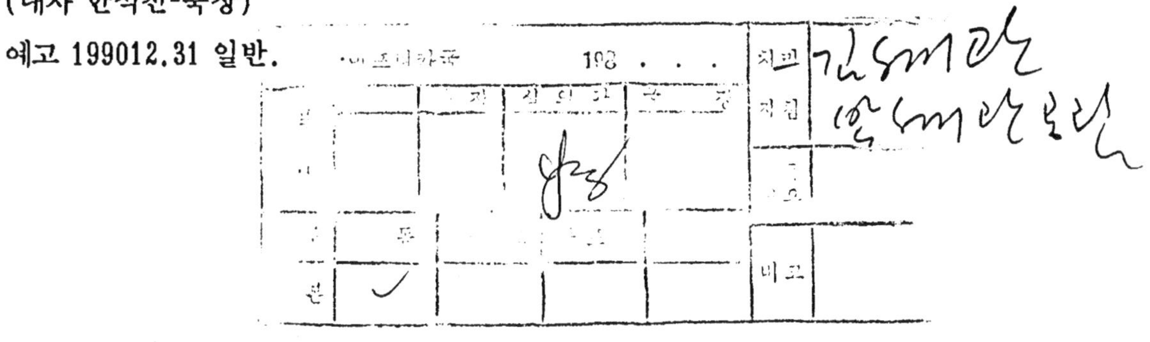

1990.12.31. 에 예고문에 의거 일반문서로 재 분류됨.

중아국 1차보 중아국 청와대 안기부 안기부

PAGE 1

90.12.18 07:26

외신 2과 통제관 BT

0057

관리 번호	90/2155

원 본

외 무 부

종 별 :

번 호 : AGW-0320 일 시 : 90 1220 2100

수 신 : 장관(중근동,마그,기정)

발 신 : 주 알제리 대사

제 목 : 알제리 대통령 방불

1.MITTERRAND 대통령의 12.19 TV 회견중 CHADLI 대통령의 12.22 불란서방문예정을 언급하였음.CHADLI 대통령은 방불후 ITALY 도 방문할것으로알려지고있음.

2. 방불목적은 주로 이락사태의 평화해결 모색에있다하며 이는 CHADLI 대통령의 중동 9 개국순방(12.11-18)노력의 연속으로 관측되고있음.

3. 상기 중동순방시 사우디를 방문하지못한점과관련 논란이많은 가운데 사우디측이 당초의 접수합의를번복, 동대통령의 방문을 완곡히 거절했을 가능성이큰바, 이는 대이락협상을 거부하는 사우디의 강경한 의도표시라고 볼수있는만치 이락측의 극적인 쿠웨이트철수가 없는한 걸프사태는 91.1.15 시한이전에 평화적타결은 어려울것으로 크게 우려되고있음.

(대사한석진-국장)

예고 91.6.30 일반.

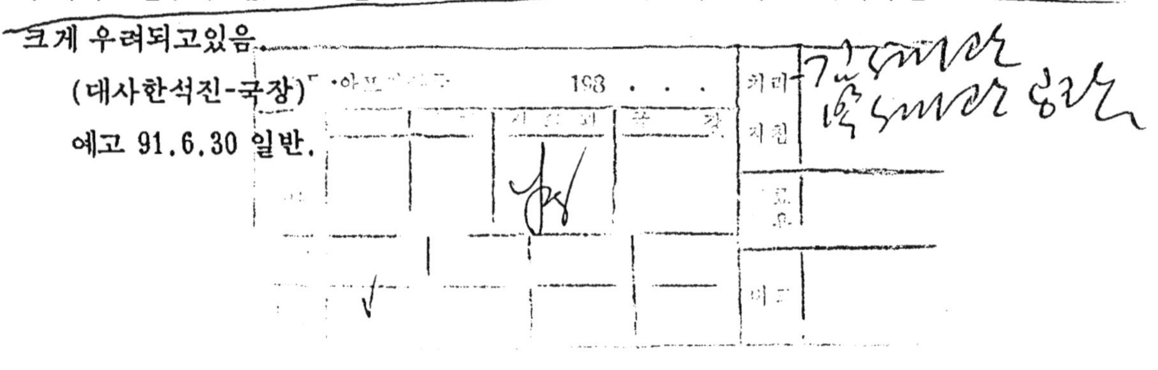

1991.6.30. 에 예고문에 의거 일반문서로 재 분류됨.

중아국 차관 1차보 2차보 중아국 안기부

PAGE 1 90.12.21 09:31

외신 2과 통제관 BW

0058

관리 번호	90/2458

외 무 부

종 별 :

번 호 : AGW-0321 일 시 : 90 1222 1620

수 신 : 장관(마그,중근동,기정)

발 신 : 주 알제리 대사

제 목 : CHADLI 대통령 구주제국 방문

연 AGW-0320

1.CHADLI 대통령은 불란서 방문에앞서 12.21 이태리를 방문, COSSIGA 대통령및 ANDREOTTI 수상과 각각 면담하였으며 12.22(토)불란서를 방문한후 12.23 귀로에 스페인, 모로코및 모타니아를 각각 순방한후 동일 귀국 예정이라함.

2.CHADLI 대통령은 현재 EC 의장국인 이태리 COSSIGA 대통령과 면담에서 이락측이 걸프사태의 평화적 해결의사를 갖고 있음과 팔레스타인 문제의 동시 해결을희망하며, 자국의 전력을 정확히 평가하고있고 어떤희생도 각오하고 있는 것으로안다고 언명하고 이락사태의 해결을 위해 구주제국의 역활을 강조하였음.

3. 모로코및 모리타니아는 CHADLI 대통령의 지난 중동 9 개국순방시 방문예정이었으나 접수국의 사정으로 연기된바, 금번기회에 동국을 방문, 상기 중동순방결과를 통보할 예정이라함. 끝.

(대사 한석진-국장)

예고 1991.6.30 일반.

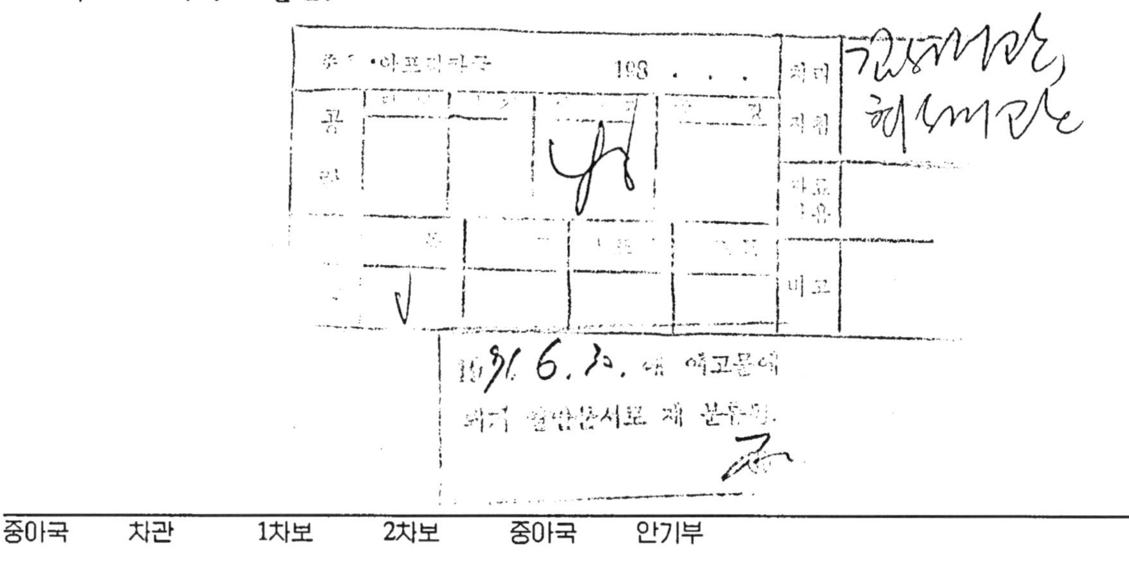

1991.6.30. 예고문에 의거 일반문서로 재 분류됨.

중아국 차관 1차보 2차보 중아국 안기부

PAGE 1

90.12.23 03:11

외신 2과 통제관 CE

0059

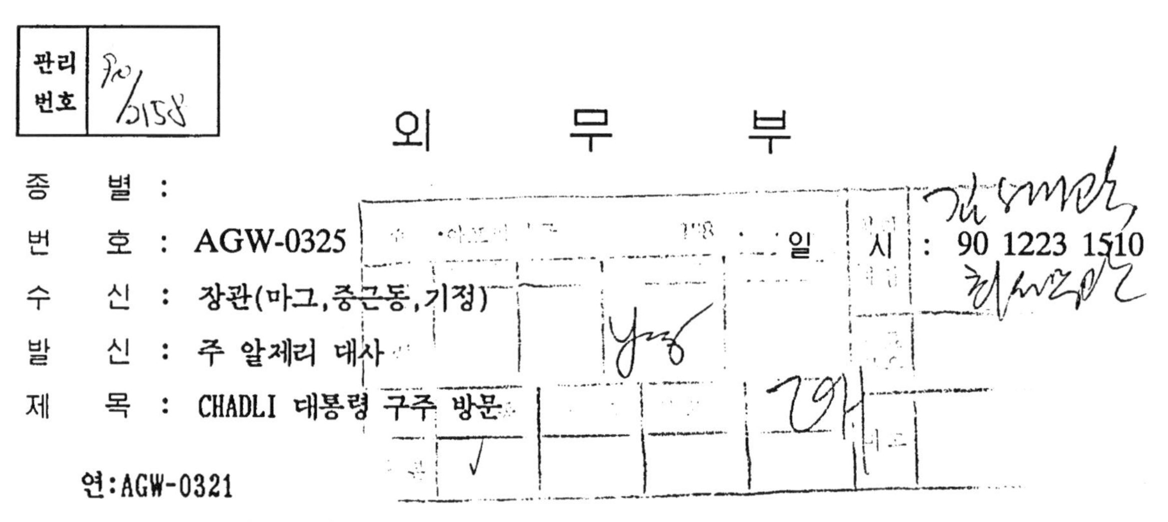

관리번호 90/3158

외 무 부

종 별 :

번 호 : AGW-0325 일 시 : 90 1223 1510

수 신 : 장관(마그,중근동,기정)

발 신 : 주 알제리 대사

제 목 : CHADLI 대통령 구주 방문

연:AGW-0321

1. CHADLI 대통령의 구주방문 및 마그레브 방문 관련, 동 대통령은 수행하고있는 GHOZALI 외무장관이 12.22 불란서 방문후 가진 회견내용 아래 요약 보고함.

가. CHADLI 대통령방불, 정상회담은 알제리측의 외교적 이니시아티브에의한 걸프새태의 평화적 해결 노력의 일환임.

나. 알제리정부는 걸프지역에서의 파국적인 전쟁발발이 아랍은 물론 미국, 유럽 그어느측에도 바람직하지 않음을 확신하며, 현실적으로 동사태의 평화적 해결 가능성이 상존함으로 그실현을 위한 최대한의 노력을 경주하는 것임.

다.CHADLI 대통령은 HUSSEIN 이락대통령과의 정상회담에서 이락측의 하기 반응을 감지함.

1)이락은 걸프지역에서 현재 세계 최강대국들의 군사력과 대치하고 있음을 정확히 인식하고 있음.

2)이락은 걸프사태를 평화적으로 해결하고자하는 성실한 의지를 갖고 있음.

3)이락은 어떠한 희생도 감수할 각오가 되어 있음.

4)이락은 팔레스타인문제 해결에대한 특별한 집착이있음.

라.GHOZALI 장관은 유엔안보리가 11 개에 달하는 대이락 결의를 채택하였음에도 팔레스타인문제 관련, 중동문제에대한 국제회의 개최 성명 채택 정도로 다루고 있는바, 국제기구가 팔레스타인 문제에대한 보다 구체적인 해결 의지를 보일 경우, 걸프 위기 사태를 회피하는 결정적 계기가 될것임.

2. CHADLI 대통령의 금번 중동 순방 및 구주 순방은 알제리의 전통적인 막후 외교 교섭 성공 경험에 입각, 걸프사태 관련 당사국들의 정상과 직접 평화적 해결을 시도한 것으로 알제리가 아랍의 이익을 대변하는 중요국가임을 과시하였으며 외교노력에대한

1991. 1. 10. 에 예고문에

중아국 차관 1차보 2차보 중아국 정문국 청와대 안기부

PAGE 1

90.12.24 01:16

외신 2과 통제관 CF

0060

상당한 평가를 받은 것으로 분석됨. 끝.

(대사 한석진-국장)

예고:1991.6.30 일반

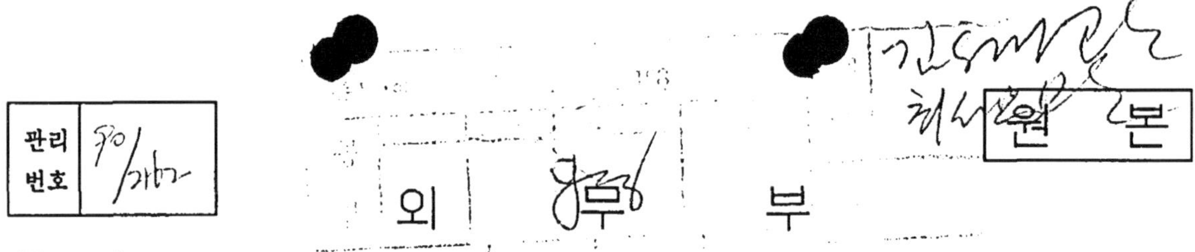

관리번호	90/가167

원 본

외 무 부

종 별 :

번 호 : AGW-0325 일 시 : 90 1223 1510

수 신 : 장관(마그,중근동,기정)

발 신 : 주 알제리 대사

제 목 : CHADLI 대통령 구주 방문

연:AGW-0321

1. CHADLI 대통령의 구주방문 및 마그레브 방문 관련, 동 대통령은 수행하고있는 GHOZALI 외무장관이 12.22 불란서 방문후 가진 회견내용 아래 요약 보고함.

가. CHADLI 대통령방불, 정상회담은 알제리측의 외교적 이니시아티브에의한 걸프새태의 평화적 해결 노력의 일환임.

나. 알제리정부는 걸프지역에서의 파국적인 전쟁발발이 아랍은 물론 미국, 유럽 그어느측에도 바람직하지 않음을 확신하며, 현실적으로 동사태의 평화적 해결 가능성이 상존함으로 그실현을 위한 최대한의 노력을 경주하는 것임.

다.CHADLI 대통령은 HUSSEIN 이락대통령과의 정상회담에서 이락측의 하기 반응을 감지함.

1)이락은 걸프지역에서 현재 세계 최강대국들의 군사력과 대치하고 있음을 정확히 인식하고 있음.

2)이락은 걸프사태를 평화적으로 해결하고자하는 성실한 의지를 갖고 있음.

3)이락은 어떠한 희생도 감수할 각오가 되어 있음.

4)이락은 팔레스타인문제 해결에대한 특별한 집착이있음.

라.GHOZALI 장관은 유엔안보리가 11 개에 달하는 대이락 결의를 채택하였음에도 팔레스타인문제 관련, 중동문제에대한 국제회의 개최 성명 채택 정도로 다루고 있는바, 국제기구가 팔레스타인 문제에대한 보다 구체적인 해결 의지를 보일 경우, 걸프 위기 사태를 회피하는 결정적 계기가 될것임.

2. CHADLI 대통령의 금번 중동 순방 및 구주 순방은 알제리의 전통적인 막후 외교 교섭 성공 경험에 입각, 걸프사태 관련 당사국들의 정상과 직접 평화적 해결을 시도한 것으로 알제리가 아랍의 이익을 대변하는 중요국가임을 과시하였으며 외교노력에대한

중아국 차관 1차보 2차보 중아국 정문국 청와대 안기부

PAGE 1

90.12.24 01:16

외신 2과 통제관 CF

0062

상당한 평가를 받은 것으로 분석됨. 끝.

(대사 한석진-국장)

예고:1991.6.30 일반

1991.6.30. 에 예고문에
의거 일반문서로 재 분류됨.

PAGE 2

0063

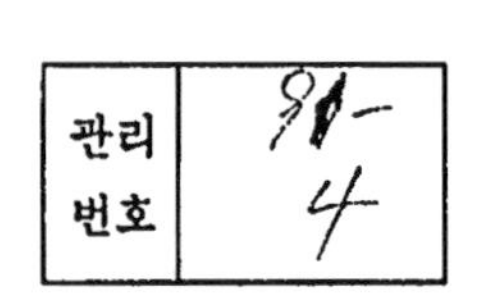
관리 번호 91-4

원 본

외 무 부

종 별 :

번 호 : AGW-0004 일 시 : 91 0106 1200

수 신 : 장관(마그,중근동,기정)

발 신 : 주 알제리 대사

제 목 : 걸프사태

1. 오는 1.9(수)제네바에서 개최될 미.이락 외무장관회담에 대해 주재국은 외무부대변인 성명을통해 동회담이 걸프사태를 평화적으로 해결하는 진지하고 책임있는 대화의 시발점이 되기를 바란다는 입장을 표명함.

2. 주재국 CHADLI 대통령은 그간 걸프사태의 평화적 해결방안 모색을위해 노력하여왔고 90.12 중동지역 관련당사국을 방문한바있으나 구체적인 성과를 이룩하지 못한 아쉬움을 감지할수있음. 끝

(대사 한석진-국장)

예고 1991.12.31 일반.

검토필(1991.6.30.)

91.12.31

중아국 장관 차관 1차보 2차보 중아국 안기부

PAGE 1 91.01.07 08:05

외신 2과 통제관 BW

0064

관리 번호	91-13

원 본

외 무 부

종 별 :

번 호 : AGW-0009 일 시 : 91 0108 1700

수 신 : 장관(마그,중근동,기정)

발 신 : 주 알제리 대사

제 목 : 걸프사태

연 AGW-0325

1. 명 1.9(수)미국.이락크 외무장관회담을 앞두고 회담성과가 비관적으로 전망되고 있는 가운데 1.7(월) 보젤 불 외무분과 위원장의 이락방문 귀국 회견에서 불.알제리 공동평화노력 가능성을 시사한것과 금 1.8 BAKER 미국무장관의 엘리제 회담에서도 9 일이후 15 일까지의 불.알제리 공동평화 추구 노력 가능성이언론에 의해 시사됨에 따라 주재국의 외교적 역활에 대한 기대가 커지고 있음.

2. 9 일 제네바 외상회담이 성과를 보지못할 경우에 시도될 불.알제리 공동평화노력의 근거는 이락의 쿠웨이트 철수를 팔레스타인 문제해결을 위한 국제회의 개최와 연계시키는 중동지역분쟁의 총괄적인 해결방안에 불.알제리의 견해가 일치되는것과 유럽에서의 분란서의 위치와 아랍지역에서의 알제리의 비중을 감안한것으로 보임.

3. 주재국은 걸프지역에서 먼거리에 위치함으로 직접 전쟁피해는 없을것이나 회교급진파의 서방대사관 습격, 테러 가능성이 없지 않다고 판단(미대사관 비상대피 준비중)됨으로 다관은 비상근무체제를 취하고있음. 끝.

(대사 한석진-국장)

예고:1991.12.31 일반.

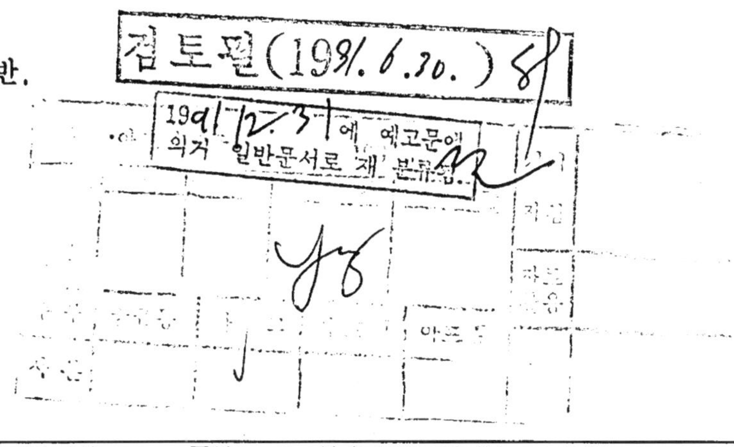

중아국 장관 차관 1차보 중아국 청와대 안기부

PAGE 1 91.01.09 20:51

외신 2과 통제관 CH

0065

관리번호	91-821

원 본

외 무 부

종 별 :

번 호 : AGW-0013　　　　일 시 : 91 0109 2230

수 신 : 장관(중근동,마그,기정)

발 신 : 주 알제리 대사

제 목 : 걸프사태

연 AGW-0009

1. 미.이락외상회담이 결렬된 현시점에서 불.알제리평화안이 전쟁회피를 위한 최종적인 외교노력으로 부각되고 있는바 그내용은 연호보고와 같이 이락의 철수조건으로 중동문제 해결을 위한 국제회의 개최의 구체적인 일정제시로 요약됨.

2. 상기 평화안의 의견조정을 위해 1.8 불대통령 비서실장이 주재국을 방문한바있으며 주재국외상도 독일, 룩셈부루크를 거쳐 현재 제네바에 체류중인바 동장관은 미.이락외상과도 회담할 예정이라함.

3. 또한 아지즈외상은 EC 외상과의 회의를위한 룩셈부루크 방문을 거절한대신 당지에서 EC 의장국 외상과 가까운 실일내에 회담할 예정이라함.

4. 주재국이 이락사태의 평화해결에 있어서 불란서와 함께 최종적인 조정국으로 부상된것은 금번 사태이후 중동국가로서는 유일하게 어느한쪽으로 편파되지않은 독자적인 입장을 견지하여온것과 아랍및 구주제국과 긴밀한 관계를 유지하여온 외교력에 기인되는것으로 평가되며 향후 1.15 까지 주재국의 역할이 기대를 모으고 있음. 끝(대사 -국장)

예고 1991.12.31 일반.

검토필(1991. 6. 30.)

중아국　장관　차관　1차보　2차보　중아국　청와대　총리실　안기부

PAGE 1　　　　91.01.11　00:36

외신 2과　통제관 CE

0066

관리 번호	91-29

외 무 부

종 별 :

번 호 : AGW-0020 일 시 : 91 0114 1210

수 신 : 장관(주근동,마그,기정)

발 신 : 주 알제리 대사

제 목 : 폐만 사태관련 주재국동정

연 AGW-0018

1. 주재국정부는 폐만사태가 악화되어감에따라 1.13(일) HAMROUCH 수상주재아래 외무부, 관련기관및 군관계, 위간부회의를 소집, 폐만전쟁발발시의 민중시위, 폭동사태에 대비한 당지주재 외교단각종국제기구및 외국기관의 안전보호대책에 관하여 중점 협의하였다 함.

2. 이에따라 주재국외무부는 금 1.14(월)공한을 통해 당지외교단에 아래내용을 긴급 통보하여 왔음.

1)알제리 정부는 외국공관, 관저를 위시, 외국 관.민의 안전대책을 강화키로결정함.

2)외무부는 각국공관장이 주재해당국민의 외출을 가급적 제한토록 조치해줄것을 요망함.

3)알제리경찰당국은 대사관, 영사관, 국제기구의 요청이 있을경우 모든 협조조치를 취할것임.

3. 당관은 전교민에게 외출을 삼가토록 요망조치하는 한편 관할경찰에 특별경비를 요청하였음.

(대사 한석진-국장)

예고 1991.12.31 일반.

중아국	장관	차관	1차보	2차보	중아국	청와대	총리실	안기부
안기부								

PAGE 1

91.01.14 22:32

외신 2과 통제관 CH

0067

관리번호	91-1501

원 본

외 무 부

종 별 :

번 호 : AGW-0023 　　　　일 시 : 91 0117 2110

수 신 : 장관(중근동,기정)

발 신 : 주 알제리 대사

제 목 : 걸프전쟁발발

대 WMEM-0008

1. 주재국은 금 1.17(목) 전쟁발발에 제하여 대통령궁에서 비상각료회의를 소집하고 전투행위의 중지, 외국군대의 철수를 촉구하는 한편, 사태의 평화적 해결과 중동문제 전반에 대한 해결을 위한 국제회의 개최노력을 계속할것임을천명하고 이를위한 아랍의 결속을 호소하는 내용의 성명을 발표하였음.

2.1.15 내무장관 포고를 통해 각종시위의 자제를 촉구한데 이어 금 1.17 외무.내무.국방장관 공동명의로 불법시위에 적극 대처할것이라는 포고문을 다시 발표하였음.

3.1.17 동부도시 콘스탄틴(알제에서 400KM)에서 시위군중에 의해 불란서영사관이 파괴되었으며 당지 미대사관앞에서도 대규모 규탄시위가 있었고 전국각도시에서도 소요조짐이 일어나고 있음.

4. 당관은 소요사태에 대비, 신변안전, 공관경비강화를 위한 가능한 모든조치를 취하고 있음.

(대사 한석진-국장)

예고 1991.6.30 일반. 끝.

1991.6.30. 에 예고문에 의거 일반문서로 재 분류됨.

중아국	장관	차관	1차보	2차보	정문국	청와대	안기부

PAGE 1 　　　　91.01.19 19:00

외신 2과 통제관 CW

0068

관리번호	91-1527

원 본

외 무 부

종 별 :

번 호 : AGW-0026 일 시 : 91 0119 1230

수 신 : 장관(비상대책반장,기정)

발 신 : 주 알제리 대사

제 목 : 걸프전

1.1.19 1100 현재 당지교민의 신변안전상 이상없음.

2. 공휴 기도일인 작 1.18 주재국 최대정당인 이스람구국전선(FIS)은 회교사원에서 오후 기도후 귀가하는 시민과 당원(1 만명)을 규합, 이락지지, 반미, 반불구호를 외치며 대규모시위를 벌인후 수상실이 있는 정부종합청사로 몰려가서이락에 지원군파견등 정부조치를 요구하였음.

3. 이스라엘의 개입, 전쟁의 장기화가 현시점에서 아랍 각국에 준동하는 이스람 극단세력의 확대가 우려되고 있으며 주재국은 90.6.12 지방선거시 절대과반수(54%)를 득표한후 계속 당세를 확장해온 이스람구국전선(FIS)의 행동방향에 관심이 주목되고있음.

4. 주재국 국민여론이 친이락 강경방향으로 급격히 전환됨에 따라 일반여론의 논조도 종래의 중립적인 입장에서 강경방향으로 달라지고 있음을 볼수있으며 정부입장도 이러한 국민여론에 영합하는 경향이 감지되고있음.

5. 주재국은 1.18(금)부터 외국기자의 입국을 금지하고, 상주특파원이외 모든 외국기자의 출국조치를 취하였음. 끝.

(대사 한석진-비상대책반장).

예고 1991.6.30 일반.

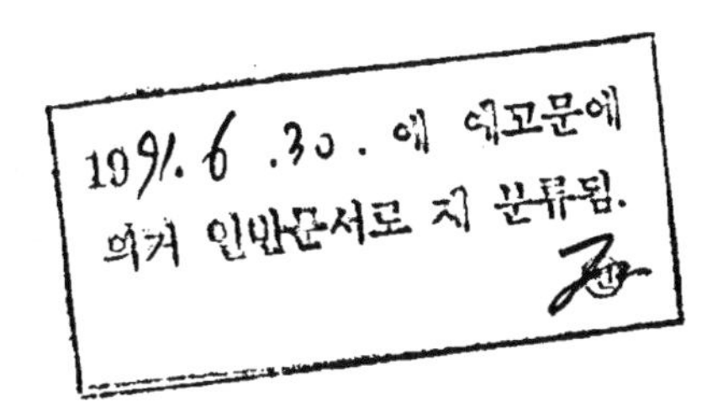
1991.6.30. 에 예고문에
의거 일반문서로 재분류됨.

중아국 장관 차관 1차보 2차보 청와대 안기부

PAGE 1

91.01.19 22:47
외신 2과 통제관 CW

0069

관리번호	91-1506

원 본

외 무 부

종 별 :

번 호 : AGW-0028 일 시 : 91 0119 1630

수 신 : 장관(비상대책반,기정)

발 신 : 주 알제리 대사

제 목 : 걸프전

1. 주재국외무성발표에 의하면 걸프전의 외교적해결을 위해 1.18 PEREZ DE CUELLAR 유엔사무총장에게 CHADLI 대통령의 친서를 주미대사를통해 전달하였다하며 동대사는 안보리 위원국대사들과 일련의 회합을 가졌고 비동맹회의 의장국인 유고대사와도 접촉을 갖었다함.

2. 1.18 GHOZALI 외상은 T.V 대담을 통해 주재국의 중립입장유지필요성을 강조한바있으나 이스라엘이 이락의 2 차 미사일공격을 받은 금 1.19 오전, 만약 이스라엘이 이락을 공격하면 이는 모든 아랍국가에 대한 수모로 간주하겠다고 언명하였다함.

3. 1.18 이스람 구국전선이 이락지지데모에 10 만명을 동원한 이후 집권당인 FLN 도 1.19 기관지를 통해 서방이익체(OCCIDENTAL INTEREST)에 대한 공격을 촉구하고, 서방연합군에 가담한 모든 아랍국가와 단교할것을 촉구하였음.

4. 이상과 같은 주재국의 동향은 이스람세력확장에 대한 회유와 전후 아랍지역 세력구조 개편에 대비한 외교적포석으로 평가됨. 끝.

(대사 한석진-비상대책반장)

예고 1991.6.30 일반.

1991. 6. 30. 에 예고문에 의거 일반문서로 재 분류됨.

중아국 장관 차관 1차보 2차보 청와대 안기부

PAGE 1

91.01.20 04:26

외신 2과 통제관 FF

0070

외 무 부

종 별 :

번 호 : AGW-0029 일 시 : 91 0119 1700

수 신 : 장관(비상대책반,기정)

발 신 : 주 알제리 대사

제 목 : 걸프전

주재국 외무성은 지난 1.17 걸프전 발발직후 아래요지의 성명을 발표하였음.

-알제리는 이락 형제국에 대한 무력사용을 반대함.

-이번 전쟁은 힘의 과시나 지배의사의 성격을 지울수 없음.

-아랍세계의 운명이 오늘과 같은 비극적 난국에 처한적은 없음.

-아랍에서의 전쟁은 숙적 이스라엘에 유리할뿐임.

-이번 전쟁은 이락을 파괴할뿐만 아니라, 쿠웨이트와 기타 대항세력도 재난을 모면할수 없을것이며 나아가 모든 아랍제국에 심대한 정치적 경제적 혼란을 가져올것으로 확신함.

-또한 아랍인들의 마음속에 비정의 대한 반감과 깊은 수모감을 심어줄뿐임.

-새로운 국제질서는 지리멸렬된 아랍의 분열위에 구축될것이며 아랍전체의 신성한 과제인 팔레스타인의 독립추구는 또다시 희생될수 밖에 없을것임.

-알제리는 항상 무력사용과 무력에 의한 영토점령을 반대하여 왔음.

-국제법의 준법은 팔레스타인 문제를 비롯해서 언제 어디서고 균등하게 시행되어야 할 것임.

-알제리는 최후의 순간까지 전쟁회피를 위해 노력하여 왔으며 아랍인민과 역사 의 심판에 책임을 질것임.

-이락형제 국민에 대하여 그 어느때 보다도 친근감을 가지며, 난국에 대처하는이들에게 알제리 국민의 연대감을 선언하는 바임.

-알제리는 모든 평화애호 국민에게 전쟁행위의 즉각중지, 모든 외국군의 철수, 중동문제의 평화적 해결방안의 모색 (특히 국제회의 개최)을 촉구함.

-알제리는 아랍지역의 항구적인 평화 회복을 위해 모든 노력을 다할것임을 다짐함.

대책반	장관	차관	1차보	2차보	미주국	중아국	정문국	청와대
총리실	안기부							

PAGE 1

91.01.20 04:04 DA

외신 1과 통제관

0071

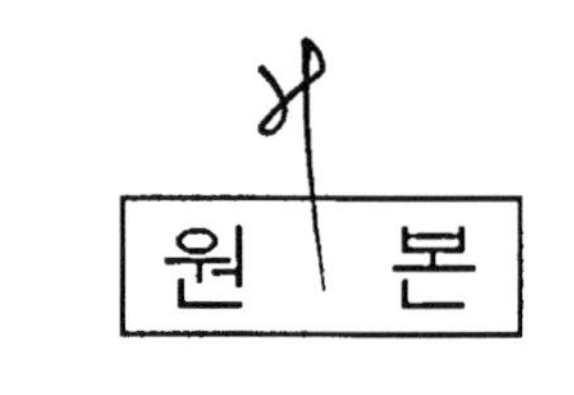

관리 번호	91-29

외 무 부

종 별 :

번 호 : AGW-0030 일 시 : 91 0120 1600

수 신 : 장관(비상대책반,기정)

발 신 : 주 알제리 대사

제 목 : 걸프전

1. 1.20(일)1200 현재 민의 신변안전 이상없음.

2. 주재국정부는 걸프전 관련, 수상을 위원장으로하는 비상대책위원회를 설치함과 아울러 4 개 비상대책반을 구성, 상황에 대비하고있음.

가. 공공질서및 안보대채반

나. 생필품조달등 구내경제대책반

다. 대외경제 대책반

라. 정보및 통신대책반

3. 기보고한바와같이 FIS 를 중심으로한 이스람세력의 증대가 현저한바, 집권당 FLN 기관지를 포함한 모든 언론도 이러한 국민여론의 변화에 따라 이스람단결, 이락지지, 팔레스타인회복, 미.영. 불파병비난논조가 두들어지고있음.

4. 고교생들의 이락지지데모가 산발적으로 계속되고있고 금 1.20 오후 대학생들의 대규모시위를 앞두고 미.영. 불대사관및 시내요소에 진압경찰대가 대기하고 있는등 다소 소란한 분위기임.

(대사 한석진-대책본부장)

예고 1991.6.30 일반.

1991.6.30. 예고문에 의거 일반

중아국	장관	차관	1차보	2차보	청와대	총리실	안기부

PAGE 1

91.01.21 02:01

외신 2과 통제관 DO

0072

관리번호	91-1485

원 본

외 무 부

종 별 :

번 호 : AGW-0032 일 시 : 91 0121 1200

수 신 : 장관(비상대책반,기정)

발 신 : 주 알제리 대사

제 목 : 걸프전

1. 1.21(월) 1000 현재 당지 교민 신변 이상없음.

2. 1.20 주재국은 외무부 대변인 성명을 통해 걸프전의 즉각 휴전과 대화재개를 위해 노력하고 있다고 발표하였음.

3. 1.20 아라파트 PLO 의장이 주재국을 방문, CHADLI 대통령과 면담후, 기자회견을 통해 전쟁 종식을 위해 모든 노력을 다할것임을 언명하였음.

4. 한편 주재국 대통령은 1.20 국회의장을 비롯, 주재국 주요 정당대표 및 노조 위원장을 초치, 사태의 심각성에 비추어 임시국회를 소집키로함과 아울러, 국민 단결유지와 시위격화 자제를 당부하였음.

5. 1.20 알제 대학생의 데모가 상당히 과격하였으나 미대사관 진입은 경찰력에 의해 저지 되었으며, 금 1.21 오후 이스람 구국전선이 주동하는 대규모 이락 지지시위가 예정되어 있는바 이락 대통령의 1.20 방송을 통한 아랍국민의 미국및 동연맹 이익체 공격 호소가 상기 시위의 과격화를 자극하지 않을까 우려되고있음.

(대사 한석진-비상대책본부장)

예고 1991.6.30 일반.

1991. 6. 30. 에 예고문에 의거 일반문서로 재 분류됨.

대책반 안기부

PAGE 1

91.01.22 07:48

외신 2과 통제관 BT

0073

길

외 무 부

종 별 :

번 호 : AGW-0037 일 시 : 91 0122 1510

수 신 : 장 관(비상대책반,미북,기정)

발 신 : 주 알제리 대사

제 목 : 걸프전

GHOZALI 외무장관이 1.21 주재국 집권당 FLN 기관지 EL MOUDJAHID 기자회견에서 밝힌 주재국의 걸프전 관련 입장을 아래 보고함.

1.걸프전에 대한 알제리의 입장은 1.17일자 외무부성명 (AGW-0029 참조)으로 명백히 밝힌바있음.

2.처음부터 알제리는 외국군대의 사우디 집중을 반대했음. 그것이 문제해결 방법이 못되며, 바로 오늘날과 같은 사태를 초래할것이라고 주장했었음.

3.우리는 아랍 대의를 저버릴수 없음. 오늘의 상황은 아랍 대의에 치명적인 타격을 주고 있는바 한 아랍국가가 비아랍제국 및 아랍제국 연합국으로부터 공격을 받고있음. 다시 말하면 세계 최대 군사대국이 주도하는 연합세력이 한 아랍국가를 공격하고있음. 우리는 어느 아랍국가가 외부세력의 공격 에의해 항복하는것을 받아드릴수 없음. 이러한 입장은 새로운것이 아니라 과거에도 미국과 서방제국에 표명한바 있음.

4.이번 사태는 아랍인에게 있어서 단순한 침공과합 병문제가 아님. 안보리 결의를 차별적으로 적용하려는 국제사회 전체에 대한 깊은 부당곰 및 반항감이 아랍여론을 크게 지배하고 있으며 만약 한아랍국가의 파괴가 있을 경우 이러한 부당감은 깊은 증오감과 반항으로 변환할것임.

5.다국적군의 형성과 군사행 동은 유엔결의 즉안보리 결의에 의거하며 유엔의 위임사항을 이행한다는 제한이 있음. 안보리 결의는 쿠웨이트 복구에 목적이 있으며 어떤 경우에도 이락의 국사, 경제시설 파괴를 목표로 하지는 않음. 다국적군의 전면적대 이락공격은 안보리의 위임범위를 넘쳐나고 있음 (DEPASSE LE MANDAT). 다국적군가담국인 사우디는 이락공격 의사를 표시한바 없으며, 이집트, 시리아도 사우디 방위를 위해 파병한다고 했을뿐임.

6.전쟁의 결말은 아랍지역뿐만 아니라 전세계에 심대한 영향을 미칠것이기 때문에

대책반	장관	차관	1차보	2차보	미주국	정문국	청와대	총리실
안기부	중이국							

PAGE 1

91.01.23 10:01 WG

외신 1과 통제관

0074

전투행위는 중지되어야함. 알제리는 상기 관점에서 안보리에 전쟁종식 결의안을 제의할 예정으로 현재 탐색, 접촉중에 있으며 성공여부에 관계없이 이를 위해 끝까지 노력을 다할것임. 끝.

(대사 한석진-대책본부장)

0075

관리번호	91-1488

원 본

외 무 부

종 별 :

번 호 : AGW-0041 일 시 : 91 0123 1440

수 신 : 장관(비상대책반,기정)

발 신 : 주 알제리 대사

제 목 : 걸프전

연 AGW-0032

1. 1.23(수)1200 현재 당지교민 신변안전 이상없음.

2. 1.20 대학생 총연맹의 대규모 이락지지 시위이후 1.21 부터 고교생들도 시위에 가담, 학교마다 경쟁적으로 확대, 격렬화되고 있음.

3. FIS(이스람구국전선)주관아래, 이락의용병 지원자가 130 만명에 이르고 헌혈자도 일익 증가하고 있는등 당지 분위기는 점차 가열되고 있는바, 만약 이스라엘이 대이락 보복을 감행할경우에는 매우 격렬한 반응이 나타날것으로 예측됨.

4. 주재국 정부는 대이락지지를 표명함으로서 이스람세력의 주장을 수렴하면서 치안유지에 힘쓰고 있으며, 명 1.24 에 예정되어 있는 각정당및 대학생총연맹 공동시위에 대비하고있음. 끝.

(대사 한석진-대책본부장)

예고 1991.6.30 일반.

1991. 6. 30. 에 예고문에 의거 일반문서로 재 분류됨.

대책반. 안기부 장관 차관 1차보 2차보 중아국 청와대

PAGE 1

91.01.24 01:30

외신 2과 통제관 CH

0076

길

외 무 부

종 별 :

번 호 : AGW-0043 일 시 : 91 0124 1540

수 신 : 장 관 (비상대책반,마그,기정)

발 신 : 주 알제리 대사

제 목 : 걸프전

1. CHADLI 대통령은 1.23 걸프사태와 관련, 긴급 소집된 임시국회에서 알제리는 그간 의무 이상의 외교노력을 기울여 왔음과 금번 전쟁은 미국과 서방이 기탁궤멸을 목적으로한 오랜 계획에 의한 결과 어느 정당이나 종교단체도 전쟁을 선거 또는 정치목적으로 이용하는 것을 경고한다는 내용의 연설을 행하였는 바, 그 요지를 아래 보고함.

- 본인은 아랍세계를 파탄으로 몰아 갈 전쟁의 방지를 위해 알제리가 해야할 역할 이상의 엄청난 노력을 기울여 왔음.

- 알제리는 분쟁조정을 위하여 중립적인 입장을 유지하여 왔으며 아랍마그레브연합(UMA) 회원국을 위시하여 모든 아랍국가 원수와 긴밀한 접촉을 취하였고 부쉬 대통령과도 전화로 협의하였음.

- 안보리에서 쿠웨이트 철수시한을 요청한 결의안이 채택되었을 때에도 본인은 보다더 광범위한 행동이 필요하다고 판단, 아랍 관련국 및 구주순방에 나섰던 것임.

- 동 순방은 매우 유익하였는 바, 먼저 요르단을 거쳐 이락에서는 각별한 환대 속에 기탄없는 대화를 나누었으며 문제핵심을 잘 파악할수 있었음.

- 이란에서도 큰 환영을 받았으며 협조를 다짐하는 만족할 만한 회담성과를 거두었으며, 마그레브 제국을 방문, 순방결과를 통보하였음.

- 본인의 불란서 및 구주방문도 매우 유익했는 바, 이락 방문결과를 토대로 격의없는 협의가 진행되었으며 소위 불.알제리 평화계획이 형태를 갖추게 되었음.

- 팔레스타인 문제해결을 위해 국제회의 개최를 골자로 하는 이 안은 미국의 즉각적인 반대에 부딪쳤고 사우디도 걸프사태와 팔레스타인 문제해결을, 연계를 반대하였음.

- 본인은 1.15 시한에 쫒기면서 마지막 시도로 미국방문을 시도하였으나 뜻이

대책반	장관	차관	1차보	2차보	중아국	청와대	총리실	안기부

PAGE 1

91.01.25 09:28 FK

외신 1과 통제관

0077

이루어지지 못하였으며 사우디도 방문하지 못하였음.

- 본인의 미국방문의 목적은 국제회의 개최에 대한 부쉬 대통령의 언질(발표없이)을 받고져 했던 것임.

- 오늘날 다국적군의 파괴적 전쟁행위는 안보리 결의의 한계를 넘었다고 지적할수 있음. 동 결의는 쿠웨이트에 관련되는 것인데 쿠웨이트 문제가 이락을 파괴하는데이용되고 있음. 이락 궤멸이 이락-이란 전쟁시와 마찬가지로 수년전 부터 함정을 파놓고 계획되어온 목적이었음.

- 이락혁명은 서방이익을 위협하기 때문에 분쇄되어야 했고 이와 관련, 이락-이란 전쟁결과 양국이 모두 패전국이 되기를 바란다고 한 미국 정치인의 말이 기억에 남음.

- 이락이 오늘날 서방이익과 이스라엘을 위협하게 이르렀는 바, 본인은 후세인 대통령에게 미국을 위시한 서방이 제3차 대전을 일으키면서라도 이락을 제거하려할 것이라고 분명히 말해준 바 있음.

- 과거에는 동.서 양진영이 대립하고 있어서 비동맹 또는 아랍연맹 이름으로 우리의 활동여지가 있었으나 오늘날 모든 문은 닫혔고 우리는 소위 신국제질서에 직면하고 있는 바, 이 신국제질서는 세계 부강국 32개국이 만들고 있는 제3세계의 이익에반하는 것임.

- 쿠웨이트가 이락 파괴를 위해 이용되고 있다고해서 쿠웨이트의 존재를 부인하는것은 아니며, 이락에게도 쿠웨이트는 국제법 원칙에 합당하는 엄연한 국가라고 말한바 있음.

오늘날 국경 불가침 원칙은 존중하지 않는다면 전 제3세계 제국에 있어 식민정치의 유산인 국경분쟁이 나지않는 곳이 없을 것이며 쿠웨이트 문제는 어디까지나 아랍의 테두리에서 해결책을 모색해야 하며 해결될 수 있다고 확신함.

- 어떤 정당은 이사태를 선거목적으로 이용하려고 하고 있는 바 이를 경고하며 여하한 경우에도 민족주의나 종교이름으로 이용하는 것은 용납할 수 없음.

- 우리는 오늘날 매우 어려운 시국에 처하여 있는 바 그 어느때 보다도 국민단결이 요청되므로 국가안보에 위배되는 행동은 삼가야하며 국제사회에 단결된 알제리를보여주어야 할 것임.

- 만약 우리나라를 선진국 대열에 올려놓기 위해서는 기적은 없고 노력할 수 밖에 없음.

2. 상기연설의 분석및 반응은 별도 보고함. 끝.

PAGE 2

0078

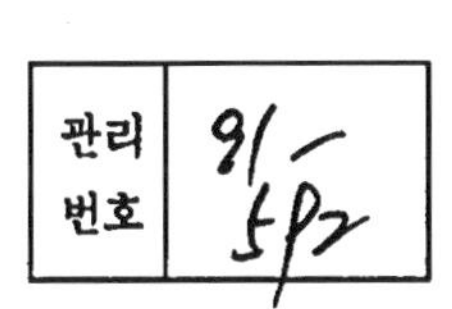

원 본

외 무 부

종 별 :

번 호 : AGW-0044 일 시 : 91 0124 1630

수 신 : 장관(비상대책본부장,미북,기정)

발 신 : 주 알제리 대사

제 목 : 걸프전

연: AGW-0043

1. 연호 주재국 대통령의 연설은 국및 서방의 이락 파괴의도를 비난하면서 이락 지지 입장을 분명히 한것이며

2. 주재국 이스람세력의 정치목적 이용을 경고하면서 이락 지지시위의 과격화를 사전에 예방하려는 의도및

3. 전쟁 장기화시 정전협상조정 용의및 나아가 전후 아랍 국제 정치구도에 주도적 역활을 수행하려는 저의가 있는것으로 보임.끝.

(대사 한석진-대책본부장)

예고 1991.6.30 일반.

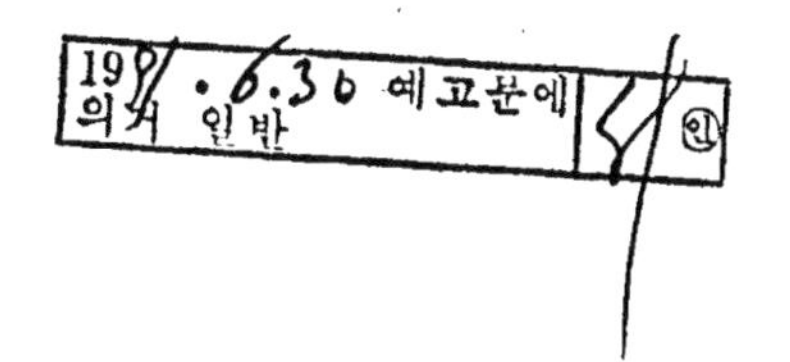

중아국 미주국 안기부

PAGE 1

91.01.25 07:41

외신 2과 통제관 BT

0079

관리번호	91-38

원 본

외 무 부

종 별 :

번 호 : AGW-0052 일 시 : 91 0126 1530

수 신 : 장관(비상대책반,기정)

발 신 : 주 알제리 대사

제 목 : 걸프전

연:AGW-0043,0044

1. 1.26(토)1500 현재 당지교민 신변안전 이상없음.

2. 산발적인 시위가 시내 도처에서 벌어지고 있으나 1.23 CHADLI 대통령의 국회연설에서 알제리정부의 이락 지지 입장 표명과 사태의 정치 목적 이용 삼가 호소에 따라 시위의 과격화 현상은 줄어들고 있음.

3. 한편 이스람구국전선(FIS)은 CHADLI 대통령의 정치이용 경고를 이스람세력 탄압 조치로 해석, 크게 반발하고 있어 이들의 동향이 주목되고 있음. 끝.

(대사 한석진-대책본부장)

예고 1991.6.30 일반.

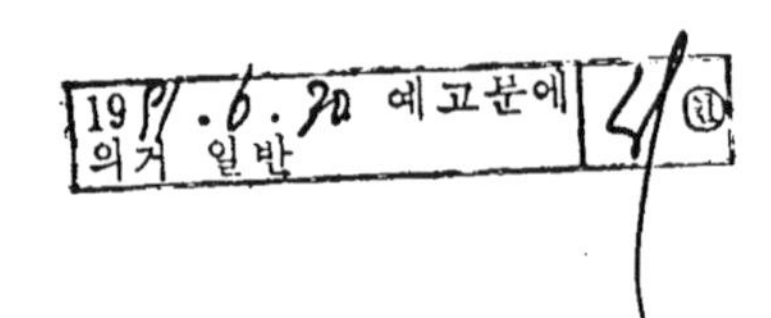

중아국	차관	1차보	2차보	청와대	안기부

PAGE 1

91.01.28 04:44

외신 2과 통제관 CF

0080

관리 번호	91-40

원 본

외 무 부

종 별 :

번 호 : AGW-0056 일 시 : 91 0127 1600

수 신 : 장관(비상대책반,기정)

발 신 : 주 알제리 대사

제 목 : 걸프전

연 AGW-0052

1. 1.27(일)1500 현재 당지교민 신변안전 이상없음.

2. 집권당 FLN 기관지는 걸프만 석유 해상 유출을 새로운 무기라고 대서 특필하는 등 모든 언론이 이락 지지에 치우치고 있는바, 이는 국민여론의 화살을 회피하려는 정부의 유도에 의한 것으로 보임.

3. CHADLI 대통령의 1.23 국회연설 이후, 현재 과격. 폭력시위는 감소되고 있으나, 이스람세력과 아울러 ARAB NATIONALISM 이 고취되어, 기독교 서구제국인뿐아니라 외국인 전반에 대한 적대감이 표출되고 있는 가운데, 미국은 전 교민을 철수시켰고 서방제국도 공관원 가족 및 교민의 소개를 서두르고 있으며 주재국 관공서도 정상적 업무를 하지 못하고 있는 형편임.끝.

(대사 한석진-대책본부장)

예고1991.6.30 일반.

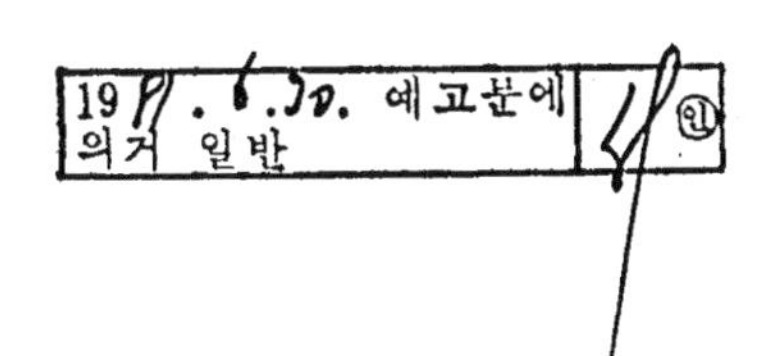
19 . . . 예고문에 의거 일반

중아국 차관 1차보 2차보 청와대 안기부

PAGE 1

91.01.28 04:47

외신 2과 통제관 CF

0081

관리 번호	91 -1482

원 본

외 무 부

종 별 :

번 호 : AGW-0059 일 시 : 91 0128 1515

수 신 : 장관(비상대책반,기정)

발 신 : 주 알제리 대사

제 목 : 걸프전

연 AGW-0056

1.1.28(월) 1500 현재 당지교민 신변안전 이상없음.

2. 주재국언론은 미국과 다국적군이 국제법 미명하에 지난 12 일동안 연일 이락을 집중폭격, 1945 년 히로시마와 나가사끼 원폭과 가름하는 집단학살을 자행하고 있다고 강력 비난 하면서 살상행위의 즉각중단을 촉구하고 있음.

3. 주재국적십자사는 자원봉사단 5 개반을 구성, 이락, 터키, 이란, 시리아및 요르단에 파견을 준비중이라함.

4. 주재국 군소정당은 지난 1.23 주재국대통령의 의회연설에 지지반응을 보이고있으나, 이스람구국전선(FIS)은 현의회(FLN 집권당으로만 구성)자체를 불인정하며, 동연설이 실망과 충격을 준것이라고 비난, 이스람의 보급과 국사훈련은 국가봉사권행사라고 강조하면서, 오는 2.1(목)대규모 시위행진개최를 공고하는등도전입장을 보이고있음. 끝.

(대사 한석진-대책본부장)

예고 1991.6.30 일반.

1991. 6. 30. 에 예고문에 의거 일반문서로 재 분류됨.

안기부 장관 차관 1차보 2차보 미주국 청와대

PAGE 1

91.01.29 00:20

외신 2과 통제관 FE

0082

관리번호	91-1460

원 본

외 무 부

종 별 :

번 호 : AGW-0060 일 시 : 91 0129 1600

수 신 : 장관(비상대책반,기정)

발 신 : 주 알제리 대사

제 목 : 걸프전

연 AGW-0048

1. 1.29 1500 현재 당지 교민 신변안전 이상없음.

2. 主재국언론은 미국및 다국적군의 살상행위 중단을 계속촉구하는 가운데, 소련과 사우디를 비난하기 시작하였음.

3. 즉, 발트사태에 대한 미국의 침묵댓가로 소련이 미국을 전폭 지지하고 있다고 비난하고 있는바 이는 UMA 5 개국의 전쟁중지 결의안 안보리 제의시 소련이 반대한데 대한 반응으로 보임.

4. 한편 알제리정부의 이락지지입장과 관련, 사우디측이 이를 비난하는 코뮤니케를 발표한데 대해, 1.28 主재국외무부는 대변인성명을 통해 알제리국민은 최대한 언론자유를 헌법상 보장받고 있다고 전하고 사우디는 알제리 언론보도가 정부의 공식입장을 대변한것이라고 착각하고 있으므로 알제리정부의 공식입장을 외교경로를 통해 전달할 것이라고 밝힘.끝.

(대사 한석진-비상대책본부장)

예고 1991.6.30 일반.

19 .6 .30. 에 예고문에 의거 일반문서로 재 분류됨.

중아국 장관 차관 1차보 2차보 미주국 청와대 총리실 안기부

PAGE 1

91.01.30 01:50

외신 2과 통제관 DO

0083

관리 번호	91-591

원 본

외 무 부

종 별 :

번 호 : AGW-0063 일 시 : 91 0130 1110

수 신 : 장관(비상대책반,기정)

발 신 : 주 알제리 대사

제 목 : 걸프전

연 AGW-0060

1.1.30(GH) 1200 시 현재 당지교민 신변안전 이상없음.

2. 주재국언론은 이락의 핵미사일 보유및 핵전쟁 발발 위험성에 대해 크게 보도하고 있는 가운데 명 1.31(목)에 예정되고있는 이스람구국전선(FIS)의 반미시위에 관심이 집중되고있음.

3. 불란서 보젤 하원 외무위원장이 1.31 주재국방문예정인바, 동인의 주재국방문목적은 불란서의 걸프전 참전이후 마그레브국가들의 반불감정무마, 걸프사태의 평화적해결방안 협의및 아랍권과의 전통적 특수관계유지모색에 있는것으로 관측됨. 끝.

(대사 한석진-대책본부장)

예고 1991.6.30 일반.

1991.6.30 예고문에 의거 일반

중아국	장관	차관	1차보	2차보	미주국	청와대	총리실	안기부

PAGE 1

91.01.30 21:49
외신 2과 통제관 CA

0084

관리번호	91-1454

원 본

외 무 부

종 별 :

번 호 : AGW-0069 　　　　일 시 : 91 0131 1500

수 신 : 장관(비상대책반,기정)

발 신 : 주 알제리 대사

제 목 : 걸프전

연 AGW-0063

1.1.31(목)1500 현재 당지교민 신변안전 이상없음.

2. 주재국언론은 이락지상군의 KHAFJI 기습공격을 크게 보도하는 한편, 미.소 외상공동 코뮤니케가 종래 미국의 강경입장에서 후퇴하여 바로 알제리가 개전직전 추진한 쿠웨이트철수및 팔레스타인문제 국제회의 개최라는 선으로 되돌아왔음을 신랄하게 지적하고 있음.

3. 금 1.31 이스람구국전선(FIS)의 시위는 우천임에도 불구하고 10 만 군중을 동원하였는바 종래의 이락지지 구호보다 이스람국가 창설주장과 이락견 의용군훈련장 개설요구가 더 크게 부각되고 있어 향후 정부와의 대결상황이 주목됨.

4.1.30 개최된 집권당(FLN)중앙위는 아래내용의 결의를 채택하였음.

-다국적군에 가담하고있는 아랍국가및 회교국가는 미.서구 제휴물(COALITION AMERICANO-OCCIDENTALE)로부터 군대를 철수할것임을 권고.

-마그레브권내 모든정당은 이지역및 아랍세계 전체에 미칠 걸프전 영향을 검토하기 위한 전정당회의 개최를 제의.

-국내적으로는 국가생존에 관계되는 주요위기에 공동대처하기 위하여 정당별각종입장의 조화를 목적으로한 국민위원회 설치제시.끝.

(대사 한석진-대책본부장)

예고 1991.6.30 일반.

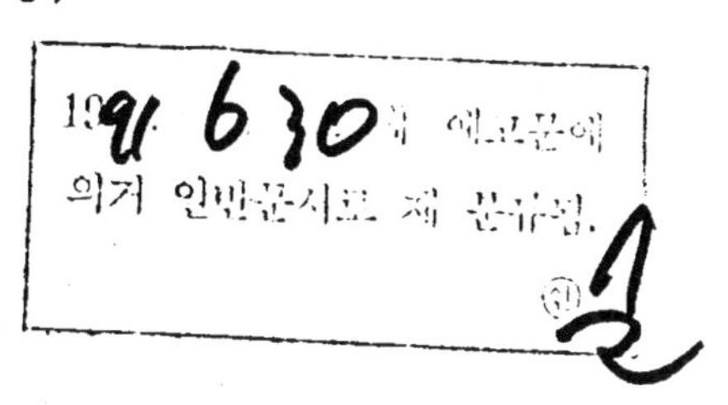

중아국 장관 차관 1차보 2차보 청와대 안기부

PAGE 1 　　　　91.02.01 05:01

외신 2과 통제관 CH

0085

관리번호	91-143p

원 본

외 무 부

종 별 :

번 호 : AGW-0072 일 시 : 91 0201 1220

수 신 : 장관(비상대책반,기정)

발 신 : 주 알제리 대사

제 목 : 걸프전

1. 2.1(금)12:00 현재 당직교민 신변안전 이상없음.

2. 주재국은 비동맹국을 중심으로 한 걸프전 중재노력의 일환으로 1.26 외무부 아주총국장을 대통령 특사로 이란에 파견한데 이어 1.31 GHOZALI 외무장관이이란을 방문, 불외무차관, 이락외무차관, 예멘특사와 함께 전쟁중재를 모색중이라함.

3. 1.31 FIS 가 주동이 된 시위는 불상사 없이 끝나 현 정부 위기 상황으로까지는 가지않았으나 계속 위협요소로 남아 있으며, 한편 이락 후세인 대통령 면담후 귀국한 BEN BELLA 전 대통령이 1.31 기자회견을 통해 이락에 대한 군사, 의료지원, 국민단합을 위한 제 정당 연립정부구성을 주장하고 미국및 서방 이익체파괴를 충동하였음. 끝.

(대사 한석진-대책본부장)

예고 1991.6.30 일반.

1991.6.30 에 예고문에 의거 일반문서로 재 분류됨

대책반 안기부

PAGE 1

91.02.03 17:34

외신 2과 통제관 BT

0086

관리번호	91-1446

원 본

외 무 부

종 별 :

번 호 : AGW-0076 일 시 : 91 0202 1610

수 신 : 장관(비상대책반,기정,미북)

발 신 : 주 알제리 대사

제 목 : 걸프전

연: AGW-0072

1. 2.2(토) 1400 현재 당지교민 신변안전 이상없음.

2. 주재국언론은 GHOZALI 외무장관의 이란방문 관련, 주재국의 걸프전쟁 평화적해결 노력을 크게 보도하고 있는 가운데 2.11 비동맹 15 개국외무장관 회의의 벨그라드 개최예정과 비동맹을 주축으로하는 전쟁중지가능성에 기대를 보이고있음.

3. 구국 이스람전선(FIS)의 1.31(목) 시위및 반정부 구호에 대해 FLN(집권당)은 전쟁중지와 중동문제의 평화적해결을 위해 그 어느때보다도 국민적단합이 요구되고있는 현시점에서 FIS 가 이스람국가 건설, 국회(APN)해산등 걸프사태를 국내정치목적에 이용하려 한다고 신랄히 비난하였음.

4. 시위는 우천으로 인해 보이지 않으며, 대체로 조용함.

(대사 한석진-대책본부장)

예고 1991.6.30 일반.

1991.6.30.에 예고문에 의거 일반문서로 재 분류됨.

중아국	장관	차관	1차보	2차보	미주국	청와대	총리실	안기부

PAGE 1

91.02.03 08:17

외신 2과 통제관 DO

0087

관리번호	91-142

원 본

외 무 부

종 별 :

번 호 : AGW-0078　　　　일 시 : 91 0203 1210

수 신 : 장관(비상대책반,미북,기정)

발 신 : 주 알제리 대사

제 목 : 걸프전

연 AGW-0076 , 대 AM-0029

1. 2.3(일) 12:00 현재 당지교민 신변안전 이상없음.

2. 당지 주요 일간지 HORIZONS 지는 2.3 자에 쿠웨이트, 사우디, 일본, 독일등 제국의 다국적군 전비부담내용기사를 통해 UAE, 대만, 한국도 도합 15 억불을 지원하였다고 보도함.

3.GHOZALI 장관은 걸프전 발발직후 다국적군 가담국가대사와 주요재정 지원국인 일본, 독일대사를 외무부로 초치, 유감을 표시한바 있고, 주재국언론도 29 개 참전국내용과 일본, 독일의 전비지원을 비난하는 기사를 게재한 사실에 비추어 아국의 추가지원내용이 알려질경우 주재국정부의 불만표시가능성이 없지않음.

4. 2.3 시위는 진정되고 있으며 주재국언론도 전쟁이 다소 소강상태(PAUSE RELATIVE)에 들어가고 있다고 보도하고 전쟁의 외교적 해결모색을 위한 GHOZALI 장관의 이란방문과 외교적활동을 부각 보도한바 동장관은 이란에 이어 벨기에와 불란서도 방문할 예정이라함. 끝

(대사 한석진-대책본부장)

예고 1991.6.30 일반.

1991.6.30 에 예고문에 의거 일반문서로 재 분류됨.

중아국	장관	차관	1차보	2차보	미주국	안기부

PAGE 1　　　　91.02.05 08:11

외신 2과 통제관 BW

0088

관리 번호	91- 190

원 본

외 무 부

종 별 :

번 호 : AGW-0081 일 시 : 91 0204 1520

수 신 : 장관(비상대책반,미북,기정)

발 신 : 주 알제리 대사

제 목 : 걸프전

연 AGW-0078

1.2.4(월)1500 현재 당지교민 신변안전 이상없음.

2. 주재국 GHOZALI 외무장관은 이락방문 귀로에 2.3 파리에 기착, T.V 대담에 출연, 이락에 대한 다국적군의 폭격으로 1,000 명이상의 민간인이 사상했다고말하고 이는 당초의 쿠웨이트 복원의 범위를 크게 초과, 아랍권에서 가장 근대화된 국가를 파괴하는 행위로밖에 볼수없으므로 모든 아랍국민이 반미, 반연합국으로 나갈수밖에 없다고 언명하였음.

3. 주재국 주요 일간지들은 2.3 일자에 아국의 다국적군 추가지원 사실을 상세히 보도하였음. 아국의 추가지원 관련 주재국정부 당국의 반응은 아직없음.끝.

(대사 한석진-대책본부장)

예고 1991.6.30 일반.

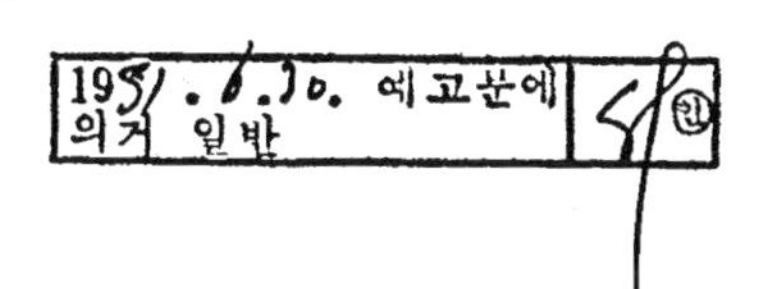

1991.6.30. 예고문에 의거 일반

중아국 장관 1차보 2차보 미주국 청와대 안기부

PAGE 1

91.02.05 00:41

외신 2과 통제관 CE

0089

길

외 무 부

종 별 :

번 호 : AGW-0087 일 시 : 91 0206 1330

수 신 : 장관(비상대책반,미북,기정)

발 신 : 주알제리 대사

제 목 : 걸프전

연: AGW-0084

1. ARAFET 의장은 2.5(화) 당지를 방문한바, 대통령 예방후 가진 기자회견을 통해, 알제리의 평화해결 노력을 높이 평가한다고 말하고 CHADLI 대통령과는 최근 이스라엘의 남부 레바논 공격및 걸프전 확대 가능성에 대해 의견을 교환하였다 고 말함.

2. VAUZELLE 불하원 외무위원장이 2.5(화) 주재국을 방문한바, 걸프사태 관련 불란서의 입장을 설명하고 알제리를 포함한 마그레브 국민들의 반불감정을 무마하는 한편 전통적 특수관계 유지와 전후 제반문제를 협의한것으로 알려지고있음.

3.주재국 GHOZALI 외무장관은 OAU 남아위원회 회의에 대통령을 대신하여 참석하기위해 2.6 짐바브로 향발하였음. 끝.

(대사 한석진-대책본부장)

중아국 장관 차관 1차보 2차보 미주국 정문국 청와대 총리실
안기부

PAGE 1

91.02.07 01:21 DN
외신 1과 통제관

0090

외 무 부

종 별 :

번 호 : AGW-0099 일 시 : 91 0212 1600

수 신 : 장관(중근동,마그,기정)

발 신 : 주 알제리 대사

제 목 : 걸프전

1. CHADLI 대통령은 2.11(월) 주재국을 방문중인 NAWAZ SHARIF 파키스탄 수상 및 MALMIERO ISODO 쿠바 외무장관을 각각 접견, 걸프사태 관련 의견을 교환함.

2. CHADLI 대통령의 특사로 이락을 방문중인 BACHIR BOUMAZA FLN 당 중앙위원(후세인 이락 대통령과 오랜 개인 친분관계를 갖고있는 인사)은 2.10(일) 후세인 대통령을 면담하고 CHADLI 대통령의 친서를 전달함.

3. GHOZALI 외무장관은 2.12 벨그라드 개최비 동맹 외상회의 참석에 앞서가진라디오 방송 인터뷰에서, 금번 회의는 걸프전쟁의 휴전과 비동맹이 공헌 가능성을 모색하기 위한 비공식 회의임을 전제하고, 걸프사태는 외부의 간섭없이 아랍권내에서 해결을 모색하는 것이 최상의 방안임을 재강조 하였음.

끝.

(대사 한석진-국장)

중아국	장관	차관	1차보	2차보	미주국	중아국	정문국	청와대
총리실	안기부	대책반						

PAGE 1

91.02.13 05:52 DA

외신 1과 통제관

0091

외 무 부

종 별 :

번 호 : AGW-0101 일 시 : 91 0213 1530

수 신 : 장관(중근동,마그,기정)

발 신 : 주알제리 대사

제 목 : 걸프전

연: AGW-0099

1. CHADLI 대통령은 2.12(화) 이락 대통령특사 SAADOUN HAMADI (이락부수상)을접견, 걸프전 발발이후 현 이락정세 및 전황에 대한 동특사의 설명을 청취하고 사태관련 의견을 교환함.(동특사는 주재국이 멕카순례를 거부토록 요청하였다 함.)

2. 벨그라드 비동맹 외무장관 회의에 참석중인 GHOZALI 외무장관은 2.12.기조연설을 통해, 170만 팔레스타인의 운명 문제가 금번 걸프전 발발의 근원이 되었음에도불구하고 현상황은 오히려 PLO 의 약화와 팔레스타인 문제의 매장을 시도하는쪽으로 기울어지고 있음을 지적하고,금번 전쟁을 통해 정신력이 기술력을 지배한다는 교훈을 보여준것이라고 말함.

3. FLN 집권당을 비롯한 일부정당,이락 국민 지지위원회,여성단체,인권협회등 16개 단체는2.15(금) 대규모 이락지지 및 전쟁중지 시위를 공동 주최키로 합의하였다함. 끝.

(대사 한석진-국장)

중아국	장관	차관	1차보	2차보	미주국	중아국	정문국	청와대
총리실	안기부	대책반						

PAGE 1

91.02.14 02:38 DQ

외신 1과 통제관

0092

원 본

외 무 부

종 별 :

번 호 : AGW-0105 일 시 : 91 0216 1110

수 신 : 장관(중근동,미북,마그,기정)

발 신 : 주알제리대사

제 목 : 걸프전

연: AGW-0101

1. 주재국은 미국의 폭격에 의한 이락 민간인 살상사건과 관련, 2.14 정오를 기해 1분간 묵념키로 하는 한편 2.15일을 조기일로 지정, 애도의 뜻을 표하였음.

2. 동사건 관련, 주재국 대통령실은 무력에 의한 새 국제 질서 강요를 비난하고유엔 사무총장이 전쟁중지를 위한 조치를 취할것을 촉구하면서 연합국은 국제법을 빙자하여 인류에 대한 범죄를 범하고 있다는 내용을 위주로 한 장문의 성명을 발표하였음.

3. 2.15일 6개 정당 및 이락지지 단체에 의한 군중집회에 3만명이 동원되었으며,이들은 시위과정에서 당지 유엔사무실에 침입, 서류와 기물을 파괴하고 유엔기를 불태운데 이어,애급,시리아,사우디,이태리 및 스페인 항공사 사무실을 파괴하는등 종전에 볼수없던 격앙된 폭력시위로 발전하였는바,향후 더욱 격화될것으로 우려되고 있음.

4. 이락의 2.15.조건부 추웨이트 철수제의에 대하여,이락지지를 강력히 표시해온주재국 일반 국민은 HUSSEIN 대통령의 일보 후퇴, 팔레스타인 문제해결에 대한 기대등 착잡한 반응을 보이고 있는 가운데 주재국 정부의 공식반응은 상금 없으나,주재국 언론은 연합군측이 동평화 제의를 거부한 사실을 비난하는 한편, 비동맹 및 소련의개입으로 이락의 전면파괴 이전에 정전이 되기를 기대하는 논조를 보이고 있음. 끝.(대사 한석진-국장)

중아국	장관	차관	1차보	2차보	미주국	미주국	중아국	정문국
청와대	총리실	안기부						

PAGE 1

91.02.20 22:55 DQ

외신 1과 통제관

0093

원 본

외 무 부

종 별 :

번 호 : AGW-0108 일 시 : 91 0217 1445

수 신 : 장관(중근동,미북,마그,기정)

발 신 : 주 알제리대사

제 목 : 걸프전

연: AGW-0105

1. 고잘리 외무장관은 2.16(토) 기자회견을 통해, 2.15자 이락의 조건부 쿠웨이트 철군 제의 관련, 아래와 같이 언명함.

-걸프전이 유엔결의 이행에 있다면 연합국은 2.15자 이락의 제의를 긍정적으로받아들여야 함.

-연합국 측은 이락이 ''쿠웨이트로 부터 철수'' 라는 의사표명만 하면, 전쟁중지에 충분하다는 입장을 수차 되풀이 한바 있음.

-이락정부는 처음으로 유엔 안보리 결의 660 준수 용의를 표명 하였으므로, 연합국은 이락의 이니시아티브 를 호의적으로 받아드려야 할것이며, 불연이면 금번 전쟁의 목적은 이락파괴에 있는것으로 볼수 밖에 없음.

2. CHADLI 대통령은 2.16 FERNADEZ ORDONEZ 스페인 외무장관을 접견한바, 동외상은 걸프전 정전을 위해 알제리 정부의 안보리 개최 요구에 대한 스페인 정부의 지지를 표명하고 붉원간 GONZALES 수상의 알제리방문 예정을 언급 했다함

끝.

(대사 한석진- 국장)

중아국	장관	차관	1차보	2차보	미주국	중아국	정문국	청와대
총리실	안기부	대책반						

PAGE 1

91.02.18 06:38 DA

외신 1과 통제관

0094

외 무 부

종 별 :

번 호 : AGW-0114 일 시 : 91 0220 1400

수 신 : 장관(중근동,미북,마그,기정)

발 신 : 주알제리 대사

제 목 : 걸프전

연: AGW-0108

1. 2.16일부터 3일간 개최된 주재국 집권당 FLN 중앙위는 2.18. 최종성명을 통해, 미.다국적군의 잔인한 살상행위를 규탄하는 한편,이락국민과의 연대성을 재천명하고,알제리 전회교도들에게 금년 메카 성지순례를 하지 않도록 호소함.

2. GHOZALI 외무장관은 2.20(수) 리비아에서 개최중인 UMA (마그레브,아랍연맹)5개국 임시 외무장관 회담에 참석중인바, 5개국 외무장관들은 동회의에서 중동 및 걸프사태에 대한 공동입장을 정립 예정이라함. 끝.

(대사 한석진-국장)

중아국	장관	차관	1차보	2차보	미주국	중아국	정문국	청와대
총리실	안기부	대책반						

PAGE 1

91.02.20 22:55 DQ

외신 1과 통제관

0095

원 본

외 무 부

암 호 수 신

종 별 :

번 호 : AGW-0119 일 시 : 91 0223 1210

수 신 : 장관(중근동,미북,아프2,기정)

발 신 : 주 알제리 대사

제 목 : 걸프전

연: AGW-0114

1. 주재국 외무부 대변인은 2.22 아래 요지의 성명을 발표하였음.

가. 안보리결의 660 은 쿠웨이트철수를 촉구한것이므로 2.15 자 이락의 쿠웨이트 무조건 철수의사표시로서 상기 결의요구사항은 충족되었는바 더이상의 전쟁행위는 법적근거가 없음.

나. 한편 국제평화와 안전보장의 일차적인 책임은 유엔 안리에 있으며 제리는 안보리만이 즉각 정전과 동결의 660 의 이행절차를 결정할수 있다고 봄.

다. 제리는 안보리가 조속히 유엔헌장에 따라 그책무를 다할것임을 촉구함.

2. 상기 외무부 성명은 미국의 일방적 ULYIMATUM 강요를 일제히 비난하는 주재국 언론및 여론을 대변하는 것이며 한편 소련의 중재안에 제시된 쿠웨이트철군감시를 위한 전쟁 불가담 중립제국의 일원으로 나설수 있는 기회를 봉쇄하는데 대한 불만표시로 감지됨.

3.2.20(수) 리비아에서 개최된 UMA 5 개국외상회의는 코무니케를 통해, 이락의 유엔안보리 결의 660 수락은 전쟁수행근거를 소멸하는것임을 강조하고 긴급아랍외상회의개최를 촉구하였다함. 끝.

(대사 한석진-국장)

중아국	장관	차관	1차보	2차보	미주국	중아국	청와대	안기부

PAGE 1

91.02.25 09:09

외신 2과 통제관 BW

0096

원 본

외 무 부

종 별 :

번 호 : AGW-0122 일 시 : 91 0224 1430

수 신 : 장관(마그,중근동,기정,미북)

발 신 : 주알제리 대사

제 목 : CHADLI 대통령 정책연설

1.주재국 CHADLI 대통령은 2.23(토) 주재국 신헌법 제정 제2주년에 맞추어 개최된 전국 사법관회의에 참석, 아래요지의 개회연설을 행하였음.

가.국회의원 선거문제

-정당정치의 기초가 불완전하고 민주주의 경험이 부족한점을 감안, 선거법 개정및 정치분위기 조성등 총선실시에 필요한 기본요건이 갖추어질 경우, 가급적 조속 시행할 것임.

나.걸프전

-국제법의 미명하에 서방 강대국들이 아랍 일개국을 궤멸하려 하고있음.

-팔레스타인 문제에 대한 결의는 이행하지 않은체, 금번 대이락 결의는 단호하게이행하는등 차등 적용은 국제법 원칙에 어긋남.

-전후 아랍세계에는 많은 변화고 있을것인바, 금번사태를 계기로 아랍연맹의 존재이유가 없어졌음.

다.팔레스타인 문제

-팔레스타인 문제는 중동분쟁의 핵심을 이루고 있으므로 조속히 정당하게 해결되어야함.

-알제리는 팔레스타인의 독립이 이루어지도록 모든 압력에 대항하여 팔레스타인지지입장을 고수할것임.

2.지상전이 개시된지 12시간이 경과한 현재, 주재국정부의 공식반응 없으며 라디오, T.V 등 방송매체가 이락측이 발표하는 전황을 수시 보도하는외 시가표정은 대체로 평온하나 이락측의 고전을 우려하는 무거운 분위기속에 연합군측의 보도통제 해제를 기다리고 있는 상황임. 끝.

(대사 한석진-국장)

중아국 1차보 미주국 중아국 정문국 안기부

PAGE 1

91.02.25 00:14 DQ

외신 1과 통제관

0097

외 무 부

종 별 :

번 호 : AGW-0123 일 시 : 91 0225 1630

수 신 : 장 관(중근동,마그,미북,기정)

발 신 : 주 알제리 대사

제 목 : 걸프전

연 : AGW-0122

1. 主재국 CHADLI 대통령은 2.24일 석유유전국유화 20주년 기념행사 연설에서 걸프 지상전관련, 아래와 같이 언급함.

- 금번 지상전 개전은 서구강대국이 세계원유의 70프로를 보유하고 있는 중동지역을 확보하기 위한 최후의 폭록행위임.

- 아랍연맹을 비롯하여 OAU, 비동맹등 국제기구의 존재이유가 희박해졌으며 유엔과 안보리도 강대국의 볼모에 불과한 형편임.

- 이러한 현실앞에 그어느때보다도 자국군에 의한 안보유지가 절실히 요청되고있음.

2.주재국 외무부 대변인도 동일 미.다국적 군의지상전 개전을 강력히 비난하고, 전쟁행위 중단과 평화적 해결을 강력히 촉구하는 성명을 발표하였음

3.주재국 언론은 다같이 지상전 개전을 비난하는 한편, 서방언론의 과장보도를 부인하고, 이락군사령부의 발표를 인용, 연합군측 피해를 보도하고 있음.

4.주재국 집권당 (FLN)은 2.24. 당정치국 임시회의를 개최, 전쟁중지, 외군철수 및 사태의 평화적 해결을 촉구하기 위해 오는 2.28(목)대규모 시위를 개최키로 결정함. 끝.

(대사 한석진-국장)

중아국	장관	차관	1차보	2차보	미주국	중아국	정문국	정와대
총리실	안기부							

PAGE 1

91.02.26 09:20 WG

외신 1과 통제관 ·

0098

외 무 부

암호수신

종 별 :

번 호 : AGW-0138 일 시 : 91 0303 1620

수 신 : 장관(중동일, 중동이,정일,기정)

발 신 : 주 알제리 대사

제 목 : 후세인 대통령 정치망명보도

자료응신(91)

1. 후세인 이락대통령의 알제리 정치망명 기사가 전계적으로 보도되자 주재국외무부는 3.1 대병인 성명을 통해 이를 부인하였음.

2. 상기기사가 3.2 자 LE MONDE (3.1 자 발행)지에 계재됨을 계기로 주재국외무부는 동기사의 진원인 당지주재 LE MONDE 특파원 GEORGES MAROON 을 주재국의 국익및 이미지 손상이유로 3.2 특원 자격취소, 퇴거조치를 내렸음.

3. 동 특파원은 후세인 대통령의 알제리 망명 추정기사 이전에도 주재국 정부의 이락지지 입장을 비판하고 유가하락에 따른 주재국 경제위기를 과대 보도하는등 주재국정계및 요로의 불만을 가중시켜온바 있음. 끝.

(대사 한석진-국장)

중아국	장관	차관	1차보	2차보	중아국	정문국	청와대	안기부

PAGE 1

91.03.04 16:48
외신 2과 통제관 BN

0099

외 무 부

암호수신

종 별 :

번 호 : AGW-0139 일 시 : 91 0304 1520

수 신 : 장관(중동일, 중동이, 정일,기정)

발 신 : 주 알제리 대사

제 목 : 걸프사태

자료응신(2)

연 AGW-0138

1. 걸프사태 발생후 국민들의 이락 지지열기로 주재국 정부도 이락 지지 노선을 분명히 하면서 평화적 해결을 위해 시종일관 중재노력을 계속하여 왔으나 결국 이락의 패배로 종결된 마당에, 정부는 물론 국민도 침통한 허탈감속에서 유가하락에 따른 경제적 타격과 다가온 라마단 준비 및 연내 총선실시등 국내문제에관심을 기울이고 있음.

2. 걸프사태직후의 유가상승에 따른 30 억불상당의 예상외 재정수입은 주재국의 시장경제로의 개혁추진에 활력로 작용하였으며, 91 년도 예산편성도 유가를배럴당 23 미불로 예상 책정하였고, 91 년말 이전 디나화의 태환화를 앞당기는등 매우 낙관적인 전망을 하였으나, 걸프전 이후의 유가하락경향은 주재국 경제전반에 상당한 타격을 줄것으로 관측되고 있음.

3. 아랍권내 이락지지그룹 (예멘, 수단, 모리타니아, 리비아, 뷔니지아, 요르단, PLO)국가들중 주재국은 가장 비중이 큰 나라이며, 다국적 참전 아랍및 서구제국과 비교적 원만한 관계를 유지하고 있음에 비추어, 전후 아랍세계의 질서개편과정에서 주재국은 주요 역활담당 가능성을 계속 모색할것으로 전망됨. 끝

(대사 한석진-국장).

중아국	차관	1차보	중아국	정문국	청와대	안기부

PAGE 1 91.03.05 04:05

외신 2과 통제관 CW

0100

3. 예멘

0101

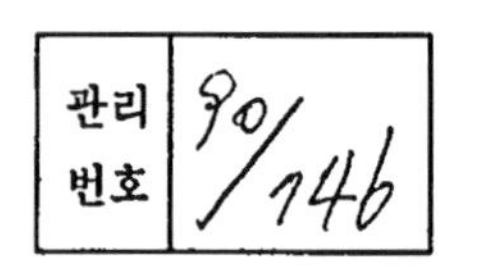

원 본

외 무 부

종 별 :

번 호 : YMW-0198 일 시 : 90 0802 1800

수 신 : 장관(중근동)

발 신 : 주 예멘 대사

제 목 : 이라크-쿠웨이트 사태에 대한 주재국 반응

1. 주재국 외무차관 SHAYEA MUHSEN 은 8.2. 오전 본직의 예방을 받는 자리에서 이라크, 쿠웨이트간의 긴급 사태 발전으로 인하여 대호의 특사 방문일정중 주재국 SALEH 대통령 면담 예정등 일부가 변경될지 모른다는 우려를 표시하였음.

2. 주재국 외무성 당국자는 금번 이라크-쿠웨이트 사태에 대해 이라크 및 쿠웨이트 양국과 긴밀한 관계를 유지하고 있는 주재국 정부로서는 곤혹스러운 입장에 있다고 말하고 이라크군이 단시일내 철수하지 않을 경우 아랍권내의 심각한 분열 사태가 조성될수 있다는 반응을 표하였음.

3. 유엔 안보회의 비상임 이사국인 주재국 정부는 8.2 긴급 각의에서 동 사태를 협의, 이스람 외상회의(카이로) 및 안보리에 훈령을 내렸으며 외무 당국자는 이라크군의 쿠웨이트 영토 침입이 쿠웨이트내의 혁명 세력의 지원 요청에 의거한 것이라는 이라크측 주장에 주의를 환기 시켰음.

4. 예멘과 이라크는 사우디등 GCC 회원국을 사이에 둔 ACC 회원국으로서 이라크 대통령이 남, 북예멘 통합을 축하하기 위해 예멘을 재빨리 방문, 차기 아랍 정상 회담 장소가 될 호텔 건설비를 기증하였고 보건 및 주택 장관등 각료의 방문이 뒤따르는등 양국 관계가 최근 심화되고 있음. 끝.

(대사 류 지호-장관)

예고:90.12.31. 일반

19 90.12.31. 에 예고문에
의거 일반문서로 재 분류됨.

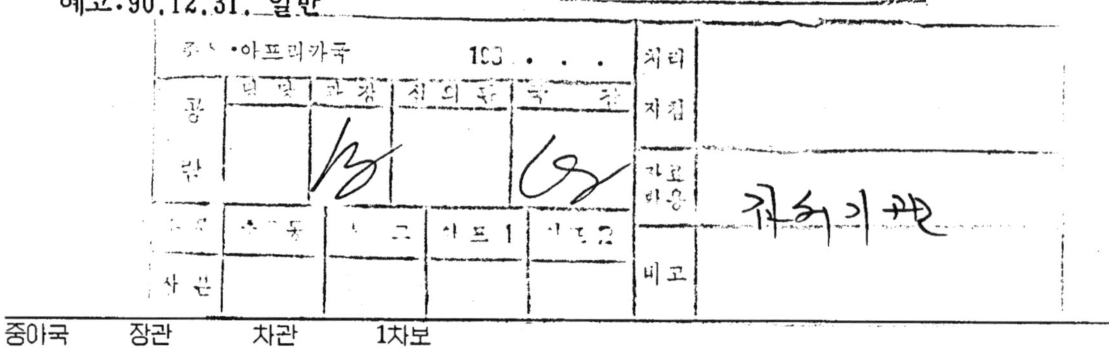

중아국 장관 차관 1차보

PAGE 1

90.08.03 16:23
외신 2과 통제관 EZ

0102

관리번호	90/1246

원 본

외 무 부

종 별 :

번 호 : YMW-0210　　　　　일 시 : 90 0805 0900

수 신 : 장 관(중근동,정일)

발 신 : 주 예멘 대사

제 목 : 이라크의 쿠웨이트 점령 사태

대:WMEM-0024

연:YMW-0198

1. 주재국 외무성에 의하면 SALEH 대통령은 이라크 특사 TAHN YASSIM RAMADHAN 제 1 부수상을 접견한후 8.3. 밤 외무 차관을 대동 바그다드로 급거 향발하여, 쿠웨이트 사태 중재를 위해 8.4 SADDAM HUSSAIN 대통령과의 회담에 이어 8.5. ALEXANDRIA 에서 이잡트 대통령과 면담하고 이디오피아 및 수단을 방문중임.

8.5 이집트, 사우디, 요르단, 예멘 및 이라크등의 인접국 정상들과의 젯다 회담 개최 계획은 쿠웨이트 EMIR 의 지원 문제에 대한 이견으로 취소된것으로 알려졌음.

2. 한편 주재국 외무담당 국무장관 DALI 박사는 카이로에서 개최중인 ISIAM외상 회의가 이라크 침범 사태 관계로 연장됨에 따라 주재국 외무성 장. 차관 공히 외국 체재중임.

3. SALEH 대통령을 대리하여 노 재원 특사를 접견한 ABDUL AZIZ GHANI 대통령 위원은 이라크 침범 사태와 관련, SALEH 대통령은 8.3. 이라크 특사를 맞아 이라크 주둔군의 철수를 요청하고 BUSH 대통령과의 통화에서는 외부 세력 간섭의사태 악화 위험성을 경고하는등, 이라크-쿠웨이트 양측의 중재에 나서고 있다고 설명하였음. 끝.

(대사 류 지호-국장)

예고:90.12.31. 까지

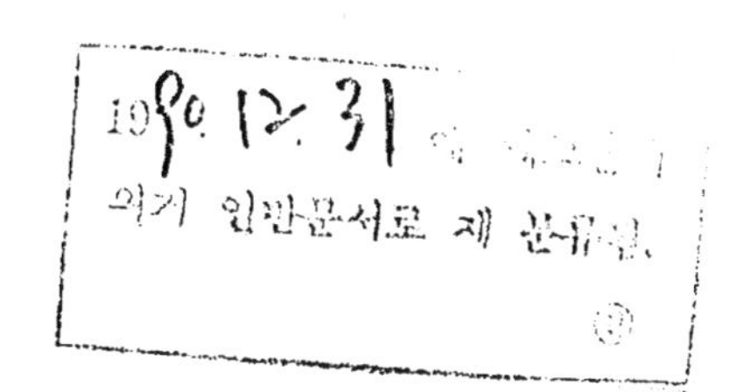

중아국　차관　1차보　2차보　정문국　청와대　안기부

PAGE 1　　　　90.08.06 00:40

외신 2과 통제관 CF

0103

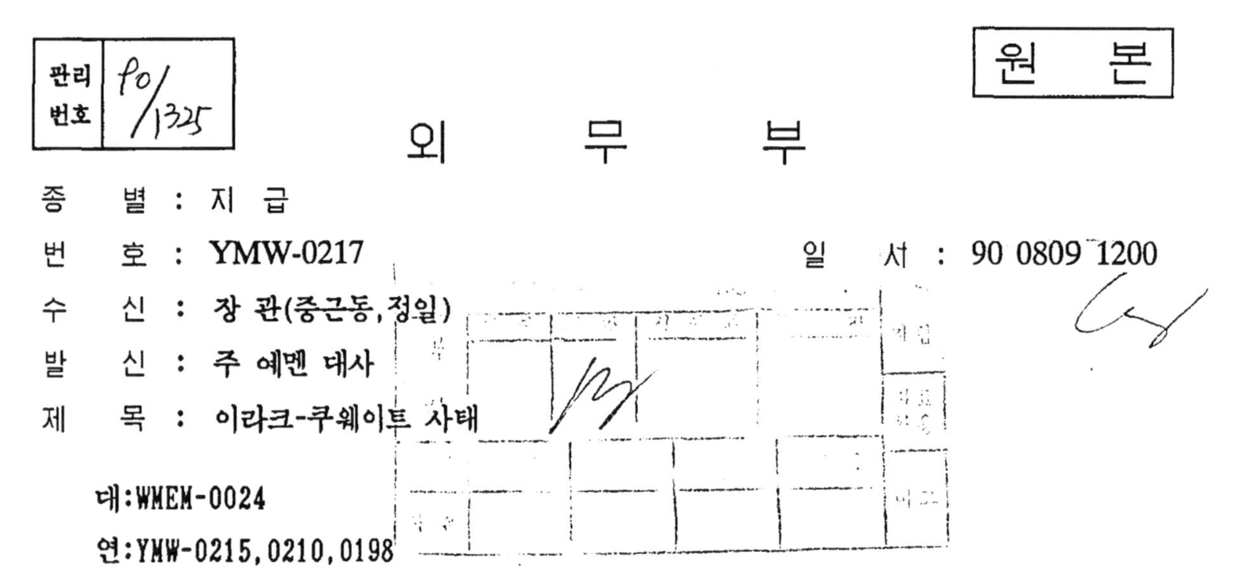

관리번호 90/1325

원 본

외 무 부

종 별 : 지 급

번 호 : YMW-0217　　　　일 시 : 90 0809 1200

수 신 : 장 관(중근동,정일)

발 신 : 주 예멘 대사

제 목 : 이라크-쿠웨이트 사태

대:WMEM-0024

연:YMW-0215,0210,0198

1. 8.7 SALEH 대통령은 이라트 -쿠웨이트 사태와 관련 고위 국방 관계자 회의를 주재하여 대책을 협의 하였으며, 동 회의에는 AL-BEEDH 부통령등 대통령위원 전원과 국회의장 YASSIN SAEED NOMAN, 총리 HAIDER ABUBAKR AL-ATTAS, 국방안보 담당 부총리 SALEH OBEID AHMED, 석유 장관 SALEH ABUBAKR BIN HUSSAINON, 국방장관 HAITHEM KASSEM TAHER 준장, 군 참모총장 ABDULLA HUSSEIN AL-BASHIRI 준장 및 공보장관 MOHAMED AHMED GARHOOM 박사가 참석하였음.

2. 일간 신문 AL-THAWRA 8.9 일자 보도에 의하면 상기회의는 이라크 및 쿠웨이트 지역과 인접 국가에서의 군사 동향과 외국군대의 위협에 대한 대책을 검토한것으로 알려졌음.

3. 한편 비공개로 8.8 열린 주재국 의회 (SALEH 대통령, AL-BEEDH 부통령등 수뇌 전원 참석)는 IRIANI 외무장관으로부터 이라크- 쿠웨이트 사태의 근황에 관한 보고를 청취하고 다음 사항의 결의안을 채택하였음.

(1). 대통령 위원회로 하여금 아랍권의 자체적 중재 노력을 계속할것

(2). 외국 세력의 개입을 방지하기 위해 형제 아랍국들과의 협조 노력을 강화할것

(3). 이러한 평화적 노력과 병행해서, 예멘의 주권과 국토 수호를 위한 대책을 수립할것

4. 석유 광물장관 SALEH ABUBAKR BIN HUSSAINON(전 남예멘 부총리겸 석유상)은 SALEH 대통령의 친서를 휴대하고 8.8 소련으로 급파 되었음.

5. 당관이 탐문한바에 의하면 주재국 정부의 군 총동원 명령이 8.8 내려져 군의관등 예비역이 소집되고 있으며 사우디 국경지대의 경계 태세가 강화되고 있음.

중아국　차관　1차보　2차보　정문국　청와대　안기부

PAGE 1　　　　90.08.10 03:40

외신 2과 통제관 DL

0104

(대사 류 지호-차관)
예고:90.12.31. 까지

PAGE 2

0105

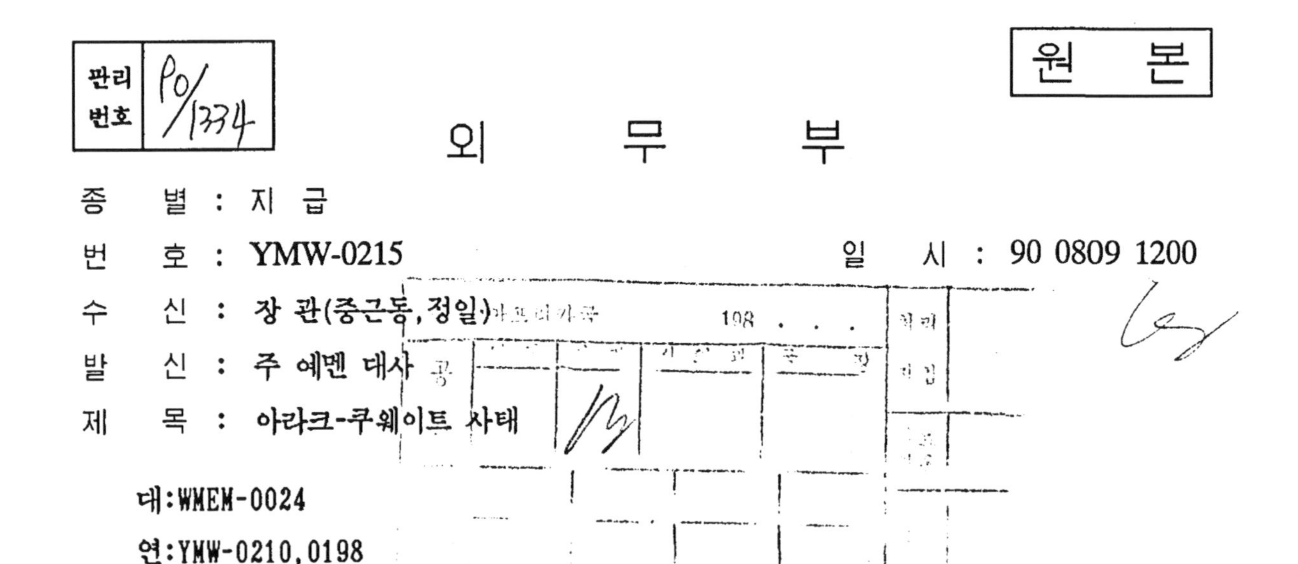

관리번호	90/1334

원 본

외 무 부

종 별 : 지 급

번 호 : YMW-0215　　　　　　일 시 : 90 0809 1200

수 신 : 장 관(중근동,정일)

발 신 : 주 예멘 대사

제 목 : 아라크-쿠웨이트 사태

대:WMEM-0024

연:YMW-0210,0198

1. 본직은 8.8 주재국 외무성으로 외무담당 국무장관(전 남예멘 외상)을 방문, 주재국 정부가 아국 특사에게 베풀어준 후의에 대해 감사를 표하였는바, 이 자리에서 동 장관은 이라크-쿠웨이트 사태에 대해 다음과 같이 아국의 이해와 협조를 요망하였음.

가. 미국등 서방국들은 유엔 결의안 채택에 이어 미군의 사우디 파견등의 연속적인 조치를 성급히 취함으로써 이라크-쿠웨이트 사태를 평화적인 방법으로 해결하려는 노력을 사실상 봉쇄시켰음을 유감으로 생각함.

나. 예멘이 유엔 결의안 표결에서 기권한것은 중재 역활을 할수있는 여지를 갖기 위해서 이었음.

다. 현재로서는 군사적인 해결 방법밖에 남아있지 않아 예멘 정부로서는 매우 걱정스러운 입장에 있음.

라. 한. 미간의 전통적인 유대관계에 비추어 미국으로 하여금 군사적인 행동을 자제하여 주도록 아국 정부의 영향력을 행사해주기 바람.

2. 상기 장관의 언급에 앞서 본직은 대호의 외무부 대변인 성명 내용과 배경을 설명하였음.

3. 이라크-이란 휴전을 기념하기 위한 이라크 대사 주최 리셉션은 주재국 외무성 및 군 관계자가 주로 참석한 가운데 예정대로 시내 호텔에서 8.8 개최되었으나 대부분의 대사들은 불참함.

(참석한 공관은 이집트, 요르단, 파키스탄, 팔레스타인, 불가리아, 루마니아 등임)

4. 외교가의 미확인 첩보에 의하면 군 내부에서 주재국 수뇌의 친 이라크 자세를

중아국　장관　차관　1차보　정문국　청와대　안기부

PAGE 1　　　　　　　　　　90.08.10　00:33

외신 2과　통제관 DL

0106

비판하는 움직임이 있는것으로 알려졌으며 한편 8.9 오후 약 300 명의 이라크 참전지원 청년들이 사우디와 에집트가 미국의 앞잡이라는 구호를 외치며 시가 행진 하였음.

5. 8.8 일자 조간 신문 AL-THAWRA 보도에 의하면 SALEH 대통령, AL-BEEDH 부통령등 주재국 수뇌부는 이집트 대통령등이 중심으로 되어 8.8. 긴급 소집한 아랍 정상회담에 참가하기로 결정하였다고함.

(대사 류 지호-차관)

예고:90.12.31. 일반

0107

원 본

외 무 부

종 별 : 지 급

번 호 : YMW-0219 일 시 : 90 0810 1800

수 신 : 장 관 (중근동,정일)

발 신 : 주 예멘 대사

제 목 : 이라크.쿠웨이트 사태

미군의 사우디 주둔을 규탄하는 데모가 8.9. 데모에 이어 8.10.에도 주재국 수도 시내에서 개최되어 약 1,000명의 예멘 청년들이 이라크 국기를 손에 들고 시가 행진하였으며 경찰이 방관하는 가운데 일부는 사우디 항공 사무소, 사우디 대사관 및 미국대사관 건물에 대해 부석하였음.끝.

(대사 류지호-국장)

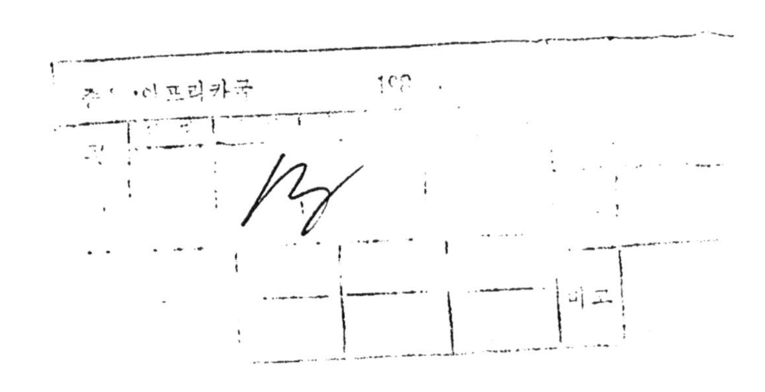

중아국 1차보 정문국 안기부 통상국

PAGE 1 90.08.11 02:45 FC

외신 1과 통제관

0108

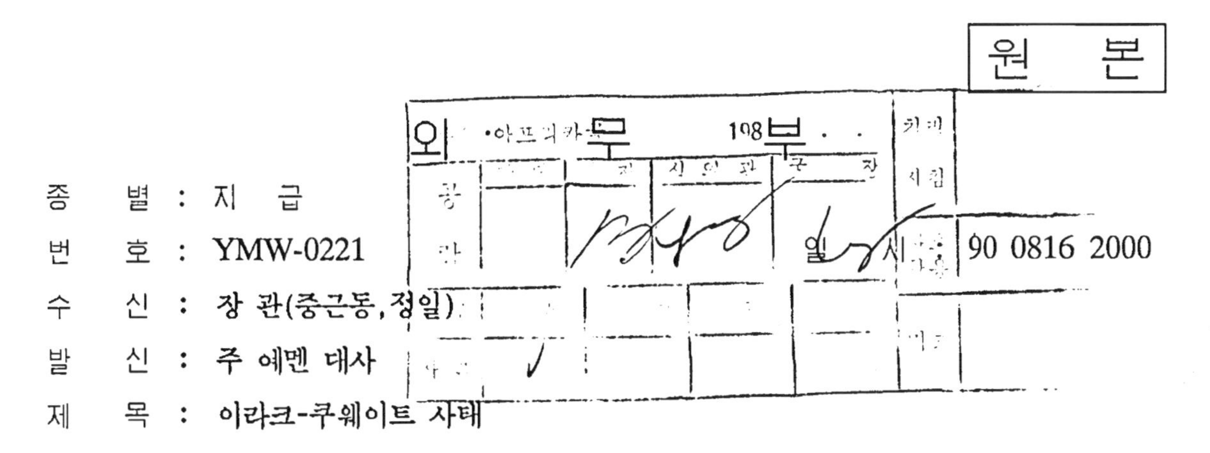
원 본

외 무 부

종 별 : 지 급

번 호 : YMW-0221

일 시 : 90 0816 2000

수 신 : 장 관(중근동,정일)

발 신 : 주 예멘 대사

제 목 : 이라크-쿠웨이트 사태

1. 예멘 대통령 SALEH 는 8.12. 기자회견을통해 이라크.쿠웨이트 사태에 있어서외국 군대주둔에 비판적인 입장을 밝히고 이라크군의 쿠웨이트에서의 철수를 위하여서는 외군의 철수가 필요하다는점을 다음과 같이 강조하였음.

가. 긴급히 소집되었던 카이로 아랍 정상회담이 실패한 원인은 동 회담이 외국 군대가 아랍영토에 이미 진주한 상태에서 사전 준비없이 소집되었기 때문이라고 불만을 토로하였음.

나. 동 대통령은 이라크 전복을 모의하기 위해 미.쿠웨이트의 관리들이 회동하였다는 정보를 입수한후 이라크가 쿠웨이트에 진군하였다는 이라크측 주장을 소개하면서도 이라크의 그러한 군사행동은 결과적으로 외국 군대 주둔의 초래와 이들에 의한석유 자원 지배를 정당화시켰다고 비판하였음.

다. 다음은 기타 질문에 대한 SALEH 대통령의답변 요지임.

(1). (중재 노력)

- 아랍 정상회담 결의안 표결에 앞서 예멘은 아랍 정상들로 구성한 교섭 대표단-이라크 파견을 제의하였으나 단호히 거절당하였음.

- 사우디 중재의 젯다 정상회담에 앞서 예멘은 이라크 부통령과 쿠웨이트 황태자간의 회담을 주선하려 기도하였으나 쿠웨이트측의 주저로 성사되지못했음.

(2). (아랍 정상 결의 효력)

동 결의는 찬성한 국가에만 적용됨.(예멘에는 효력없음.)

(3). (파병문제)

예멘은 미군 진주에 앞서서 요청이 있었으면 파병할 용의가 있었으나 이제 외국군대 지휘아래서는 아랍군 파병은 정당화 시킬수 없음.

(4). (이.쿠 사태에 대한 입장)

중아국 차관 1차보 미주국 정문국 청와대 안기부 2차보 통상국 대책반

PAGE 1

90.08.17 06:52 ER

외신 1과 통제관

0109

- 예멘은 지리으로 분쟁 지역으로부터 떨여져 있기때문에 분쟁에 가급적 휘말려들어가지 않으려고 노력하겠으나 국민들의 의사 표시와 주권 방위를 위한 권리는 행사 할것임.

- 이번 사태로부터 이득을 보는측은 국제 여론이 걸프에 집중되어있는동안,팔레스타인 의거를억압하고 있는 시오니즘 세력일뿐임.

(5). (아랍권 분열)

현 사태는 아랍권의 단합과 ACC 에 큰 타격을주고 있음.

분열은 이미 지난 카이로 정상회담에서 나타났음.

(6). (BAB EL MANDEB 해협)

아라비아해와 홍해내 예멘 영해에는 일체의외국 군대는 허용하지 않을 방침임.

2. SALEH 대통령은 8.13. 밤 PLO YESSER ARAFAT와 이라크 내무장관 SAMEER ABDULWAHAB 을 맞아이라크 대통령 SADDAM HUSSEIN 의 '종합적인평화' 제의를 협의하였으며 8.12. TUNISIA대통령 ZAIN AL-ABADAN 과의 전화를 통해외국 군대의 개입 반대 입장에 견해를같이하였다고 8.13. 뒤늦게 발표하였음.이밖에도당지 8.14. 일자 일간 신문 AL- THAWRA 에 의하면SALEH 대통령은 미국,소련 및 중국대사를 불러이라크.쿠웨이트 사태에 관한 친서를 각국정상앞으로 보냈으며 8.14.일중 프랑스 특사를맞이하여 중재 노력을 계속할 예정임.

3. 한편 통합 예멘의 집권예멘사회당(남예멘 YEMEN SOCIALIST PARTY) 와국민의회(북예멘 GENERAL PEOPLE'S CONGRESS) 는8.13. 외국 군대의 아랍 지역 주둔은 식민주의정책의 복고와 이스라엘 팽창주의 정책의옹호라고 주장하고 이라크 대통령의 '종합적인평화'제의를 지지한다는 장문의 공동성명서를발표하였음.끝.

(대사 류 지호-국장)

PAGE 2

0110

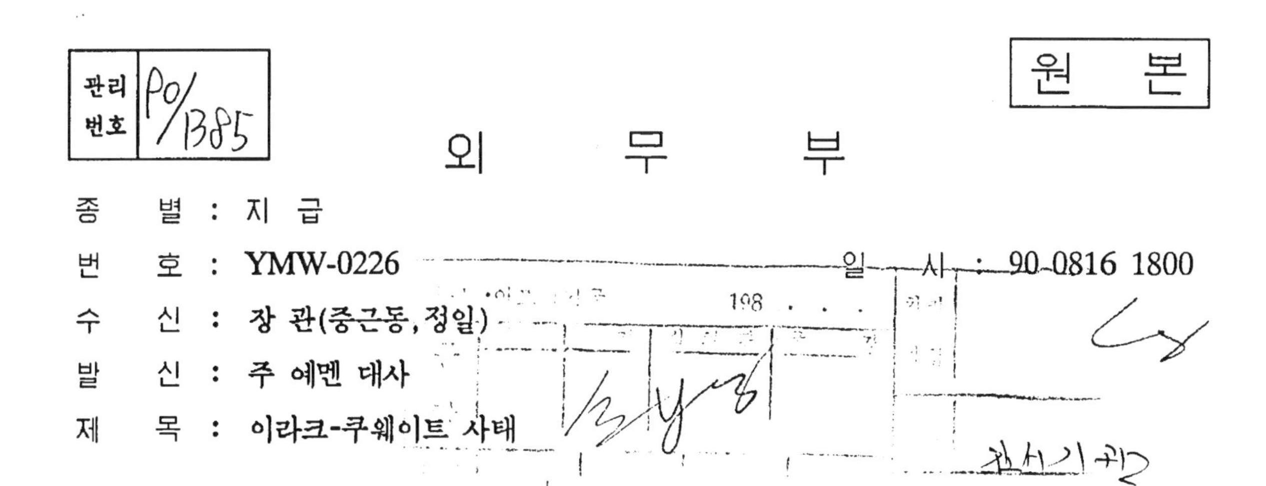

관리번호 90/1385

원 본

외 무 부

종 별 : 지 급

번 호 : YMW-0226 일 시 : 90 0816 1800

수 신 : 장 관(중근동,정일)

발 신 : 주 예멘 대사

제 목 : 이라크-쿠웨이트 사태

대:WMEM-0024

1. 주재국 IRIYANI 외무장관과 외교단과의 정례 간담회 석상에서 DUNBAR 미국대사 및 에짚트 대사등은 8.16 주재국 국영 방송 및 신문이 이라크. 쿠웨이트 사태에 대해 편향되게 보도함으로써 주재국 국민을 선동.오도하고 있다고 주장하고 이에 대해 구두로 항의를 하였음.

2. DUNBAR 대사는 이자리에서 미국 대사관 직원 및 기타 미국 시민의 가족들이 신변안전상 이유로 VOLUNTARY BASIS 로 주재국으로 부터 철수하고 있음을 밝히고 만일 주재국 정부가 계속 편향된 보도를 시정하지 않을 경우 미.예멘간의 양국 관계에 심각한 결과를 초래할 것이라고 경고 하였음.

3. 40 여명의 상주 대사가 참석한 이날 간담회에서 상기 항의를 받은 IRIYANI 외무장관은 외국 공관에 대한 데모대원들의 파괴행위를 막기위해 주재국 정부로서 최대한의 노력을 경주하였다고 말할뿐, 동 항의에 대해서는 명료한 반박은 하지 않았음.

4. 동 장관은 이라크-쿠웨이트 사태 관련, 동 사태 해결을 위한 방법으로서 외국 군대의 주둔에는 반대이나 SADDAM HUSSEIN 이라크 대통령의 종합 평화 협상 제의에 대해서는 하나의 긍정적 SIGNAL 로서 고려해볼만하다고 생각하는 것이 주재국 정부의 입장이라고 말함.

(대사 류지호-국장)

예고:90.12.31. 까지

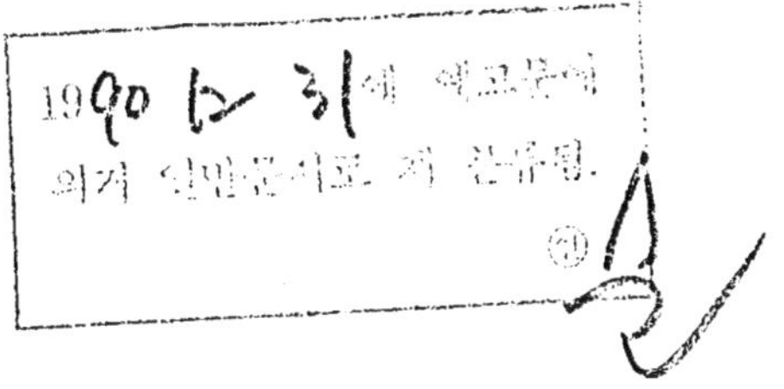

중아국 차관 1차보 2차보 통상국 정문국 청와대 안기부 대책반

PAGE 1

90.08.17 06:46

외신 2과 통제관 DL

0111

	분류번호	보존기간

발 신 전 보

WBG-0294 900820 1643 FA

번 호 : 종별 :

수 신 : 주 수신처 참조 ~~대사. 총영사~~

WSB -0341 WAE -0170
WYM -0184 WIR -0278
WTU -0386 WCA -0303

발 신 : 장 관 (중근동)

제 목 : 이라크.쿠웨이트 사태

1. 이라크측이 서방국민의 인질 가능성을 공언하고 다국적 지상군 배치 및 해안 봉쇄망 구축으로 양측의 전부 배치가 완료된 것으로 걸프 사태는 새로운 국면을 맞고 있는 것으로 분석됨. ~~(8.20 자 동아일보는 "미.중동 전면전 불가피" 라는 썬데이 타임쓰 기사를 전재함.)~~

2. 이러한 군사 대치 상황에서 이라크측이 취할 가능성이 있는 선택 (OPTION)을 중심으로 향후 단기 전망을 주재국 정부 포함 다각적으로 파악 보고 바람. 끝.

(중동아프리카국장 이 두 복)

수신처 : 주 이라크, 사우디, UAE, 예멘, 이란, 터키 대사
주 카이로 총영사

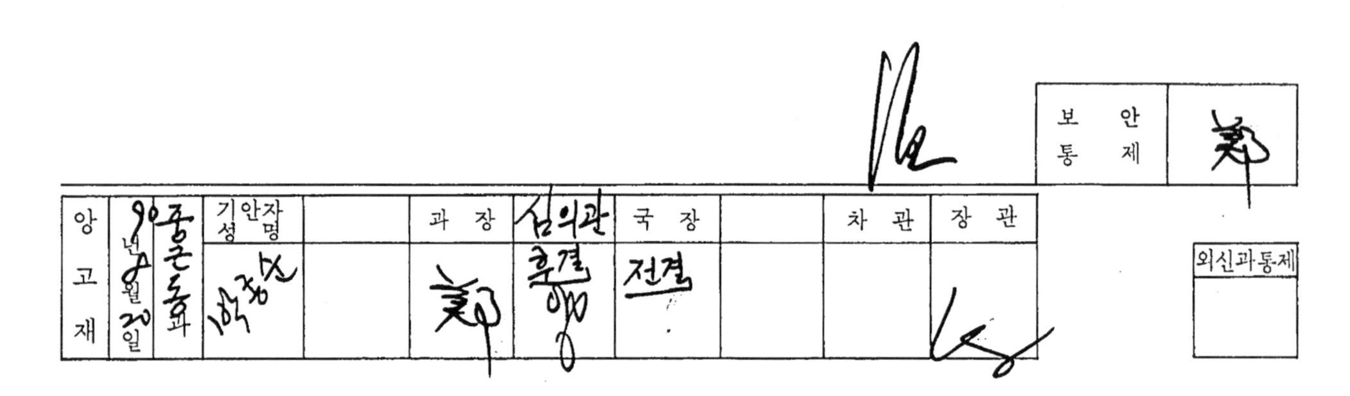

0112

관리번호	90-2086

외 무 부

종 별 :

번 호 : YMW-0276 일 시 : 90 0921 1400

수 신 : 장 관(중근동,정일,기정)

발 신 : 주 예멘 대사

제 목 : 이락-쿠웨이트 사태 관련 주재국 동향

1. 탐문한바에 의하면 미국과 사우디 정부는 9.20 자로 대 예멘 군사 원조 중단을 통보하고 주 예멘 미국 및 사우디 대사관의 필수 요원을 제외한 여타 공관원 및 군사 고문단 전원이 최근 철수한것으로 전해지고 있으며

2. 사우디 정부가 사우디에 취업중인 예멘 근로자(약 150 만명 추산)에 대한 비자 기간 연장을 불허함과 아울러 휴가차 예멘에 일시 귀환중인 근로자에 대해서도 재입국 비자 발급을 불허하는등 사우디와 예멘간의 대립이 첨예화되고 있음.

(이에대해 예멘 정부는 9.19 임시 각의에서 사우디 정부에 대해 재고를 요청키로 하였음.)

3. 최근 미국 특사가 주재국을 방문, 주재국의 대 이락 군사 지원설과 관련, 경고한것으로 알려짐.

4. 주재국 SALEH 대통령은 프랑스 TV 와의 인터뷰에서 이락군이 쿠웨이트로부터 철수할것을 주장함과 아울러 강대국이 군사 행동을 자제해줄것을 촉구한것으로 현지 AL-THAWRA 지가 9.21. 일자로 보도함.

5. 여사한 일련의 사태 추이로 보아, 전쟁 발발시에 주재국이 이락을 군사적으로 지원할 경우 연합국군측으로부터 공격 대상이 될 가능성을 배제할수 없는바 이에 대비 당관은 단계별 공관원 및 교민 대피 계획을 수립하고 있음을 보고함.

(대사 류 지호-국장)

예고:90.12.31. 일반

중아국 차관 ~~1차보~~ 2차보 정문국 청와대 안기부 대책반

미주국.

PAGE 1 90.09.21 23:26

외신 2과 통제관 DO

0113

관리번호	90/1707

원 본

외 무 부

종 별 :

번 호 : YMW-0284 일 시 : 90 0924 1400

수 신 : 장 관(중근동,정일,기정)

발 신 : 주 예멘대사

제 목 : 예멘-사우디 관계 악화

연:YMW-0276

1. 사우디 정부가 9.19. 주사우디 예멘 외교관 일부를 추방키로 결정한데 대해 익명의 주재국 외무성 당국자가 비공식 비난한데이어, 주 예멘 사우디 주최국경일 리셉션을 돌연 취소하였음.

2. 연이어, 주재국 SALEH 대통령은 사우디 FAUD 국왕에게 국경일 축전을 보내는한편, 주재국 외무성은 9.23. 사우디 국경부근의 부족장 14 명이 예멘 대통령을 규탄하고 사우디 왕에게 충성을 다짐한다는 내용의 사우디 국영 통신 기사 전문을 논평없이 외교단에 배포한데 이어 9.24 사우디 왕이 동 부족장에 대해 감사한다는 사우디 국영 통신 기사 전문을 외교단에 재차 배포하였는바, 이와같이 이례적으로 외신 기사를 외교단에 배포한 저의에 대해 외교가에서는 주재국 정부가 예멘 북부 부족장들에 대한 제재 조치를 취하기 위한 전 단계가 아닌가 관측하고 있음.

3. 사우디가 예멘 대해 그동안 취한 일련의 강경조치에도 불구하고 주재국은 상응한 대응조치를 자제하고 있는것으로 보임.끝.

(대사 류지호-국장)

예고:90.12.31. 까지

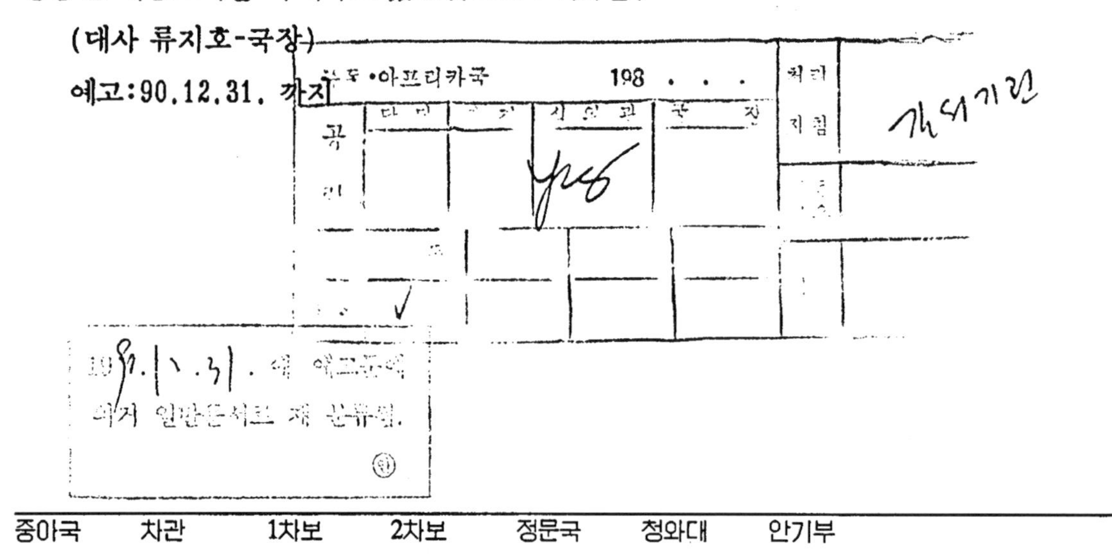

중아국 차관 1차보 2차보 정문국 청와대 안기부

PAGE 1

90.09.25 00:57

외신 2과 통제관 CF

0114

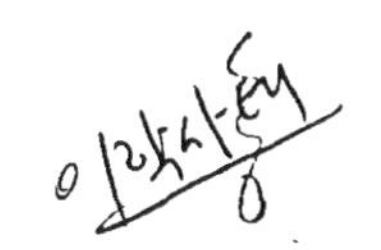

외 무 부

종 별 :

번 호 : YMW-0297　　　　　　일 시 : 90 0929 1400

수 신 : 장 관 (중근동,경협,국연,정일)

발 신 : 주 예멘 대사

제 목 : 이락.쿠웨이트 사태 관련 주재국 동향

주재국은 금번 아락.쿠웨이트 사태에 따른 경제, 재정적 손실 총 미화 1,384백만불을 유엔에 최근 보고했음을 밝혔는바 그 내역은 아래와 갑음.

-아래-

1. 이락.쿠웨이트산 석유를 주재국의 아덴정유소에 정유하지 못함에 따른 소실 및 이락.쿠웨이트로부터 제공되던 석유가 중단됨에 따른 손실: 90년(잔여 기간중) 미화 3999만불 91년미화 32000만불 예상.

2. 예산 지원금 중단: 이락으로부터 년간 미화2500만불, 91년 미화 5천만불, 쿠웨이트로부터 미화 1834만불

3. 경제개발계획에 의한 무상 원조중단: 이락으로부터 호텔신축 사업비등 미화 7천만불, 쿠웨이트로부터 병원확장보수 사업비 미화 865만불

4. 대 이락.쿠웨이트 수출 중단: 미화 42백만불, 91년중 15-20 증가 기대

5. 장기저리 아랍기금 및 쿠웨이트 기금 융자중단: 미화 4억만불

6. 쿠웨이트거주 예멘인 송금 중단: 미화 250백만불(비 걸프지역거주자 송금도 미화 150백만불 손실 예상)

7. 쿠웨이트 거주 예멘인(약 35,000명)의 강제귀환에 따른 수송비, 주택난등 손해 보상기타.끝.

(대사 류지호-국장)

중아국　1차보　국기국　경제국　정문국　안기부　대책반　미주국　통상국　그차보

PAGE 1　　　　90.09.30　21:14 FC

외신 1과　통제관

0115

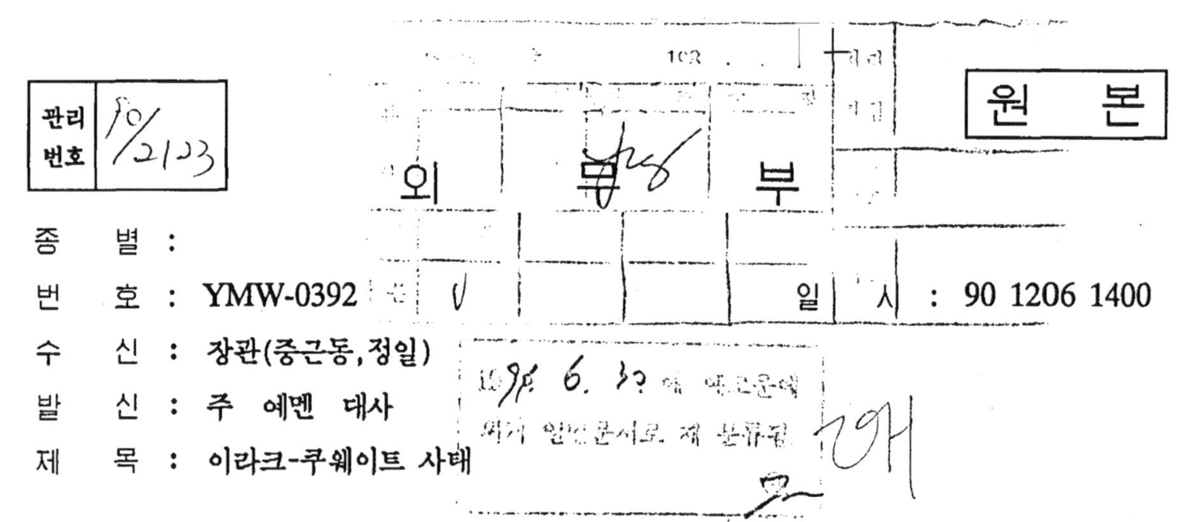

관리번호	90/2123

원 본

외 무 부

종 별 :

번 호 : YMW-0392 일 시 : 90 1206 1400

수 신 : 장관(중근동,정일)

발 신 : 주 예멘 대사

제 목 : 이라크-쿠웨이트 사태

1. 주 예멘 소련대사 POPOV 부처는 12.5 노 대통령 방소 발표를 즈음하여 오찬 석상에서 개인적인 견해임을 전제로 이라크-쿠웨이트 사태의 귀추를 다음과같이 전망하였음.

가. 소련은 BUSH 대통령의 INITIATIVE 를 크게 환영하나 이라크 외상으로부터 만족스러운 반응(모조건 쿠웨이트 철군 및 인질 전원 석방)을 기대하기는 힘들것으로 보임.

나. 따라서 명년 1.15 까지 친 이라크 아랍국들(예멘, 튜니스, 조르단, 알제리, 모로코)과 더불어 불란서 및 소련이 무력 사용 사태를 막기위해 최대한의 노력을 경주할것임.

다. 이러한 노력의 일환으로 이라크-쿠웨이트간의 영토 분쟁 조정, 유엔 사무총장의 활용, 아랍군의 사우디 주둔 미군 대치, 이라크-이스라엘 상호 군축등이 모색될것으로 예상됨.

라. 미소 합의로 이라크-쿠웨이트 사태가 해결될 경우 이는 향후 구주 분쟁예방 센터(CSCE 에서 설치키로 합의)에서 유사한 구제 분쟁 해결의 선례가 될것임.

마. 12.17 까지 윤곽이 밝혀질 소련의 신 정부 구조 개편에서 신설될 부통령에 현 외상 세바나제가 추대될경우 그 후임에는 프리마코프 대통령 위원(중동 전문가이며 POPOV 대사 동기생)이 유력시됨.

2. 주재국 AL-BEEDH 부통령은 주 예멘 이라크 대사의 예방을 받은후 12.4. 조르단은 경유 후세인왕 및 YASSER ARAFAT PLO 대표와 함께 이라크 대통령 SADDAM HUSSEIN 과 쿠웨이트 사태 해결 방안에 관해서 2 일간 의견 교환을 갖었는바 동 부통령을 수행한 IRYANI 외상은 조르단으로 출발하기에 앞서 상기 POPOV 대사를 포함한 유엔 안보리국 대사들에게 주재국 입장을 설명하였다고함. 끝.

중아국 차관 1차보 2차보 정문국 청와대 안기부

PAGE 1 90.12.06 22:48

외신 2과 통제관 CE

0116

(대사 류 지호-국장)
예고:91.6.30. 까지

PAGE 2

0117

원 본

외 무 부

종 별 :

번 호 : YMW-0018　　　　　　일 시 : 91 0112 1800

수 신 : 장관(중근동)

발 신 : 주 예멘 대사

제 목 : 걸프 사태관련 주재국 동향

연:YMW-0014

1.1.12.일 주재국 사나시 중심가에서 약1000명의 청소년들이 'PEACE BOAT'(약 2500명의 아랍 및 외국인 부녀자 승선)을 오만 근해에 억류시키고있는데 대한 반미,사담 후세인 지지 가두 시위를 하였음.

동 시위에 앞서 주재국 AL-AZAIB 외무성 정무차관보는 미.영 대사를 외무성에 초치,상기 선박 억류에 항의하였음.

2.연말 연시를 기하여 지방 군부대를 순시 격려중인 최고 정부 수뇌중 AL-BEEDH부통령(남예멘 사회당 총서기)는 현 걸프사태와 관련,아래와 같이 경고한것으로

현지 신문은 보도하였음.

'이 지역에서의 사태 발발은 주변 아랍국 통치자들이 현직을 유지하기가 어려운결과를 초래할뿐아니라,아랍 제국의 부(WEALTH)를 지배하려는 국가들도 이익을 보장받기가 어려울것이다'

3.한편 이라크 MOHAMMED MEHDI SALEH 통상장관이 예멘과의 경제 협력 증진을 목적으로 사담후세인의 친서를 휴대하고 1.5일 당지에 도착한것으로 알려짐.끝.

(대사 류 지호-국장)

중아국 2차보 정문국 1차보 안기부
(2)

PAGE 1　　　　　　91.01.13 18:55 BX

외신 1과 통제관

0118

관리번호	91-812

원 본

외 무 부

종 별 :

번 호 : YMW-0028 일 시 : 91 0114 1830

수 신 : 장 관(중근동)

발 신 : 주 예멘 대사

제 목 : 걸프 사태 관련,주재국 동향

대:AM-0012, WMEM-0004

연:YMW-0023

1. 노구찌 일본 대사는 1.13. 당관을 방문.걸프 사태에 관해 의견을 교환하였는바 동 대사는 주재국내 외국인 신변 안전 문제와 관련, 주재국내의 PLO 보다북부 예멘 시아파 족장들과 정부군간의 무력 충돌 위험성이 더 경계해야할 요소인것 같다고 말하고 최근 이란 대리 대사로부터의 제보에 의하면 북예멘 시아파 족장 세이크들은 전쟁발발시 중앙 정부에 대해 무력 도발을 할 조짐이 보인다고 전하였음.

2. 주재국내 일본 교민은 내란과 같은 비상 사태에 대비해서 일단 타이즈 소재 일본 건설회사 공사장에 집결한후 목카항에서 일본 탱커(아라비아 해상 현재 13 척)를 이용 철수할 계획을 세우고 있다고함.

3. 북부 예멘 시아파 족장, 세이크들이 주도하는 YEMENI REFORM 당은 친 사우디 세이크 ABDULLA BIN HUSSEIN AL-AHMER 를 대표로 정당 등록을 3 개월전에 마치고 1.3 사나에서 최대 규모의 군중대해(동 당 기관지는 10 만명 참가주장)를주최한것으로 알려짐.

4. 주예멘 사우디 대사는 1.9. 돌연 본국으로 귀국하였음.

5. 주재국 외무장관 IRIYANI 박사는 에집트. 요르단 경유 SALEH 대통령 친서 휴대하고 1.13. 바그다드를 방문한것으로 알려졌음.

6. 대규모 반미, 친 이라크 군중시위가 당지에서 1.15 오전 개최될 예정임.

(대사 류 지호-국장)

예고:91.6.30. 까지

중아국	장관	차관	1차보	2차보	정문국	청와대	안기부

PAGE 1

91.01.15 09:42

외신 2과 통제관 BW

0119

관리번호	91-810

원 본

외 무 부

종 별 :

번 호 : YMW-0030 일 시 : 91 0115 1400

수 신 : 장 관(중근동)

발 신 : 주 예멘 대사

제 목 : 걸프 사태 관련 주재국 동향

대:AM-0012, WMEM-0004

1. 사담 후세인 이라크 대통령과 1.14 회담후 귀국한 주재국 외무장관 IRIYANI 가 1.15. 오전 DUNBAR 미국대사에게 알려온바에 의하면 주재국 정부 사절단(AL-ATTAS 수상, ABU SHAWAREB 부수상 IRIYANI 외상)은 하기 6 개항의 해결 방안을 제시하고 이에대한 이라크 대통령의 양해를 구하였으나 사담 후세인(RAMDAN부수상 및 TARIG AZIZ 외상 배석)은 이자리에서 7 월 음모설(미국, 쿠웨이트 및 사우디가 지난 7 월초 이라크 정부 전복 음모를 들어이라크군이 쿠웨이트로부터 철수할 경우 이라크 정부가 전복될 것이라고 주장하고 사전 철수 제안을 완강히 거부, 최종적인 예멘에의 평화적 해결 시도는 실패에 끝났다고함.

2. IRIYANI 외상이 전한바에 의하면 프랑스안에 대해서도 사담 후세인은 거부 반응을 보였다고 하며 상기 AL-ATTAS 수상, 사담 대통령 회담직후 예멘측은 바그다드에 체제중인 PLO YASSER ARAFAT 에 대해서 마지막의 희망을 걸었었으나 사실상 PLO 의 제 2 인자격인 ABU EIAD 암살로 인해 ARAFAT 에 대해서도 기대할수 없게 되었다고함.

3. DUNBAR 대사는 상기 예멘안이 미국측의 사전 양해를 얻었다는 일부 외신보도를 부인하였음.(당지 언론 보도에 의하면 SALEH 대통령은 국회연설에서 미국측에 동안에 동의하고 이를 이락측에 타진하여 볼것을 제의하였다고 밝혔음.)

4. DUNBAR 대사는 전쟁 발발시 북부 예멘 시아파 족장들에 의한 무력도발 가능성에 대해,1970 년대부터 이들의 영향력이 쇠퇴하여 왔기때문에 심각하게 생각하고있지 않다고 말하고 주재국내 아국인의 경유 사우디에 전투병력을 직접 파견하고 있는 미.영국등 시민과는 다르므로 신변안전에 크게 우려할바 없다는 견해를 보였음.

5. 한편 수만의 사나 시민은 1.15 다음과 같은 구호를 외치며 가두 시위를 벌였음.

중아국	장관	차관	1차보	2차보	청와대	총리실	안기부

PAGE 1

91.01.15 22:44
외신 2과 통제관 FE

0120

"50 만 예멘 의용군 이라크를 돕자"

"새 십자군 침략에 대항 싸우자"

"우리 온국민은 사담 편이다"

"비겁한 사우디, 미국의 앞잡이다"

6. 예멘의 6 개항 제안 요지:

(1) 이락군의 쿠웨이트 철수

(2). 유엔 및 아랍 연맹 감독하에 아랍군과 다국적군으로 이락군을 대체

(3). 이락의 쿠웨이트 철수동의시 다국적군은 즉각 철수

(4). 유엔 안보리 주관 팔레스타인 문제 해결을 위한 국제회의 개최

(5). 다국적군의 이라크에 대한 군사행동 지양

(6). 이락이 동 해결안에 동의할 경우 경제 제재 조치 해제

(대사 류 지호-국장)

예고:91.6.30. 까지

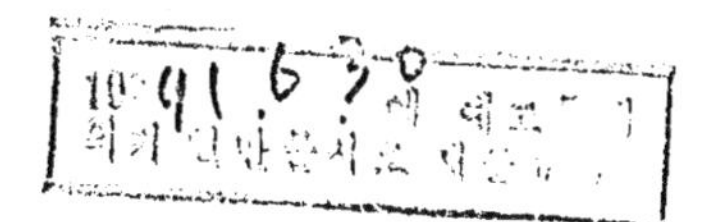

PAGE 2

0121

관리 번호	91/239

원 본

외 무 부

종 별 : 지 급

번 호 : YMW-0038 일 시 : 91 0117 1230

수 신 : 장 관(중근동,기정)

발 신 : 주 예멘 대사

제 목 : 걸프 사태 관련 주재국 동향

연:YMW-0037

1. 주재국 외무성 당국자에 의하면, 주재국의 모든 공항은 전쟁 발발에도 불구하고 폐쇄되지 않고 있다고 하며, 정기 국제선 및 CHARTER 항공기의 이착륙이가능하다고함.

2. 그러나 당관이 사나 국제 공항 당국에 문의하였던바,1.17 10:30 현재 YEMENIA 를 포함 항공기의 이.취항이 중단된 상태이며 국내선중 YEMDA 항공기(남예멘 소속)만 운항중이라고함.

(대사 류 지호-국장)

예고:91.6.30.에까지고문에 의거 인반문서로 재 분류됨.

중아국 장관 차관 1차보 2차보 청와대 총리실 안기부

PAGE 1

91.01.17 19:23

외신 2과 통제관 BA

0122

관리 번호	91/612

원 본

외 무 부

종 별 : 지 급

번 호 : YMW-0066 일 시 : 91 0122 1430

수 신 : 장 관(중근동,기정)

발 신 : 주 예멘 대사

제 목 : 걸프 사태 관련

대:WMEM-0010

1. 교민 안전에 이상 없음.

2. 복기 사항

-1.22. 주재국 AL-THAWRA 지는 1.21 이락, 아랍수호 국민 지도위(위원장:AL-ASBAHA 국민의회당 사무총장)대표들은 대통령 위원회(의장:SALEH 대통령)를 방문, 금번 걸프 전쟁을 성전으로 선포, 주재국의 대 이락 지원을 요청하였다고 하며 이에 대해 SALEH 대통령은 예멘이 우방국과 평화적인 해결책을 계속 모색중이라고 신중한 반응을 보인것으로 알려짐.

-한편 상기 신문 보도에 의하면 주재국 외무성 당국은 예멘 정부가 주 사나 이집트 대사관에 대해 적대적 가두시위를 선동하였다는 이집트 국영 통신 MENA 보도를 부인하고 주재국 관계 당국자는 모든 외(119)(379)관에 안전에 필요한 조치를 취하고 있음을 강조하였다함. 끝.

(대사 류 지호-본부장)

예고:91.6.30. 까지

에 예고문에 의거 일반문서로 재 분류됨.

검토필(1991. 6.30)

중아국 장관 차관 1차보 2차보 청와대 안기부

PAGE 1

91.01.23 02:32

외신 2과 통제관 CF

0123

관리 번호	91-1496

원 본

외 무 부

종 별 :

번 호 : AEW-0068 일 시 : 91 0126 1330

수 신 : 장관(중근동,기정,정일)

발 신 : 주 UAE 대사

제 목 : 걸프만 전쟁관련 예멘입장(자료응신8호)

연:AEW-0053

1. 당지주재 예멘대사관은 당지 외교단에 CIRCULAR NOTE 를 통하여 예멘의회는 1.20. 아랍과 이슬람국가 의회들에게 미국및 다국적군의 이라크 국민에 대한 공격에 반대할 것을 요청하는 서한을 보냈음을 알려왔음.

2. 또한 예멘국민은 미국과 다국적군의 이라크 공격을 비난하는 대대적인시위를 하고 있다고 알려왔음을 보고함. 끝.

(대사 박종기-국장) 예고: 91.6.30 일반

1991. 6. 30. 에 예고문에 의거 인반문서로 재 분류됨.

중아국 장관 차관 1차보 2차보 정문국 청와대 안기부

PAGE 1

91.01.26 19:06

외신 2과 통제관 DG

0124

관리번호	91/621

원 본

외 무 부

종 별 : 지 급

번 호 : YMW-0071 일 시 : 91 0123 2300

수 신 : 장 관(페만 본부장,기정)

발 신 : 주 예멘 대사

제 목 : 주재국 대통령 기자 회견

대:WMEM-0008

1. 주재국 SALEH 대통령은 1.23(11:40-13:30)대통령궁에서 걸프 전쟁 발발 이후 처음으로 동 사태에 대한 주재국 정부의 공식입장을 밝히는 기자회견을 외신 기자, 외교공관 공보담당관을 초치, 가짐(이 서기관 참석)

2. 동 회견에서 SALEH 대통령은 이락의 쿠웨이트 침공이후 이락의 쿠웨이트철수와 걸프 사태의 평화적 해결을 위하여 노력하여 왔다고 강조하고 미국의 이락공격으로 문제 해결이 더욱 어렵게 되었다고 언급함.

3. SALEH 대통령은 이란, 이라크 전쟁이 미국 정보기관의 음모에의해서 발발된것이라고 주장하고 미국이 이락 현 정권의 안전을 위해서는 하등의 보장없이쿠웨이트 철수만 일방적으로 강요하고 있다고 비난함. 동 대통령은 또한 현재까지 30 개국의 강력한 연합군에대해 이락군이 보인 영웅적인 저항을 치하하고 또한 지상군과 해군의 접전이 없었으므로 장기화할 것으로 전망하였음.

4. 또한 SALEH 대통령은, 현 걸프 전쟁에 참여하고 있는가라는 질문에 대해서 이를 부인, 이락측에 정신적 지원만을 하고 있다고 말하고 이스라엘과 터키의참전 가능성에 우려를 표시한 반면에 이란의 걸프 전쟁에 임하는 입장에 대해서는 높이 평가

5. 평가 및 분석:

상기 주재국 SALEH 대통령이 표망한바에 비추어볼때, 동 대통령의 노골적인반미감정 표시에도 불구하고 주재국은 계속 중립을 표방하며, 현 시점에서 전쟁에는 개입을 원치않는것으로 분석됨. 끝.

~~(대사 류 지호-본부장)~~

예고:91.6.30. 까지 일반문서로 재 분류됨. ⑩
(예고문에 의거 일반문서로 재 분류됨.)

검토필(1991. 6.30.)

안기부 장관 차관 1차보 2차보 미주국 중아국

PAGE 1

91.01.24 17:41

외신 2과 통제관 BA

0125

관리번호	91-70

원 본

외 무 부

종 별 : 지 급

번 호 : YMW-0086 일 시 : 91 0129 1300

수 신 : 장관(중근동,기정)

발 신 : 주 예멘 대사

제 목 : 걸프 사태 관련

대:WMEM-0010

1. 교민 안전에 이상없음.(1.29.11:00 현재)

2. 특기사항

- 1.29. 일 현대 근로자 4 명 귀국(현 잔류 교민 182 명)

- 주재국 IRYANI 외무장관은 1.28 193:30 예멘 TV 정규 뉴스 시간에 출연(녹화), 미국등 다국적군은 당초의 이락을 쿠웨이트로부터 철수시키고자하는 UN 의도에서 벗어나 이락을 괴멸시킴으로써 이 지역을 지배할려하고 있다고 비난하고 금번 전쟁으로 인한 막대한 피해등을 감안할때, 전후 이락등 아랍국가와 미국등 서방진영간의 관계가 비참하게 발전할것이라고 전망하고 동 사실을 BAKER 미 국무장관 방예시에도 지적했음을 언명하였음. 끝.

(대사 류 지호-본부장)

예고:91.6.30. 까지 예고문에 의거 일반문서로 재 분류됨.

검토필(1991.6.30.)

중아국 장관 차관 1차보 2차보 미주국 청와대 총리실 안기부

PAGE 1

91.01.29 23:52

외신 2과 통제관 CW

0126

관리 번호	91 -139

원 본

외 무 부

종 별 : 지 급

번 호 : YMW-0090 일 시 : 91 0130 1600

수 신 : 장 관(중근동,기정)

발 신 : 주 예멘 대사

제 목 : 걸프 사태 관련

대:WMEM-0010

1. 교민안전에 이상없음.(1.30 12:00 현재)

2. 주재국 1.30. 일자 AL-JAMHOURIYA 지는 SALEH 대통령이 걸프 전쟁을 종식시키는 노력의 일환으로 파키스탄, 터키, 중국, 인도, 유고, 에티오피아등 수개국에 특사를 파견할 계획이라고 보도함. 또한 SALEH 대통령은 무력 사용 허용 유엔 안보리의 결의로 이락에 대한 경제 제재 조치 결의는 효력을 상실한것으로 본다고 말하고 주재국은 이락에 대한 원조를 제공하기 위하여 수송수단을 강구중에 있는것으로 보도함. 끝.

(대사 류 지호-본부장)

예고:91.6.30. 까지

10 에 예고문에 의거 일반문서로 재 분류됨.

검토필(1991.6.30.)

중아국 장관 차관 1차보 2차보 청와대 안기부

PAGE 1 91.01.30 23:45

외신 2과 통제관 CE

0127

관리번호	91-1448

원 본

외 무 부

종 별 : 긴 급

번 호 : YMW-0092　　　　일 시 : 91 0131 1400

수 신 : 장 관(중근동,기정)

발 신 : 주 예멘 대사

제 목 : 주재국내 테러 활동

대:AM-0029

1. 당관이 주재국 외무성에 확인반바에 의하면 수제 수류탄이 1.31. 오전 11시 거의 동시에 주 예멘 일본 대사관저 및 터키 대사 관저에 폭발되어 터키 대사 가정부가 경상의 피해를 입었으며 미국 대사관에 대해서는 3 발의 총격을 받었다고함.

2. 주재국 공안당국은 상기 사고를 조사중에 있다고 하며 걸프 전쟁 관련 위협으로 보고 있음.

3. 당관은 이상 사고의 재발 가능성에 대비, 주재국 외무성에 당관 공관장 관저 및 공관 경비 강화를 요청하였음.

끝.

(대사 류 지호-본부장)

예고:91.12.31. 일반

일반문서로 재분류(1991.6.30.)

중아국　장관　차관　1차보　2차보　청와대　총리실　안기부

PAGE 1　　　　91.02.01　19:21

외신 2과　통제관 BA

0128

관리 번호	91-912

원 본

외 무 부

종 별 : 지 급

번 호 : YMW-0094 일 시 : 91 0131 1400

수 신 : 장 관(폐만본부,기정)

발 신 : 주 예멘 대사

제 목 : 걸프 사태 관련

대:WMEM-0010

1. 교민 안전에 이상없음(1.31 12:00 현재)

2. 특기 사항:

주재국 1.31. AL-THAWRA 지는 대통령 위원 전원과 수상이 1.30. 일 예멘 ULLAMAS SOCIETY(전국 예멘 회교 협회)에 참석하였으며, 동 예멘 ULLAMASS SOCIETY 는 다음 요지의 성명서를 발표하였음을 보도함.

① -미국등 다국적군의 이락 국민에 대한 전쟁은 폭거이며, 모든 회교도는 이락에 대해 정신적, 재정적 제반 가능한 수단을 지원해야함.

② -잔악한 공격행위를 중단시키고 아랍 점령지역(팔레스타인)을 해방하기 위하여 성전은 회교도로서 하나의 의무임.

③ -다국적군은 아랍 지역에서 철수할것.

④ -이란은 이락국민과 군인에게 소요되는 식품, 의료품 공급을 위하여 이락과의 국경을 개방할것

⑤ -터키는 이락을 공격하기 위하여 유태 민족 주의자가 국토를 이용하는것을 허용하지 말것

⑥ -아랍 및 이스람 대중매체는 전쟁의 본질을 규명하고 이 지역국민들이 전부에 임할수 있도록하는 역활을 수행할것

⑦ -예멘 ULLAMAS SOCIETY 는 예멘 정치 지도자들이 정의를 실현하고 억압된 권리를 회복하기 위한 노력을 계속지지할것임을 선언.끝.

(~~대사 류 지호-본부장~~)

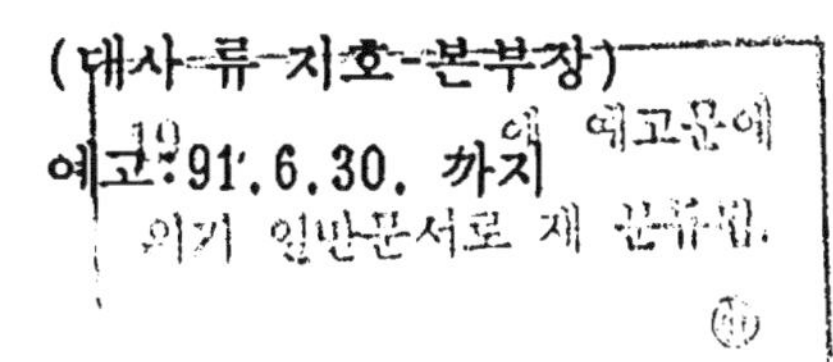

토.필(1991.6.30.)

중아국 ~~차관~~ 1차보 2차보 청와대 안기부

PAGE 1 91.02.01 01:19

외신 2과 통제관 CF

0129

관리 번호	91-83

원 본

외 무 부

종 별 : 지 급

번 호 : YMW-0115 일 시 : 91 0207 1330

수 신 : 장 관(페만본부,기정)

발 신 : 주 예멘 대사

제 목 : 걸프전 관련

대:WMEM-0010

1. 교민 안전에 이상없음(2.7. 11:00 현재)

2. 특기 사항

- 당지 주간지 AL-RAI AL-AMM(2.5 일자)는 예멘등 아랍국의 재 이락 유학생중 참전 희망자에 대해 이락 당국은, 현재 5 백만의 정규군과 많은 예비 병력으로 충분하다고 주장하고 각자 신변 안전을 위해 고국으로 돌아갈것을 권유했다고보도함.

-또한 동지는, 현재까지 15 만명의 사우디 난민을 예멘이 접수했다고 보도함.

-당지 AL-THAWRA (2.7 일자)는 2.6 일 열린 주재국 각의에서 다국적군의 군사행동을 개탄하고 주재국 국민들의 이락 지원 헌혈, 헌금 활동에 격려한것으로 보도함.

-불란서 외무성 FRANCOA SHEER 차관이 이란등 중동지역 순방의 일환으로 주재국을 방문, 걸프전 관련 예멘 수뇌와 협의함. 끝.

(대사 류 지호-본부장)

예고:91.6.30. 까지

1991. 6. 30. 에 예고문에 의거 일반문서로 재 분류됨.

중아국	장관	차관	1차보	2차보	청와대	안기부

PAGE 1

91.02.07 20:21

외신 2과 통제관 CH

0130

관리번호	91-885

원 본

외 무 부

종 별 : 지 급

번 호 : YMW-0138 일 시 : 91 0217 1800

수 신 : 장 관(페만본부,기정)

발 신 : 주 예멘 대사

제 목 : 걸프전 관련

대:WMEM-0010

1. 교민안전에 이상없음(2.18 12:00 현재)

2. 특기사항:

- 주재국 SALEH 대통령은 2.17 일 요르단, 수단, 지부티 국가 원수와 전화 통화에서 전쟁의 종식과 역내 평화를 위한 대책을 협의한것으로 알려짐.

- 약 2,000 명의 시위대(이락 수호 국민위 주도)가 의용군 캠프를 개설하고 이락과 이란 국경개방을 외치며 가두 시위를 벌임.

시위대의 프랑카드에는 "이락의 적은 아랍의 적이다" "미국과 사우디 왕가에 죽음을"등의 구호가 적혀있었음. 끝.

(대사 류 지호-본부장).

예고:91.6.30. 까지

91.6.30. 에 예고문에 의거 일반문서로 재분류됨.

중아국	장관	차관	1차보	2차보	미주국	영고국	청와대	총리실
안기부								

PAGE 1

91.02.18 21:05

외신 2과 통제관 DO

0131

관리 번호	91-883

원 본

외 무 부

종 별 : 지 급

번 호 : YMW-0149 일 시 : 91 0220 1400

수 신 : 장 관(떼만본부,기정)

발 신 : 주 예멘 대사

제 목 : 걸프 사태 관련

대:WMEM-0010

1. 교민안전에 이상없음(2.10 12:00 현(272))

2. 특기사항:-2.19 일 현대 건설 근로자 1 명 예멘 입국으로 현 교민수는 168 명임.

- 당지 매스콤은 일제히 아국이 3 대의 군 수송기와 75 명의 병력을 이락에대한 침략군(AGGRESSIVE FORCES)지원을 위해 걸프 지역에 파견하였다고 보도함.끝.

(대사 류 지호-본부장)

예고:91.6.30. 까지

1991. 6. 30. 에 예고문에 의거 일반문서로 재 분류됨.

중아국 장관 차관 1차보 2차보 청와대 총리실 안기부 국방부

PAGE 1

91.02.20 23:21
외신 2과 통제관 CA

0132

관리번호	91-878

원 본

외 무 부

종 별 : 지 급

번 호 : YMW-0154　　　　일 시 : 91 0223 1400

수 신 : 장 관(페만본부,기정)

발 신 : 주 예멘 대사

제 목 : 걸프전 관련

대:WMEM-0010

1. 교민안전에 이상없음(2.23 12:00 현재)

2. 특기 사항:

- 걸프 지역에 지상전이 전개될경우 주재국 치안 상태가 불안해질것을 우려,교민에 대한 외출자제등 신변안전에 만전을 기하도록 현지 아국 건설 업체에 주의를 환기시킴.

-주재국 언론은 부쉬 대통령의 이라크군 철수에 대한 최후 통첩을 보도하지않고 있음.

-주재국내 NASSERITE 당(--고그원리주의계)명의로 미 대통령에 보내는 메세지가 당관에 배부되었는바, 동 메세지에서 이락의 쿠웨이트 철수, 미국의 아랍철수, 회교군(특히 이집트군의 사우디 방어, 이락. 쿠웨이트 분쟁의 제 3 자에의한 해결등을 제시하였음.)

(대사 류지호-본부장)

예고:91.6.30. 까지

1991.6.30. 에 예고문에 의거 일반문서로 재 분류됨.

중아국　　청와대　　안기부

PAGE 1　　　　91.02.24 07:35

외신 2과 통제관 CH

0133

관리번호	91-862

원 본

외 무 부

종 별 :

번 호 : YMW-0161 일 시 : 91 0224 1700

수 신 : 장 관(페만본부,기정)

발 신 : 주 예멘 대사

제 목 : 걸프전 관련

대:WMEM-0010

1. 교민안전에 이상없음.(2.24 14:00 현재)

2. 특기 사항:

-주재국 정부는 다국적군의 지상전 작전 개시에 대해 주 유엔 대사의 논평외에는 공식 반응을 표명하지 않고 있음.

-그러나 동 지상전 개시 이전에 계획되었던 반미 군중 시위는 예정대로 2.24일 행해짐.

-한편 당지 언론 보도에 의하면 주재국의 정당 및 노동 조합 대표단은 걸프전에서 친 이락적 입장을 취하고 있는 수단과의 유대 강화를 위해 2.23 일 수단으로 향발함. 끝.

(대사 류 지호-본부장)

예고:91.6.30. 까지

1991. 6. 30. 에 예고문에 의거 일반문서로 재 분류됨.

중아국 차관 1차보 2차보 청와대 안기부

PAGE 1

91.02.25 04:24

외신 2과 통제관 CF

0134

관리번호 91/417

원본

외 무 부

종 별 : 지 급

번 호 : YMW-0163 일 시 : 91 0225 1400

수 신 : 장 관(중동일,기정)

발 신 : 주 예멘 대사

제 목 : 걸프전 관련 주재국 동향

대:WMEM-0010, WYM-0091

연:YMW-0161

91.6.30. 일반

1. 주재국 SALEH 대통령은 2.24 일 행해진 반미 군중 시위대 로부터 항의문을 전달받은 자리에서"대통령 위원회의 이름으로, 우리 국민은 미국과 다국적군에 의해 야기된 새로운 십자군 전쟁에 직면하여 이락과의 단결을 도모하겠다"고 말하고, 이에 앞서 개최된 대통령 위원회 회의 및 대통령 자문 위원회 연석회의에서도 이락이 쿠웨이트 철수를 표명 하였음에도 불구하고 다국적군 측이 이러한 평화적 해결안을 거절한것은 이락을 파괴하기 위한것이라고 강력 비난함.

2. 한편, 당지 국영 TV 방송은 2.24 일 저녁 정기 뉴스 시간에 사담 후세인의 이락 국민에 대한 연설을 장시간 방영하는등 금번 걸프전에서 친 이락적 성향을 분명히 드러내고 있음.

3. 당관이 청취한 BBC 등 외국 방송 보도에 의하면 상기 시위에서 일부 군중은 시내 일부 외국 공관에 투석하고 다국적 국군에 가담하고 있는 국가와의 단교를 외친것으로 알려짐

4. 당관은 여사한 주재국 입장을 감안, 현지 교민들에 대하여 경각심을 고취시키는 한편, 비상사태에 대비 교민 안전에 만전을 기하고 있음.(2.25 10:00 현재 교민안전에 이상없음.). 끝.

(대사 류 지호-국장)

예고:91.12.31. 일반

중아국 장관 차관 1차보 2차보 청와대 안기부

PAGE 1 91.02.25 20:32

외신 2과 통제관 FE

0135

관리번호	91-725

원 본

외 무 부

종 별 : 지 급

번 호 : YMW-0222 일 시 : 91 0210 1700

수 신 : 장 관(페만본부,기정)

발 신 : 주 예멘 대사

제 목 : 걸프전 관련

대:WMEM-0010

1. 교민안전에 이상없음.(2.10. 17:00 현재)

2. 당지 AL-THAWRA 지(2.10 일자)는 아랍 관계국가간에 다음과 같이 걸프 전쟁 종식을 위한 활발한 움직임을 보도함.

-파키스탄 수상이 6 개 평화안(이락의 쿠웨이트 철수, 휴전 선언, 아랍지역에서 외군 철수, 회교제국 특별회의 개최, 회교 평화유지군 편성, 팔레스타인 문제 연계 해결)을 밝히고, 동국 계획 개발성 장관을 오만에 파견함.

-카타르 국왕이 이란 대통령의 구두 메세지를 주 카타르 이란 대사로부터 전달받음.

-이란은 의회 사절단을 예멘, 리비아, 알제리, 튀니스, 수단과 2.9. 일 말레이지아, 인도네시아로 파견함.

-이락 부수상 하마디는 2.9 이란 대통령에게 사담 후세인 대통령의 회답 친서를 전달하고 2.10 요르단으로 후세인 왕과 요담함.

사이프러스 외상이 요르단을 방문, 후세인왕과 요담함.

-금명간 비동맹국 외상 회담을 유고 BELGRADE 에서 개최 예정임.끝.

(대사 류 지호-본부장)

예고:91.6.30. 까지 예고문에 의거 일반문서로 재 분류됨.

토필(1991.6.30.)

중아국 장관 차관 1차보 2차보 미주국 청와대 안기부

PAGE 1

91.02.11 18:29

외신 2과 통제관 BA

0136

관리번호	91-756

원 본

외 무 부

종 별 : 지 급

번 호 : YMW-0131　　　　일 시 : 91 0214 1300

수 신 : 장 관(페만본부,기정)

발 신 : 주 예멘 대사

제 목 : 걸프전 관련

대:WMEM-0010

1. 교민안전에 이상없음.(2.14 12:00 현재)

2. 특기 사항:

-2.13. 일 다국적군의 바그다드 방공호 폭격과 관련, 주재국 SALEH 대통령은 2.13 일 모로코, 알제리, 요르단 및 시리아의 정상들과의 전화 통화에서 부인,노약자등 민간인에 대한 무차별 포격, 살상을 규탄하고 이에대해 침묵하고 있는 국제사회에 대해 깊은 실망을 표시한것으로 알려짐.끝.

(대사 류 지호-본부장)

예고:91.6.30.. 까지예고문에 의거 일반문서로 재 분류됨.

검토필(1991.6.30.)

중아국　장관　차관　1차보　2차보　청와대　안기부

PAGE 1　　　　91.02.14　21:16

외신 2과　통제관 CE

0137

관리 번호	91-768

원 본

외 무 부

종 별 : 지 급

번 호 : YMW-0140 일 시 : 91 0218 1400

수 신 : 장 관(페만본부,기정)

발 신 : 주 예멘 대사

제 목 : 걸프 사태 관련

대:WMEM-0010

1. 교민안전에 이상없음.(2.18 12:00 현재)

2. 특기사항:

-당지 AL-THAWRA 지(2.18 일자) 주재국 SALEH 대통령이 이집트 MUBARAK 대통령과의 전화 통화에서 이집트가 아랍 형제국으로써 걸프전의 조속한 종식을 위해 다국적군에 영향력을 행사해줄것으로 요청할것으로 보도함.

-또한 주재국 SALEH 대통령은 2.17 일 이란 의회 사절단을 접견, 걸프전과 향후 역내 평화와 안전을 위한 공동 노력을 협의하고, 걸프전에서 이란이 이락을 지지하는 입장을 높이 평가한것으로 알려짐.끝.

(대사 류 지호-본부장)

예고:91.6.30. 까지 예고문에 의거 일반문서로 재 분류됨.

검토필(1991. 6.30.)

중아국 장관 차관 1차보 2차보 영교국 청와대 안기부

PAGE 1

91.02.19 01:38

외신 2과 통제관 DO

0138

정 리 보 존 문 서 목 록					
기록물종류	일반공문서철	등록번호	2012090553	등록일자	2012-09-17
분류번호	772	국가코드	XF	보존기간	영구
명 칭	걸프사태 동향 : 중동지역, 1990-91. 전6권				
생 산 과	중근동과/북미1과	생산년도	1990~1991	담당그룹	
권 차 명	V.4 오만/요르단				
내용목차	1. 오만 2. 요르단				

0001

1. 오만

0002

관리번호	90/1268

원 본

외 무 부

종 별 :

번 호 : OMW-0221 일 시 : 90 0806 1635

수 신 : 장관(중근동,정일)

발 신 : 주 오만 대사

제 목 : 이라크 쿠웨이트 침공사태 반응(자응제31호)

1. 주재국 외무부는 이라크의 쿠웨이트 침공사태 관련, 8.3 YOUSUF 주재국 외무장관 주재하에 카이로에서 개최된 GCC 임시각료회의가 채택한 성명문을 회람으로 당지 외교단에 송부해온바, 동요지를 아래 보고함(아랍어 원문 파편송부함)

이라크의 침공으로 야기된 심각한 사태를 GCC, 아랍연맹및 UN 회원국의 주권과 독립에 대한 명백한(BLATANT)침해로 간주함.

동일한 아랍국가로서의 형제관계를 무시하면서 침공한 금번 침공을 강력히 불허하고 깊은 유감을 표함.

이라크의 쿠웨이트 주권침해를 비난함과 동시 이라크군의 8.1 이전 위치로 무조건 즉각 철수를 촉구함.

아랍연맹 모든 회원국들에게 이라크의 침공을 종식시키고 쿠웨이트의 주권과 동지역 평화를 회복하기 위해 통일된 행동을 취할것을 촉구함.

2. 한편, 금번사태 관련, 주재국정부와 언론에서는 단순한 외신인용 사실보도이외에 별도의 공식반응은 일체 없었음. 끝

(대사 강종원-국장)

예고:1990.12.31. 일반

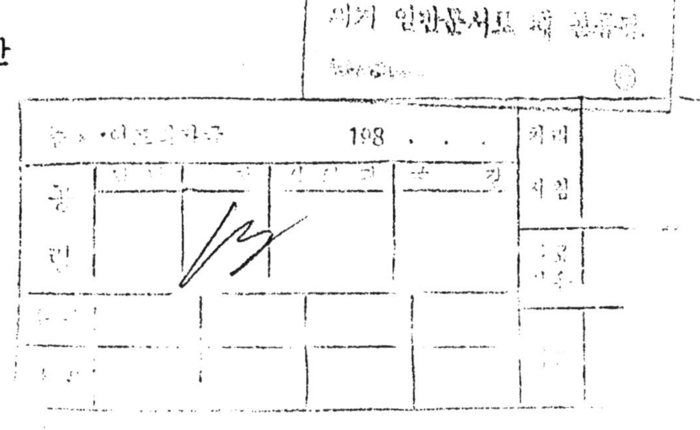

중아국 장관 차관 1차보 2차보 정문국 청와대 안기부

PAGE 1

90.08.07 00:07

외신 2과 통제관 CW

0003

관리 번호	90/1317

원 본

외 무 부

종 별 :

번 호 : OMW-0222　　　　일 시 : 90 0807 1330

수 신 : 장관(중근동,정일)

발 신 : 주 오만 대사

제 목 : 쿠웨이트 사태관련 동정(자응32호)

1. 주재국 카부스 국왕은 8.6 주재국을 방문한 이라크 ALI HASSAN MAJEED 지방성 장관으로부터 SADDAM HUSSAIN 이라크 대통령의 친서를 접수한바, SADDAM 대통령은 동친서를 통해 자국 입장을 설명하고 이해를 구한것으로 보도됨.

2. 한편, 카부스 국왕도 쿠웨이트 사태에 대해 심각한 우려를 가지고 쿠웨이트국왕, 사우디국왕 및 이집트 대통령등과 밀접히 접촉중이며, 현 쿠웨이트 사태가 원상태로 회복되도록 노력중인것으로 알려짐.

3. 또한, 카부스국왕은 8.6 주재국을 방문한 VELAYATI 이란외상을 접견한 바, 동외상은 RAF SANGANI 대통령의 멧세지를 전하고 쿠웨이트 사태문제를 협의한 것으로 관측됨. 끝

(대사 강종원-국장)

예고:90.12.31. 일반

중아국　장관　차관　1차보　2차보　정문국　청와대　안기부

PAGE 1　　　　90.08.07　20:03

외신 2과　통제관 DO

0004

원 본

외 무 부

종 별 :

번 호 : OMW-0224 일 시 : 90 0808 1810

수 신 : 장관(중근동,정일)

발 신 : 주 오만대사

제 목 : 쿠웨이트 사태 관련 주재국 동정 (자응 제 33호)

1. 주재국 외무부 SAID HAITHAM BIN TAREQ AI SAID 정무차관은 8.7 쿠웨이트 사태로 각국에 표류중인 쿠웨이트인을 주재국 정부가 QUEST 로 수용하기 위해 자국및 쿠웨이트 재외 공관과 협조하고 있음을 밝힘.

2. 동차관은 이미 40명의 쿠웨이트인이 화란및 케나로부터 도착했으며 앞으로도주로 유럽으로 부터 속속 도착할 것으로 전망하고 이들을 모두 정부 부담으로 수용할 것이라고 말함. 끝

(대사 강종원-국장)

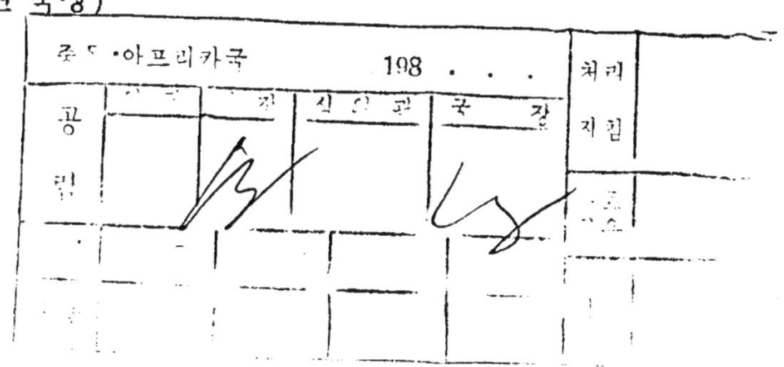

중아국 1차보 정문국 안기부

PAGE 1

90.08.09 04:44 DA

외신 1과 통제관

0005

관리번호	90/2069

원 본

외 무 부

종 별 :

번 호 : OMW-0226 일 시 : 90 0811 1600

수 신 : 장관(중근동,정일)

발 신 : 주 오만 대사

제 목 : 걸프사태 관련 동정(자응제34호)

1. 카부스국왕은 작 8.10 SALALAH 에서 주재국을 방문한 PAUL WOLFTUS 미국방차관을 접견하고 금번 걸프사태 관련 미.오만간 긴밀한 군사적 협력방안문제를협의한것으로 알려짐.

2. 주재국과 미국간에는 미군의 주재국내 군기지 사용협정은 없으나, 평상시에 미국측이 주재국 군기지등에 인도적인 목적으로 사용되는 의약품등을 비축하는등 비군사적 협력이 이루어져 왔으며, 실제 이, 이전시에는 미국 전함들의 주재국 입항이나 항공기의 주재국의 기지내 이.착륙이 허용되어 왔음.

3. 한편 영국의 "대처"수상도 금번사태 관련 카부스 국왕에게 8.10. 친서 송부등을 통해 상호 긴밀한 협력을 하고 있다고 보도됨. 끝

(대사 강종원-국장)

예고:90.12.31. 까지

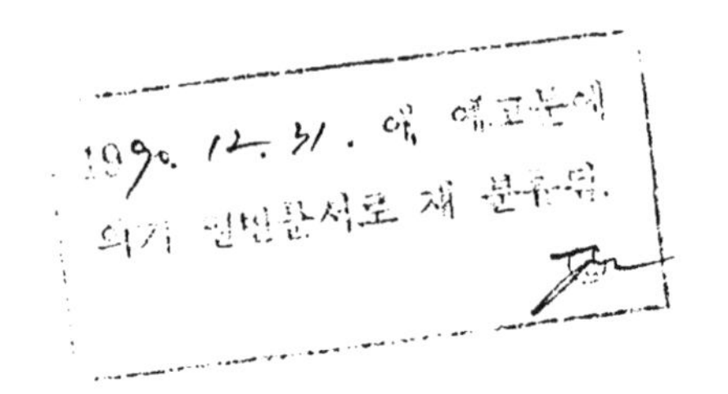

중아국 장관 차관 1차보 2차보 정문국 청와대 안기부

PAGE 1

90.08.12 01:28

외신 2과 통제관 CW

0006

관리번호	90/1363

외 무 부

원 본

종 별 :

번 호 : OMW-0229　　　　일 시 : 90 0812 1415

수 신 : 장관(중근동,정일)

발 신 : 주 오만 대사

제 목 : 쿠웨이트 사태 관련 주재국 입장(자응제37호)

연:OMW-0221

1. 주재국 FAHR 안보.국방담당 부수상은 카이로 아랍긴급정상회담에 카부스국왕을 대신 참석후 8.12 귀국한바 동부수상은 동회의에서 이라크의 쿠웨이트 점령을 종식시키고, AL SABAH 쿠웨이트 EMIR 영도하의 정통정부를 회복시키기를 촉구하였다고 밝힘.

2. 동부수상은 또한 현쿠웨이트 사태로 아랍제국의 근본 문제 즉 점령지내 유태인 정착문제와 팔레이스타인 문제가 국제적 관심과 지지를 덜받게 될것을 크게 우려하였다고 언급함. 끝

(대사 강종원-국장)

예고:90.12.31 까지

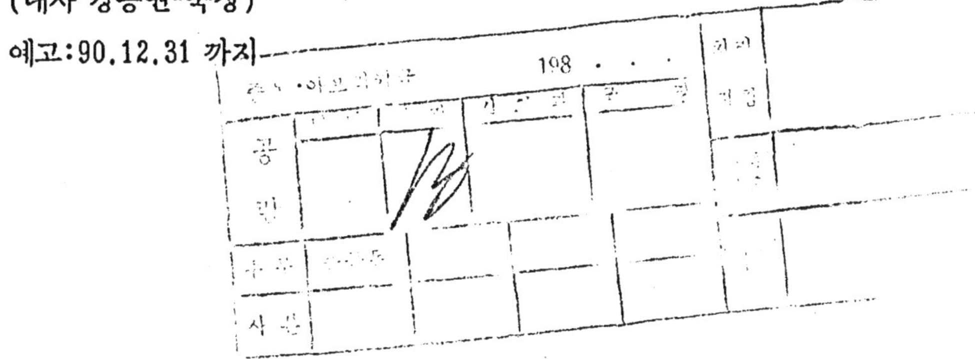

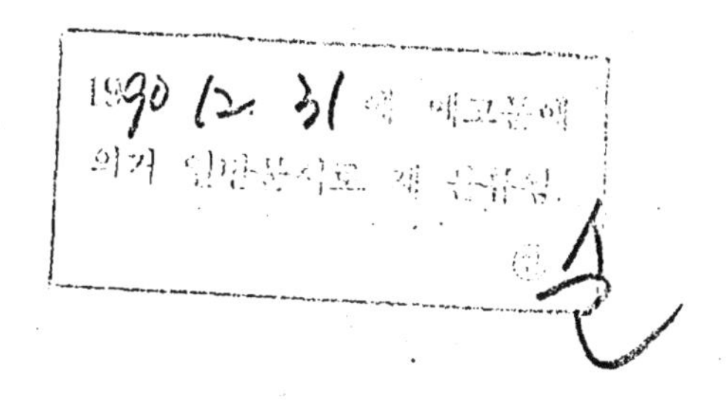

중아국	장관	차관	1차보	2차보	정문국	정와대	안기부	통상국

대책반

PAGE 1

90.08.12 20:42

외신 2과 통제관 DO

0007

관리 번호	90/2025

원 본

외 무 부

종 별 :

번 호 : OMW-0237 일 시 : 90 0815 1620

수 신 : 장관(중근동,기협,영재,정일)

발 신 : 주 오만 대사

제 목 :

연:OMW-0228

최근 걸프사태 관련 주재국 동정을 아래 보고함.

1. 주재국 FAHR 안보.국방담당 부수상이 작 8.13 일, YOUSEF 외무장관등을 대동하고 U.A.E 를 방문, ZAYEED 대통령에게 카부스국왕의 구두멧세지를 전달하고 금일 귀국함.

2. KAIFU 일본수상의 예정되었던 (8.20-21) 주재국 방문이 연기됨에 따라 일본외상이 방문할 것으로 알려짐.

3. 주재국내에서도 최근 생필품의 매점, 매석 현상과 달러화의 급매현상이야기되고 있어 주재국 상공장관 및 중앙은행 부총재가 관계자에 대한 경고와 함께 국민들이 동요치 말것을 당부함.

4. 당지 주재 외국 공관은 자국인들에게 귀국을 종용하고 있지는 않으나, 실제는 휴가를 이유로 상당수가 출국하고 있음. 일본인의 경우 7 개 상사 100 여명이 체류하였으나 현재는 60 명 정도로 감소됨. 끝

(대사 강종원-국장)

예고:90.12.31. 까지

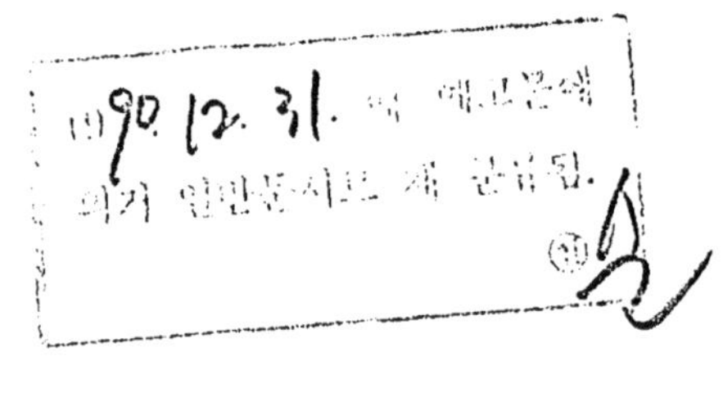

중아국 차관 1차보 2차보 경제국 정문국 영교국 청와대 안기부

PAGE 1

90.08.16 01:06

외신 2과 통제관 DH

0008

원 본

외 무 부

종 별 :

번 호 : OMW-0246 일 시 : 90 0821 1755

수 신 : 장관(중근동,아일,정일)

발 신 : 주오만대사

제 목 : 주재국 동정(자응 제 39호)

1. 나까야마 일본외상, CHENEY 미국 국방장관 및 AZIZ 예멘 외상이 작8.20. SALALAH 에서 카부스국왕을 각각 예방하고 자국 정상의 멧세지를 전달한후 동일 오후 모두출국함.

2. 주재국 언론은 동예방사실 보도이외에 구체적 협의 내용에 관해서는 일체 보도하지 않음. 다만 YUSUF 외무장관이 일본외상에게 걸프지역 긴장완화와 오만에 대한지원용의에 만족을 표명하였다고 보도함.

3. 외신보도는 YUSUF 외무장관이 일본외상에게 주재국이 이라크에 대한 국제적인 제재에 동참함을 밝히고 일본의 경제적 협력을 기대한다고 언급함으로써 최근 중동사태 이후 첫공식 반응을 보였다고 보도함.끝

(대사 강종원-국장)

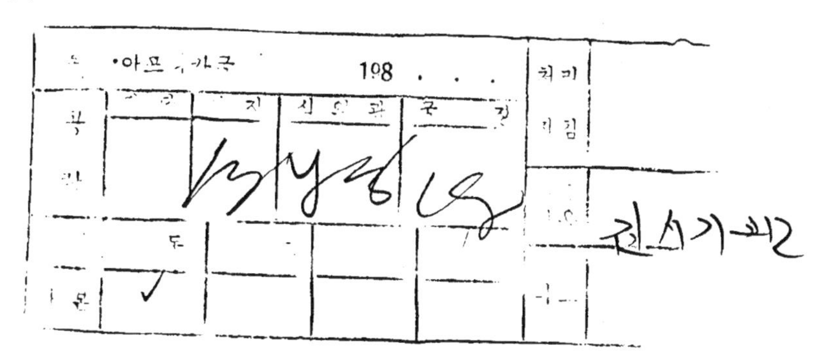

중아국 1차보 아주국 정문국 안기부 통상국 대책반

PAGE 1

90.08.22 00:28 CG

외신 1과 통제관

0009

원 본

외 무 부

종 별 :

번 호 : OMW-0250 일 시 : 90 0826 1400

수 신 : 장 관 (중근동,정일)

발 신 : 주 오만 대사

제 목 : 걸프사태관련 주재국 동정 (자응 제40호)

1. 주재국 외무부는 작 8.25. 성명을 통해 쿠웨이트주재 자국대사관을 계속 유지할것이며, 이라크의 쿠웨이트 점령에 의해 야기되는 어떠한 결과도 인정치 않을 것이라고 발표함. 이러한 주재국의 기본입장은 아랍연맹, ICO 외상회의, 유엔안보리 660, 661, 662호 및 아랍 긴급정상회의 결의안에 따른것이라고 발표함.

한편, 주재국 OBSERVER 지는 아국외무부가 유엔결의안에 따라 쿠웨이트주재 아국대사관을 필수요원으로 계속 유지할 것임을 발표하였다고 보도함.끝

(대사 강종원-국장)

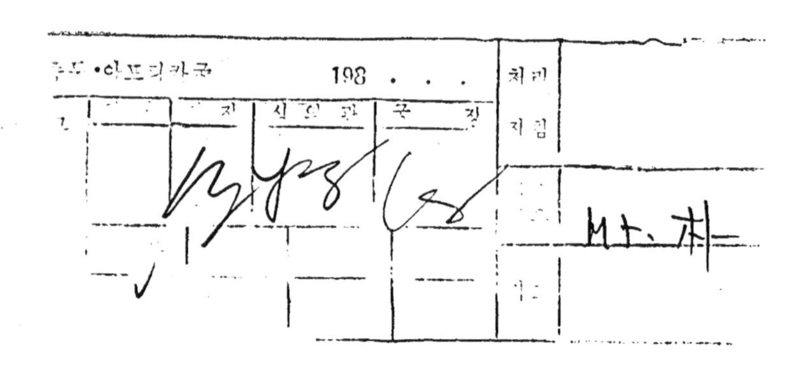

중아국 1차보 정문국 안기부 통상국 미주국 대책반 그차관

PAGE 1

90.08.26 20:22 FC

외신 1과 통제관

0010

원 본

외 무 부

종 별 :

번 호 : OMW-0252 일 시 : 90 0828 1410

수 신 : 장관(중근동,정일)

발 신 : 주 오만대사

제 목 : 걸프사태관련 주재국 동정(자응제 41호)

1. 주재국 카부스국왕은 작 8.27 SALALAH 소재왕궁에서 요르단 AL KASSIM 수상겸 외무장관, 파키스탄 YAQOUB KHAN 외무장관을 각각 접견하고 각국 정상들의 구두멧세지를 접수하였으며, 불란서의 GERARD RENON 국방담당 국무상도 접견하였다고주재국 언론이 보도함.

2. 동접견에는 SAID HAITHAN BIN TAREK 외무부 정무차관과 각국대사가 배석하였으며 접견내용에 관해서는 일체 보도하지 아니함. 끝

(대사 강종원-국장)

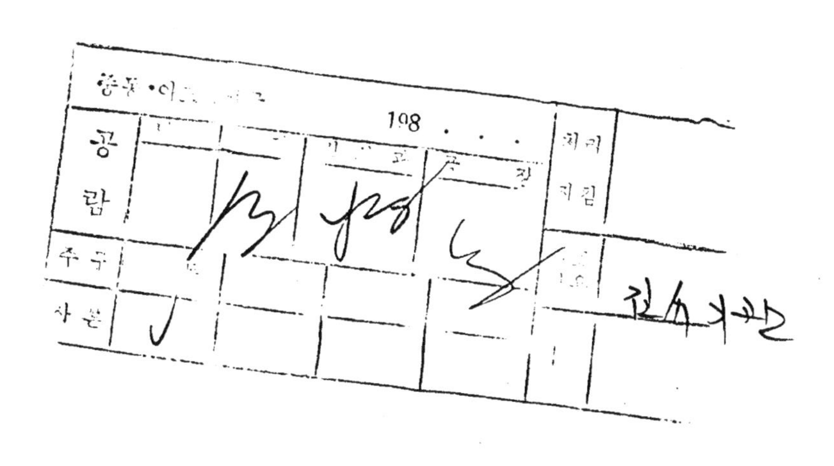

중아국 1차보 정문국 안기부 미주국 통상국 대책반 2차보

PAGE 1

90.08.28 22:46 DA

외신 1과 통제관

0011

원 본

외 무 부

종 별 :

번 호 : OMW-0253 일 시 : 90 0829 1400

수 신 : 장관(중근동,정일)

발 신 : 주오만대사

제 목 : 걸프사태관련 주재국동정(자응제42호)

1. 쿠웨이트및 이라크로부터 요르단으로 탈출한 주재국인 800명중 248명이 주재국공군기편 작8.28 귀국함.

2. 주재국 개발위 사무총장은 최근 유가상승으로 주재국 금년도 예산적자 예상액이 360만리얄에서 200만리얄로 감소될 것으로 전망, 명년에 착수될 제4차 경제개발 5개년 계획이 순조롭게 추진될 수 있을 것이라고 말함.

3. 주재국의 여행자 감소추세로 KLM 을 비롯한 다수의 항공사가 항공편을 축소 운항중인 반면, 만일의 사태를 대비한 당지 체류외국인들로부터의 항공편 예약은 쇄도하고 있는 실정임.

4. 주재국 언론은 자체의 특파원 파견 취재 보도 또는 사설및 해설 논평기사가 일체 없어 외국인및 주재국 지식층은 주로 BBC방송(중파방송으로도 청취가능)과 UAE의 TV 및 신문에 의존하고 있음.끝

(대사 강종원-국장)

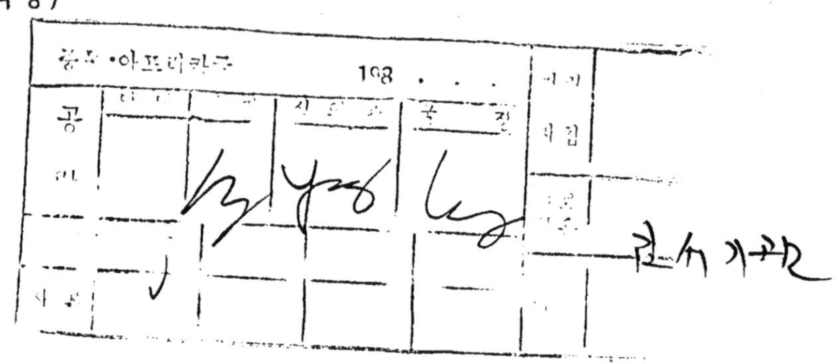

중아국 1차보 통상국 정문국 대책반 미주국 2차보 안기부

PAGE 1

90.08.29 21:38 CG

외신 1과 통제관

0012

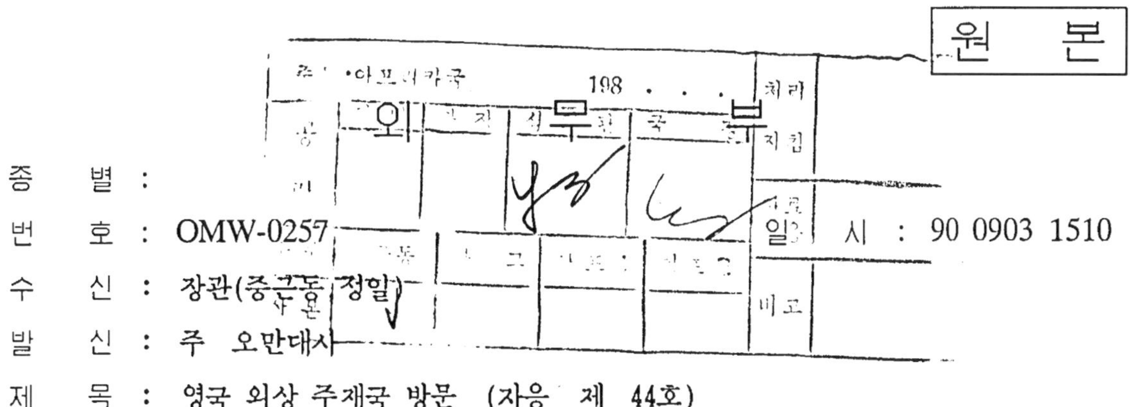

원 본

외 무 부

종 별 :

번 호 : OMW-0257 일 시 : 90 0903 1510

수 신 : 장관(중근동, 정일)

발 신 : 주 오만대사

제 목 : 영국 외상 주재국 방문 (자응 제 44호)

영국 HURD 외상이 9.2(일)주재국을 방문, 남부도시 SALALAH 에서 양국 외무장관 회담과 카부스국왕 예방을 가진후 양국외상 공동 기자회견을 가졌는바, 외상들의 언급요지는 아래와같음.

1. 영국외상:

가. 유엔 결의안에 대한 타협은 있을수 없으며 이라크의 쿠웨이트로 부터의 즉시, 무조건 철수및 쿠웨이트의 정통정부 회복과 인질석방이 실현되어야 함.

나. 유엔 사무총장과 이라크 외상간 회담의 실패는 이미 예견된 바와 같으며이제는 경제 제재조치가 크게 강화되어야 하며 동경제 제재조치가 여의치 않을 경우에는 다른 대안(OTHER OPTIONS) 들이 필요하게 될것임.

다. 유엔의 제재조치는 육해공의 모든 통상거래 제재조치를 포함하여 해상 봉쇄가 가장 실효적이나 여타조치도 선택할수 있어야 함.

2. 주재국 외상:

가. 이라크가 유엔 사무총장의 개인적 이니시아티브를 이용할 기회를 상실한것은 유감이며 8년간 전쟁을 치른 한 아랍권의 형제국가인 이라크가 다시금 전쟁에휘말리는 것을 원치않음.

나. 미.소 정상회담 개최가 합의 된것은 그자체가 이라크로 하여금 유엔 결의를 따라 쿠웨이트로 부터 무조건 즉각 철군을 하도록하는 명백한 멧세지가 됨.

끝

(대사 강종원-국장)

중아국 1차보 정문국 안기부 미주국 통상국 대책반 그차보

PAGE 1

90.09.03 22:44 DA

외신 1과 통제관

0013

원 본

외 무 부

종 별 : 지 급

번 호 : OMW-0283　　　　일 시 : 90 1009 1035

수 신 : 장관(중근동,아일,정일)

발 신 : 주 오만대사

제 목 : KAIFU 일수상 주재국 방문 (자응 제 46호)

KAIFU 일본수상이 작 10.7. 주재국을 공식방문, SALALAH 소재 왕궁에서, 카부스국왕과 정상회담을 가졌는바, 양정상은 양국관계 발전문제와 현걸프 사태의 추이및 이의 평화적 해결 노력에 관해 협의를 가졌다고 보도됨. 끝

(대사 강종원-국장)

중동·아프리카국			198 . . .		
공람	담 당	과 장	심의관	국 장	차관
수 무	중근동				
사 본					

중아국　1차보　아주국　정문국　안기부

PAGE 1　　　　90.10.09 20:21 DA

외신 1과 통제관

0014

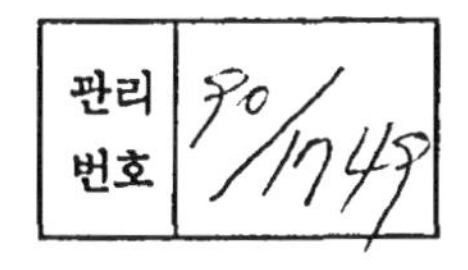

외 무 부

원 본

종 별 :

번 호 : OMW-0286　　　　　일 시 : 90 1009 1745

수 신 : 장관(중근동,아일,정일)

발 신 : 주 오만 대사

제 목 : 일본수상 주재국 방문

연:OMW-0255

연호 KAIFU 일본수상 주재국 방문관련, 당지 일본대사관 관계관과 접촉, 파악한 사항 아래 보고함.

1.KAIFU 수상은 카부스국왕과 회담시 걸프자태에 관해 중점협의를 가진바, 동수상은 이라크의 쿠웨이트철수, 쿠웨이트정통정부회복 현이라크에 억류되어 있는 외국인인질(일본인 인질은 약 142 명)의 석방등 일본의 확고한 입장을 카부스국왕에게 전하고, KAIFU 수상이 RAMANDAN 이라크 부수상과의 회담(10.4. 암만)시에도 상기 일본의 확고한 입장을 통보한 사실등 동회담 결과를 카부스국왕에게 전하였다함. 한편 KAIFU-RAMANDAN 회담은 이라크측의 요청에 따라 이루어진것이며 이를 회담전 GCC 국가들로 부터 양해를 구한바 있다함.

2. 한편, 카부스국왕은 이라크의 쿠웨이트침공은 결코 용인되어서는 안될것이며 동사태의 해결위해 일본이 적극적인 노력을 하여줄것을 요청하였다함.

3. 연호(OMW-0255)대주재국 경제원조 관련, 금번 정상회담시에 언급은 없었으나, 현재 일본이 다국적군 경비지원 20 억불, 이집트등 전선국가에 대한 재정원조 20 억불이 우선시급함을 고려하여 주재국이 요청한 경제원조 5 억불및 기술원조 1500 만불 지원에 대해서는 COMMIT 를 하고 있지 않다함.

4.KAIFU 수상은 1992 년중 카부스국왕의 방일을 초청하였음. 끝

(대사 강종원-국장)

예고:90.12.31. 일반

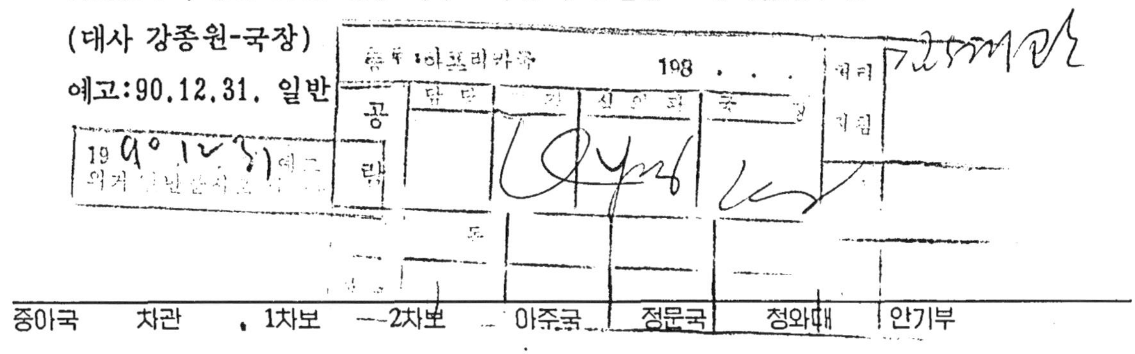

중아국　차관　1차보　2차보　아주국　정문국　청와대　안기부

PAGE 1

90.10.10　07:39

외신 2과　통제관 BW

0015

원 본

외 무 부

종 별 :

번 호 : OMW-0285 일 시 : 90 1009 1930

수 신 : 장 관 (중근동,아일,정일)

발 신 : 주 오만 대사

제 목 : KAIFU 일본수상 주재국 방문(자응 제47호)

연: OMW-0283

KAIFU 일본수상은 작 10.8.2일간의 주재국 공식방문을 마치고 귀국한바, 동수상방문관련 언론의 주요 보도내용 아래와 같음.

1. 걸프사태 관련, KAIFU 수상은 이라크의 쿠웨이트점령을 불용(UNACCEPTABLE)하고 동사태가 UN 안보리 결의안 범주내에서 평화적으로 해결되어야 하며 이라크의 철수 및 쿠웨이트 정통정부의 회복을 주장함.

2. 일본은 걸프지역에 군대를 파견할 의도는 없으나, 동사태의 평화적 해결을 위해 40억불의 경제원조및 여타지원 계획을 재천명함.

3. 또한 걸프사태 해결을 위한 기여 방안으로 평화봉사단 지원을 위해 일본 해,공군의 수송수단이 동원될수 있을 것인바, 이를 위한 법안을 임시국회에 상정할 예정이며, 또한 동 평화봉사단의 수는 2,000명정도가 될 것이라고 밝힘.

4. 한편, 동수상은 카부스국왕의 방일을 초청한바, 동국왕은 이를 수락하였으며세부일정은 추후 결정키로함.끝

(대사 강종원-국장)

중동·아프리카국	198 . . .				처리지침
공람	담당	과장	심의관	국장	
공무	중근동				비고

중아국 1차보 아주국 정문국 안기부

PAGE 1

90.10.10 07:09 FC

외신 1과 통제관

0016

관리번호	90/2130

원 본

외 무 부

종 별 :

번 호 : OMW-0326　　　　일 시 : 90 1216 1040

수 신 : 장관(중근동)

발 신 : 주 오만 대사

제 목 : 알제리 대통령 방오

1. CHADLI BENJEDID 알제리 대통령이 12.14 주재국을 방문, 카부스국왕과 회담후 금 12.15 오후 2 시 다마스카스로 향발함.

2. 금번 양국정상회담에서는 걸프사태의 해결을 아랍인의 단결속에 전쟁을 회피하고 사우디국왕과 이락대통령의 직접대담을 포함한 아랍인들의 노력으로 평화적인 해결책을 모색함이 바람직하다는데 의견의 일치를 본것으로 알려짐.

3. 동 알제리 대통령은 이를 위해 사우디 방문을 희망하고 있으나 상금 사우디측으로부터 접수의사 통보를 받지 못하고 있는것으로 알려진바, 공항환송행사 도중 당지주재 사우디 대사가 본국과의 긴급전화를 위해 행사장을 떠난것으로미루어 모종의 협의가 진행중인것으로 관측되었음. 끝

(대사 강종원-국장)

예고:90.12.31. 일반

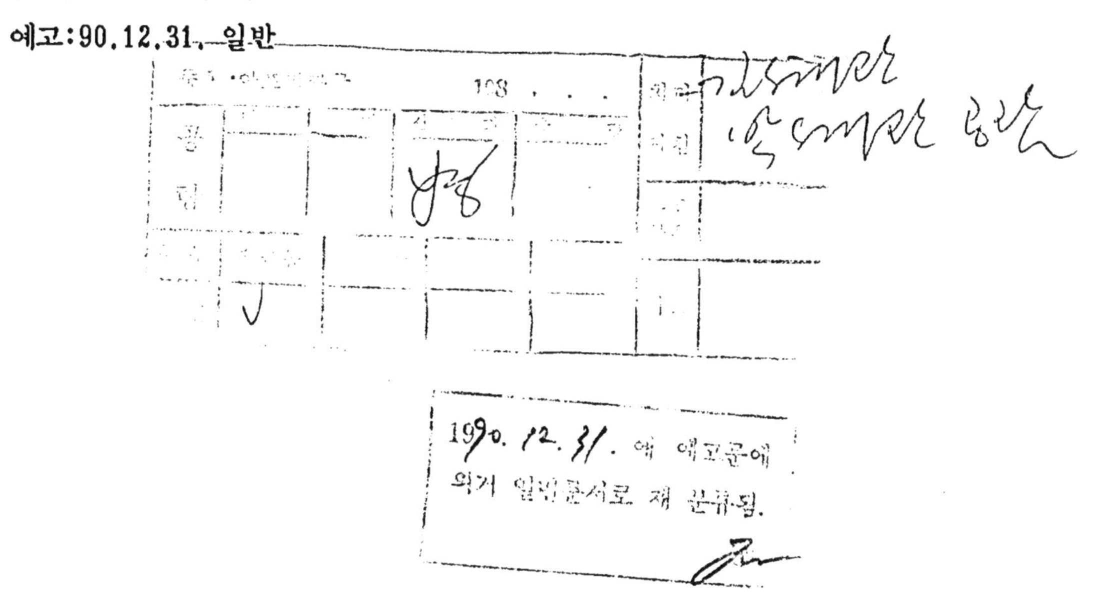

1990. 12. 31. 에 예고문에 의거 일반문서로 재 분류됨.

중아국　차관　1차보　2차보

PAGE 1

90.12.16　16:25

외신 2과　통제관 FF

0017

외 무 부

종 별 :

번 호 : OMW-0009 일 시 : 90 0114 1420

수 신 : 장 관(기협,중근동)

발 신 : 주오만대사

제 목 : 오만석유 생산동향(자응제91-1)

1.주재국 AL SHANFARI 석유광물부장관은 금1,14.주재국의 90년도 석유생산량의 89년도 대비 5만 BPD 증량된 70만 BPD 에 드달하였으며,동수준은 향후 20년간 지속될수있을 것이라고 전망함.

2,한편, 현재까지는 육지에서만 탐사,개발이 이루어져왔으나,향후 해저 유전도 개발할 계획으로 호주계 BHP 사가 유일하게 탐사를 진행중이라고밝힘.

3.또한 90년도에 남부 WADI HAKA 지역등 10여개지역에서 새로운 유전층이 발견되었으며,가스매장량은 12조 입방피트로 추정된다고 밝힘.

4.현주재국내 석유개발 참가업체 현황은 아래와같음.

0 기존생산회사:4개

- PETROLEUM DEVELOPMENT OMAN(정부지분 60 ,SHELL지분 40):65 BPD 생산
- OCCIDENTAL OMAN(미국계):3만 BPD
-ELF AQUITANCE(불란서계):1만 BPD
-JAPAX OMAN (일본계):1만 BPD

0 신규참여 탐사 진행중 회사

- AMOC OMAN(미국계)
- WINTERSHELL(독일계)
- CONQUEST(미국계)
- IPC-IPL(미국계)
- BHP(호주계). 끝

(대사 강종원-국장)

경제국 2차보 중아국

PAGE 1 91.01.14 23:10 DP

외신 1과 통제관

0018

김

세계,

외 무 부

종 별 :

번 호 : OMW-0021 일 시 : 90 0121 1210

수 신 : 장관(중근동, 대책본부)

발 신 : 주 오만대사

제 목 : 민항기 운항 상황 보고

1.1,21.(월) 주재국 교통부 항만및 민항담당 차관은 GULFAIR 를 증편, 런던, 카라치, 방콕, 홍콩, 봄베이, 뉴델리, 콜롬보및 다카를 명 1,22(화)부터 운항토록 할것이라고 말함.

2.한편, BRITISH AIRWAYS 는 오만및 UAE 에서 런던왕복 주 4편을 운항 재개할것이라고 발표함.

끝

(대사 강종원-국장)

중아국	장관	차관	1차보	2차보	미주국	정문국	청와대	총리실
안기부	대책반							

상황실

PAGE 1 91.01.21 18:57 DA

외신 1과 통제관

0019

2. 요르단

0020

원 본

외 무 부

종 별 :

번 호 : JOW-0241 일 시 : 90 0803 1830

수 신 : 장 관(마그,중근동,정일)

발 신 : 주 요르단 대사

제 목 : 이락.쿠웨이트 사태에 관한 주재국 반응

1.주재국의 후세인 국왕은 동사태 발생 및 인근 중동제국의 동향에 깊은 관심을 표명하면서 동문제는 아랍권내의 위기문제로 보고 내부적으로 처리할 필요가 있으며 국제적 인개입이나 간섭은 배제되어야 한다고 강조함

2.동사태 발생에 따라 후세인 국왕은 이락의사담 후세인 대통령을 비롯하여 이집트, 사우디, 예멘국가 원수들과 긴급협의를 가졌으며, 이집트 대통령과는 알렉산드리아에서 긴급회담을 갖고 8.2 밤 귀국함

3.주재국 언론은 동사태 발생으로 요르단에 미치는 지대한 정치적, 경제적 충격과 함께 쿠웨이트의 대주재국 재정지원 잔액 135백만불 및 이락의 50백만불 공여 불실현 가능성에 따른 주재국의 경제에 끼칠 영향을 우려하면서 주재국의 국익을 위해 모두가 현명히 대처할것을 권유함. 또한 동사태가 조기에 원만히 핵무기를 희망하면서, 그 동안 쿠웨이트, 카타르, UAE 등 군소아랍부국이사치와 영화를 누리면서도 빈곤과 기아에 허덕이는 다수의 아랍빈국에 대해 '형제애'를 보이지 못한점을 비판하면서 이락의 입장을 이해하는 성향을 보이고, 미국.이스라엘 및 NATO 의 이락군무조건 철군요청에 대해 거부 반응을 표시함

4.주재국의 일반시민들은 금번사태 발생에 대해 큰충격과 놀라움을 나타내면서 국가로서의 쿠웨이트의 존망여부와 아랍권의 재개편 문제에 깊은 관심을 나타냄. WEST BANK 와 GAZA지구의 팔레스타인 지도자들은 30여만명의 팔레스타인 노동자들이 쿠웨이트에 체류하고 있는 관계로 깊은 우려를 나타내면서, 무력은 아랍적대국에만 사용되어야 하므로 이락의 무력침공은 잘못된 것으로 보고있음

5.주재국의 화폐시장에서는 쿠웨이트 DINAR 의환전이 임시로 정지되고 있으며,ㅇ 화폐는 대주재국 환율 17 가 인상, 강세를 보이고 있음

6.시리아의 ASSAD 대통령은 금번사태 처리를 위한 긴급 아랍 정상회담 개최를 요구

중아국	1차보	중아국	미주국	정문국	안기부	처리지침	
PAGE 1		공람	담당	과장	심의관	국장	자료활용	90.08.04 08:12 WG 외신 1과 통제관
							비고	0021

하고, 시리아전군에 대해 초비상 경계령을 하달함

7.이스라엘의 ARENS 국방장관은 금번사태를 일종의 자국에 대한 일강히 무력시위 내지위협으로 보고 이에 만반의 준비를 갖추고 있지만 이락의 공격이 없으면 자국의 선제공격은 없을것이라고 말함

(대사 박태진-국장)

PAGE 2

0022

원 본

외 무 부

종 별 :

번 호 : JOW-0242　　　　　　일 시 : 90 0804 1500

수 신 : 장 관(마그,중근동,정일,기정)

발 신 : 주 요르단 대사

제 목 : 이락.쿠웨이트 사태

연: JOW-0241,0240

1. 주재국 후세인 국왕은 8.3 급거 이락을 방문, SADDAM HUSSEIN 대통령과 회담하고 귀국한 자리에서 금번사태의 아랍권내 해결을 위해 8.5 사우디 젯다에서 '소정상회담'이 개최될 예정이라고 밝히면서 아랍권 외의 어떠한 개입이 있을시는 문제를 보다 악화시키게 될것이라고 경고함

2. 동 '소정상회담' 에는 후세인 국왕을 비롯하여 무바락 이집트 대통령, FAHD 사우디 국왕 또는 JABER 쿠웨이트 국왕이 참석할 것으로 되어 있었으나, 후세인요르단 국왕의 이락방문후 JABER 쿠웨이트 국왕의 참석여부는 불부명해지고 대신사담 후세인 이락대통령이 참석할 가능성이 높은것으로 알려지고 있음. 사우디 고위관리 및 쿠웨이트 관방장관은 사우디에 체류중인 JABER 쿠웨이트 국왕이 동회담에참석하고 후세인 이락 대통령과도 회담할 가능성이 높다고 언급하고 있으나, 이락측은 JABER 국왕의 축출을 기정 사실화 하고있어 제 3국의 특별한 사전조정을 통한양보가 없는한 양자간 회담 가능성은 희박한 것으로 보고있음

3. 8.3 카이로에서 개최된 아랍 외상회의에서 요르단 정부는 다수 국가가 주장하고 있는 대이락 비난 성명문 채택에 관해 '소정상 회담' 에서 국가 원수들간에처리 할수있도록 동성명문 채택 유보를 강력히 요청했으나, 시리아를 비롯, 이락과 같은 ACC 회원국인 이집트, GCC제국등 14개국은 이락의 대쿠웨이트 침공을 강력히 비난하면서 이락군의 무조건 즉각 철군을 요청하는 비난성명을 발표함. 동비난성명문 발표에 대해 요르단과 함께 유보입장을 취한 국가는 수단, 예멘, 모리타니아 및 PLO 등 5개국임

4.이락측은 이락과 쿠웨이트 안보를 위협하는 사태가 발생하지 않는한 철군기간및 규모에 대해서는 언급치 않고 8.5부터 철군을 개시할것이라고 밝혔으나 '소정상회담'

중아국 차관 1차보 2차보 중아국 정문국 안기부 정와대

PAGE 1　　　　　　90.08.05 08:46 DA

외신 1과 통제관

0023

결과 및 국제여론등 사태추이에 따라 철군 자체도 유동적인 것으로 보고있음

5.금 8.4 현재까지 쿠웨이트 영공에 대한 일반기의 통과금지 및 공항 폐쇄로 주3 회씩 운행되던 요르단-쿠웨이트간 항공로도 운행이 잠정 정지되고 있으며, 전화,전신등 통신도 쿠웨이트측 사정으로 소통이 거의 두절되고 있음

6. 8.5 부터 다마스커스에서 개최 예정이던 요르단.시리아 고위 합동회의가 금번 사태로 무기 연기됨

(대사 박태진-국장)

PAGE 2

0024

원 본

외 무 부

종 별 :

번 호 : JOW-0245　　　　일 시 : 90 0805 1520

수 신 : 장 관(마그,중근동,정일,기정)

발 신 : 주 요르단 대사

제 목 : 이락, 쿠웨이트 사태

연: JOW-0242

1.8.4 주재국 후세인 국왕은 이락의 쿠웨이트접수를 비난한 ARAB LEAGUE 의 결정은 시기상조였으며, 동비난 성명으로 8.5 젯다에서 있을 예정이던 '소정상회담'을 무산시켰다고 강하게 불만을 표시함. 또한 ARAB LEAGUE 의 결정이 이.쿠 분쟁의 포괄적인 해결을 위한 아랍권의 노력에 불리한 영향을 끼쳤다는 생각에는 변함 없지만 상호주의적인 원칙하에서 아랍권내 문제로서의 동분쟁해결을 위한 노력을 계속할것이라고강조함

2.동국왕은 이락에 의한 쿠웨이트의 접수는 매우 슬픈일이며, 금번 사태가 갑자기 발생한것은 아니며, 양국정부간 분쟁에는 여러가지 배경하에 지난 5월 아랍정상회담시에도 이미 불길한 징조가 보였고 종국적으로 이번에 여사한 불행한 사태가 발생하게 된것이라고 언급하면서, 원만한 해결을 위해서는 외부 세계로부터의 어떠한 시도가 없어야 한다고 재강조함

3.주재국 하원은 ARAR 의장을 통해 금번 이.쿠사태 해결을 위한 후세인 국왕의입장과 노력을지지하고, 또한 모든 외국정부에 대해 어떠한 개입도 자제해 줄것을 요 구하면서, 조만간 ARABLEAGUE 와 기타 아랍지구의 FRAMEWORK 내에서 동문제가 해결되기를 희망한다는 성명을 발표함

4.점령지의 팔레스타인들은 팔레스타인의 대이스라엘 투쟁지원에 미온적인 태도를 보였던 쿠웨이트에 대한 불만 표시와 함께 쿠웨이트접수를 통해 이스라엘에 대해 위협적인 조치를 취한 이락을 환호함. 팔레스타인 한 지도자는 친미적이며 대이스라엘투쟁을 위한 재정지원에 비협조적인 여타 GULF 토후국들도 이락이 점령할것을 주장하면서, 금번 이락의 쿠웨이트접수로 현지 팔레스타인 노동자의 수입이 감소케는 되었으나 대 이스라엘 투쟁은 보다 강화할수 있게되었다고 말함

중아국　1차보　중아국　정문국　안기부

PAGE 1　　　　90.08.05 22:31 DN

외신 1과 통제관

0025

5.아랍권내에서 이락과 오랜 숙원관계에있는 시리아 정부는 외무부 성명을 통해,금번 이락의 대쿠웨이트 침공을 강력히 비난하면서 이락군이 쿠웨이트 영토로부터 무조건 즉각 철수하고 망명중인 쿠웨이트 정부의 귀환을 요청함

6.이스라엘의 ARENS 국방장관은 이락군이 요르단으로 진주할 경우, 이락에 대해대응조치를 취할것이라고 경고함

(대사 박태진-국장)

PAGE 2

0026

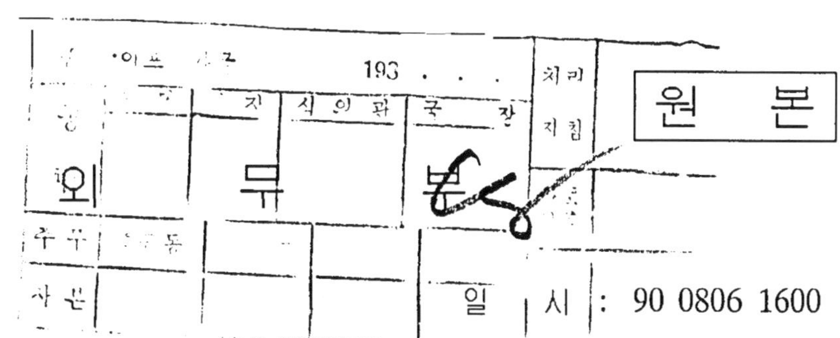

종 별 :

번 호 : JOW-0246 일 시 : 90 0806 1600

수 신 : 장 관(마그,중근동,정일,기정)

발 신 : 주 요르단 대사

제 목 : 이락.쿠웨이트 사태

연: JOW-0245

1.8.: 주재국의 후세인 국왕은 미국 TV 와의 회견을 통해 표제 사태와 관련, 요지 다음과 같이 발언함

가.사담 후세인 이락대통령이 자신에게 사우디를 침공치 않을 것이라고 말함

나.이락의 쿠웨이트 접수로 개시된 GULF 위기가 이락의 위협으로 보다 심화될수있을것임을 경고함

다.중동문제에 대한 어떠한 외세의 개입은 격렬한 반향을 일으킬수 있을것이며,금번사태는 아랍의 FRAMEWORK 내에서 해결되어야 함

라.이락은 약속한대로 이미 철군을 개시했음

마.ARAB LEAGUE 의 대이락 비난 결의안 불참과 관련, 요르단은 무력에 의한 영토의 점령은 반대이나 일방의 결의안에 동조할경우 원만한 중재역을 할수없기 때문이었음.

2.주재국 BADRAN 수상은 기자회견을 통해 금번사태와 관련 요지 다음과 같이 주재국 입장을 천명함

가.금번 이락군의 철군 개시는 요르단의 노력이 주효하였음

나.분쟁 해결의 중재역으로서의 신임을 유지하기위해 새로이 구성된 쿠웨이트 임시정부를 승인하지않을것임

다.요르단은 중동지역에의 외부 개입을 용납치않을것임

라.요르단은 이스라엘의 대주재국 공격 또는 대이락 침공을 위한 ' EASY PASSAGE' 가 되지않기 위해 가능한 모든 경계테세를 강화할것임

마.사우디의 FAHD 국왕및 미부시 대통령이 후세인 국왕에게 이락군의 철군중재를 요청한바있음

3.후세인 국왕은 금번사태 중재를 위한 노력의 일환으로 ASSAD 시리아

중아국 1차보 중아국 정문국 안기부 2차보

PAGE 1

90.08.07 21:12 DP

외신 1과 통제관

0027

대통령과카타르 KHALIFA 국가원수와 접촉함

4.주재국 정부는 요르단에 일시 체류중인 쿠웨이트인들에 대한 환전을 허용하되종전의 요르단 DINAR 대 쿠웨이트 DINAR 의 환전비율 1:0.44 를 1:1로 허용하고 있음

5.금번 사태로 연기되었던 양국수상을 대표로한 요르단.시리아 고위 합동회의가 8.6 다마스커스에서 개막됨. 동회의에는 주재국의 QASEM 외상상공장관,관광장관,수자원개발장관,교통.체신장관,동자부장관,농업장관,중앙은행총재등이 참석함

(대사 박태진-국장)

원 본

외 무 부

종 별 :

번 호 : JOW-0267 일 시 : 90 0813 1630

수 신 : 장 관(중근동,마그,기정)

발 신 : 주 요르단대사

제 목 : 이라크.쿠웨이트사태

1. 8.12 주재국의 후세인 국왕은 상,하원들과의회의에서 표제사태와 관련,다음과 같이 자신의입장등을 피력함

가.현시국은 매우 ' CRITICAL' 한 단계에접어들었는바, 국민들은 조국과 국민보호및총체적 단합을 위한 노력을 최대한 경주해야할것임

나.비상시국으로 돌입함에 따라 민방위 훈련소개소및 군사훈련 개소를 위한 적절한 조치를취할것임

다.현재 폭발적인 상황이 중동전지역을위협하고 있으며, 이는 외국 군대의 아랍영토내대거 진입에 연유한 것임

라.급변하는 국제정세 변화는 금번사태에 관한모든 아랍의 노력을 수포를 돌아가게 하였고,아랍국가로 하여금 국경문제로 남지 못하게하였으며 적절한 해결방안 수립을 저지케 하였음

마.요르단은 국제법 및 관행준수를선언하지만,유엔이 이스라엘의 팔레스타인,시리아및 레바논 영토점령에 대해 금번과 유사한반응을 나타내지 못한 이유를 묻고자함

바.아랍국가들은 자신의 잠재력 및 자원을통합하여 보다 고차원적인 국가이익을수호해야함

사.요르단 국민들은 요르단에 살고있는 외국인을존중하고, 이미 잘알려져있는 요르단인의 친절과관용을 그들에게 계속 보여줘야할것임

2. 8.12 아랍민족주의자 및 극렬 회교주의자들주도하의 약 15천명의 주재국인들은 MAFRAG YQKTUGTKUVEL SADDAM HUSSEIN 대통령의 정책을 지지하고미국주도의 서방군대의 사우디 주둔을 비난하는시위를 전개함

3.당지 미국대사관은 항간의 비필수 미대사관요원의 철수설과 관련,이를

중아국 ② 안기부 정문국 대책반 1차보 2차보 장관

PAGE 1

90.08.14 00:42 CT

외신 1과 통제관

0029

부인하면서대사관내 일부 미국 고용원의 귀국은 그들자신의 결정에 따라 귀국하고 있음을인정함,

(대사 박태진-국장)

PAGE 2

0030

원 본

외 무 부

종 별 :

번 호 : JOW-0278　　　　일 시 : 90 0815 1700

수 신 : 장 관(중근동,마그,정일,기정)

발 신 : 주 요르단 대사

제 목 : 이락.쿠웨이트 사태관련 주재국 정세

1.주재국은 표제 사태 발발후 그간 평시에도 긴밀한 우호동맹 관계를 유지하고 있던 이락크를 지지하는 입장을 취해 이락크의 쿠웨이트 침공규탄에 참여하지 않았으나국제여론을 의식,중재역을 내세워 쿠에이트 임시정부 승인만은 거부하는등 미묘한 입장을 취하여 국제사회로 부터 오해도 받으며 결과적으로 고립될 처지에 처해있어 후세인 국왕은 나름대로 동사태해결을 위해 계속 노력하고 있으나 해결의 기미가 보이지 않고있었음

2.그러나 후세인 국왕은 교착상태에 있는 금번사태 해결을 위해 8.13 SADDAM HUSSEIN 이락대통령과 극비회담을 갖고 8.14 부시 대통령과의 회담을 위해 미국으로 향발하였음. 후세인국왕은 이락 대통령의 미대통령앞 친서를 지참한것으로 알려지고 있어 후세인 국왕의 중재결과가 주목되고 있는바,후세인 국왕의 요청에 의해 이루어지는금번 회담을 통해 유일한 이락 배후 지원국으로 알려지고 있는 미묘한 요르단의 입장을 미측에 설명함과 동시에 이락의 곤경을 해소시키기 위한 대미교섭 노력을 보여줌으로써 이락측에 대해서도 요르단의 고충을 인식시켜 사담 후세인의 비위를 건드리지않겠다는 것과 연일 친이락시위를 벌이고있는 주재국 국민들을 선무코자하는 배려가 깔려있는 것으로 보임

3.요르단은 이락,이스라엘,사우디,시리아,이집트등 중동의 강대국들로 포위되어있는 비산유 중동빈국으로서 일종의 실향민인 팔레스타인인이 주재국 인구의 과반수를 차지하고있고 사우디,쿠웨이트등 GCC 국가 및 이락등으로부터 매년 석유를 포함한 막대한 재정지원을 받고있으며 한편 주재국은 경제지원은 물론 WEST BANK 실지 회복을 위해서도 중동의 최대 군사강국인 이락의 비위를 거슬릴수도 없는실정임. 또한최대 재정지원국인 사우디가주재국의 친이락적 자세에 불만을 갖고 대요르단 경원재고 및 요르단인의 사우디 출국제한등 조치를 취할것을 검토하고 있어

중이국　정문국　안기부

PAGE 1　　　　90.08.16 00:37 DY

외신 1과 통제관

0031

요르단으로서도 심히어려운 처지에 있게됨

4.또한 주재국은 이락 인근의 유일한 지원국으로서 요르단 AQABA 항이 이락의 보급항으로 알려져 있어 미국측도 대이락 경제제재의 일환으로 이의 봉쇄를 검토하고있어 더욱 불안이 가중될것으로 보고있음. 이의 여파로 최근 생필품 품귀현상 및 외환암시장 형성이 이루어지고 있음

5.이와같은 주재국의 사회적 불안 및 신변안전을 고려,당지주재 외국상사 및 일부 서방공관원 고용원들은 일부 철수하고있으며 , 8.16로 예정된 부시.후세인 회담이실패하고 사태가 장기화 될때에는 당지도 안전지대가 될수없는것으로 전망되고있음

(대사 박태진-국장)

PAGE 2

0032

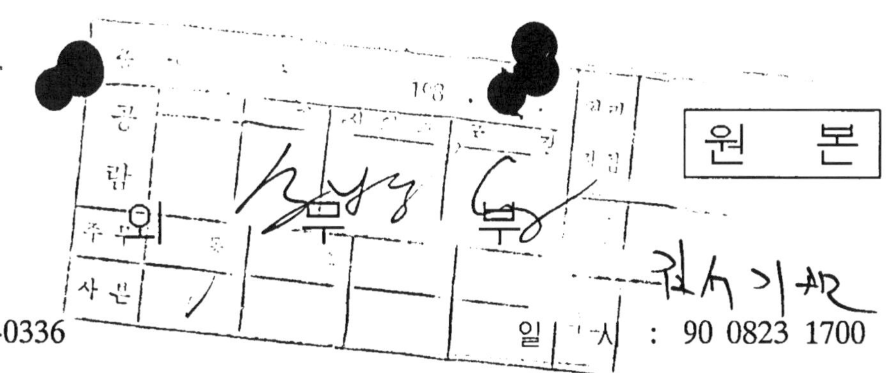

원 본

종 별 :

번 호 : JOW-0336 일 시 : 90 0823 1700

수 신 : 장 관(중근동,마그,정일,기정)

발 신 : 주 요르단 대사

제 목 : 주재국 국왕 기자회견내용 보고

후세인 주재국 국왕은 8.22 왕궁에서 가진 기자회견에서 최근 걸프위기에 관하여요지 아래와같이 자신의 견해를 피력하였음

1.걸프위기에 대한 외교적 해결여지는 아직도 남아있다고 생가하며, 자신은 8.23부터 아랍제국을 순방하여 동위기가 아랍권내의 문제로서 억제될수있도록 노력하고자함

2.현시점에서 자신의 주요목표는 동위기의 확대를 막고 위기축소의 과정이 시작되도록 하는데 있음. 지난 8.16 자신이 부시 미대통령과의 회담시 제시한것도 상기 목표였으며, 당시 자신은 어느누구의 메시지도 휴대하지 않았음. 동회담은 건설적이었다고 생각함

3.걸프 위기에 대한 요르단 국민들의 생각과 정부의 공식적인 정책간에 불일치가 존재하고 있다는 외국 언론의 보도와는 달리, 요르단은 국민과 정부의 생각과 느낌이 과거 어느때보다도 뚜렷하며 모든 요르단은 단합되어있음. 물론 상이한 사람들이서로 다른 생각을 표현할 수는 있는것임

4.자신이 아는한 이락은 방위적 태세를 취하고 있으며, 이락에 대치하고 있는 군대도 방위적 태세를 취하고 있음. 다만 오산과 위기의 확대가 전쟁으로 발전될 가능성은 있음

5.요르단은 이락에 대한 제재를 요구하는 유엔결의에 따르고 있으며 이락도 우리의 이러한 입장을 이해해주고 있음

6.우리는 걸프 지역에서의 가진자와 갖지못한자 간의 문제를 해결하여야 함. 우리는 이성과 논리로 동문제가 해결될수 있기를 희망함

7.이락에 억류된 서방인들에게 출국을 허용할수 있도록 제반 여건이 개선되기를희망함. 요르단은 이동의 자유를 지지하는 입장임.끝

중아국 1차보 정문국 안기부 통상국 미주국 대책반 2차보

PAGE 1

90.08.24 00:45 DN

외신 1과 통제관

0033

원 본

외 무 부

종 별 :

번 호 : JOW-0348 일 시 : 90 0825 1430

수 신 : 장 관(중근동,정일,기정)

발 신 : 주 요르단 대사

제 목 : 주재국 국왕,아랍제국 순방

1.후세인 주재국 국왕은 걸프 위기 해결 방안모색을 위한 아랍제국 순방의 제1단계로서 8.23-24간 예멘 및 수단을 방문하고 8.24 오전 귀국하였음. 금번 국왕의 순방에는 BADRAN 수상, SHAKER 왕실관방장 및 ABUODEH 정무담당 특보가 수행하였음

2.아랍외교를 통하여 걸프위기를 해결하기위한 동 순방의 첫번째 일정을 마친 동국왕은 예멘과 수단의 지도자들에게 아랍제국이 동 문제를 스스로의 힘으로 해결함으로서 동 지역에서 이기적인 목적을 추구하고 있는 외국강대국들에게 구실을 주어서는 안될 것이라고 말함

(대사 박태진-국장)

중아국 1차보 2차보 정문국 안기부 대책반 미주국 통상국

PAGE 1 90.08.25 21:17 CG

외신 1과 통제관

0034

외 무 부

1 길

종 별 :

번 호 : JOW-0349 일 시 : 90 0825 1430

수 신 : 장 관(중근동,정일,기정)

발 신 : 주 요르단 대사

제 목 : 주재국의 주쿠웨이트 대사관 폐쇄

주재국 정부는 쿠웨이트 주재 자국 대사관을 이락이 요구한 철수시한(8.24 자정)내에 폐쇄할 것을 결정하고 현지대사로 하여금 동 결정을 이락 군사당국에 통보하도록지시하였다함

(대사 박태진-국장)

중아국 1차보 2차보 정문국 안기부 대책반 미주국 통상국

PAGE 1

90.08.25 21:17 CG

외신 1과 통제관

0035

원 본

외 무 부

종 별 :

번 호 : JOW-0350 일 시 : 90 0825 1430

수 신 : 장 관(중근동,정일,구이,기정)

발 신 : 주 요르단 대사

제 목 : 오지리 대통령, 주재국 방문

1.발트하임 오지리 대통령은 이락 대통령과의 회담차 바그다드로 향발 도중 8.24저녁 당지에 기착, 후세인 주재국 국왕과 회담하였음

2.동회담에서 주재국 국왕은 요르단이 걸프위기 축소를 위하여 노력하고 있으며, 이는 세계평화와 안정에 관심이 있는 모든 사람들의 책임이라고 말하였으며, 양국지도자들은 동위기가 외교적인 수단으로 해결될 것을 강조함

(대사 박태진-국장)

중아국 1차보 2차보 구주국 정문국 안기부 대책반 미주국 통상국

PAGE 1

90.08.25 21:20 CG

외신 1과 통제관

0036

원 본

외 무 부

종 별 :

번 호 : JOW-0351 일 시 : 90 0825 1430

수 신 : 장 관(중근동,정일,기정)

발 신 : 주 요르단 대사

제 목 : 요르단 외상,중국방문

1. QASEM 주재국 외상은 8.24 북경에 도착, 걸프위기에 관한 후세인 주재국 국왕의 이붕총리 및 양상곤 주석등 중국지도자들 앞 친서를 전달하고 이들과 회담을 가짐

2.동외상은 금번 중국 방문목적은 유엔안보리 상임이사국인 중국이 이락에 대한경제제재 강화를 위한 무력사용을 허용하는 안보리 결의안 추진에 반대하여 줄 것을 요청하기위한 것으로 알려지고 있음

3.한편, 하산 주재국 왕세자는 8.24 중국등 당지주재 유엔안보리 5개 상임이사국 대사들을 만나 상기한 유엔안보리 결의안 추진 움직임에 대한 주재국의 우려를 표명하고, 침략을 개시하는 길을 열어줄 것이라고 말하였다 함

(대사 박태진-국장)

중아국 1차보 2차보 정문국 안기부 대책반 미주국

PAGE 1

90.08.25 21:20 CG

외신 1과 통제관

0037

원 본

외 무 부

종 별 :

번 호 : JOW-0358 일 시 : 90 0826 1430

수 신 : 장 관 (중근동,정일,기정)

발 신 : 주 요르단 대사

제 목 : 걸프위기에 관한 왕세자 발언

주재국 HASSAN 왕세자는 8.25 BBC-TV 와의 기자회견에서 요지 다음과 같이 언급함

가. 이락에 대한 경제제재실시를 위하여 무력사용을 허용하는 유엔안보리 결의가걸프위기의 외교적 해결을 곤란하게 할것임

나. 중동의 불안정한 정세를 조성하고 걸프위기를 촉발시킨 근본문제에 관한 면밀한 고찰이 필요함

다. 요르단은 유엔결의의 엄격한 준수와 무력에 의한 영토점령 반대입장을 재확인함

라. 요르단은 아랍차원에서의 걸프위기 해결노력을 계속하고 있으나 이락을 고립시키고 압력으로 위협해서는 안될것임

(대사 박태진-국장)

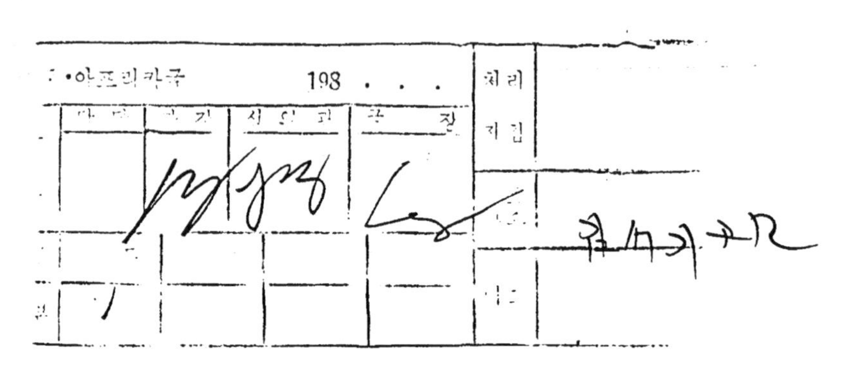

중아국 1차보 정문국 안기부 대책반 2차보 통상국 미주국

PAGE 1 90.08.26 22:24 FC

외신 1과 통제관

0038

원 본

외 무 부

종 별 :

번 호 : JOW-0361 일 시 : 90 0827 1530

수 신 : 장 관(중근동,정일,기정)

발 신 : 주 요르단 대사

제 목 : 주재국 국왕의 아랍제국 순방

연: JOW-0348

1. 주재국 후세인 국왕은 아랍외교를 통한 걸프위기를 해소하기 위해 연호 수단및 예멘,이락방문에 이어 제 2단계로 리비아,알제리아,튜니시아,모로코,모리타니아등아랍제국을 순방키 위해 8.26 당지를 출발,동일 첫기착지인 리비아에 도착함

2.동국왕은 상기 아랍제국 순방후영국,서독,스페인등 구주제국도 방문예정인바,금번 순방에는 BADRAN 수상, SHAKER 왕실관방장, ABU ODEH 국왕정치담당특보등이 수행하고있음.끝

(대사 박태진-국장)

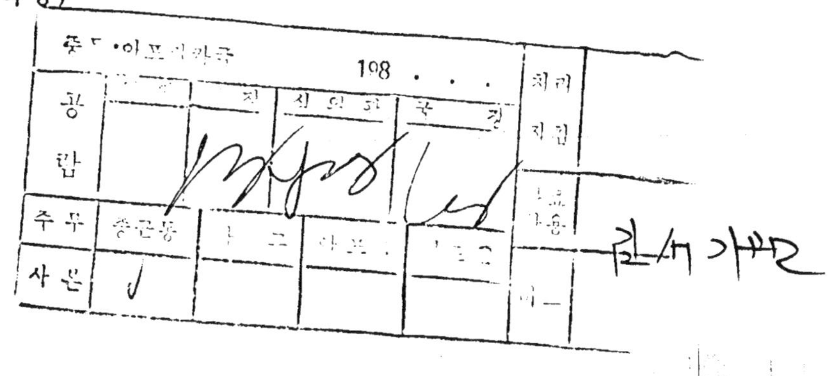

중아국 1차보 정문국 안기부

PAGE 1

90.08.27 23:39 DP

외신 1과 통제관

0039

원 본

외 무 부

종 별 :

번 호 : JOW-0364 일 시 : 90 0827 1600

수 신 : 장 관(중근동,정일,기정)

발 신 : 주 요르단 대사

제 목 : 유엔 사무총장 주재국 방문

1. DE CUELLAR 유엔 사무총장은 8.30 당지에서 AZIZ 이락 외상과 걸프위기 해결방안에 관한 의견교환을 위해 주재국 방문 예정임

2.이는 8.25 동사무총장이 유엔안보리에서 이락제재를 위한 무력사용 결의안이 채택된후 AZIZ 외상에게 뉴욕 또는 제네바에서 회담할것을 제의한데 대해 동일 오후 SADDAM 후세인 이락대통령이 동총장의 이락방문을 초청하면서 이루어지는 전초회담으로 볼수있음

3.그간 미국은 이락군이 쿠웨이트로부터 철수할때까지는 어떠한 대화도 불가능하다고 수차 주장해왔으나, 정가에서는 유엔사무총장을 통해 외교적 해결이 이루어질수 있는 중요한 기회가 될것으로 보고있음

(대사 박태진-국장)

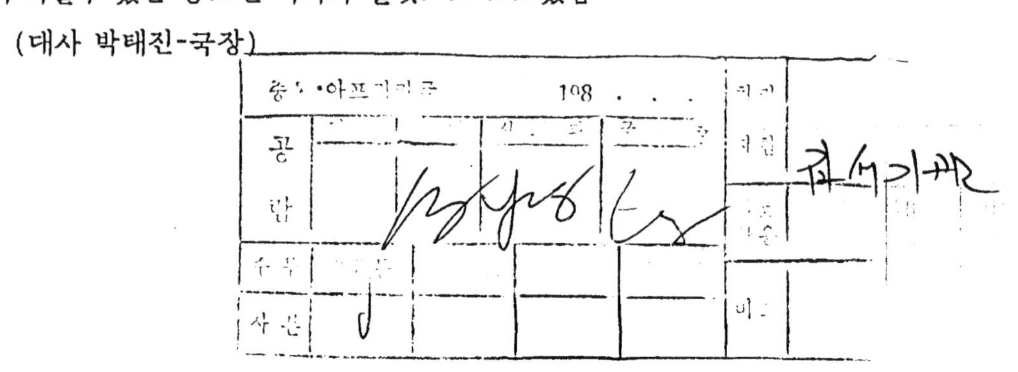

중아국 1차보 정문국 안기부 2차보 통일원 미주국 대책반

PAGE 1

90.08.27 23:42 DP

외신 1과 통제관

0040

원 본

외 무 부

종 별 :

번 호 : JOW-0366 일 시 : 90 0827 1530

수 신 : 장 관(중근동,정일,기정)

발 신 : 주 요르단 대사

제 목 : 유엔안보리 결의에 대한 주재국 언론반응

당지 일간지 ALRAI 8.26 자는 '국제법에 반하는 결정' 제하사설을 통해 최근 걸프위기 관련 유엔안보리 결의에 관하여 요지 아래와 같이 논평함

1.이락에 대한 제재를 위해 무력사용을 허용한 유엔안보리 결의는 불법이며 국제법을 위반한것임

2.지난 23년동안 이스라엘의 아랍영토 점령과 예루살렘 및 시리아의 골란고원 합병에 대한 유엔안보리 결의가 성공하지 못하였으며,이스라엘이 무력으로 점령하고있는 영토를 포기토록 하지 못한 유엔안보리 회원국들의 여사한 무책임하고 비합리적인 태도는 이해하기 어려움

3.유엔안보리는 걸프 및 기타 중동지역에서의 위기종식을 위하여 팔레스타인을 포함한 기타 모든타국 영토로 부터 군대의 철수를 요구한 이락의 일괄 타결제의를 받아 드려야함

4.이락봉쇄에 가담한 국가들은 금번 유엔안보리 결의가 그들을 위험한 위치에 놓이게 하였으며,이락 선박에 대한 발포는 그들과 이지역이 전쟁에 휘말리게될 충돌을촉발시킬것임을 깨달아야함

5.금번 유엔안보리 결의는 중동의 위험한 정세에 새로운 폭발요소를 추가하였으며,유럽지도자들은 전쟁에 말려들지 않기위하여 한층더 조심을 하지않으면 안되게 되었음.끝

(대사 박태진-국장)

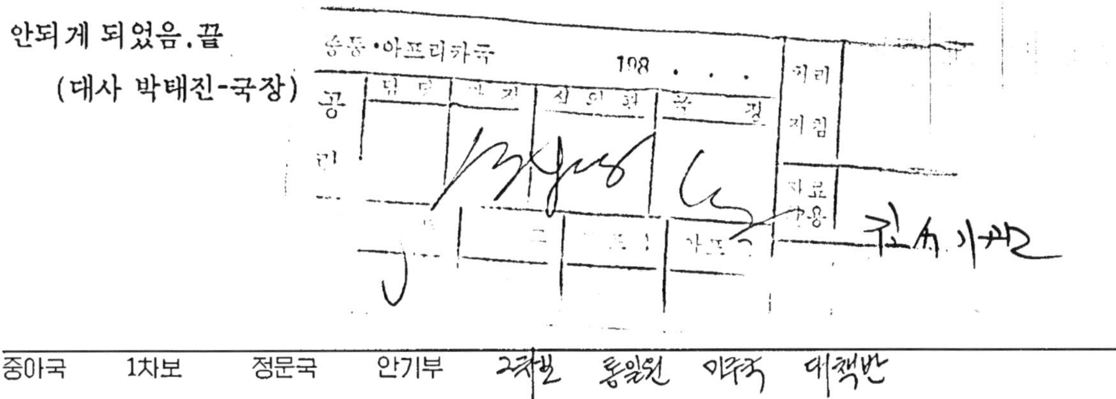

중아국 1차보 정문국 안기부 그차보 통일원 미주국 대책반

PAGE 1 90.08.28 00:21 DP

외신 1과 통제관

0041

원 본

외 무 부

종 별 :

번 호 : JOW-0372 일 시 : 90 0828 1530

수 신 : 장관(중근동,마그,정일,기정)

발 신 : 주 요르단 대사

제 목 : 주재국 국왕 아랍제국 순방

연: JOW-0361

1. 걸프 위기에 대한 아랍내 해결방안 모색을 위하여 아랍제국을 순방중인 후세인 주재국 국왕은 8.26 리비아를 방문한데 이어 8.27 튜니시아에 도착, BEN ALI대통령과 회담하였음. 동국왕은 튜니스에서 KLIBI 아랍연맹 사무총장 및 PLO 고위관리들과도 회담하였음. 동국왕은 튜니시아 방문후 8.28 알제리아로 향발 예정임

2. 동국왕은 리비아 방문시 카다파 국가원수와 걸프지역에서의 파국을 피하기 위한 아랍내 해결 방안의 모색 필요성에 관하여 의견일치를 보았다 함

(대사 박태진-국장)

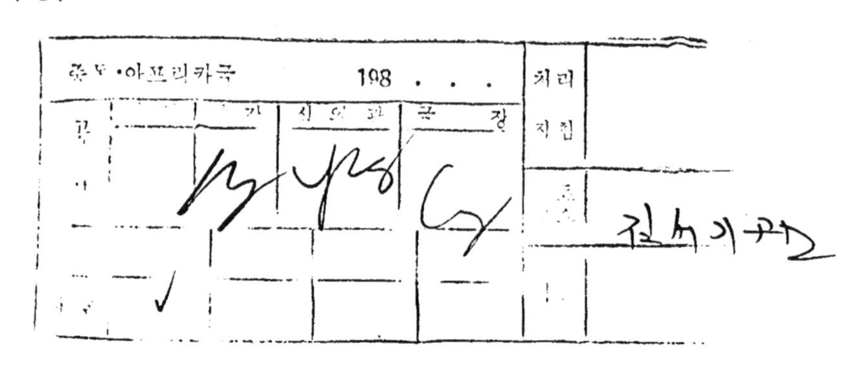

중아국 1차보 중아국 정문국 안기부

PAGE 1

90.08.28 23:20 DA

외신 1과 통제관

0042

외 무 부

종 별 :

번 호 : JOW-0374 일 시 : 90 0828 1630

수 신 : 장 관(중근동,마그,정일,기정)

발 신 : 주 요르단 대사

제 목 : PLO 의 평화안

1.아라파트 PLO 의장은 지난 8.25 바그다드를 방문,이락지도자들과 회담, 걸프위기에 대한 아래와같은 해결방안을 제의하였다함

가.걸프지역에서의 군사력을 동결하고 쿠웨이트로부터 이락군을, 사우디로부터미국주도하의 다국적군을 각각철수하며, 아랍연맹주도하에 쿠웨이트와 이락간에 협상을 개시함

나.이락군을 대체하여 아랍평화군을 6개월간 쿠웨이트에 배치하고 동기간중 선거를 실시하여 쿠웨이트에 새로운 체제를 수립함

다.동체제는 불란서에 대하여 일정한 행정권을 부여하는 협정에 서명한 입헌군주제인 MONTE CARLO와 유사한것으로서, 동계획에 따라 수립된 새로운 토후국은 반자치제임

2.한편, 걸프제국및 사우디에 취업중인 팔레스타인들은 약 1백만명에 달하며 쿠웨이트에만도 30만명이 취업중인바, 이락이 팔레스타인인들에 대하여 대우를 잘해주지않으므로서 PLO 의 이락지지가 약화되고 있으며,쿠웨이트에서 귀국하는 팔레스타인인들은 매우'반 사담'적이 되고 있다함

(대사 박태진-국장

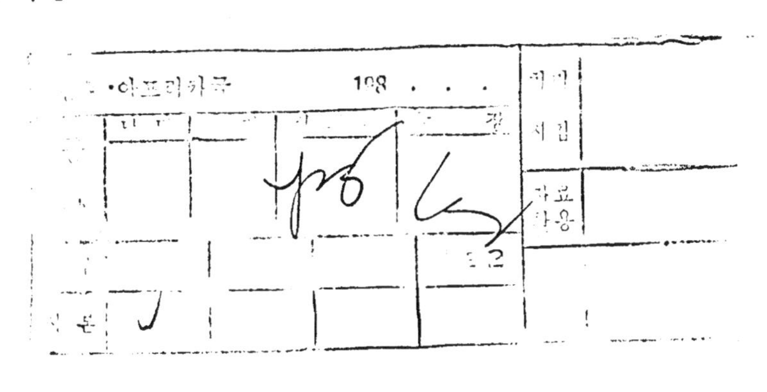

중아국 1차보 중아국 정문국 안기부

PAGE 1 90.08.29 07:20 DP

외신 1과 통제관

0043

원 본

외 무 부

종 별 :

번 호 : JOW-0378 일 시 : 90 0829 1630

수 신 : 장 관(중근동,마그,정일,기정)

발 신 : 주 요르단 대사

제 목 : 요르단 국왕 아랍제국 순방

연: JOW-0372

1. 걸프위기에 대한 아랍내 해결방안 협의를위하여 아랍제국을 순방중에 있는 주재국국왕은 튜니시아로부터 8.28 알제리아에 도착,BENJEDID 알제리아 대통령과 회담하였음

2.동국왕은 도착직후 가진 기자회견에서걸프위기에 대한 아랍내 해결이 필수적이라고전제하고,걸프지역에 외국 군대가 진주한것을비난하면서 식민주의와 냉전이 종식된후 또다시외국인들이 이지역으로 돌아오도록 하는것은 이치에맞지 않는바, 우리는아랍인으로서 동사태의해결을 위하여 최선을 다해야 할것이라고말하였음

3.동국왕은 알제리아 방문후 모로코와 모리타니아를방문하고 이어 구라파로 향발예정임

4.주재국의 AL RAI 지 8.28자는 '후세인 국왕의아랍해결방안을 위한 노력의 결실' 제하 요지아래와 같이 논평함

가.후세인 국왕의 걸프위기 해결을 위한계속적인 노력이 성공할것으로 보이며,걸프위기종식을 위한 새로운 아랍 제안의 내용에 관한요르단과 리비아간의 합의는 매우 긍정적인사태진전을 의미함

나.동국왕은 튜니시아,알제리아,모로코,모리타니아의지도자들과의 회담에서 해결방안에 대한큰진전을 이룩할것으로 기대되며,다른 아랍및 우호국가들로부터의 지지를 필요로 하고있음

다. UAE, 바레인,오만등이 공정한 해결을추구하는 동국왕의 노력에 참여해준다면동위기의 평화적인 해결에 도움이 될수있것이라전망하고있음

라.또한 8.30 암만을 방문하는 DECUELLAR 유엔사무총장도 중동으로부터의

중아국 2 정문국 안기부 총리실 미주국 대책반 1차보 2차보

PAGE 1

90.08.29 22:53 CT

외신 1과 통제관

0044

징후들이 매우고무적이라고 말하고 있음을 볼때, 이는평화적해결을 위한 국왕의 노력에 기여할것으로보며, 여사한 외교적 접촉이 성공하여아랍지역에서의 재난이 회피될수 있기를 바라는일반적인 기대감이 커지고 있음

(대사 박태진-국장)

원 본

외 무 부

종 별 :

번 호 : JOW-0379　　　　일 시 : 90 0829 1630

수 신 : 장 관(중근동,마그,정일,기정)

발 신 : 주 요르단 대사

제 목 : 요르단, 주쿠웨이트 대사관 폐쇄

1.주재국 외무부의 한관계자는 주쿠웨이트 요르단대사관의 폐쇄 결정이 양국간 외교관계의보이코트를 의미하지 않는다고 말하면서,요르단이이락의 쿠웨이트 점령에 이의를 제기(CHALLENGE)할수 없었고,요르단 정부는 현 상황하에서대사관이 부여된 과업을 수행할수 없었기때문에 폐쇄키로 결정 했다고 부연 설명함

2.쿠웨이트는 현재 모든 아랍및 외국에 이들나라들이 쿠웨이트로부터의 공관 철수여부와관계없이 대사관을 계속 유지하고 있으며, 당지쿠웨이트 대사관도 지위에 별변동없이정상적으로 집무하고 있다고 밝혔음

(대사 박태진-국장)

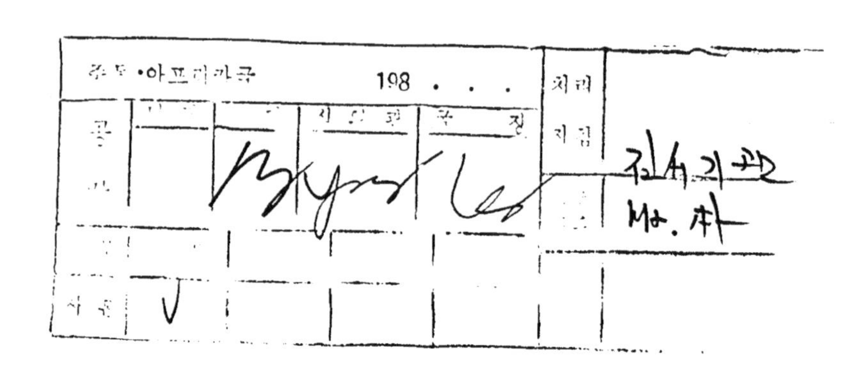

중아국　정문국　안기부

PAGE 1　　　　90.08.29　22:54 CT

외신 1과 통제관

0046

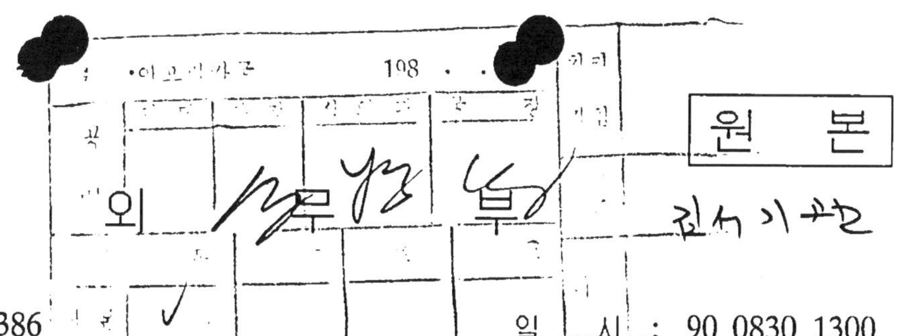

종 별 :

번 호 : JOW-0386 일 시 : 90 0830 1300

수 신 : 장 관(중근동,마그,정일,기정)

발 신 : 주 요르단 대사

제 목 : 요르단 왕세자 회견

8.29 주재국 하산 왕세자는 기자회견을 통해, 요지 다음과 같이 현 걸프위기에관해 자신의 견해를 피력함

가.서방측의 동위기에 대한 이락측의 협상제의를 선전으로 볼것이 아니라 진지하게 받아들이어야 할것임. 그렇지 않으면 이지역에서의 VIOLENCE 확대 위험을 감내해야 할것임

나.금주 이지역에서 보인 외관상의 고요는 사실과는 달리 사람들의 눈을 속이는것일수도 있으며, 극히 미미한 도발로도 전쟁이 발발할수 있을것임

다.요르단은 현위기에 관한 이라크의 유일한 대화 상담역임. 암만은 서방과의 대화를 위한 바그다드 외교의 전달 지점이 되었음

라.사담 이라크 대통령은 이라크군의 쿠웨이트로 부터의 철수를 고려하고 있을지도 모름. 이라크군의 철군문제가 논의될때 어디까지 철군할 것인지를 요구해야함

마.요르단은 쿠웨이트의 병합을 전적으로 반대하나, 이라크.쿠웨이트간 경제적,오일 문제등에 관해 논의 되어야할 역사적인 분규들이 있다는 사실은 인정해야함

(대사 박태진-국장)

중아국 1차보 중아국 정문국 안기부 2차보 미주국 통상국 대책반

PAGE 1

90.08.30 21:55 DA

외신 1과 통제관

0047

원 본

외 무 부

종 별 :

번 호 : JOW-0387 일 시 : 90 0830 1300

수 신 : 장 관(중근동,마그,정일,기정)

발 신 : 주 요르단 대사

제 목 : 요르단 국왕의 아랍제국 순방

연: JOW-0378

1. 평화적인 걸프위기 해결방안 협의를 위해 아랍제국을 순방중인 후세인 국왕은 8.29 알제리아로부터 모리타니아에 도착함

2. 동국왕은 알제리아 출발전 아랍 중재를 통한 걸프위기의 해결 필요성을 강조하면서 많은 아랍국가들이 동위기를 평화적으로 해결할것을 바라고 있다고 말함

3. 동국왕은 알제리아 방문중 만델라 남아공 흑인 지도자와도 회담하였음

(대사 박태진-국장)

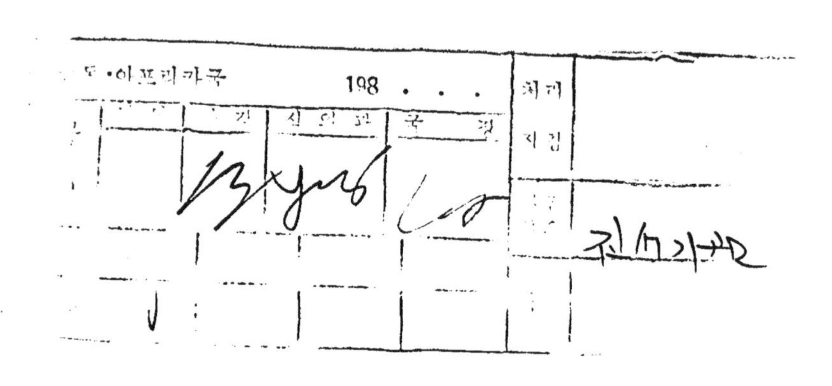

중아국 1차보 중아국 정문국 안기부

PAGE 1

90.08.30 21:56 DA

외신 1과 통제관

0048

원 본

외 무 부

종 별 :

번 호 : JOW-0388 일 시 : 90 0830 1300

수 신 : 장 관(중근동,마그,정일,기정)

발 신 : 주 요르단 대사

제 목 : 시리아.레바논 정상회담

1. 8.29 ASSAD 시리아 대통령과 HRAWI 레바논 대통령은 다마스커스에서 정상회담을 갖고 현걸프 위기 및 레바논 사태에 관해 논의함

2. 레바논 정부관계자에 의하면, 양정상은 동베이루트의 대통령궁과 국방성을점거하고 있는 기독교계 AOUN 장군 추종세력의 축출문제를 집중 논의 했다함

(대사 박태진-국장)

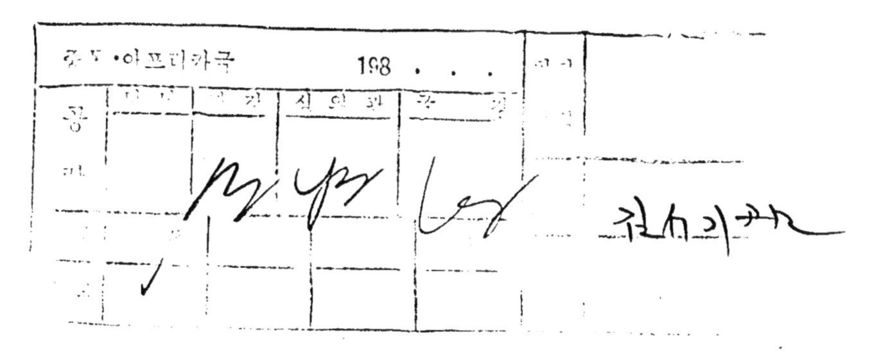

중아국 1차보 중아국 정문국 안기부

PAGE 1

90.08.30 21:57 DA

외신 1과 통제관

0049

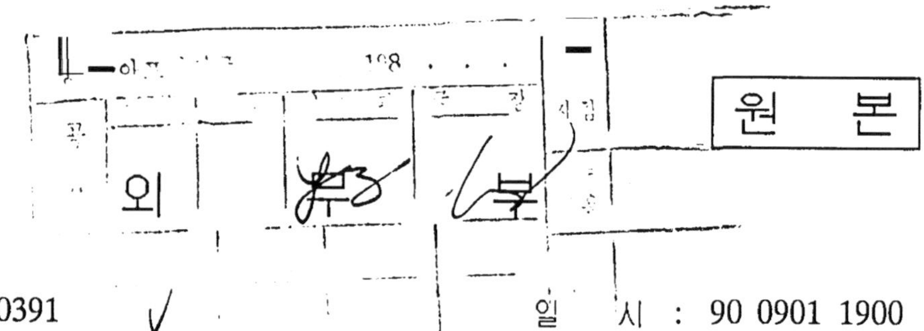

종 별 :

번 호 : JOW-0391 일 시 : 90 0901 1900

수 신 : 장 관(중근동,마그,정일,기정)

발 신 : 주 요르단 대사

제 목 : 유엔 사무총장.이라크 외상 회담

1. 현 걸프위기 해결을 위한 노력의 일환으로 PEREZ DE CUELLAR 유엔 사무총장과 AZIZ 이라크 외상간 회담이 8.31-9.1 당지에서 개최(2차)되었는바, 동 회담후 양인은현 위기의 모든 국면에 다해 토의하고, 매우 긴박한 현 상황을 가능한 모든 노력을동원, 이를 극복키로 합의했으며 매우 유익한 회담이었다고 말하였으며, 1차 회담이후 양인의 발언 내용은 다음과 같음.

가. 유엔사무총장

-이라크측과 협상하기 위한것이 아니라 의견교환을 위해 AZIZ 외상과 만나는 것이며, 이라크군의 쿠웨이트 철수 및 외국인 석방을 요구한 유엔안보리 결의안에 따르는가의 여부를 보기위해 온 것임.

-금번 회담에서 ' IMPORTANT STEP FORWARD' 가 있었으나 미묘하고 복잡한 문제가 5,6시간내에 해결될수는 없음.

-유엔안보리 결의안(667,662,664)의 수행문제에 매우 깊은 관심을 갖고있는바 동 결의안이 그대로 이행되기를 바람. 안보리에서 채택된 결의안이 양보나 협상의 대상이 될수는 없음.

-이라크측의 이니셔티브는 하나의 중요한 진전이라고 생각되나 충분한 것으로 보지는 않음.

-이라크로부터 모든 외국인의 철수를 보장할수있는 또다른 후속 이니셔티브가 있기를 기대함

-금번 여행이 끝나면 요르단의 후세인 국왕과 회담, 현 상황에 대한 동 국왕의 평가에 따라 중동의 평화회복을 위한 국왕의 노력에 자신도 협조할 것임.

-미전함의 아카바만 입항선박에대한 정선문제는 유엔안보리 결의안(661)의 골격내에서 이행될 것으로 봄.

중아국 차관 1차보 2차보 중아국 정문국 안기부 미주국 통상국 대책반

PAGE 1 90.09.02 19:13 CG

외신 1과 통제관

0050

-현 걸프위기 해결을 위해 이라크가 FLEXIBLE 해질수있다는 징후를 대화과정에서감지함.

-이라크측에서 볼때에 위기해결을 위한 일정을 통보받지 않았다고 볼수있으나 아직은 중동 QX 외군을 아랍군으로 교체할 시간적 여유는 있음.

-사우디는 이락의 침공위협을 우려 외군을 불러들인 것으로 보며, 우리는 가능한 어떤 보증도할 준비가 되어있음. 사우디가 보다 안전한 것으로 느낄때에는 아랍군으로 교체할 것을 요구 할수있을 것임.

나.이라크 외상

-이라크는 이지역에서의 어떠한 군사적 충돌을 먼저 시도하지 않을 것임.

-걸프지역에의 미국 및 서방의 군사배치는 현 상황을 일촉즉발의 상태로 만들고있는바, 이는 이라크의 책임이 아님

-현 위기는 아랍 FRAMEWORK 내에서 처리되고 해결되어야하며, 이라크는 현위기를 진정시키기 위해 모든 수단과 방도를 모색하고 있음

-있을수있는 미국의 대이라크 공격으로부터의 억지력으로서 외국인을 억류하고 있을뿐인바, 그들이 이라크를 공격하지 않겠다는 보장을할 경우, 모든 외국인의 문제는 해결될 것임. 외국인 부녀자및 미성년자들의 출국을 위한 준비가 진행중임(시기는 불언급)

-이라크가 공격을 받으면 수중에있는 모든것이 무기화할수 있으며, 모든 도의적인 대외 공약도 무효화 될수있음

-팔레스타인과 레바논 문제를 포함한 중동의 모든 현안에 대한 포괄적인 해결을위한 이라크 정부의 입장을 재강조함

-쿠웨이트는 영국 식민주의의 순수한 인위적인 작품이며, 사우디가 역사상 실체가 없는 카타르에대한 영토권을 요구할때 이라크는 이를 지지할 것임.

(대사 박태진-국장)

8 원 본

외 무 부

종 별 :

번 호 : JOW-0392 일 시 : 90 0901 1900

수 신 : 장관(중근동,마그,기정)

발 신 : 주 요르단 대사

제 목 : 유엔사무총장.이라크 외상회담에 관한 언론반응

8.31 주재국의 JORDAN TIMES 지는 '중요한 일보전진' 제하 사설에서 다음과 같이 논평 함

가. 8.31 DE CUELLAR 유엔사무총장과 AZIZ 이락외상간에 개최된 회담은 좋은 시작이며 이들 회담결과 발표는 매우 고무적이라고 볼수있음. 그러나 회담결과에 대한 우리들의 신뢰도는 측정될수 없음. 단, 대화 자체가 전쟁도발을 막을수있는 어떠한 계기가 되기를 바램은 버릴수가 없음

나.8.30 암만 도착시 유엔 사무총장은 자신은 이락과 협상할수 있는 권리를 부여받지 못하였다고 발표한바와 같이 동사무총장은 유엔결의문들을 이락이 이행할 시기에 대하여 논의하고 동협상 결과를 유엔 안보리에 보고하는 정도로써 임무를 다할것임. 따라서 유엔.이락 협상에서 걸프위기 해결책이 강구 되리라는 기대는 가질수 없음. 단, 협상은 유엔결의안 외에 유엔 안보리가 취할수있는 기타방안의모색 가능성을 제시하게 됨. 이것이 걸프의 평화를 위해 가질수있는 또하나의 기회임

다.언론에서 보도되는 것과는 달리 이락을 최근 방문한 주요 인사들은 이락은 쿠웨이트의 향후 운명에 대한 모든 제안을 고려할 입장을 취하고 있다고 언급하고있음. 따라서 유엔 사무총장이 중동및 세계 각국을 만족시킬만한 안건을 향후제시한다면 이락은 이를 분명히 수락할것이며 전쟁의 위험도 회피할수 있을것으로 기대됨

(대사 박태진-국장)

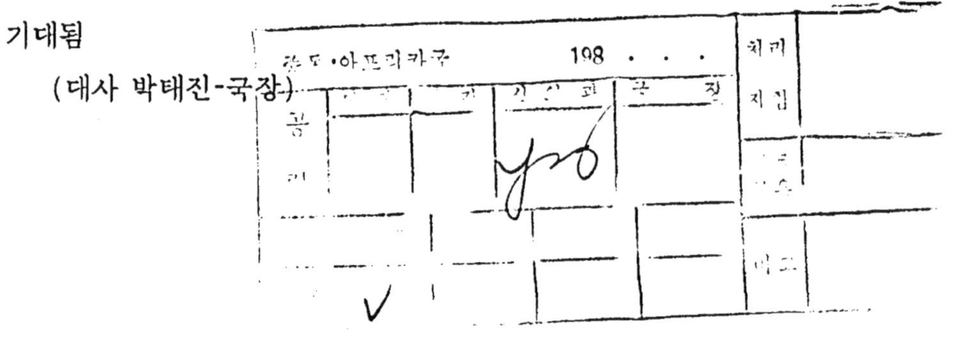

중아국 1차보 중아국 정문국 안기부 대책반

PAGE 1 90.09.02 08:23 DA

외신 1과 통제관

0052

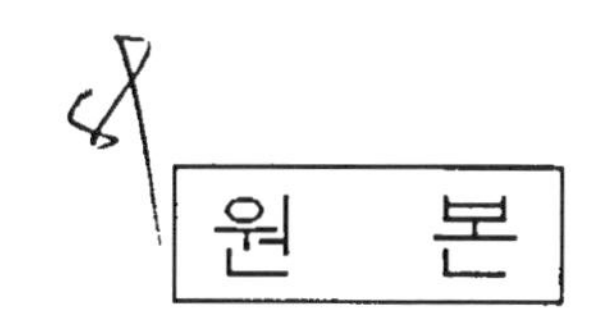

외 무 부

종 별 :

번 호 : JOW-0395 일 시 : 90 0901 1730

수 신 : 장 관(중근동,마그,정일,기정)

발 신 : 주 요르단 대사

제 목 : 요르단국왕 구주순방

1. 8.31 걸프위기의 외교적 해결 방안책을 위해 영국을 방문중인 주재국 후세인 국왕은 대처 영국수상과 회담후, 동결과에 관해 요지 다음과 같이 언급함

가.요르단은 유엔의 대이락 제재 결의안을 준수할것임을 분명히 함

나.쿠웨이트로부 터 이락군의 철수 필요성에 대해 합의함

다.확전과 파국을 막기위한 양측의 입장을 상호 이해함

라.걸프위기 해결을 위한 접촉및 대화노력을 재개할것임

2.요르단의 한 정부관리는 동정상회담에서 분쟁의 원인및 동해결 방안에서 현격한 차이가 상존하고 있음을 인식했다고 밝힘

3. 동국왕은 영국 방문전에 이미 모로코의 하산국왕, 스페인 후안 까를로스 국왕및 곤살레스 수상등과도 회담한바 있음

(대사 박태진-국장)

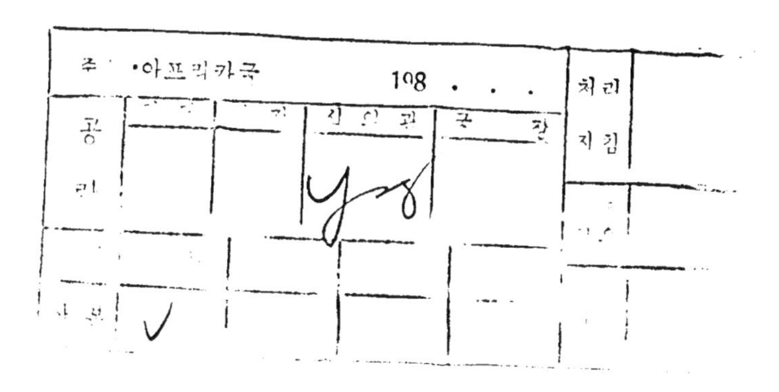

중아국 1차보 중아국 정문국 안기부 대책반

PAGE 1 90.09.02 08:23 DA

외신 1과 통제관

0053

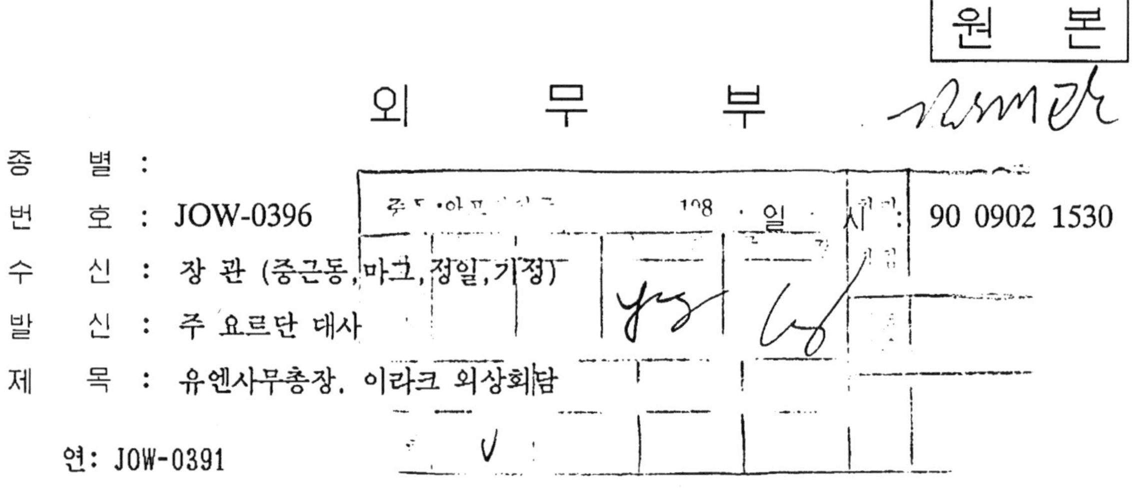

원 본

외 무 부

종 별 :

번 호 : JOW-0396 일 시 : 90 0902 1530

수 신 : 장 관 (중근동, 마그, 정일, 기정)

발 신 : 주 요르단 대사

제 목 : 유엔사무총장, 이라크 외상회담

연: JOW-0391

1. 9.1. 유엔사무총장과 이라크 외상간의 2일간에 걸친 회담이 종료되었는바, 동회담에서 획기적인 타개책은 발견치 못한 다소 실망적인 회담이었으나, 상호입장에대한 'BETTER UNDERSTANDING' 은 있은 것으로 전해지고 있음

2. 이는 유엔사무총장에게 부여된 유엔의 제한된 임무와 외상으로서 본국의 지침에 따라 처리해야되는 양측의 제약으로 인해 유엔사무총장이 이라크측에 공약을 할수 있는 입장도 아니었으므로 이와 관련된 세부적인 방안을 충분히 논의, 결정할수가없었던 것으로 보임

3. AZIZ 외상은 9.1 귀국했으나 DE CUELLAR 사무총장은 9.2.현재 걸프위기 해결을 위해 서독방문중에 있는 후세인 국왕이 귀국하는대로 회담을 갖기 위해 요르단에 체류중임

4. AIZI 이락외상은 금번회담 결과에 관해 요지 다음과 같이 언급함

가. 이라크는 걸프위기의 평화적 해결을 위해 노력중인 아랍지도자들과 협력, 유엔이 이를 위해 계속 노력해줄것을 기대하며, 유엔측에서 제시한 모든 해결방안에 대해 논의할 용의가 있음

나. 금번 사태는 조용한 외교와 인내로써 해결되어야함

다. 유엔안보리가 이라크 규탄결의안을 서둘러 채택함으로써 이라크는 자국의 입장을 충분히 설명할 기회가 없었음

라. 걸프위기는 아랍문제이므로 아랍 FRAMEWORK내에서 해결되어야 하나, 국제사회나 국제기구에 책임과 의무가 없는 것은 아님

마. 사무총장과의 회담은 상호이해를 더해준 매우 유익한 회담이었으며, 이라크는 금번사태해결을 위해 노력하는 지도자들에게 사의를 표함

중아국 1차보 중아국 정문국 안기부 대책반 미주국 통상국 2차보 차관

PAGE 1

90.09.03 04:39 FC

외신 1과 통제관

0054

바. 미국은 유엔안보리에서 향유하고 있는 거부권을 편파적으로 사용하고 있음
(대사 박태진-국장)

PAGE 2

0055

외 무 부

종 별 :

번 호 : JOW-0397 일 시 : 90 0902 1600

수 신 : 장 관 (중근동,마그,정일,기정)

발 신 : 주 요르단 대사

제 목 : 유엔사무총장. 이라크 외상 회담에 대한 언론반응

연: JOW-0392

9.2 당지 일간지 JORDAN TIMES 지는 '중대(해결)국면으로부터 멀어지다' 제하 사설을 통해 연호에 이어 요지 다음과 같이 논평함

1. 양일간 개최된 유엔.이라크 회담은 하등의 돌파구 마련이나 결론을 얻지 못한실망스러운 회담이었음

2. 이르크의 입장과 견해를 청취하고 이를 이해한 유엔사무총장이 평화적인 해결책 모색을 시도할 것이며, 또한 그것이 그의 의무이기도한바, 동총장이 이를 어떻게다룰것이냐하는 것이 의문으로 남아있음

3. 만약 지금 부시 미대통령이 이라크와의 일전을 결심하지 않았다면 DE CUELLAR 사무총장이 미.이간 은밀한 회담을 주선할 기회는 많음

4. 이라크.서방이 서로의 입장을 고수할 경우 걸프위기의 원만한 해결 가능성은희박함

5. 미국이 전쟁을 개시않을 것이라는 좋은 두가지 징조가 있는바 이는 사우디 국방상이 9.1 사우디정부는 미국의 이라크 공격기지로서 자국 이용을 불허할 것이라는성명 발표와 부시대통령과 고르바쵸프 소련 대통령이 9.9 정상회담을 갖는다는 소식임. 이외에도 유엔사무총장이 안보리에 보고서를 제출할때까지 기다리는 시간과 또한 동보고서가 회원국들에게 영향을 미친다면 평화적 해결의 좋은 기회가 될것임

(대사 박태진-국장)

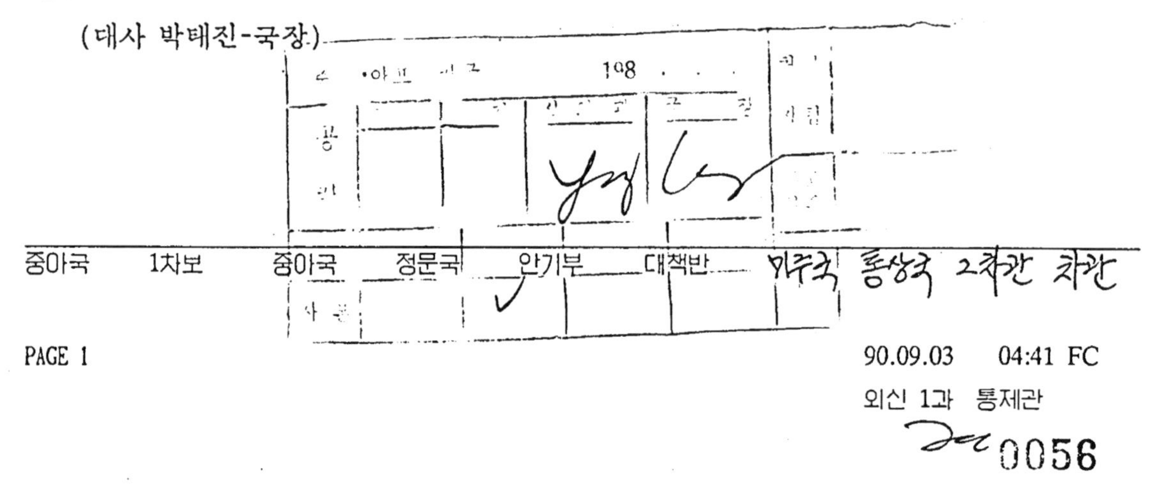

중아국 1차보 중아국 정문국 안기부 대책반 미주국 통상국 2차관 차관

PAGE 1 90.09.03 04:41 FC

외신 1과 통제관

0056

원 본

외 무 부

종 별 :

번 호 : JOW-0398

일 시 : 90 0903 1200

수 신 : 장 관(중근동,마그,정일,기정)

발 신 : 주 요르단 대사

제 목 : 유엔사무총장.이라크외상 회담

연: JOW-0396

9.2 DE CUELLAR 유엔사무총장은 표제 회담을 종료한후 파리향발 직전에 가진 기자회견에서 요지 다음과 같이 언급함

1.금번 회담에서 이라크측이 하등의 정치적 양보를 하지않아 동 결과에 실망했지만 위기 해결을 위한 외교적 노력을 위한 문호는 계속 열려있음

2.금번 회담에서 상호간에 ' REAL PROGRESS' 가 이루어져 안보리에 보고 하기를 바랬으나, 그렇게 할수없게 되었고 이에대해 안보리가 어떠한 반응을 보일지도예측할수가 없음

3.쿠웨이트로부터의 철수문제에 관해 이라크 측으로부터 CLEAR CUT 한 결심을 듣고자 기대하였으나 받지 못했으며, 또한 이에대한 이라크정부의 최종적인 결정이 무엇인지에 대해 하등의 징후도 느끼지 못하였음

4.금번 결과에 실망했다고 해서 위기해결을 위한 자신의 외교적 노력이 중단되는것이 아니며, AZIZ 외상과도 협력, 노력을 계속할것임

5.회담중에 이라크측으로부터 정치적내지 인도적 관심사에 관해 예의 청취하였는바, 유엔귀환 즉시 이를 안보리에 보고할 것임

6.파리에서 주재국의 후세인 국왕과 면담할것이며, 동국왕은 대화 계속을 위한자신의 노력에 대한 또다른 기회와 도움을 줄것으로 봄

7. 9.9.의 미.소 정상회담에서 어떤 정치적 해결방안이 나올수 있기를 기대함

8.여하간에 쿠웨이트에 계속 잔류하겠다는 이라크의 현 입장은 유엔이나, 안보리나 자신도 받아들일수 없음

(대사 박태진-국장)

중아국 1차보 2차보 중아국 정문국 안기부 대책반 미주국 통상국 차관

PAGE 1

90.09.03 22:52 DA

외신 1과 통제관

0057

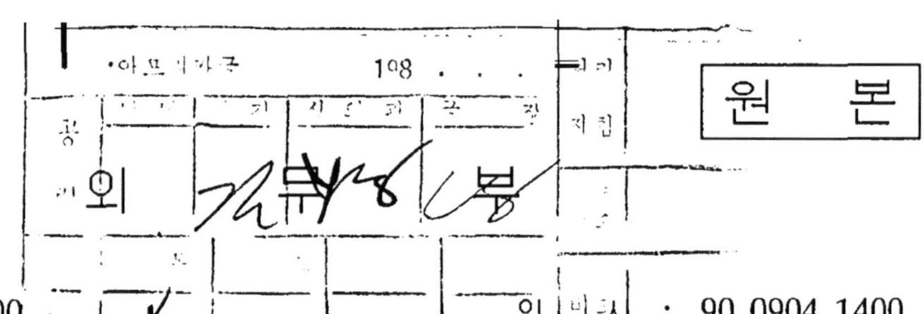

원 본

종 별 :

번 호 : JOW-0400 일 시 : 90 0904 1400

수 신 : 장 관(중근동,마그,정일,기정)

발 신 : 주 요르단 대사

제 목 : 요르단 국왕 구주 순방

연: JOW-0387

1. 걸프위기 해결을 위한 외교적 노력의일환으로 북아 5개국 방문후 구주지역을순방중인주재국의 후세인 국왕은스페인,영국,서독,프랑스의 정상들과 걸프위기의처리 및 외교적 해결방안등에 관해 의견교환을가짐

2.금 9.4 이태리를 방문,이태리 정상 및 현 EC각료평의회 의장인 DE MICHELIS 이태리 외상과회담할 예정이며,알려진바에 의하면 9.9 미.소정상회담전에 고르바쵸프소련 대통령과도회담할것으라함

3.후세인 국왕은 파리 체류중 DE CUELLAR 유엔사무총장으로 부터 AZIZ 이라크 외상과의회담결과를 청취함

4.상기 구주제국 순방중 각국 정상들과의 회담후행한 후세인 국왕의 주요 발언내용은 다음과같음

가.걸프 지역에서 전쟁이 발생하면 이지역은 물론전세계 평화에 대한 전면적인파국이도래할것인바, 자신은 전쟁 발발이 임박하지않기를 기도함

나.전쟁의 결과가 어떻게 될지 누구도 이를보장할수 없고 전망할수도 없음

다.걸프위기의 평화적 해결을 위한 시간을벌기위해 일단 사태악화를 방지하는 것이 자신의의도이며,곧 만족스러운 해결에 도달되기를 기대함

라.자신의 제의에 대한 유럽제국의 어떠한반응에 대해서도 자신은 낙심하지 않 고 계속최선을 다할것이며, 결과는 POSITIVE 하게나타날것으로 확신함

마.요르단은 지금 누구도 별로 관심을 두지않는난민이 대량 유입함에따라 그들을최대한도와야한다는 큰난제를 앉고있음.

(대사 박태진-국장)

중아국 ② 정문국 안기부 미주국 통상국 대책반 1차보 2차보

PAGE 1

90.09.05 01:40 CT

외신 1과 통제관

0058

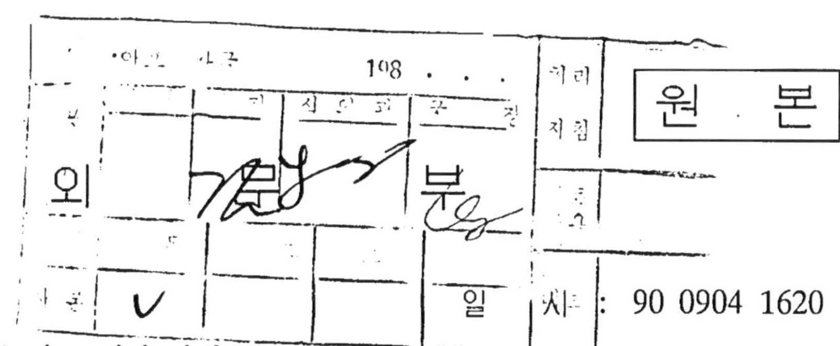

종 별 :

번 호 : JOW-0401 일 시 : 90 0904 1620

수 신 : 장 관(중근동,마그,정일,기정)

발 신 : 주 요르단 대사

제 목 : 이라크.쿠웨이트 사태에 대한 요르단의 입장

1.주재국의 정부나 언론이 금번 사태에 관해밝히고있는 주재국의 입장은 다음과 같음

가.유엔결의안에 원칙적으로 동의하나 보다이성적으로 문제를 해결해야함

나.이라크군의 쿠웨이트 철수와 합법적인 쿠웨이트정부의 회복을 요구함

다.금번사태는 아랍내 문제이므로 아랍의 FRAMEWORK내지 CONTEXT 에서 처리되어야함

라.이라크를 차단하고 격리시킴은 이라크를 보다과격하게 할것임

마.이라크.서방간의 원만한 해결을 위한 협상을가질 시간을 부여해야함

2.그러나 서방측이 요르단의 입장에 비판적인데대해 요르단 정부측은 금번 사태에 무관할수도있었고 단지 비난성명을 발표하던지 침묵을지킬수도 있었으나,아랍형제간 문제해결을 위해과감하게 중재 활동을 전개하고 있음에도비난을 받고 있음에 대해강한 불쾌감을표시하고있음

3.팔레스타인들이 과반수 이상을 차지하고있는주재국의 정부,언론 및 대다수의 국민들은후세인 국왕의 동사태에 대한 입장 및중재노력을 열렬히 지지하면서,이라크 특히사담후세인 이라크 대통령에 대해서는 '무산자의보호자' 또한 '아랍 인민의 지도자'로 환호,열광하고있어 친서방,친미적 자세를 취하는 국가나국민들에 대해서는 강한저항감을 나타내고있는 실정임

(대사 박태진-국장)

중아국 정문국 안기부 미주국 통상국 대책반 1차보 2차보

PAGE 1 90.09.05 01:54 CT

외신 1과 통제관

0059

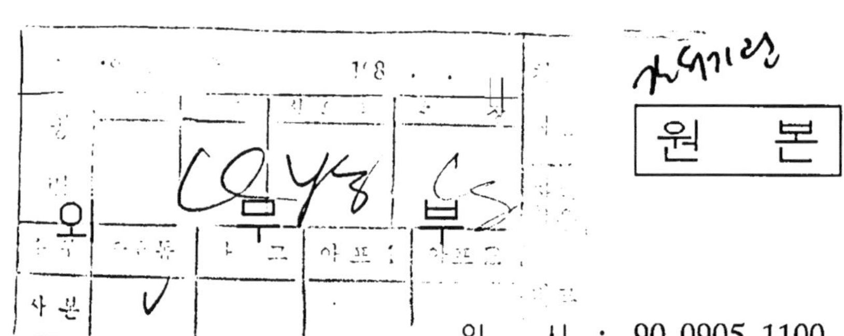

원 본

종 별 :

번 호 : JOW-0403 일 시 : 90 0905 1100

수 신 : 장 관(중근동,마그,경이,정일,기정)

발 신 : 주 요르단 대사

제 목 : 걸프사태가 주재국에 미치는 경제적 영향

1.유엔 안보리의 대이라크 경제제재 결의로 주재국이 입을 경제적 손실에 관해 HAMMAN 주 미 요르단 대사가 8.30 워싱턴 NATIONAL PRESS CLUB 연설에서 밝히내용은 다음과 같음

가.연간 수출액 감소: 2억불

나.중계무역에서 발생하는 손해: 2.5억불

다.고유가 원유수입에따른 손해: 1.8억불

-7월중 이라크로부터 공급받은 원유가는 톤당 65불이었으나 현재는 130불에 달함

라.이라크 공급 자본재 반입 중단에서 발생하는손해: 3.1억불

마.이라크 대요르단 재정지원 중당:5천만불

바.쿠웨이트 대요르단 재정지원 중단:1.35억불

사.대쿠웨이트 수출중단에 따른 손해:8천만불

아.주쿠웨이트 교민들의 송금액 중단:3.2억불

자.그외 쿠웨이트내 10만 교민의 인력철수에 따른손해

2.상기와 같은 사정으로 주재국에 다음과 같은 문제점 초래가 예상됨

가.실업율이 35 까지 상승가능

나.외환수지 악화 및 고액 유가지출에 따른경상적자 증가

다.정부 수익 재원 감소에 따른 재정적자 증가

3.이러한 제반 피해를 보전하기 위해서는 5년간 연20억불 정도의 원조를 받아야할 실정인바, 이는 주재국 GDP 의 약 50 에 달함

(대사 박태진-국장)

중아국 중아국 경제국 정문국 안기부 미주국 통상국 대책반 1차보 2차보

PAGE 1 90.09.05 20:39 DA

외신 1과 통제관

0060

원 본

외 무 부

종 별 :

번 호 : JOW-0405 일 시 : 90 0905 1630

수 신 : 장 관(중근동,마그,정일,기정)

발 신 : 주 요르단 대사

제 목 : 요르단 국왕 북아 및 구주순방후 귀국

연: JOW-0400

1. 9.4 주재국의 후세인 국왕은 걸프위기의외교적 해결을 위한 10일간의 북아및구주 순방후 귀국함. 동국왕은 이태리 방문직후 9.9 미.소 정상회담전 소련을 방문, 고르바쵸프 대통령과 회담할 예정이었으나 일정 조정이 이루어지지 못해 이를연기하고 귀국함.

2. 이태리의 DE MICHELIS 외상에 의하면, 후세인 국왕은 새로운 제안을 가지고금명간 이라크를 방문, 사담후세인 대통령과 금번 순방결과등에 관해 회담할 것이라함.

3. 9.7 있을 EC 외상회의에서 금번 유엔 안보리의 대이라크 경제 제재조치로심각한 타격을 입은 요르단 및 이집트 원조계획이 논의될 것이라 함

(대사 박태진-국장)

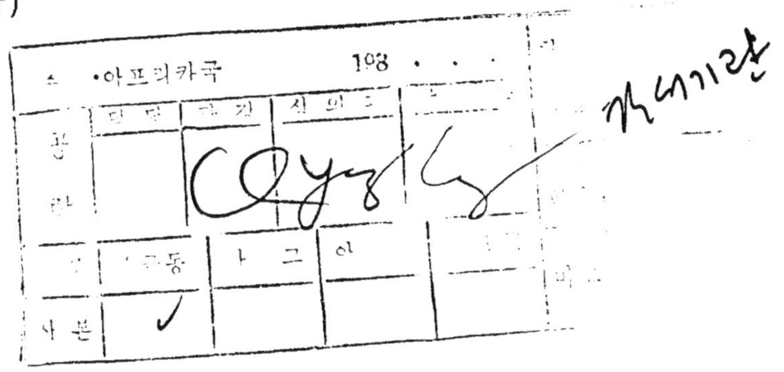

중아국 1차보 중아국 정문국 안기부

PAGE 1

90.09.06 04:41 DA

외신 1과 통제관

0061

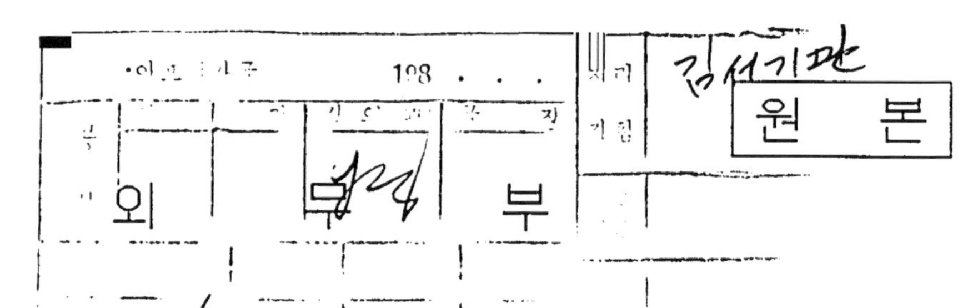

종 별 :

번 호 : JOW-0413 일 시 : 90 0908 1620

수 신 : 장 관 (중근동,마그,정일,기정)

발 신 : 주 요르단 대사

제 목 : 주재국 외상 기자회견

1. QASEM 주재국 외상은 9.7 REUTER 통신과의 회견에서 요르단이 대이락 제재 참여에 충실치 않다고 의심하는 일부국가의 주장에 대해 요르단은 동제재를 충실히 준수하고 있다고 반박함. 그러나 동외상은 식량과 의약품까지 제재에 포함되어있는 사실에대해 상기국가들이 인도주의적 견지에서 해명해야 할것이라고 말하여 이락에 대한 식량, 의약품들의 반입을 옹호하였음

2. 기타 동외상의 주요 발언요지는 아래와 같음

-요르단은 이락으로부터 계속 원유를 수입하고 있으나 이는 수출용이 아닌 요르단 국내용이며 만일 여타국이 이락의 대요르단 수출가격으로 수출한다면 수입선을 바꿀수 있음.

-요르단은 안보리 결의 242호를 준수한것과 마찬가지로, 대이락 유엔제재결의를충실히 이행하고 있음

-불란서 정부가 DASSAULT 회사에 대해 10억불상당의 MIRAGE 전투기의 대요르단 판매중지를 지시했다는 외신보도에 대해서는, 동전투기는 전적으로 요르단이 사용하기 위한 것이며 이락으로의 유출가능성은 없다고 부인함

-요르단.이락 공군 합동훈련은 이락측이 훈련비용을 부담하기 때문이며 미.영.불측이 요르단공군의 훈련에 협조한다면 언제라도 파견할 용의가 있음

3. 동외상의 발언은 군사.경제면의 협력관계에 따른 양국관계, 요르단국민의 대이락 지지여론, 요르단과 사우디.이집트와의 관계등을 감안한 요르단의 특수입장을 이해시키려는 노력의 일환으로 보여짐

(대사 박태진-국장)

중아국 1차보 중아국 정문국 안기부 대책반 통상국 미주국 2차보

PAGE 1 90.09.09 10:12 FC

외신 1과 통제관

0062

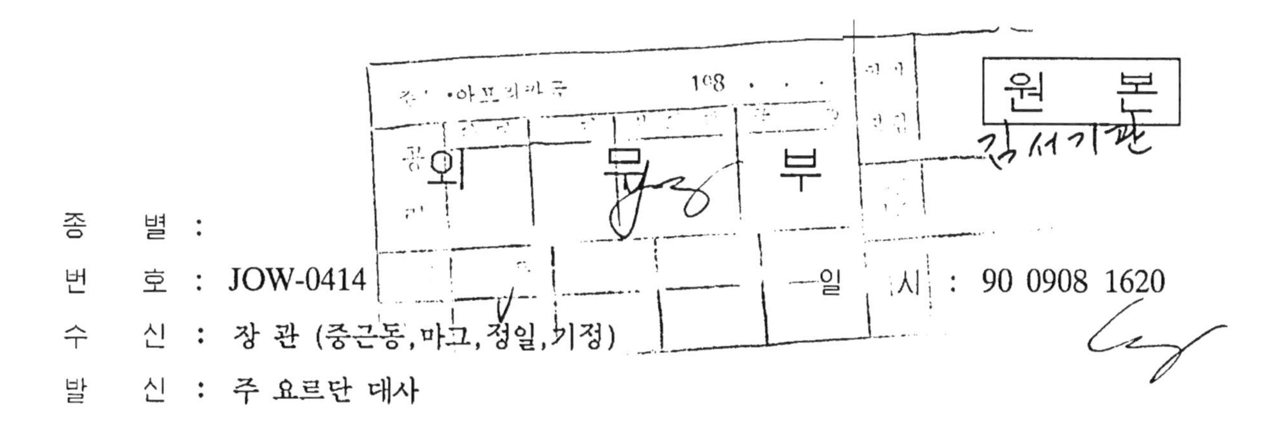

원 본

종 별 :

번 호 : JOW-0414 일 시 : 90 0908 1620

수 신 : 장 관 (중근동,마그,정일,기정)

발 신 : 주 요르단 대사

제 목 : 미.소 정상회담에 관한 논평

주재국 일간지 JORDAN TIMES 지는 'A POSSIBLE WATERSHED' 제하 9.8자 사설을 통해 9.9 미.소정상회담에 관해 요지 다음과 같이 논평함

가. 금번 회담은 전쟁발발 또는 평화적인 해결의 결정적인 전환점이 될수있음

나. 고르바쵸프하의 소련이 SUPER POWER 로서의 입지가 다소 퇴색했음에도 소련의 동의없이 미국이 이락크와의 전쟁을 개시할수는 없음이 사실인바, 금번 소련의 대중동정책이 어떻게 나올지가 세계의 관심이 되고있음

다. 미국은 현재 중동에 대한 영향력 및 입지강화를 시도하고 있는바, 이는 소련의 중동에 대한 전략적 영향력을 축소시키려는 것임

라. GULF 에서 전쟁이 발발하면 친소동맹국이 없으리라는 것은 소련이 너무나 잘알고 있고, 또한 고르바쵸프도 사태가 진정되후 이집트, 사우디, 시리아 및 GCC 국가들이 친소성향을 나타내지 않을것라는것은 너무나 잘알고 있을것인바, 소련은 마지막남은 소련에 대한 아랍국의 기대를 저버리지 않도록 신중히 대처해야 할것임

마. 그러나 소련은 이와는 정반대로 유엔안보리에서도 미국이 군사행동을 취할수있도록 결의안에 동의한후, 늦게 중동지역에서의 소련의 전략적 이해와 안전이 위협받는다는 것을 인식한 소련이 이제 서방 군사력의 증가에 약간 유보적인 태도를 취하는 듯함

바. 금번 회담에서 고르바쵸프가 어떠한 입장을 나타낼지는 알수없으나 중동사태에 큰영향력을 미칠것은 틀림없고, 우리는 이러한 영향이 긍정적으로 나타나길 기대함

(대사 박태진-국장)

중아국 1차보 중아국 정문국 안기부 대책반 통상국 미주국 그런

PAGE 1 90.09.09 10:15 FC

외신 1과 통제관

0063

원 본

외 무 부

종 별 :

번 호 : JOW-0415 일 시 : 90 0908 1620

수 신 : 장 관 (중근동,마그,정문)

발 신 : 주 요르단 대사

제 목 : EC, 대주재국 원조

1. 9.7 EC 외상회의는 대이락 교역중단으로 인한 손실보상을 위해 터키, 요르단, 이집트에 대해 20억불의 경제원조를 1991년중에 공여할것을 결의함

2. 상기와 관련 HANS BROEK 화란 외상은 요르단등 3개국이 1991년중 입을 손실은90억불에 이를것으로 전망하고 동금액의 2/3에 해당하는 손실은 유가인상으로 300억불을 가득할 사우디가 부담하기를 희망한다고 말함

(대사 박태진-국장)

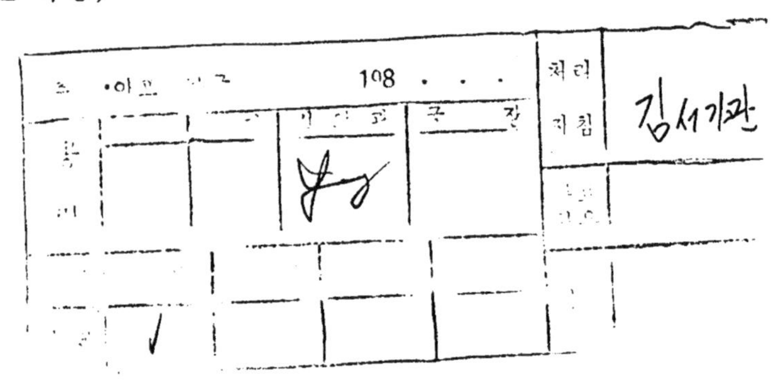

중아국 2차보 중아국 정문국

PAGE 1

90.09.09 10:16 FC

외신 1과 통제관

0064

원 본

외 무 부

종 별 :

번 호 : JOW-0422 일 시 : 90 0910 1630

수 신 : 장 관 (중근동,마그,정일,기정)

발 신 : 주 요르단 대사

제 목 : 미.소 정상회담에 관한 언론계 반응

9.9 미.소정상회담에 관해 주재국의 JORDAN TIMES지는 'SUMMIT ON TRACK' 제하 9.10자 사설을 통해 다음과 같이 논평함

가. 소련은 금번사태에 관해 이미 군사적 해결보다 정치적 해결이 추구되어야 한다고 계속 주장하여 왔던바, 결국 소련측의 상식이 민중선동행위나 군국주의를 누르고 승리함

나. 금번 회담결과는 긍정적이고 건설적인 것으로 나타났는바, 이는 이성있고 지각있는 인사들이 기대하던 바이고, 주전론자들이 반대하던 것임

다. 양 정상이 평화적인 해결을 위한 기회를 부여한것은 잘한 조치이며 정치적 해결에 합의한것은 가장중요한 사실인바, 요르단은 걸프사태 발생이후부터 지속적으로 정치적 해결을 주장해 왔던것이기도 함

라. 후세인 국왕이 부시 미대통령과 회담하였을때 미측에 대해 정치적인 해결 필요성을 강조하고 최선을 다한바 있어, 그이후 많은 사건들이 있었으나 결국 요르단의 입장이 받아들여졌다는데 안심함

마. 양지도자는 중동평화를 위해 보다나은 결정을 할수도 있었고 걸프사태와 아랍. 이스라엘 문제를 연계시키기 위해 좀더 노력을 할수도 있었음. 그러나 일시에 모든것을 다 해결키는 어려웠을것임

바. 금번 회담에서 주전론자들의 주장을 누르고 충돌로부터 대화의 방향으로 유도한것은 가장 중요하고 희망적인 사실임

(대사 박태진-국장)

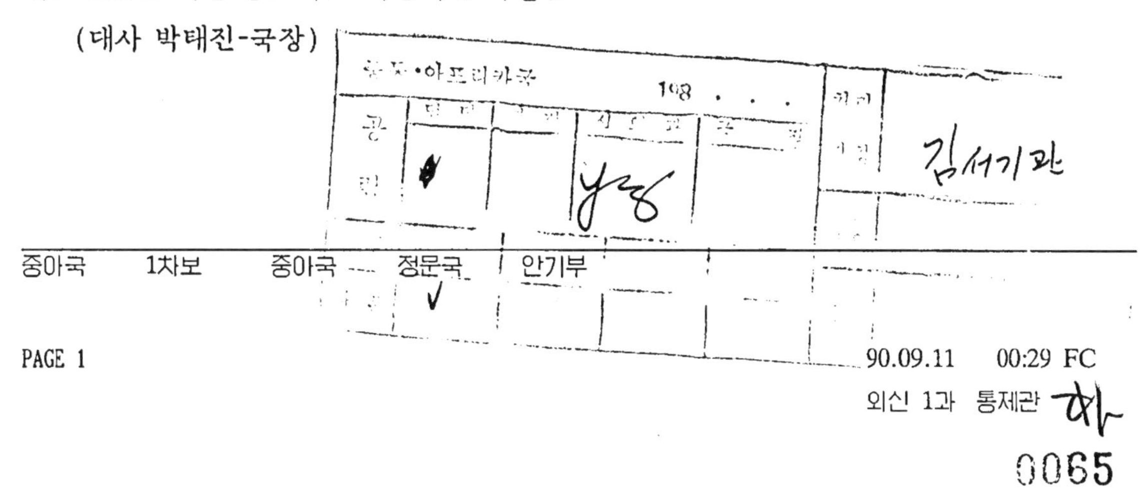

중아국 1차보 중아국 정문국 안기부

PAGE 1 90.09.11 00:29 FC

외신 1과 통제관

0065

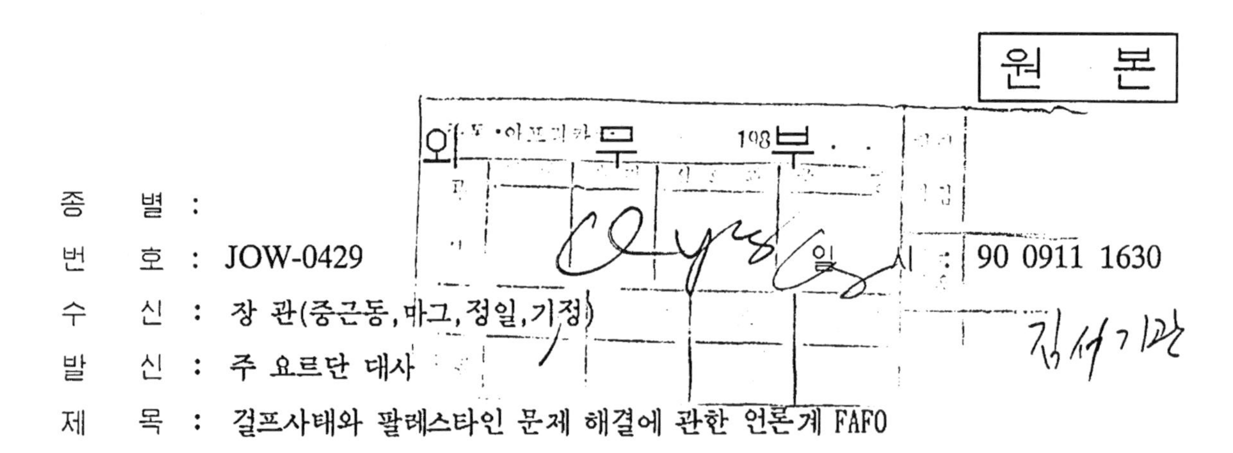
원 본

외 무 부

종 별 :

번 호 : JOW-0429 일 시 : 90 0911 1630

수 신 : 장 관(중근동,마그,정일,기정)

발 신 : 주 요르단 대사

제 목 : 걸프사태와 팔레스타인 문제 해결에 관한 언론계 FAFO

주재국 일간지 J.T. 지는 9.11 자 ' LINK INPARALLEL' 제하 사설을 통해 걸프사태 해결문제와 팔레스타인 문제와의 연관성과 관련, 아랍민족들의 감정과 입장을 다음과 같이 대변하고 있는바 요지 다음과 같음

가. 서방세계는 팔레스타인 문제해결이 시급 하다는것을 인식하는데 걸프사태를필요로 하였음

나. 미국. 영국등 걸프사태 해결에 우선권을 부여하고 있으며 동사태가 진정된 후에야 팔레스타인 문제가 취급되어야 한다고 주장하고 있음을 알수있음

다. 미. 영등에게 팔레스타인 문제가 급히 해결되지 않아도 되는 문제이며 동문제에 대한 유엔의 결의가 걸프사태의 한 결의항보다 부차적으로 취급되어야 하는지는 아랍. 이스라엘 분쟁에 관심을 가지고 있는 모든 아랍인들을 분개시키고 있음

('아랍인들과 세계 평화 애호국에게 왜 걸프 유전지에서 발생하는 원유생산의 소리가 이스라엘 점령하에서 고난을 당하는 팔레스타인 민족들의 탄식소리 보다 더크게 들려야 하는가?')

라. 여하간에 서방 지도자들의 인식속에 팔레스타인 문제가 해결되어야 한다는 사고가 자리잡게 되면 동문제의 교착상태 타결을 위한 적절한 방안이 강구될수 있을것임

마. 서방측은 걸프사태와 팔레스타인 문제는 상호 무관하다고 주장하고 있는바, 양문제 해결을 위한 동시 병행적인 방침, 즉 독립적이며 평행적인 방안이 강구된다면 양문제는 별개라는 주장도 받아 들여질수 있을것임

(대사 박태진-국장)

중아국 1차보 중아국 정문국 안기부 대책반 미주국 청와대

PAGE 1

90.09.12 05:28 DA

외신 1과 통제관

0066

원 본

외 무 부

종 별 :

번 호 : JOW-0463 일 시 : 90 0923 1930

수 신 : 장 관(중근동,마그,정일,기정)

발 신 : 주 요르단 대사

제 목 : 걸프사태에 관한 주재국 입장

1. 9.22 주재국의 후세인 국왕은 미국 CNN과의 기자회견을 통해 걸프사태에 대한주재국 입장을 요지 다음과 같이 설명함

가. 엄청난 재난을 초래할수있는 중동지역의 폭발을 막아야 할것임

나. 요르단은 이라크의 쿠웨이트 침공에 대해 사전에알지못하였으며 일익을 담당했다는 설은 허구임

다. 요르단은 쿠웨이트 국가 및 왕족정부를 인정하고 있음

라. 역내 긴장완화가 우선 추진되어야하나, 여타관심사항에 대해서도 취급논의될것이라는 확실한 보장이 필요함

마. 역내 모든 정부가 민주화되도록 권장되어야함

2. 후세인 국왕이 전기 CNN과의 생방송을 통해 특히 미국의회와 미국 국민들에게호소하게된것은 사소한 오해,오판이 전쟁을 도발시킬수 있기때문에 전쟁을 사전에 예방하는것이 자신의 의무라고 느꼈기 때문이라고 그동기를 밝힘

3. 동 회견내용과 동일한 내용의 후세인 국왕친서가 노대통령을 비롯한 각국 국가원수들에게 전달된것으로 파악됨

(대사 박태진-국장)

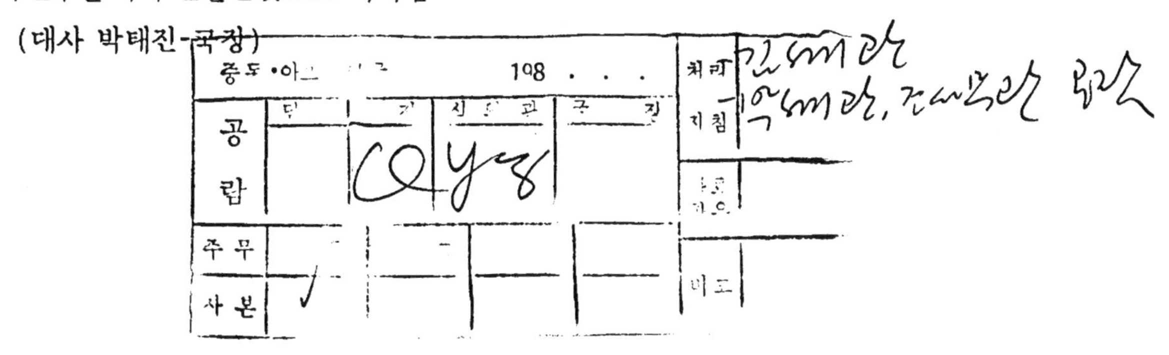

중아국 1차보 정문국 안기부 미주국 통상국 대책반 그차보

PAGE 1

90.09.24 06:39 BX

외신 1과 통제관

0067

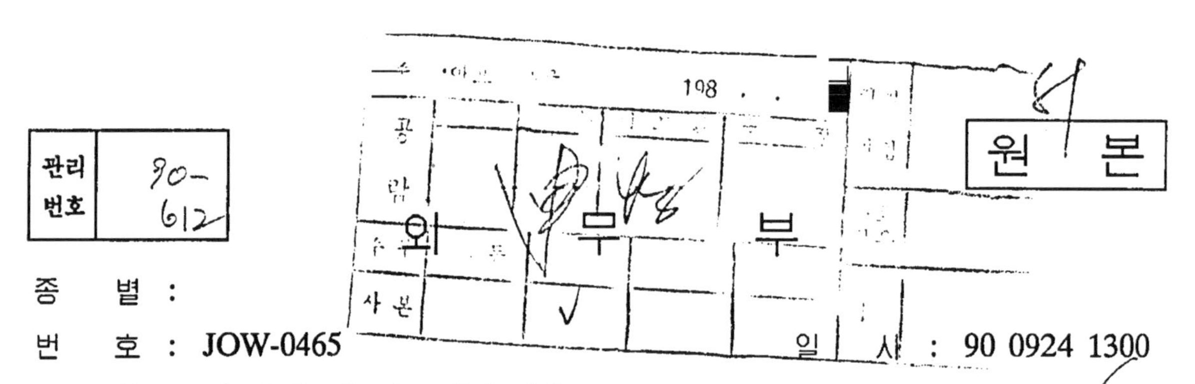

관리 번호	90- 612

원 본

외 무 부

종 별 :

번 호 : JOW-0465 일 시 : 90 0924 1300

수 신 : 장 관(중근동,마그,정일,기정)

발 신 : 주 요르 단 대사

제 목 : 요르단.사우디 외교관계

1. 걸프사태와 관련, 그간 주재국이 중립내지 중재입장을 주장하면서도 이라크 옹호입장을 보이며 사실상 불가분의 긴밀한 관계에있는 사우디측에 불리한 태도를 나타낸데 대해 사우디 정부는 불편을 격던중, 최근 후세인 국왕이 사우디측과 사전 긴밀한 협의없이 모로코, 알제리아등과 정상회담을 갖고 또한 요르단내에서 극좌 아랍세력의 정치집회를 주도한데 대해 사우디의 불만이 표출 급기야9.19 자정을 기해 대요르단 단유조치를 초래케 한바 있음

2. 이와 관련 사우디 정부가 동국주재 이라크, 예멘 외교관과 함께 요르단 외교관도 추방할것이라는 설이 9.22 오후 관엽 사우디 통신인용 일부 외신에도 보도되었는바, 9.23 주재국 정부대변인은 성명을 통해 사우디 정부로부터 자국 외교관을 추방한다는 결정을 통보받은바 없다고 부인하고, 요르단도 사우디 외교관을 추방할 의사가 전혀없을음 분명히함

3. 주재국으로서는 주 교역 대상국이 이라크이며 주재국 국민의 과반수이상을 점하고 있는 팔레스타인들이 친이라크, 반서방 성향인 관계로 후세인 국왕 및정부관계자들이 이러한 주재국의 분위기를 감안, 이라크 정부입장을 이해하는 측면에서 외교적 해결을 위해 노력해 왔었던것은 사실임. 그러나 주재국과 사우디가와의 역사적, 종교적 특히 경제적 관계를 고려할때, 주재국으로서는 사우디와 불편한 관계가 되는것은 견딜수 없는바, 사우디는 요르단에게는 최대한 경제원조 제공국으로 사우디의 재정지원액이 요르단 국가재정의 큰 PORTION 을 차지하고 있는 실정임

4. 사우디측의 대요르단 단유조치, 외교관 추방설 및 요르단 농산품 수입 거부설등 대요르단 강경입장에 따라, 주재국은 이라크의 쿠웨이트 철수와 사우디내 외군철수 입장을 고수하면서도 유엔의 대이라크 제재조치에 동참하면서 합리적인 해결방안

중아국 차관 1차보 중아국 정문국 청와대 안기부

PAGE 1 90.09.24 19:43

외신 2과 통제관 BW

0068

제시를 통해 사우디의 비위를 크게 거슬리지 않는 방향으로 적극 노력할것으로 보임

5. 각국 국가원수들에 대한 후세인 국왕의 친서전달과 후세인 국왕의 TV 를통한 대미 호소와 함께 9.23 하산 황태자의 미국 및 유엔 방문도 여사한 배경하에서 사우디와 입장을 같이하고 있는 미국을 적극 설득하고 유엔과의 외교적 교섭을 통한 주재국 입장만회를 위한 노력의 일환으로 판단됨

(대사 박태진-국장)

예고:90.12.31 까지

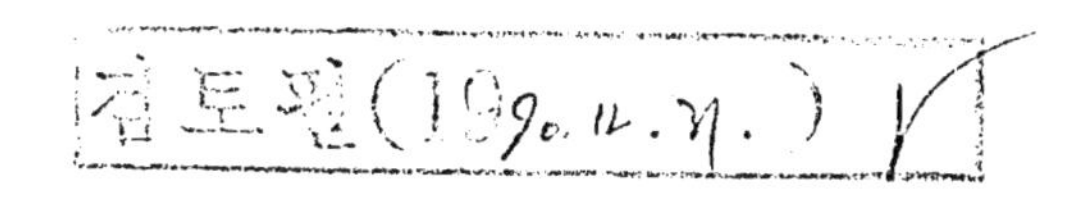

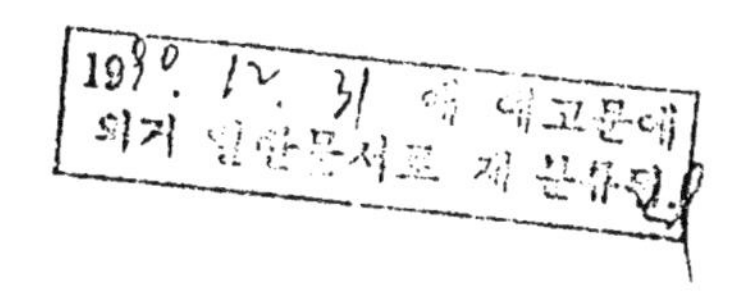

PAGE 2

0069

원 본

외 무 부

종 별 :

번 호 : JOW-0472 일 시 : 90 0926 1300

수 신 : 장 관(마그,중근동,정일,기정)

발 신 : 주 요르단 대사

제 목 : 요르단. 사우디 관계 악화

대: JOW-0465

1. 연호 양국관계의 악화에 따라 사우디 정부가 간첩혐의를 들어 리야드 주재 요르단 대사관 무관부 폐쇄 및 대사관원 축소를 요청한데 대해, 요르단 정부는 이를' UNJUSTIFABLE' 한 조치로 보고 이에 대한 항의 표시로 9.24 사우디 주재 자국대사를 소환 했다고 외무부가 발표함

2.주재국 언론들은 사설을 통해 금번 사우디정부가 주재국을 비롯한 아랍 형제국에 대해 적대적 조치를 취한것은 순전히 정치적 의도하에서 이루어진 것이며, 서방 강대국의 조종에따라 금번조치를 취함으로서 주권국가로서의 정책결정 능력과 의지를 상실했다고 공격함

(대사 박태진-국장)

중동·아프리카국 198 . . .

공람	담당	과장	심의관	국장

중아국 1차보 중아국 정문국 안기부 대책반

PAGE 1

90.09.26 23:35 DA

외신 1과 통제관

0070

원 본

외 무 부

종 별 :

번 호 : JOW-0473 일 시 : 90 0926 1300

수 신 : 장 관(마그,중근동,아북,정일,기정)

발 신 : 주 요르단 대사

제 목 : 일본수상, 요르단 방문

1. 당지 주재국 일본 대사관에 의하면, 동국 가이후수상이 10.3-4간 주재국 방문후세인 국왕, 하산왕세자 및 BADRAN 수상등 주재국 정부고위인사들과 현중동정세및양국 현안 문제등에 관해 회담할것이라고함

2. 동수상은 주재국외 이집트, 터키, 사우디 및 오만등 중동제국을 순방, 각국 정상들과의 회담을통해 중동지역의 평화와 안정에 기여코자하는 일본의 입장을 밝히는데 있 다함

3. 동수상은 걸프사태후 중동지역을 순방하는 G7국가중 최초의 정부수반이며, 일본수상으로서 1978년 이래 최초로 당지를 방문하게 된것임. 또한 일본 정부는 이미 대이라 크 경제제재로 가장 큰타격을 입은 요르단, 터키등 주변 전선국가들에 대해 20억불의 경제지원을 약속한바 있음

(대사 박태진-국장)

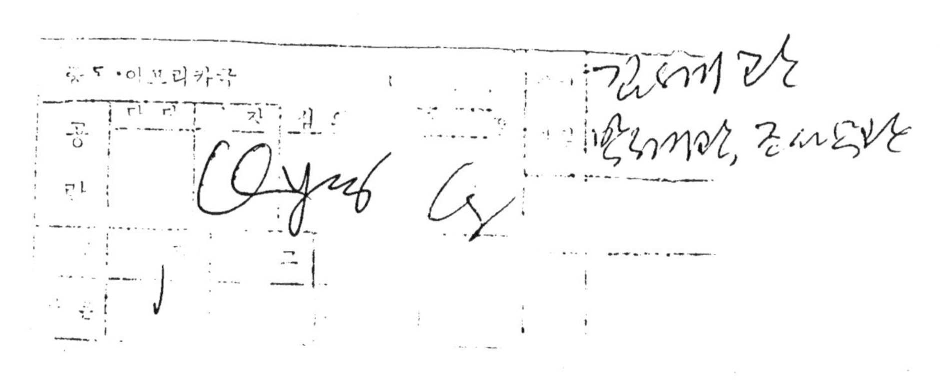

중아국 1차보 아주국 중아국 정문국 안기부 2차관

PAGE 1

90.09.26 23:37 DA

외신 1과 통제관

0071

외 무 부

종 별 :

번 호 : JOW-0474 　　　　　　　　　　　일 시 : 90 0926 1500

수 신 : 장 관(중근동,마그,정일,기정)

발 신 : 주 요르단 대사

제 목 : 프랑스 4단계 중동평화안에 대한 주재국 반응

1.미테랑 프랑스 대통령이 9.24 유엔총회 연설을 통해 제의한 걸프사태 해결을위한 4단계 평화안에 관해, 주재국의 한 외무성 고위관리는 동제안은 이라크의 무조건 철수를 주장치않고 타협적인 해결안을 제시하고 있어 'POSITIVE' 하며 특히 전중동문제 해결을 위해 아랍제국 및 국제기구가 관여해야 한다는 내용은 요르단도공히 채택하고 있는 입장이라면서 환영의 뜻을 나타냄

2.동 관리는 서방지도자가 걸프사태 해결을 위해 중동문제를 연관짓기는 처음이며, 쿠웨이트 정부회복과 동국 국민의 민주화 의지에 대한 보장요구와 무기 감축을주장하는 프랑스의 입장을 요르단은 전폭 지지한다고 밝힘

(대사 박태진-국장)

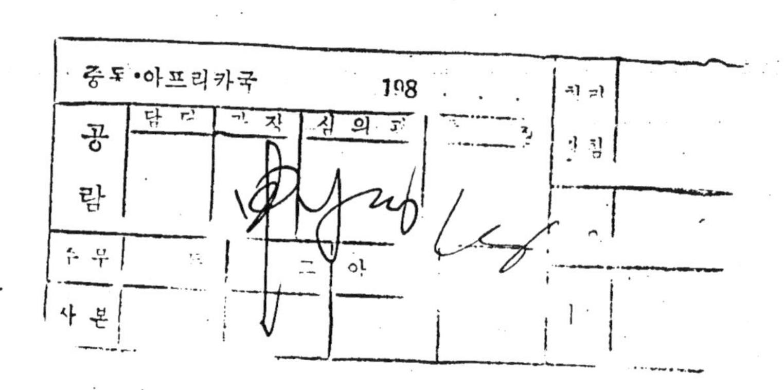

중아국 1차보 중아국 정문국 안기부 대책반

PAGE 1 　　　　　　　　　　　　　　　90.09.27 00:03 DA

외신 1과 통제관

0072

원 본

외 무 부

종 별 :

번 호 : JOW-0475 일 시 : 90 0926 1500

수 신 : 장 관(중근동,마그,정일,기정)

발 신 : 주 요르단 대사

제 목 : 요르단 왕세자, 유엔 및 미국 방문

1. 9.24. 이래 유엔과 미국을 방문중인 주재국의 하산 왕세자는 9.25 뉴욕에서유엔안보리 5개 상임이사국 대사 및 비상임 이사국 10개국 대사와 회담, 현 걸프위기와 앞으로의 안보리의 역활에 관해 의견교환을 갖고, 요르단의 입장과 동위기 해결을 위한 아랍결의안 모색 노력및 대이라크 경제 제재에 따른 요르단의 직면한 제반 사정을 설명함

2.동 왕세자는 이어 DE CUELLAR UN 사무총장외 미국의회 자도자및 정부 고위인사들과 회담할 예정임

(대사 박태진-국장)

공람				
주무				
사본				

중아국 1차보 중아국 정문국 안기부 대책반

PAGE 1 90.09.27 00:04 DA

외신 1과 통제관

0073

원 본

외 무 부

종 별 :

번 호 : JOW-0478 일 시 : 90 0927 1400

수 신 : 장 관(중근동,마그,정일,기정)

발 신 : 주 요르단 대사

제 목 : 요르단, 사우디 관계

연: JOW-0472

1. 9.26 주재국의 BILBEISI 외무차관은 사우디주재 요르단 대사의 소환은 사우디와의 외교관계 단절을 의미하지 않으며, 단지 무관부 폐쇄와 외교관원 축소에 대한항의의 표시에 지나지 않을뿐이며, 주재국은 어떠한 사우디 외교관도 추방할 계획이없다고 밝히면서 사우디정부측에 의한 자국 노무관이나 문정관을 포함한 대사관 직원의 축소의 요청은 정당화 될수없다고 말함

2.또한 IZZEDDINE 공보상도 주재국은 사우디와 오랫동안 긴밀한 관계를 유지해 왔으며, 단지현 걸프사태 해결을 위한 최선의 해결책에 관한 견해의 차이에 지나지 않으므로 요르단으로서는 어느 사우디 외교관에게도 출국을 요청할 계획이없다고 말함

(대사 박태진-국장)

중동·아프리카국		198 . . .		처리지침
공람	담당	과장	심의관	국장
공 동				
사 본	✓			

중아국 1차보 중아국 정문국 안기부

PAGE 1

90.09.27 22:15 DP

외신 1과 통제관

0074

원 본

외 무 부

종 별 :

번 호 : JOW-0479 일 시 : 90 0927 1400

수 신 : 장 관(중근동,마그,정일,기정)

발 신 : 주 요르단 대사

제 목 : 이라크 영공 봉쇄 결의에 대한 요르단 정부 입장

1. 9.27 유엔안보리의 이라크 영공봉쇄 결의안에 대해, 주재국은 이라크 출입항공화 물에 대한 유엔의 영공 봉쇄 결의를 준수할것이나, 상업용 여객기는 동봉쇄에 포함되지 않는것으로 해석하므로 이라크 여객기의 요르단 영공통과는 허용될것이라고 주재국의 IZZEDDINE 공보상이 말함

2. 또한 동장관은 긴장이 완화되어가고 있는차제에 사태해결에 보다많은 부정적 요소를 함유하고있는 동결의안이 유엔에서 채택됨으로써 이지역의 긴장이 보다 증폭될가능성이 있음에 우려를 표시하고, 요르단이 주장하는 평화해결 방안이 수용되지 않고 있으므로 요르단으로서는 동결의안 이행이 전혀 즐겁지 않다고 실토함

(대사 박태진-국장)

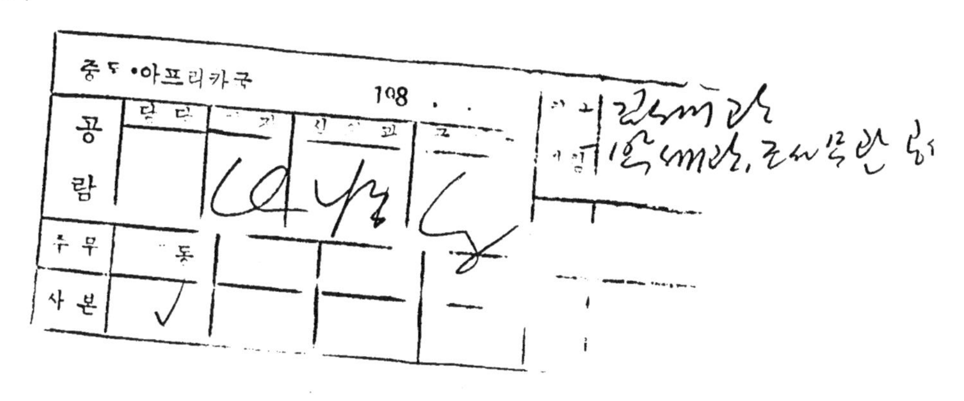

중아국 1차보 중아국 정문국 안기부 미주국 통상국 대책반

PAGE 1

90.09.27 22:17 DP

외신 1과 통제관

0075

외 무 부

종 별 :

번 호 : JOW-0480 일 시 : 90 0927 1400

수 신 : 장 관(중근동,국연,마그,정일,기정)

발 신 : 주 요르단 대사

제 목 : 요르단 외상 유엔연설

1. 9.26 주재국의 QASEM 외상이 유엔 총회연설을 통해 천명한 걸프사태에 관한 주재국입장 다음과 같음

가. 걸프위기 해결은 국제적인 노력과 아랍노력의 상호협조와 보완하에 이루어져야 함

나. 유엔 주도하의 모든 해결안 성공을 위해서는 진지하고도 객관적이며 편견이 없는 아랍국가의 참여가 있어야함

다. 국가간 이견해소와 타국 영토취득 방법으로의 무력사용은 불용하므로, 이라크의 쿠웨이트 합병결정은 인정하지 않음.

라. 중동분쟁 해결을 위한 소련측의 국제회의개최 요구와 프랑스가 제의한 제 4단계 평화방안을 환영함

2. 동연설문 전문 정파편 송부하겠음

(대사 박태진-국장)

중아국 1차보 중아국 국기국 정문국 안기부 미주국 통상국 대책반

PAGE 1 90.09.27 22:19 DP

외신 1과 통제관

0076

원 본

외 무 부

종 별 :

번 호 : JOW-0495 일 시 : 90 0930 1620

수 신 : 장 관 (중근동,마그,정일,기정)

발 신 : 주 요르단 대사

제 목 : 후세인 국왕 이라크 대통령 친서접수

1. 9.29 주재국을 방문한 AZIZ 이라크 외상은 후세인 국왕을 방문, 사담후세인 이라크대통령의 친서를 전달함

2. 동친서의 구체적 내용은 밝혀지지 않았으나, 동친서에는 걸프위기 해결을 위한 일련의 최근 아랍 및 국제적인 INITIATIVE 들에 대한 이라크측의 입장및 반응이 포함되어 있는 것으로 알려지고 있음

3. 그간 이라크측은 후세인 국왕 주도하 모로코, 알제리아 3국정상회담에서 논의, 제시된 평화안에 대해서는 일체의 반응을 나타낸바 없으나, 9.24.미테랑 프랑스 대통령이 유엔총회에서 제의한 4단계 중동평화안에는 환영의사를 표시한바 있음

4. 스웨덴의 외무담당 국무차관은 이라크가 자국에 대한 경제제재로 타격을 받기시작하여 각종 평화안들을 처음으로 매우 진지하게 검토중에 있다고 밝힘

(대사 박태진-국장)

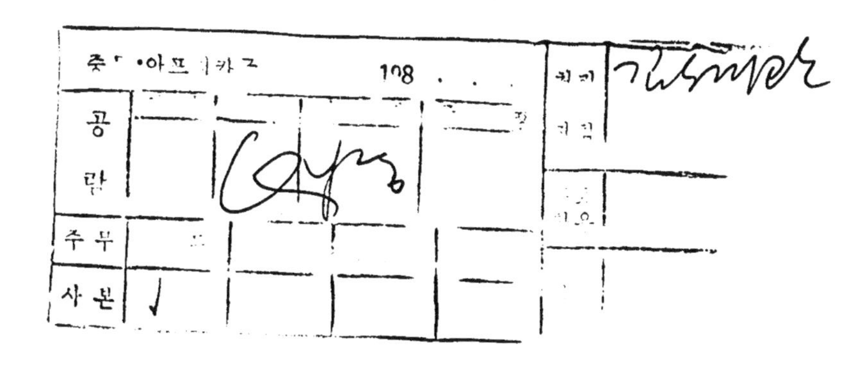

중아국 1차보 중아국 정문국 안기부 대책반 미주국 통상국 2차보

PAGE 1

90.10.01 03:53 FC

외신 1과 통제관

0077

원 본

외 무 부

종 별 :

번 호 : JOW-0502　　　　　　　　일 시 : 90 1003 1500

수 신 : 장 관(중근동) 사본:주 이라크 대사(경유필)

발 신 : 주 요르단 대사

제 목 : 경향신문 기자 방문

대:WJO-0367

대호 경향신문 이종탁 기자는 금 10.3. 15:30 IA 170편 바그다드로 향발함

(대사 박태진-국장)

중아국

PAGE 1

90.10.03 23:34 DP

외신 1과 통제관

0078

원 본

외 무 부

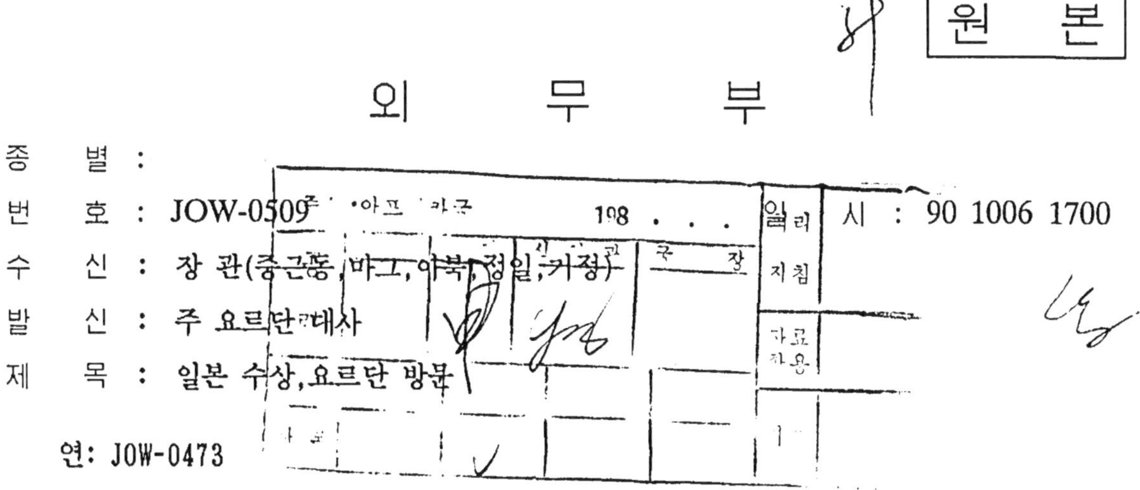

종 별 :

번 호 : JOW-0509 　　　　　　　　　　　　　일 시 : 90 1006 1700

수 신 : 장 관(중근동,미그,아북,정일,기정)

발 신 : 주 요르단 대사

제 목 : 일본 수상,요르단 방문

연: JOW-0473

1. 10.3-4. 간 주재국을 방문한 가이후 일본수상은 체재중 후세인 국왕, 하산 왕세자, BADRAN 수상등 주재국 고위인사와, 동 수상과의 회담을 위해 주재국을 방문한 RAMADAN 이라크 제1부수상과 회담함.

2. 금번 가이후 수상의 상기 인사들과의 실질적 차원에서의 회담은 걸프사태 해결을 위한 외교적 노력에 긍정적으로 기여한 것으로 평가되고 있으며, 동 사태 발발후일본 최고위 인사의 중동방문을 통해 걸프사태에 대한 일본의 입장을 설명함과 동시에 동사태 원인을 파악하고 또한 인근전선국가에 대한 경제지원 발표를 목적으로하였음.

3. 사실 일본은 인근 전선국가들에 대한 총20억불 지원액중에서 주재국에 대해 2억5천만불의 연성차관을 제공키로 하였다고 발표하였으나, 주재국 정부 당국에서는일본의 원조액이 이집트나 터키에 비해 액수가 적고, 조건도 1억불은 매우 연성이나 7천5백 만불은 경성적인 성격을 띄고있으며, 잔액에 대해서는 사용방안이 아직 결정된바 없다고 일본측의 경협방안에 대해 불만을 토로하고 있음.

4. 가이후 수상은 RAMADAN 이라크 수상과의 회담에서 이라크의 쿠웨이트 무력 점령에 대한 거부 및 이라크군의 무조건 철수, 쿠웨이트 전왕정 복구, 이라크. 쿠웨이트 거주 전외국인들의 허가를 강력히 요구하면서, 이의 실행후 효과적이고 건설적인평화회담이 이루어질수 있다고 설명함. 동 회담에서 양측은 상호 기존입장을을 고수하여 일본인의 출국문제등 하등의 성과를 거두지 못하여 계속적인 접촉을 갖기로 합의 함.

(대사 박태진-국장)

중아국 　1차보 　2차보 　미주국 　중아국 　정문국 　안기부

PAGE 1 　　　　　　　　　　　　　　　　　　　　90.10.07 06:15 CG

외신 1과 통제관

0079

원 본

외 무 부

종 별 :

번 호 : JOW-0569 일 시 : 90 1105 1130

수 신 : 장 관(마그,기정)

발 신 : 주 요르단 대사

제 목 : 걸프만 사태

1.후세인 주재국 국왕은 11.2 오만 방문에 이어 미테랑 불란서 대통령 및 구주지도자들과의 회담을 위해 11.4 불란서로 향발하였음

2.상기와 관련 TAREQ AZIZ 이락 외상은 후세인 국왕의 출국에 앞서 11.3. 주재국을 방문 후세인 이락 대통령의 구두 메세지를 전달하였으며 동메세지에는 걸프만사태의 최근 진전사항 설명및 이락측 평화안이 언급된것으로 알려짐

3.동 AZIZ 외상은 11.4. 출국에 앞서 가진 기자회견에서 걸프만 사태의 해결은제반 중동문제와 연계되어 공평하게 처리되어야 하며 만약 미.영등 국가가 침공할경우 이락은 장기전으로 끝까지 투쟁한다는 종전의 입장을 재확인 하였음

(대사 박태진-국장)

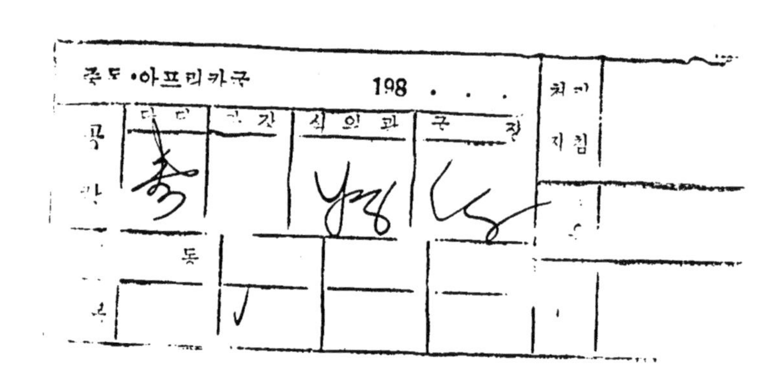

중아국 1차보 정문국 안기부 미주국 통상국 대책반 2차보

PAGE 1

90.11.05 22:06 DA

외신 1과 통제관

0080

원 본

외 무 부

종 별 :

번 호 : JOW-0575 일 시 : 90 1106 1620

수 신 : 장 관(중근동,마그,정일,기정)

발 신 : 주 요르단 대사

제 목 : 요르단.프랑스 정상회담

연: JOW-0569

1. 11.5 후세인 국왕은 미테랑 프랑스대통령과의 정상회담후 다음과 같이 언급함

가. 양정상은 매우 솔직한 대화를가졌으며, 회담결과는 매우 긍정적이며유익하였음

나. 중동에는 전쟁의 위험등 많은문제가상존하지만 동해결에 낙관적이어야 함

다. 페만사태 해결을 위해서는 팔레스타인 문제도포함되어야함

라. 세계 각국과 마찬가지로 아랍제국도 공정한페만사태해결을 위해 노력하고있음

마. 이라크측은 아직도 협상가능한 정치적해결책을 모색하고 있는바, 억류서구인들의석방시사가 이를 의미함

바. 대화에는 제재가 있을수 없으며, 좋은결과를도출키 위해서는 대화가 계속되어야함

2. 후세인 국왕은 구주 순방전 이라크측의 입장을청취하였으며, 미테랑 대통령과의 회담후, 제네바 유엔 관계회의에 참석중인 대처영국수상, ROCARD 프랑스 수상등과 회담할예정임. 특히 대처 수상과의 회담시 대이라크비난자제를 요청할것으로 알려짐

(대사 박태진-국장)

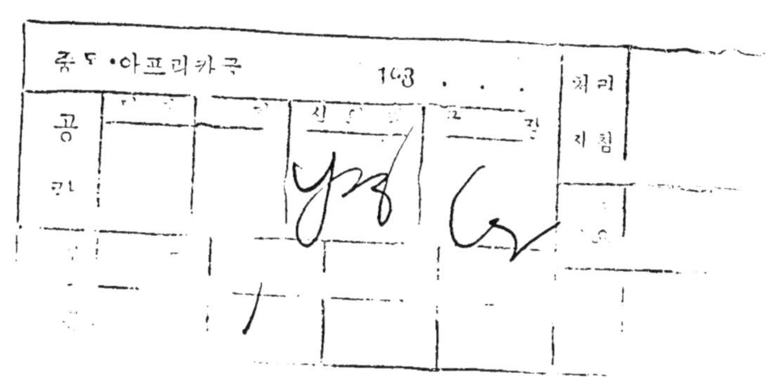

중아국 중아국 정문국 안기부 1차보 2차보 미주국 통상국 대책반

PAGE 1

90.11.08 00:05 CT

외신 1과 통제관

0081

원 본

외 무 부

종 별 :

번 호 : JOW-0583 일 시 : 90 1110 1630

수 신 : 장 관(중근동,마그,정일,기정)

발 신 : 주 요르단 대사

제 목 : 페만사태에 관한 주재국 동향

1.주재국내에서는 프랑스,소련,중국등 일부 강대국들이 최근 무력사용에 다소 소극적인 자세를 보이는 점과 각국 국가원수들의 전쟁저지 노력과 함께 국제화해 추세가 지속됨에 따라 최근의 급박한 전쟁발생 가능성에서 다소 벗어나 평화적으로 해결될수 있다는 생각과 기대가 팽배되고 있으며, 최근 걸프지역에서의 다국적군 급속 증강은 이라크에 대한 군사적 압력을 통한 문제해결의 일환으로 보는 견해도있음

2.후세인 국왕은 지난주 미테랑 프랑스대통령과의 회담결과에 크게 만족을 표한후,프랑스측 평화안이 수락될 경우는 전쟁 발발 가능성이 일단 해소될수 있을것으로 시사한바 있으며, 주재국 정부는 종래 ARAB FRAMEWORK 내처리가 최선임을 주장해 왔으나, 다수국가의 해결노력과 개입으로 각 이해 당사국의 참여를 통한 범국제적 문제로 취급해야 될것이라는 입장으로 전환하고 있음.

3.아라파트 PLO 의장도 후세인 국왕을 비롯한 중동제국 지도자와 미테랑 프랑스대통령등 서방 일부 국가원수들의 노력으로 전쟁 발발 가능성은 40 정도로 페만위기가 평화적으로 해결될 전망이 높은 것으로 보고있음

(대사 박태진-국장)

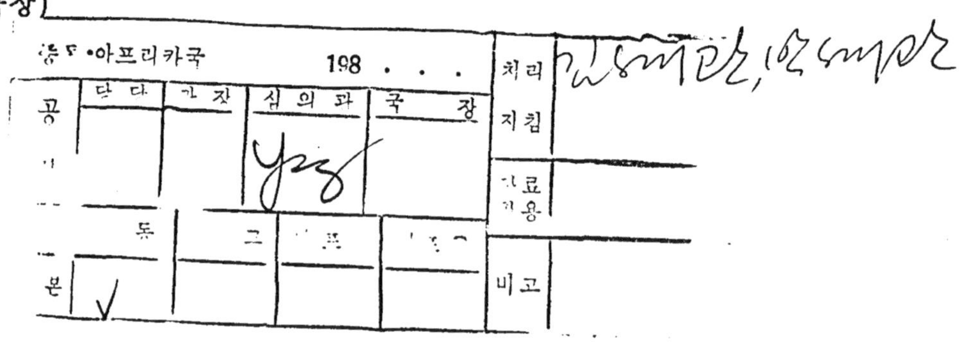

중아국 1차보 중아국 정문국 안기부 미주국 대책반 통상국

PAGE 1

90.11.11 08:52 DN

외신 1과 통제관

0082

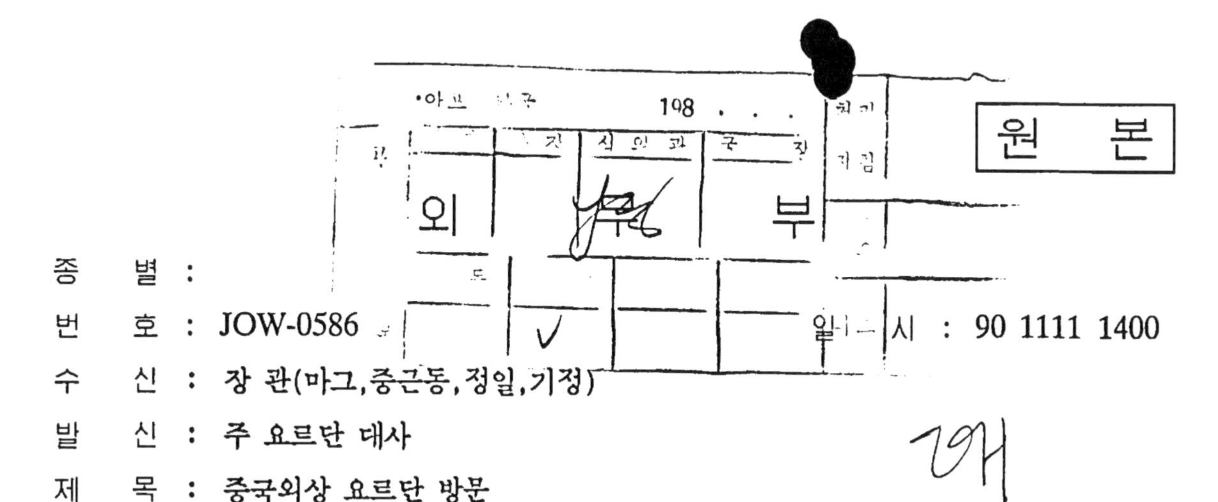

종 별 :

번 호 : JOW-0586 일 시 : 90 1111 1400

수 신 : 장 관(마그,중근동,정일,기정)

발 신 : 주 요르단 대사

제 목 : 중국외상 요르단 방문

연: JOW-0584

1. 11.10 주재국을 방문중인 중국의 전기침 외상은 국왕 및 QASEM 외상등 고위인사들과 회담후 요지 다음과 같이 언급함

가. 요르단과 중국은 이라크의 쿠웨이트 합병반대및 걸프위기의 평화적 해결을 위한 모든 가능한방법을 추구할 필요성에 인식을 같이함

나. 중국은 이라크에 대한 무력사용을 인정하는 유엔의 결의에 무조건 응하지는않을것임. 무력사용에 대한 어떠한 유엔안보리 승인을 위해서는 철저하고도 집중적인 협의가 이루어져야할 필요가 있음

다. 걸프사태로 극심한 경례적 난국에 처해있는 요르단의 현재 입장을 깊이 이해하며, 걸프사태의 평화적 해결 성취를 위해 모든 노력을 아끼지 않을 것임

2. 동외상은 후세인 국왕에게 이집트 및 사우디 방문결과를, 후세인 국왕은 걸프위기의 평화적 해결을 위한 주재국의 노력을 설명하였으며, 양국외상은 후세인 국왕의 계속적인 걸프위기 해결노력 검토와 함께 동문제 해결을 위해 양국간 구체적인 협을 가진 것으로 알려짐

3. 전외상은 금 11일 바그다드를 방문, 이라크 고위인사들과 회담 예정이며, 걸프사태 이후 유엔안보리 상임이사국 외상으로서는 최초로 이라크를 방문함

(대사 박태진-국장)

중아국 1차보 중아국 정문국 안기부

PAGE 1

90.11.12 06:49 DA

외신 1과 통제관

0083

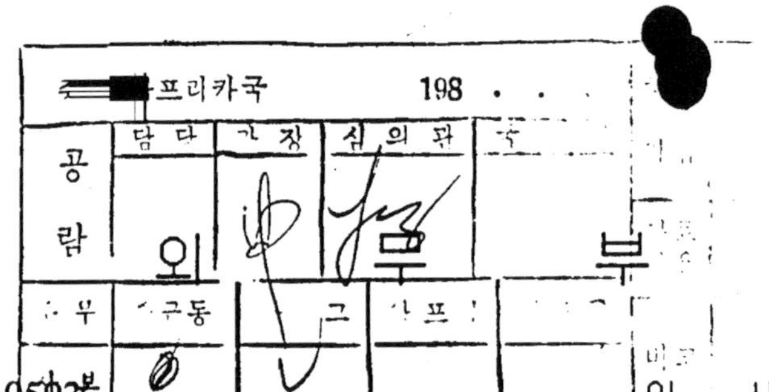

종 별 :

번 호 : JOW-0593 일 시 : 90 1113 1630

수 신 : 장 관 (중근동,마그,정일,기정)

발 신 : 주 요르단 대사

제 목 : 페만관련 주재국 동향

1. 페만사태의 정치적 해결을 위한 소련, 프랑스, 중국등 강대국과 주재국, 모로코등을 비롯한 일부 아랍국가들의 적극적인 중재노력으로 전쟁위기가 다소 완화되고 있는 가운데 최근 주재국측에서는 후세인 국왕은 동문제와 관련 전기침 중국외상, HAMMADI 이라크 부수상등과 회담하였으며, 일왕 즉위식에 참석중인 하산 왕세자도 미국의 퀘일 부통령 DE CUELLAR 유엔 사무총장등과 회담하는등 평화적 해결을 위한 가능한모든 노력을 경주하고 있음

2. 페만사태 이후 이라크와 서방측과의 관계로 보아 주재국이 사실상 중동정치의중심중의 하나가 되고있어 그간 유엔사무총장, 일본수상등을 비롯한 각국 수상, 외상등 고위인사들이 주재국을 방문하였으며, 최근에는 이라크외상, 중국외상, 유고외상등이 요르단을 방문, 페만사태의 평화적 해결을 위해 동분서주하고 있는 실정임

3. 모로코의 HASSAN II 세 국왕이 제의한 비상 아랍정상회의에 대해 사우디, 이집트 및 GCC국가등 다수의 국가가 현재까지는 공식 반응을 보이고 있지 않으나, 소련, 중공등 국가들이 적극찬성의 뜻을 나타내고있는 가운데, 요르단은 동회의를 위한 충분한 사전준비를 전제로 긍정적 태도를 보이고 있으며, 이라크는 4개전제조건이 받아질 경우 동회의에 응하겠다는 입장을 보이고 있는바, 동 전제조건중 하나인 자담후세인 대통령이 참석할수 있는 장소는 주재국 암만일 가능성이 매우 높은 것으로 예상되고 있어 주재국과 후세인 국왕의 역할에 대해 제삼국내외의 관심이 집중되고 있음

(대사 박태진-국장)

중아국	1차보	중아국	정문국	안기부	2차보	미주국	통상국	대책반

PAGE 1

90.11.14 01:20 FC
외신 1과 통제관

0084

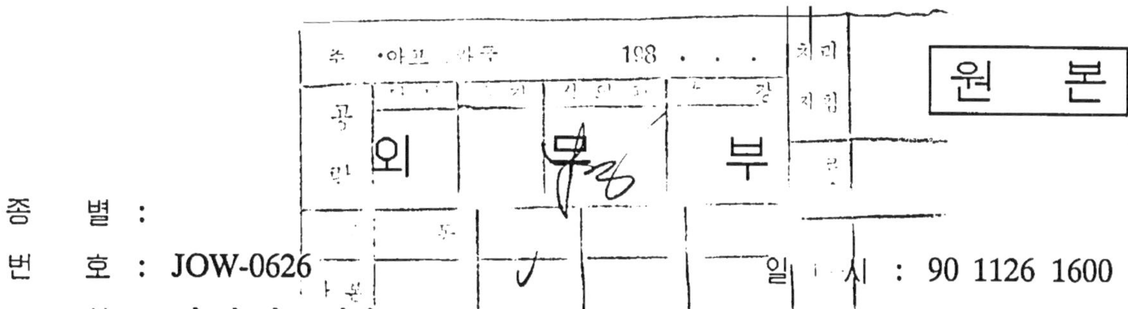

종 별 :

번 호 : JOW-0626 일 시 : 90 1126 1600

수 신 : 장 관(마그,기정)

발 신 : 주 요르단 대사

제 목 : 카나다 외상 요르단 방문

1. JOE CLARK 카나다 외상은 11.24. 주재국을 방문 11.25. 후세인 국왕및 QASEM외상 과 회담을 갖고 걸프만 사태에 대해 토의하였음. 회담후가진 동외상의 기자회견 요지는 아래와 같음

가.유엔안보리 이사국인 카나다는 걸프만 위기의 평화적 해결을 위해 계속 노력하고 있으나 이락의 쿠웨이트 철수를 위한 신뢰할수 있는 유일한 방편은 군사력사용위협이라고 생각함

나.카나다는 걸프만 사태 문제해결에 대한 후세인국왕의 입장에 대해 미국이 경청하고 관심을 갖도록 카나다.미국 양국간의 긴밀한 관계를 적극 활용할것임

다.만약 전쟁을 수행할 경우 무력사용을 뒷바침하는 별도의 UN 결의는 필요없다고 봄

라.팔레스타인 문제해결의 필요성을 인정하나, 걸프만문제를 여타 중동문제와 연계처리함에 반대함

마.카나다는 걸프만 사태로 인한 요르단측의 경제손실및 부담을 이해하며 총 6천4백만불의 카나다 정부의 FRONT LINE 국가에 대한 지원금중 22.8백만불을 요르단에지원할것임

2.상기와 관련 QASEM 주재국 외상은 RADIOJORDAN 과의 인터뷰에서 CLARK 외상과의 회담이 걸프만사태에 대한 요르단 정부의 입장을 충분히 이해시킨 매우 유익한 회담이라고 말하고, 카나다측이 약속한 22.8백만불의 원조는 무상원조의 형태로 금년이내에 지원이 착수될것이라고 언명함

3. CLARK 외상은 이집트 및 이스라엘 방문을위해 11.25 이집트로 향발하였음

(대사 박태진-국장)

중아국 1차보 정문국 안기부

PAGE 1

90.11.27 00:22 DN

외신 1과 통제관

0085

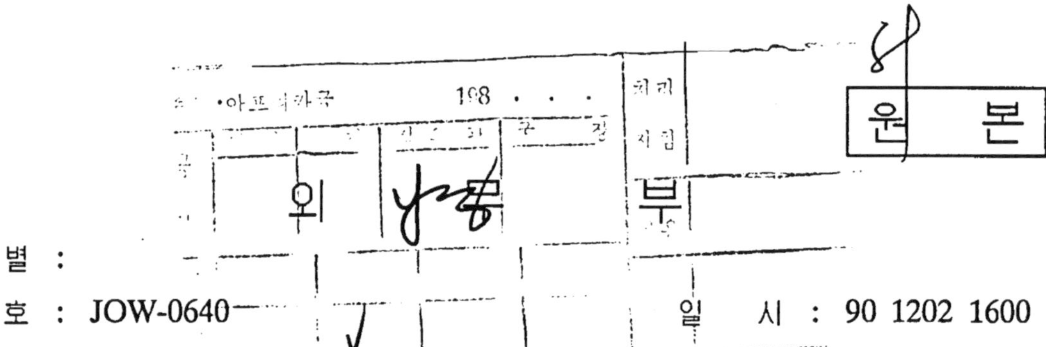

종 별 :

번 호 : JOW-0640 일 시 : 90 1202 1600

수 신 : 장 관(마그,중근동,정일,기정)

발 신 : 주 요르단 대사

제 목 : 미.이락 대화 제의에 대한 주재국반응

1. HASSAN 왕세자 발언

가.동대화 제의 목적이 책략이나 시간을 벌기위한것이 아니고, 분쟁의 근본원인규명과 지역평화 회복을 위한것인한 환영할만함

나.금번 부시 대통령의 제의로 미국과 이라크양측공히 체면 손상없이 페만위기 해결을 위한 제의를 할수있는 기회가 되기를 기대함

다.금번 미국의 제의는 원칙적으로 요르단이 항상요구해 왔던것을 시현한것임

2. QASEM 외상발언

가.요르단은 미국의 INITIATIVE 를 환영하는바,이결정은 페만위기 종결을 위해 당사국간 대화를 요청한 요르단의 제의에 응한것으로 봄

나.대화를 통해서 전세계가 페만위기의 원인들을 알게될 기회가 있게될것임

다.부시 대통령의 이라크 AZIZ 외상 방미초청은 이라크에게 그들의 평화의지를 보여줄 기회를 부여한것임

3.외무성대변인 성명

가.페만위기에 관한 미국의 대화 제의를 이라크가 받아들인것을 환영함

나.이라크의 수락결정은 위험과 군사적 충돌을 피하기 위한 당사국간 대화를 계속 요구한바 있는이라크 지도자의 제의와 부합되는것임

다.금번의 새로운 사태진전은 현재 안정과 안전이 결여된 중동지역에서의 항구적인 평화성취를 위한 시기 적절한 분위기 조성의 근거를 마련할수 있을것으로 기대함

라.미.이라크간 대화는 평화애호 국민들에 대해서는 지지와 격려의 징표가 될것이며,무력사용을 요구한 자들에게는 하나의 좌절이 될것임

4.주재국의 국민여론 및 언론도 미국의 제의를 이라크가 수락한것은 급박하던 전쟁의 고비를 넘어 평화적 해결 가능성이 매우높은 것으로 보고대대적으로 환영 하고 있음. 끝.

중아국 1차보 중아국 정문국 안기부 대책반 2차보 미주국 통상국

PAGE 1

90.12.03 01:34 DY

외신 1과 통제관

0086

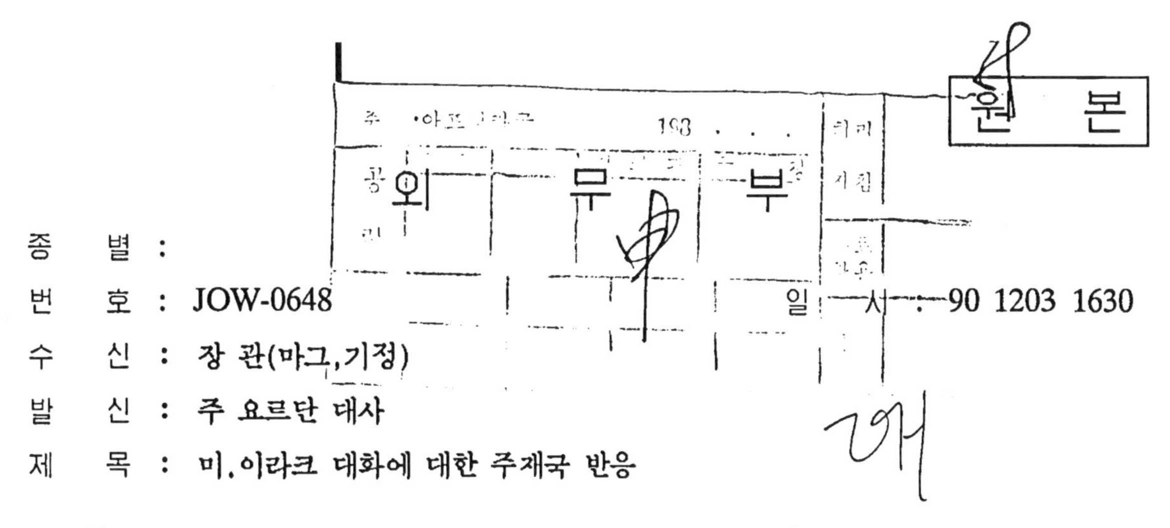
원 본

외 무 부

종 별 :

번 호 : JOW-0648 일 시 : 90 1203 1630

수 신 : 장 관(마그,기정)

발 신 : 주 요르단 대사

제 목 : 미.이라크 대화에 대한 주재국 반응

연: JOW-0640

1. 12.2 주재국의 IZZEDDIN 공보상은 미.이간 대화에 관해 요지 다음과 같이 언급함

가.미국의 제의에 대한 이라크의 수락은 '하나의 긍정적 진전임'

나.요르단은 금번 양국간 대화가 중동의 모든 HOT ISSUE 들에 관해 집중적으로 논의할수있는 호기라고 봄

다.요르단은 그간 주변의 거센 압력에도 불구하고 아랍반도에서의 전쟁,유혈,적대행위를 원하는 의견에 따르지 않았으며, 페만사태 발발시부터 평화적인 해결을 주장해왔었음

라.요르단은 페만위기의 포괄적인 해결을 이룰수 있도록 해당국들로 하여금 대화를 되살아나게 하거나 늘릴수 있다면 어떠한 역할도 기꺼이 맡을것임

마.외국의 다수 여론도 미국과 전세계를 새로운 파괴 전쟁에 빠져들게 할 군사적충돌보다는 페만위기가 평화적으로 해결되기를 원하고 있는것으로 알고있음

2.주재국 각일간지에 나타난 언론계 반응은 다음과 같음

가.페만사태에 있어 평화적인 해결책을 모색할수 있는 매우 긍정적인 진전임

나.부시 대통령의 결정은 충돌대신 대화를 위한 용감한 행위임. 이결정은 종국적으로 이라크의 쿠웨이트 철군을 초래할것임

다.페만사태 초기부터 후세인 국왕이 취한 입장이 이제 실현되고 있음

라.양국의 대화는 정치적인 해결책이 강구될수있으므로 양국과 중동지역에 유익할것임

마.전쟁준비를 위해 페만지역에 군사를 대규모로 배치 시킴으로써 곤경에 처해있던 미대통령의 입장을 자유롭게 하는 조치임

중아국 1차보 정문국 안기부 2차보 미주국 통상국 대책반

PAGE 1

90.12.04 06:18 DQ

외신 1과 통제관

0087

3.주재국 영자일간지 J.T. 지는 12.2. 및 12.3.자 사설에서 다음과 같이 논평함

가.미국의 제의에 대한 이라크의 수락결정은 조심스럽게 다루어지고 전개되어야할 첫난관을 타개하는 것인바, 모든 언행에 상호 조심하여 평화적 해결방안이 실시되기 전부터 무산되는일이 있어서는 안될것임

나.페만지역의 안보와 안정유지에 있어 미국과 이락크가 보유한 공통점이 많은바, 이러한 양국간의 전략적 이점이 향후 페만지역 문제처리에 있어 합의할수 있는 공통점이 될수있을것임

다.일방에서 볼때 위험스럽고 중대하게 보이는 안건도 사전에 제외되기 보다는 양국간에 상충되고 있는 문제를 해결하기 위해 모든 안건을 다룰수있게 협상 테이블에 상정하는것이 현명한 처사임

라.국제사회는 2차에 걸쳐 이루어질 이라크인과 미국인들간의 대화에서 취급될수 있는 안건들이 무엇인가 알권리가 있음

마.세계 인민들은 미국과 이라크 대통령에게 역사적인 정치적 해결을 실현시킬수 있는 기회를 저버리지 말것을 명백히 촉구해야 할것임

(대사 박태진-국장)

원 본

외 무 부

종 별 :

번 호 : JOW-0659 일 시 : 90 1208 1600

수 신 : 장 관(중근동,마그,정일,기정)

발 신 : 주 요르단 대사

제 목 : 이라크 외국인 출국허가에 대한 주재국 반응

1. 요르단의 QASEM 외상및 IZZEDIN 공보상은 공동 기자회견을 통해 이라크 정부가 미국.이라크 대화 추진에대한 화해 제스처로서 그간 이라크 및 쿠웨이트에 억류중이던 2,600여명의 외국인들을 전원 출국시키기로 결정한데 대해 매우 건설적인 조치로보고 환영의 뜻을 표하면서 요지 다음과 같이 언급함

가. 이라크의 외국인 출국허가 조치는 협상을 통해 폐만위기를 해결하려는 이라크 정부의 진지성을 나타낸 것으로 입증되는바, 이는 명백히 이라크가 중동지역의 포괄적이고도 총체적인 평화성취를 위한 진지하고도 건설적인 대화를 갖겠다는 의도를나타냄

나. 금번의 조치로 이라크가 전세계에 대해 좋은 의도를 가지고 있다는 것을 재확인 함

다. 이라크의 결정은 미국과 이라크간의 정치적 대화를 위한 근거 마련에 도움이될 긍정적인 조치임

라. 이라크의 조치는 이라크 및 일부 아랍국가 정상간의 장시간 논의된 결과 취해진 것임

2. 정가에서는 12.4 바그다드에서 개최된바있는 요르단, 이라크, PLO 및 예멘 4개국 정상회담에서 주재국 후세인 국왕의 제의로 금번조치가 이루어진 것으로 보고있음

3. 외국인 출국 제1진이 금 12.8. 암만 도착 예정임.

(대사 박태진-국장)

중아국 1차보 중아국 정문국 영교국 안기부

PAGE 1 90.12.09 16:56 CG

외신 1과 통제관

0089

원 본

외 무 부

종 별 :

번 호 : JOW-0009 일 시 : 91 0105 1600

수 신 : 장 관(마그,정일,기정)

발 신 : 주 요르단 대사

제 목 : 주재국 국왕 유럽순방

1.주재국의 후세인 국왕은 대화를 통한 페만위기 해결방안 모색을 위해 영국,프랑스,독일,이태리,룩셈부르크등 구주제국 지도자들과 회담차 1.2. 첫방문국인 영국에 도착, 익일 MAJOR 수상과 회담함

2.동국왕은 도착 기자회견을 통해,페만사태 관련 요지 다음과 같이 언급함

가.아직 페만에서의 전쟁 발발을 방지할 희망은있으며, 있어야함

나.전쟁발발을 막기위해 할수있는 모든것을 동원 노력할것이며, 구주제국의 지도자들 의견을 경청하고, 그들에게전쟁 방지와 평화추구의 필요성을 역설할것임

라.EC 의 노력은 현재 진행되고있는 노력들에 대해 보충적인 역할을 이어야 할것임

마.전쟁이 발발하면 경제적 재난,생태학적 재난및 인명피해등 결과는 예측을 불허할것임

3.후세인 국왕의 구주순방의 의의에 대해, 신임 MASRI 외상은 국왕의 구주순방은 현시점에서 매우 중요한바, 아랍제국을 전쟁의 재난으로부터구하고, 다가오는 위험 방지를 위해 범아랍적 내지 국제적으로 노력하고 있는 국왕의 지속적인 노력의일환이며, 국왕의 동노력이 성공하고 EC제국이 평화를 위해 긍정적인 역활을 담당하게 되기를 기대한다고 말함

(대사 박태진-국장)

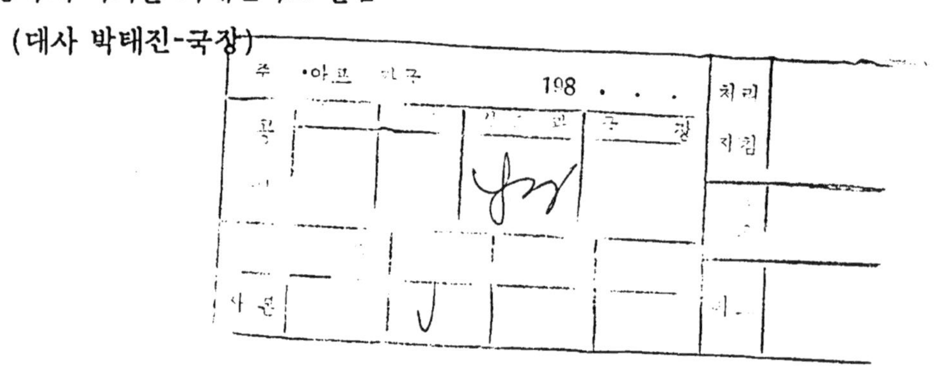

중아국 정문국 안기부

PAGE 1

91.01.06 09:21 DF

외신 1과 통제관

0090

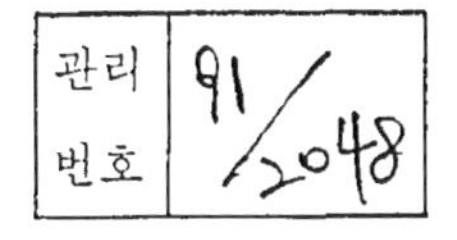

	분류번호	보존기간

발 신 전 보

번 호 : WUS-0179 910117 1105 FK 종별 : 초긴급

수 신 : 주 수신처 참조 대사. 총영사

발 신 : 장 관 (중근동)

WJA -0228 WUK -0113
WGE -0079 WFR -0087
WCA -0056 WJO -0081
WSB -0116 WTU -0027

제 목 :

귀지에서 파악할수 있는 페르샤만의 전황을 수시로 긴급 보고 바라며, 이스라엘의 참전 여부가 금후 사태 발전의 큰 변수가 될것인바, 이에 관한 정보도 적극 수집 보고 바람. 끝.

(장 관) ~~(미 상 복)~~

수신처 : 주 미, 일, 영, 독, 불, 카이로, 요르단, 사우디, 터키 대사

예 고 : 91.6.30. 일반

보안통제	7L

앙고재	91년 1월 17일	중근동과	기안자 성명		과 장		국 장		차 관	장 관
			전현		7L					

외신과통제

0091

긴

외 무 부

종 별 :

번 호 : JOW-0071 일 시 : 91 0117 2230

수 신 : 장 관(중근동,기정) 미북

발 신 : 주 요르단 대사

제 목 : 페만 개전에 관한 주재국 반응

페만개시이후 침묵을 지키고 있던 주재국 정부는 금 1.17 19:00 방송을 통해 팔레스타인 및 쿠웨이트 문제와 관련 경제제재 및 군사력 사용 등에 관한 유엔 결의안 적용이 형평을 잃고 있다고 강조한후 금번 미군주도하 다국적군의 대이라크 대규모 공격을 명렬히 비난함

(대사 박태진-국장)

중아국	장관	차관	1차보	2차보	미주국	중아국	정문국	청와대
총리실	안기부	대책반						

PAGE 1 91.01.18 06:02 CG

외신 1과 통제관

0092

원 본

외 무 부

종 별 : 지 급

번 호 : JOW-0108 일 시 : 91 0124 1130

수 신 : 장 관(중근동,대책반,기정)

발 신 : 주 요르단 대사

제 목 : 이라크-요르단 국경 폐쇄

1. 1.24자 JORDAN TIMES 지는 다국적군의 공습으로인한 피난민의 증가로 이라크측은 1.23. 저녁 이라크-요르단 국경을 폐쇄하였다고 보도함

2.상기 보도 사실여부를 루웨시드 요르단 국경 출입국사무소로 확인한바, 1.24.현재 이라크측 국경이 폐쇄된 것은 확실하나 정확한 폐쇄시간등은 알수 없다함

(대사 박태진-국장)

중아국	장관	차관	1차보	2차보	정문국	상황실	청와대	총리실
안기부	대책반							

PAGE 1

91.01.24 20:25 DP

외신 1과 통제관

0093

원 본

외 무 부

종 별 :

번 호 : JOW-0123 일 시 : 91 0128 1220

수 신 : 장 관(마그,중근동,정일,기정)

발 신 : 주 요르단 대사

제 목 : 요르단 외상 이란방문

1. 1.27-28 주재국의 MASRI 외상은 최근의 외교관계 재개결정에 따라 외상으로써는 10 년만에 최초로 이란을 방문, 대사관 재개및 양국대사 교환문제를 포함한 관계개선문 제와 걸프전쟁 중지를 위한 상호 협력방안을 주로 논의할 것으로 알려짐. 또한 동외상은 RAFSANJANI 이란 대통령앞 HUSSEIN 국왕친서를 휴대함

2.요르단 정부는 걸프사태를 비롯한 중동문제 해결을 위해 이란측이 제의한 47개국 이슬람회의 기구(OIC) 회의 개최를 지지한바 있음

(대사 박태진-국장)

중아국 장관 차관 1차보 2차보 미주국 중아국 정문국 청와대
종리실 안기부 대책반

PAGE 1 91.01.28 20:44 DA

외신 1과 통제관

0094

외 무 부

종 별 :

번 호 : JOW-0126 일 시 : 91 0129 1430

수 신 : 장 관(마그,중근동,정일,기정)

발 신 : 주 요르단 대사

제 목 : 요르단 외상 이란방문

연:JOW-0123

1.주재국의 MASRI 외상은 2일간의 이란방문을 마치고 1.28 밤 귀국하였는바, 동외상은 이란체재중 RAFSANJANI 대통령을 방 HUSSEIN 국왕의 친서를 전달하였으며, KHRRUBI 국회의장과도 면담, 걸프전쟁 종식을 위한 '이란평화안'에 대한 요르단의 지지입장을 표명함

2.양국외상은 2주내에 양국수도에 대사관을 재개키로 합의하였으며, 또한 걸프전쟁 종식을 위해 비동맹및 OIC 등 국제기구 차원의 접촉을 포함, 제반 분야에서의 상호협력을 긴밀히 하기로 합의함

(대사 박태진-국장)

중아국	장관	차관	1차보	2차보	미주국	중아국	중아국	정문국
청와대	총리실	안기부						

PAGE 1 91.01.30 01:13 CG

외신 1과 통제관

0095

외 무 부

종 별 :

번 호 : JOW-0132 일 시 : 91 0131 1300

수 신 : 장 관(마그,중근동,정일,기정)

발 신 : 주 요르단 대사

제 목 : 요르단인 피격

1.1.30 MASRI 외상은 국회에서 1.29-30간 이라크영내에서 있은 다국적군의 공습에서 요르단 유조차량 9대 및 민간인 차량이 파괴되어 4명의 요르단인이 사망하고 10명이 부상했다고 발표함.

후세인 국왕은 병원으로 부상자를 방문위로함

2.동외상은 당지주재 미대사를 초치, 재발방지에관해 주재국측의 공식 항의를 전달하고, 금번행위가 다국적군측에서 요르단의 걸프사태에대한 입장변경을 위한것이라면 요르단은 종전의 입장을 고수할 것이며, 여사한 대요르단국민 공격이 지속되면 요르단은 모든 수단을 동원 제재조치를 취할권리를 유보하고 있다고말함

3.또한 동외상은 당지주재 유엔 안보리 4개상임이사국, 2개 비상임 이사국(루마니아,오스트리아)및 다국적군에 참여하고 있는 이태리대사들에게도 강력한 항의문을 전달함

4.이와 관련,국회에서 강경 회교주의 의원들은 상기공습을 테러행위내지 인종주의자 및살인마들의 행위라고 규탄하면서, 미국대사의추방및 유엔안보리 결의안 준수파기및 이라크측에 동참을 촉구하기도 함

(대사 박태진-국장)

중아국 장관 차관 1차보 2차보 미주국 중아국 정문국 상황실
청와대 총리실 안기부

PAGE 1 91.02.01 21:02 BX
외신 1과 통제관

0096

관리 번호	91-1457

외 무 부

종 별 :

번 호 : JOW-0134 일 시 : 91 0131 1300

수 신 : 장 관(중근동,마그,정일,기정)

발 신 : 주 요르 단 대사

제 목 : 걸프전쟁에 관한 반응

1. 주재국을 비롯한 인근 아랍제국은 서방측 정부나 언론에서 보고있는 것과 같이 다국적군의 압도적 우세가 아니라, 이라크군이 다소 열세이기는 하나 다음과 같은 근거로 대등한 입장에서 교전하고 있는것으로 언론및 정가일부에서는 평가하고 있는바 참고바람

가. 이라크군의 대사우디 기습공격에서 보여준 이라크군의 사기및 지상군 동원 여력 시현

나. 미.소 외상회의에 이라크군의 쿠웨이트 철수약속시 적대행위 중지가능과 걸프전쟁 및 팔레스타인 문제와의 연계가능성을 밝힌 것은 이라크군 조기격멸이 용이치 않음을 나타냄

다. 다국적군의 계속적인 대규모 공습에도 다수의 이라크 군사시설이 아직 파괴되지 않고있으며, 이라크측에서 아직도 자신감을 가지고 화학및 생물학 무기를 사용치 않고 있다는 사실

라. 사담후세인 대통령의 아랍 인민간의 결속과 성전 참여 호소에 대한 고도의 호응, 특히 요르단 국민, 팔레스타인 인들의 열광, 환호및 정신적 자세등을 감안할때 장기적 측면에서 연합군측이 불리할 것이라는 아랍인들의 신념

2. 의견

가. 개전이래 다국적군의 압도적인 공중공격에도 불구하고 이라크 지상 전력에 결정적인 타격을 가하지 못하고 오히려 선제 공격을 감행하는 양상이 나타나게 되었는바, 이라크 전력을 일방적으로 과소평가할수 없는 면이 있을것임

나. 특히 정신전력면에서 이락자국의 운명과 직결된 전쟁이라는 점으로 전쟁 의지가 강할뿐아니라 회교도 특유의 성전에 대한 무조건적인 호응내지 결속력은 전쟁 지속에 결정적인 역활이 될수있을것으로 보임

중아국 차관 1차보 2차보 중아국 정문국 청와대 안기부

PAGE 1 91.01.31 21:06

외신 2과 통제관 CF

0097

(대사 박태진-국장)
91.6.30 일반

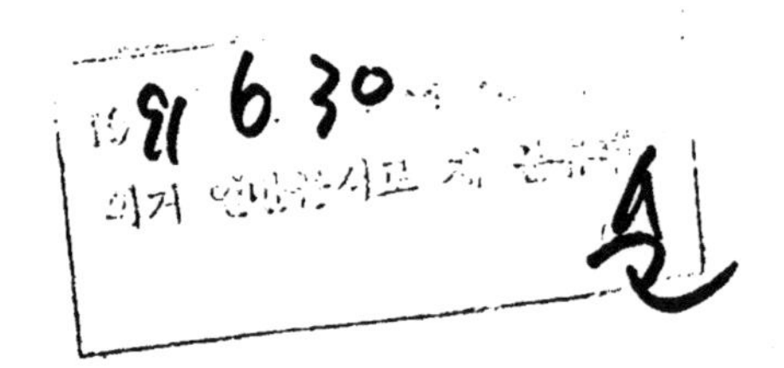

PAGE 2

0098

관리번호	91-P05

원 본

외 무 부

종 별 :

번 호 : JOW-0166　　　　일 시 : 91 0207 1320

수 신 : 장 관(중근동,마그,정일,기정)

발 신 : 주 요르 단 대사

제 목 : 요르단 국왕 대국민 연설

대:WMEM-0018

1. 주재국의 후세인 국왕은 대국민 TV 연설을 통해 다국적군의 대이라크 공격을 강력히 비난하면서 요지 다음과 같이 주재국입장을 밝힘

가. 걸프전쟁은 이라크를 파괴하기 위한 전쟁인바, 전아랍인들에게 즉각적인 휴전을 호소하고, 미국.이라크 및 아랍. 아랍 대화를 제의함

나. 다국적군은 이라크 군사력을 파괴하고 아랍인의 현실과 미래를 위협하는 방향으로 중동지역을 조정코자 하고 있음. 외국세력들이 아랍세력 및 자원을 분할하여 정책적으로 콘트롤하고자 함

다. 걸프전쟁은 이라크만을 상대로 하는것이 아니라 전아랍및 이슬람 민족을 상대로 하고 있음

라. 유엔은 다국적군이 유엔결의의 한계를 이탈, 이라크의 존재를 말살시키고자 무자비한 전쟁을 확대 시켰음에도 하등의 조치를 취하지 않고 있음

마. 미국 주도하의 다국적군은 이라크의 무고한 여성과 어린이들을 야만적으로 살해하고 있으며, 사원, 교회, 병원, 분유공장, 수도시설등을 파괴, 이라크를 원시시대로 후퇴시키고 있음

바. 걸프전쟁은 사실상, 전후 아랍세계의 세력 균형의 변형에 목적이 있음. 전후에도 외국세력이 아랍영토내에 계속주둔할것인바, 이는 아랍의 발전을 저해할것임

사. 전후 이스라엘이 최대의 이익을 얻을것이고 그들은 팔레스타인 문제해결을 방해할 것이며, 외국세력이 원하는 방향으로 전재될것임

아. 아랍. 이스라엘 분재을 공정하게 실질적으로 해결하자는 시도는 전혀 없으며, 다국적군은 요르단의 사기를 꺽고자 노력하고 있음

자. 요르단이 전쟁에 개입하게 될때 전력을 다해 항전할것임

중아국　장관　차관　1차보　2차보　중아국　정문국　안기부

PAGE 1　　　　91.02.07　21:15

외신 2과　통제관 CH

0099

2. 분석및 전망

가. 금번 국왕의 연설은 걸프사태이래 최대의 강경 입장표명이며, 친이라크노선의 분명한 선회를 나타냄

나. 지상전을 포함 확전 내지 이스라엘 참전이 있을경우, 요르단은 이라크측에 동참, 이라크. 팔레스타인.요르단 연합전선 구축을 밝힘

다. 금번 국왕의 연설은 사우디의 원유공급중단에 이어 주재국의 유일한 원유 공급선인 이라크로 부터의 원유 수송 차량에 대한 다국적군의 공습에 대한 주재국 국민들의 분노를 대변 국왕및 주재국 정부의 입장을 나타낸것이며 또한 이러한 강경입장을 통해 이라크로 부터의 안전한 원유 공급확보를 미국측으로 부터받아내기 위한 것일수도 있을것임

라. 그러나 주원인은 걸프전쟁의 평화적 해결을 위한 아랍의 결속을 촉구하면서, 이스라엘이 참전하는 지상전이 개시되면 이라크측에서 부쟁하겠다는 입장을 보임으로써, 미국의 지상전 개시 결심에 영향을 주어 확전을 막고 조기 종전에 기여코자 하는 것으로 판단됨

마. 대호 이라크측의 6 개국 단교조치도 미국의 지상전 선택결심에 영향을 주기위한 것으로도 볼수있을것이며, 이번 요르단 국왕의 강경 친이라크 발언은 이라크의 단교조치와도 연계될수 있을 것이나 주재국은 이라크의 금번조치에 공식반응은 아직 없는상태임

(대사 박태진-국장)

예고:91.6.30 까지

외 무 부

76

종 별 :

번 호 : JOW-0174 일 시 : 91 0211 1630

수 신 : 장 관(중일,대책본부,미북,기정)

발 신 : 주 요르단 대사

제 목 : 미국의 요르단 비난에 대한 반응

연:JOW-0166

1.주재국 후세인 국왕의 2.6 대국민 성명에 대한 미국의 부정적인 반응에 대해 2.10 국왕은 다음과 같이 언급함

가.걸프사태에 관한 주재국의 입장에는 하등의 변화가 없고 걸프전쟁에서의 역할은 오직 인도적인 것인바, 미국은 자신의 진의를 곡해하였으며 이에 자신은 마음의상처를 받았음

나.요르단이 이라크에 대한 무기 보급로이며 유엔 경제제재 조치를 위반하고 있다는 보도는 완전히 와전된 것임

다.자신의 성명 내용에 이라크의 쿠웨이트 침공 관련사실이 누락된것은 이미 수차언급해왔기 때문이며, 근본적으로 주재국은 무력이나 전쟁에 의한 영토 병합에는 반대,중동지역의 전사태에 적용하여 왔으므로 쿠웨이트라고 해서 예외가 될수는 없음

라.자신이 2.6 성명에서 표명한 것은 걸프사태 발생시 부터 평화적인 해결책을 모색해왔던 지도자의 한사람으로서 우려와 관심을 나타낸것에 지나지 않음

마.자신을 포함한 주재국 국민,아랍인민,세계의 많은 사람들이 걸프사태와 관련,평화적인 해결대신 비참한 전쟁사태가 전개되고 있는데 실망하고 있음

바.이라크의 대이스라엘 미사일 공격과 관련,이라크측은 미국으로부터 공격을 받고 있다고 느끼고 미국에 대한 반격의 일환으로 미국의 전략적인 맹방인 이스라엘을공격하는 것으로 봄

사.아랍인들은 걸프전 종전후 있게 될 '신세계 질서' 재편을 우려하고 있음

아.일개 사태에 대해서는 특별한 관심이 집중되고 여타사태들은 무시되고 있는데 대해 당혹감을 금할수 없음. 걸프사태가 현 전쟁상태로 까지 진전된 것으로 보아 우선권이 있는 것은 확실하나 타 사태들과의 연관성도 인정하고 이의 해결 약속이

✓중아국	장관	차관	1차보	2차보	미주국	정문국	청와대	총리실
안기부	✓대책반	✓상황실						

PAGE 1

91.02.12 04:30 DQ

외신 1과 통제관

0101

필요한 것임

자.미국과의 외교관계가 불화상태에 있는데 대해 요르단 국민들은 이를 애석해 하고 있음.

2. 2.8. 주재국의 MASRI 외상도 미국의 비난에 대해 현재 미국과의 관계가 물론최상의 상태가 아니나 미국이 요르단의 입장과 현지의 상황을 이해해 줄것으로 기대한다 고 말함

3.주재국의 IZZEDDINE 공보상은 2.9. 미국의 강경한 비난과 도처에서의 압력에도 불구하고 걸프사태에 관한 주재국의 입장은 변하지 않을것이며, 요르단 정부는 걸프사태,아랍문제 및 중동 국경문제등의 복합성을 분명히 이해하고있어 모든 문제 해결에 있어 언제나 국제적 합법성과 타당성에 근거,처리되기를 기대하고 있다고 주재국의 입장을 밝힘

4.주재국의 의회도 국왕의 연설은 전폭적으로 지지하면서 미국의 비난과 경원 재검토설에 대해 강한 반발과 분노를 나타내고 있음

5.주재국의 직장인 연합회,경영자 연맹등 각단체들을 비롯한 국민들은 후세인 국왕의 성명을 지지하고 미국의 비난을 규탄하는 시위를 전개하기도 함

(대사 박태진-국장)

PAGE 2

0102

기 메모

외 무 부

종 별 :

번 호 : JOW-0175　　　　　　　　일 시 : 91 0211 1630

수 신 : 장 관(중일,대책본부,기정)

발 신 : 주 요르단 대사

제 목 : 이라크 부수상 기자회견

1.주재국을 방문한 이라크의 HAMMADI 부수상이 걸프전쟁 관련, 이라크의 입장에관해 2.10 가진 기자회견에서 밝힌 내용은 다음과 같음

가.다국적군이 이라크 공격을 먼저 중단해야,쿠웨이트 문제를 논의할수 있음

나.지금 전개되고 있는 상황은 쿠웨이트 문제가 아니고 미국.시오니스트,제국주의자들이 이라크 파괴를 목적으로 한 침략행위임

다.이라크에 대한 다국적군의 침략을 퇴치한후 모슬렘간에 문제를 해결하는것은어렵거나 불가능하지 않을 것임

라.24일간의 지속적인 공습에도 이라크인들은 이라크가 승리할것을 확신하고 있으며 어떠한 희생을 감수하고서라도 계속 전쟁 할 준비가 되어있음

마.이라크는 아랍내 해결을 지지하며 미국이 중동지역에 대한 침략계획을 포기할 경우,무조건부의 평화협상에 참여할 준비가 되어있으나 미국의 관여는 반대함

바.미국은 아랍권내에서 걸프사태를 해결코자한 모든 시도와 노력을 좌절시켰으며, 이집트 대통령은 아랍해결책등을 모색할수 있었던 소 아랍 정상회담을 방해하였음

사.아랍제국은 미국등 다국적군과의 외교관계를 단절하고 이라크 지지를 확고히해주기 바라며, 이에 대항할수 있는 이슬람 전선구축을 촉구함

아.미국과 아랍 제국과의 관계는 앞으로 수백년간 정상화 되지 않을 것이며,미국과 다국적군에 참여하고 있는 국가들은 영구히 아랍권밖에 머물게 될것임

2.동부수상은 2.9. 후세인 국왕과 면담시,현상황하에서 이라크는 다국적군의 공격을 중지시키기 위해 이란과의 합동전선 구축후, 차후 쿠웨이트 문제를 논의할것을 이란측에 제의한 사실을 통보한 것으로 알려지고 있으며,또한 이라크 전투기들의 이란착륙 문제에 관해 '군사적인 문제'이며 장기전에 대비하고 있다고 언급함으로서 전투기들이 전쟁의 후반부에 사용될수 있음을 암시함

✓중아국	장관	차관	1차보	2차보	미주국	정문국	청와대	총리실
안기부	✓대책반	✓상황실						

PAGE 1　　　　　　　　91.02.12 04:35 DQ

외신 1과 통제관

0103

3.걸프전의 향방이 화전양면의 기로에 처해있는 중요한 현시점에서의 상기와 같은 HAMMADI부수상의 강경발언은 소련,이란,파키스탄등을 비롯 아랍제국들도 시도하고있는 종전안이 논의될 경우에 대비, 이라크측의 항전의사를 강조함으로써 협상 테이블에서 이라크측이 유리한 고지를 점하고자 하는 계산된 대외발언으로도 분석할 수있겠음

4.동부수상 일행은 작 2.10. 당지를 출발 리비아에 도착하였음, 이어 알제리아,튜니시아,모로코등 마그레브 제국을 순방할 예정임

(대사 박태진-국장)

외 무 부

종 별 :

번 호 : JOW-0183 일 시 : 91 0214 1300

수 신 : 장 관(중일,중이,정일,기정)

발 신 : 주 요르단 대사

제 목 : 이라크 민간인 피습에 대한 반응

1. 2.13. 주재국의 후세인 국왕은 다국적군의 민간 방공호 공습으로 500여명의이라크 민간이 사망자를 낸데 대해 경악과 분노와 비통함을 금할수 없다고 애도의뜻을 표하고, 유엔 안보리 의장에게 걸프전의 즉각적인 휴전과 진상조사단 파견을 요청하는 메시지를 발송함

2. 주재국 대변인은 동 공습은 잔악하고도 야만적인 비인도적 범죄라고 비난하면서, 전아랍제국, 이슬람 국가, 문명국, 인권및 평화애호 기구, 유엔 및 유엔사무총장에게 이러한 행위를 도저히 용서할수 없는 범죄로 인정, 규탄하고 폭격을 중지토록 조치할것을 촉구함

3. 주재국의 BADRAN 수상은 금 14일부터 3일간 무고한 피해자들을 위한 추모기간으로 정하고 모든 관공서에 대해 조기 계양을 지시함

.(대사 박태진-국장)

중아국	장관	차관	1차보	2차보	미주국	중아국	정문국	정문국
청와대	총리실	안기부	안기부	대책반				

PAGE 1

91.02.14 21:46 DA

외신 1과 통제관

0105

원 본

외 무 부

종 별 :

번 호 : JOW-0191 일 시 : 91 0217 1610

수 신 : 장 관(중일,대책본부,미북,정일,기정)

발 신 : 주 요르단 대사

제 목 : 이라크 제의에 대한 반응

연: JOW-0188

1.주재국의 후세인 국왕은 2.16 사담후세인 이라크 대통령에게 보낸 전문을 통해 걸프전 종전을 위한 동제의를 환영하며 특히 유엔 안보리 결의안 660호에 대한이라크의 수락결정을 지지한다고 밝힘

2.동전문의 요지 다음과 같음

가.우리는 보다 고차원적인 아랍인들의 이해에 대한 귀하의 진실된 언질과 평화,안보 및 국제적 합법성을 보장 하려는 귀하의 관심이 포함된 책임있는 동제안을 기쁘게 받아들임

나.동제안에 포함된 요구사항들은 합법적이며, 범아랍적 이고, 국가적인 동시에국제적 합법성과 아랍의 이상과 일치하고 있음을 재확인함

다.귀하의 유엔 안보리 결의안 660호의 준수 약속은 걸프사태 발발후 48시간내에 귀하가 받아 들였던것과 동일한 입장을 강조하는 것이며, 금번 제안은 걸프사태에 대한 귀하의 최최 입장을 재주장 한것으로 확인함

라.동제안을 통해 국제적인 원칙과 결의를 진정 존중코자 하는 귀하의 진실을 모두가 직시할수 있게 되기를 기대함

마.걸프지역및 지역 분쟁 관련 당사국들이 귀하의 책임있는 제안과 인류의 이상에 대해 호의적이며 형평에 치우치지 않는 반응을 보여주기를 기대함,

3. 2.16 MASRI 외상은 쏘련, 중국, 스페인, 유고및 이라크 대사들을 각각 외무성에 초치, 동제안에 관해 논의 하였는바, 이는 요르단 정부의 외교적 노력에의한 종전 촉구와 이라크의 평화안에 대한 지지 표명이 목적인 것으로 알려짐

4.또한 IZZEDINE 공보상은 2.16 이라크가 유엔안보리 결의안 660호와 쿠웨이트 철수 원칙을 수락한것은 이라크의 입장에 상당한 변화가 있는것으로 인식하고 있다고

중아국 대책반	장관	차관	1차보	미주국	정문국	청와대	총리실	안기부

PAGE 1

91.02.18 06:18 DA

외신 1과 통제관

0106

말함

(대사 박태진-국장)

PAGE 2

0107

관리 번호 91-154 (handwritten)

외 무 부

종 별 :

번 호 : JOW-0204 　　　　일 시 : 91 0222 1100

수 신 : 장 관(중동이,정일,기정)

발 신 : 주 요르단 대사

제 목 : 소련 휴전안에 대한 주재국 반응

1. 2.22. 10:00 현재 주재국 공식 반응은 없으나,일반적인 반응은 소련 휴전안을환영하고있으며, 이라크측이 동의하는 동휴전안은 주재국의 전폭적인 지지를 받을 전망임

2.만약의 사태에 대비한 전쟁 개입 불가피에 따른 경계 강화및 임전태세에 돌입하고 있음

3.공식 반응 있을시 추보위계임

(대사 박태진-국장)

중아국	장관	차관	1차보	2차보	미주국	정문국	청와대	총리실
안기부	대책반							

PAGE 1

91.02.22 21:19 DQ

외신 1과 통제관

0108

갈

외 무 부

종 별 :

번 호 : JOW-0221　　　　일 시 : 91 0228 2300

수 신 : 장 관(중동일,미북,기정)

발 신 : 주 요르단 대사

제 목 : 걸프전쟁 종전에 대한 주재국 반응

2.28. 주재국의 MASRI 외상은 이라크내 군사 작전이 중지된 것을 주재국 정부는 환영하며 이를 통해 즉각 유엔 안보리 감시하 종전이 이루어 져서 걸프사태의 영구적인 해결책이 강구 될수 있기를 기대한다고 언급하였음.

(대사 박태진-국장)

중아국　1차보　미주국　정문국　안기부

PAGE 1　　　　91.03.01　11:31 WG

외신 1과 통제관

0109

외 무 부

종 별 :

번 호 : JOW-0248 일 시 : 91 0309 1700

수 신 : 장 관(중동이,중동일,미북,정일,기정)

발 신 : 주 요르단 대사

제 목 : 미대통령의 중동평화안에 대한 반응

1.미국의 부시 대통령이 요구한 이스라엘. 중동국가간 중동 평화안에 대해 주재국 정부는 동제안이 중동평화를 위한 긍정적인 요소로 작용할것이며 미국이 LAND FOR PEACE 를 근거로 아랍.이스라엘 분쟁 해결 방안을 모색 하겠다고 한데대해 환영하는 입장을 나타냄. 특히 부시 대통령이 유엔 안보리 결의안 242호 및 338호의이행을 촉구하고 팔레스타인 인들의 합법적인 정치적 권리를 인정한데 대해 주목하고 있음. 3.7. BELBEISI 외무차관은 걸프전쟁 관련 당지를 방문한 정부조사단 접견시에도 동제의에 큰의미를 부여하고 앞으로의 이행 여부에 깊은 관심을 표명함

2.또한 요르단 정부는 부시 대통령이 43년 역사의 이스라엘.접경 아랍 국가간의 분쟁 종결을 미의회에서 촉구하였고, 베이커 미국무장관의 중동순방 직전에 발표된 연설의 시기에 의미를 부여하고 있음

3.이스라엘이 부시 대통령의 제안을 거부한데 대해, MASRI 외상은 놀라지 않았고실질적으로 중요한것은 국제사회가 이스라엘의 거부를 어떻게 다루느냐에 있으며,미국과 유엔등 국제기구는이라크의 쿠웨이트 점령 종결을 위해 시도했던것과 같은균등한 성의들을 아랍.이스라엘 분쟁에서도 적용되어야 할것이라고 말함

4.팔레스타인 의회의 AL-SAYSH 대변인은 동제의를 환영하면서, 여하한 형태로든아랍.이스라엘 분쟁 해결은 팔레스타인들의 자치권 및 독립된 국가구성 권리등의 기본권을 보장할수 있는 것이어야 하며 미국은 PLO 가 팔레스타인 인들의 합법적인대표 기구이며 앞으로 있을 이스라엘과의 회담시 주요 당사자로 인정해야 한다고강조함

(대사 박태진-국장)

중아국 1차보 미주국 중아국 정문국 안기부 장관 차관

PAGE 1 91.03.10 08:28 DA

외신 1과 통제관 ·

0110

외교문서 비밀해제: 걸프 사태 41

걸프 사태 중동 및 기타 지역 1

초판인쇄 2024년 03월 15일
초판발행 2024년 03월 15일

지은이 한국학술정보(주)
펴낸이 채종준
펴낸곳 한국학술정보(주)
주 소 경기도 파주시 회동길 230(문발동)
전 화 031-908-3181(대표)
팩 스 031-908-3189
홈페이지 http://ebook.kstudy.com
E-mail 출판사업부 publish@kstudy.com
등 록 제일산-115호(2000. 6. 19)

ISBN 979-11-7217-003-5 94340
979-11-6983-960-0 94340 (set)